ISBN 978-0-259-37994-2
PIBN 10659577

1 MONTH OF
FREE
READING

at

www.ForgottenBooks.com

By purchasing this book you are eligible for one month membership to ForgottenBooks.com, giving you unlimited access to our entire collection of over 700,000 titles via our web site and mobile apps.

To claim your free month visit:

www.forgottenbooks.com/free659577

Walter Scott's
sämmtliche Werke,

neu übersetzt

von

**Dr. Jerrmann, Fr. Richter, Fr. Funck, Oelckers, Dr. E. Susemihl,
Dr. Carl Andrä, W. Sauerwein und Andern.**

Dritte Auflage.

Dreiundzwanzigster Band.

St. Ronans-Brunnen.

Mit 1 Stahlstich.

Stuttgart.

Hoffmann'sche Verlags-Buchhandlung.

1865.

Madge Wildfire

St. Ronans-Brunnen.

Ein Roman
von
Walter Scott.

Ein lustiger T... ... gewesen seyn,
'tzut hängt et... ... et ist verflucht
... rdsworth.

Mit Stahlstich

Stuttgart.
...'sche Verlags-Buchhandlung.
1865.

St. Ronans-Brunnen.

Ein Roman

von

Walter Scott.

Ein luft'ger Ort soll's gewesen sein,
Jetzt hängt etwas daran; — er ist verflucht.
Wordsworth.

Mit Stahlstich.

Stuttgart.

Hoffmann'sche Verlags-Buchhandlung.

1865.

Erstes Kapitel.

Eine Wirthin von altem Schrot.

Zum Schluß ich erzähl:
Gut brauet fie Ale,
Verkauft's ohne Fehl.
                    Stelton.

Wiewohl wenig Länder in Europa, oder keines, so schnell in Wohlstand und Anbau sich gehoben haben, als Schottland während der letzten Hälfte des vorigen Jahrhunderts, so hätten doch Sultan Mahmuds Eulen zu jeder Frist während dieser blühenden Periode in Caledonien ihr Witthum von verfallenen Dörfern finden können. Zufall oder örtliche Vortheile haben gar oft die Bewohner alter Weiler aus Gegenden, welche ihre Vorfahren mehr der Sicherheit, als der günstigen Lage wegen wählten, in andere versetzt, wo ihr steigender Verkehr und ihre Industrie sich leichter ausbreiten konnten; darum sind manche Oerter, welche in der schottischen Geschichte ausgezeichnet sind, und auf David Macphersons vortrefflicher historischer Karte prangen, von dem Moorgrund nur noch durch das Grün, das ihre ehemalige Stelle bekleidet, oder durch zerstreute hürdenähnliche Trümmer zu unterscheiden, welche die Stätte ihres vorigen Daseins bezeichnen.

Das kleine Dorf St. Ronans war zwar noch nicht zu dieser völligen Vergessenheit herabgesunken, näherte sich aber derselben seit etwa zwanzig Jahren mit eiligen Schritten. Seine Lage hatte so etwas Romantisches, daß jeder vorüberziehende Reisende versucht war, den Griffel in die Hand zu nehmen, und wir wollen

St. Ronans-Brunnen.   1

daher verfuchen, fie in Worten zu befchreiben, die wohl kaum un=
verftändlicher fein werden, als manche Zeichnungen, wobei wir
uns aber aus Gründen, die uns von Gewicht zu fein fcheinen,
wohl hüten, feine Lage genauer anzugeben, als daß es füdlich
vom Forth, und nicht über dreißig Meilen von der englifchen
Gränze lag.

Ein ziemlich beträchtlicher Fluß ftrömt durch ein Thal, deffen
Breite von zwei bis zu einer halben Meile wechfelt, und deffen
reicher angefchwemmter Boden, feit langer Zeit eingehegt, ziemlich
ftark bewohnt ift, und mit alter fchottifcher Feldbaukunde bearbeitet
wird. Das Thal ift auf beiden Seiten durch eine Hügelreihe
begränzt, welche, auf der rechten Seite befonders, faft Berge ge=
nannt werden können. Kleine Bäche entfpringen darin, und jeder
bildet für fich ein kleines Thal, das den betriebfamen Landmann
einladet. Einige davon find mit fchönen hohen Bäumen bewachfen,
die bis jetzt noch der Axt entgangen find, die meiften dagegen find
ftellenweis mit Unterholz bedeckt, neben welchem die nackten Ufer
des Fluffes fich erheben, etwas öde in den kältern Monaten, aber
im Sommer glänzend von dunkelrothem Heidekraut oder goldgel=
bem Priemenkraut und Ginfter. Diefer Schmuck ift den Gegen=
den eigen, welche, wie Schottland, reich an Bergen und Flüffen
find, und wo der Reifende oft nach verworrenen Gängen unerwar=
tet eine einfache Waldfchönheit entdeckt, die ihn um fo mehr erfreut,
da fie ganz das Eigenthum des erften Entdeckers fcheint.

Auf folch einem heimlichen Plätzchen und fo nah' an feinem
Eingang, daß es die Ausficht auf den Fluß, das breitere Thal und
die gegenüber liegende Hügelkette hat, ftand und fteht noch, in
foweit nicht Vernachläffigung und Auswanderung ihr Werk vollen=
det haben, das alte verfallene Dorf St. Ronans. Die Lage war
ganz befonders malerifch, weil der Dorfweg fich eine fteile Anhöhe
hinaufwand, an deren Seite die Hütten auf kleinen Terraffen gleich=
fam angeklebt waren, die, wie in den fchweizer Alpenftädten, ein=

ander überragten bis zu den Trümmern eines alten Schlosses
hinan, das noch immer auf der Spitze thronte, und dessen Festigkeit unstreitig die Umwohner veranlaßt hatte, sich unter den schützenden Mauern zu vereinigen. Es muß auch in der That ein furcht-
barer Wehrplatz gewesen sein, denn auf der von dem Dorfe
abgelegenen Seite stiegen seine Mauern vom Rande eines fürchterlichen Abgrundes gerade empor, dessen Fuß vom St. Ronansborn,
wie man den Bach nannte, bespült war. Auf der Südseite, wo
der Abhang minder steil war, war der Boden sorgsam zu auf
einanderfolgenden Terrassen geebnet, welche bis zum Gipfel hinan-
stiegen, und mit rohverzierten Steintreppen verbunden gewesen
waren. In friedlichen Zeiten bildeten die Terrassen die Gärten
des Schlosses, in Kriegszeiten verstärkten sie seine Vertheidigungs-
fähigkeit, denn eine beherrschte die andere, so daß sie einzeln und
nach einander vertheidigt werden konnten, und alle dem Feuer aus
dem Platze selbst ausgesetzt waren, — einem massiven, viereckigen
Thurm von sehr großem Umfang, der, wie gewöhnlich, mit niedrigern Gebäuden und einer hohen, mit Zinnen versehenen Mauer
umgeben war. Auf der nördlichen Seite lag ein beträchtlicher
Berg, von dem die Anhöhe, worauf das Schloß stand, nur ein
abgerissenes Stück schien; der Abhang dazwischen war durch drei
ungeheure Gräben hinter einander noch mehr vertieft worden. Ein
anderer, sehr tiefer Graben war vor dem Haupteingang von Osten
her gezogen, wo der Thorweg das Ende der Straße bildete, welche,
wie oben bemerkt wurde, von dem Dorfe hinauf lief, und diese
letzte Vertheidigungslinie vollendete die Festungswerke des Thurms.

In den alten Gärten des Schlosses und auf allen Seiten, die
steile westliche ausgenommen, hatten große alte Bäume Wurzel
geschlagen, welche den Felsen und die alten zerfallenen Mauern mit
ihrem dunkeln Laub bedeckten, und den Eindruck des alten zertrüm-
merten Gebäudes, das sich aus der Mitte emporthürmte, verstärkten.

Auf der Schwelle dieses alten Gebäudes hatte man eine voll-

Höhe, daß man es für ein bloßes Grabgewölbe oder Mausoleum größerer Art ansehen konnte. Nur sein kleiner, viereckiger Thurm mit der alten Glockenstube unterschied es von einem solchen Denkmal. Wenn aber der grauköpfige Kirchner die Schlüssel mit zitternder Hand drehte, so betrat der Alterthumsliebhaber ein altes Gebäude, dessen Entstehen, nach der Bauart und einigen Denkmälern der Mowbrays von St. Ronans zu schließen, die der alte Mann zu zeigen pflegte, gewöhnlich in's dreizehnte Jahrhundert gesetzt ward.

Diese Mowbrays von St. Ronans scheinen einst eine sehr mächtige Familie gewesen zu sein. Sie waren mit dem Hause Douglas verbunden und befreundet, zur Zeit als die Uebermacht dieses Heldengeschlechts die Stuarts auf Schottlands Throne zittern machte. Da nun, wie unser naiver Geschichtschreiber sich ausdrückt, „Niemand mit einem Douglasdiener zu streiten wagte, und sicher den Kürzern zog, wenn er es that," so folgte daraus, daß die Familie von St. Ronans ihre Wohlfahrt theilte, und in den Besitz fast des ganzen reichen Thals kam, dessen Aussicht ihre Wohnung beherrschte. Als aber unter der Regierung Jakobs II. das Glück sich wandte, wurde sie dieser schönen Besitzungen größtentheils beraubt, und spätere Ereignisse schwächten ihre Macht noch mehr. Nichts desto weniger waren sie in der Mitte des siebzehnten Jahrhunderts immer noch eine bedeutende Familie, und Sir Reginald Mowbray zeichnete sich nach der unglücklichen Schlacht von Dunbar durch eine hartnäckige Vertheidigung des Schlosses gegen die Waffen Cromwells aus, der, erzürnt über den unerwarteten Widerstand in einem so unbekannten Winkel, die Veste schleifen und in die Luft sprengen ließ.

Nach diesem Unfall ließ man das alte Schloß verfallen, als aber Sir Reginald nach der Revolution zurückkehrte, baute er sich ein Haus nach Art jener spätern Zeit, und legte es klüglich dem *gesunkenen* Wohlstand seiner Familie gemäß an. Es lag ungefähr in der Mitte des Dorfs, dessen Nähe in jenen Tagen gar nicht für ungesund galt, auf einem etwas ebnern Boden als die übrigen Gebäude, welche auf der Seite des Hügels gleichsam angekleckst waren, mit wenig mehr ebenem Boden umher, als der Fleck, den sie eben einnahmen. Des Lairds Haus hingegen hatte einen Hofraum vorn, und einen kleinen Garten hinten, der wieder mit einem zweiten Garten in Verbindung stand, welcher drei Terrassen einnahm, und, wetteifernd mit den Gärten des alten Schlosses, fast bis zu den Ufern des Flusses sich herabzog.

Die Familie bewohnte dies neue Gütchen bis ungefähr fünfzig Jahr vor dem Anfang unserer Geschichte, wo es durch eine zufällig ausgebrochene Feuersbrunst sehr beschädigt wurde, und der damalige Laird, entschlossen, die Wohnung seiner Ahnen zu verlassen, eine angenehmere und bequemere Wohnung etwa drei Meilen vom Dorfe bezog. Da er zu derselben Zeit ein Stück Wald, mit vielen alten Krähennestern (vielleicht um die Kosten des Abzugs zu bestreiten), niederhauen ließ, so wurde es eine gemeine Sage unter dem Landvolk, der Verfall von St. Ronans habe begonnen, als der Laird Lorenz und die Krähen davon geflogen wären.

Indessen wurde das verlassene Herrenhaus nicht den Eulen und Vögeln der Wüste preisgegeben, im Gegentheil ging es dort viele Jahre lang weit lustiger und festlicher her, als da es noch der düstre Aufenthalt eines ernsten schottischen Barons aus der alten Zeit war. Kurz, es ward zu einem Wirthshause mit einem ungeheuern Aushängeschild, das auf der einen Seite den heiligen Ronan, der mit seinem Krummstab dem Teufel das Bein festhält, wie dieß in der wahrhaftigen Legende zu lesen ist, auf der andern Seite das Mowbray'sche Wappen darstellte. Es war weit das besuchteste Wirthshaus in der Nachbarschaft, und man erzählte sich tausend Geschichten von den dort gehaltenen Gelagen und den unter dem Einfluß seiner Getränke verübten kurzweiligen Streichen. Alles dieß war aber jetzt lange vorbei.

Einſchluß eines Röſels alten Portweins, achtzehn Pence für e
ordentliches Abendeſſen   dieß war der Anſatz im Gaſthauſe ?
St. Ronans unter dieſer Wirthin von altem Schrote, ſelbſt no
im Anfang des neunzehnten Jahrhunderts; und dabei wurden ?
Rechnungen noch immer mit der frommen Erinnerung überreich
daß ihr guter Vater nie halb ſo viel angeſetzt, die ſchlechten Zeit
aber eine billigere Zeche unmöglich machten.

Trotz aller dieſer vortrefflichen und ſeltenen Eigenſchaft
theilte doch der Gaſthof von St. Ronans den Verfall des Dorf
wozu er gehörte.   Der Grund davon war in mancherlei Umſtä
den zu ſuchen.   Die Straße war ſeitab vom Orte verlegt worde
weil der ſteile Dorfweg, wie die Poſtillons verſicherten, der Ti
ihrer Pferde war.   Man hat zwar behauptet, Megs ſtrenge We
gerung, ſie mit Branntwein zu bewirthen, oder ſich einen Austauſ
des Hafers für ihre Pferde gegen Porter und Whisky gefallen ?
laſſen, habe auf die Meinung dieſer ehrenwerthen Herren kein
geringen Einfluß gehabt, und ein wenig Aushauen und Ebn
hätte wohl die Auffahrt hinlänglich bequem gemacht, aber das ma
dahin geſtellt ſein.   Es war eine Beleidigung, die Meg den Lan
edelleuten umher, die ſie meiſtens noch als Kinder gekannt hat
nicht vergab.   „Ihre Väter,“ ſagte ſie, „hätten ſo was eine
ledigen Frauenzimmer nicht gethan.“   Dann der Verfall d
Dorfs ſelbſt, welches ehemals mehrere Lehnsleute und Bonnetlair
zählte, die unter dem Namen der luſtigen Geſellſchaft wenigſte
zwei= oder dreimal in der Woche mit Branntwein oder Whis
verſetztes Zweipfennigbier tranken, war auch ein kleiner Verluſ
Die Gemüthsart und das Benehmen der Wirthin verſcheuch
alle Kunden jener zahlreichen Klaſſe, welche Originalität nic
als Entſchuldigung des verletzten Anſtands gelten laſſen, und, ?
Hauſe vielleicht an wenig Aufmerkſamkeit gewöhnt, im Wirthshau
gerne den großen Herrn ſpielen, und eine Menge Bücklinge, unte
würfiger Reden und Entſchuldigungen für die Ehre erwartete

die sie dem Hause, der Aufwartung und der Dienerschaft durch ihren Besuch angedeihen ließen. Die, welche diesen Tauschhandel in dem Wirthshaus von St. Ronans einzuführen anfingen, wurden allerdings von Meg Dods bezahlt, aber mit ihrer eigenen Münze, und waren froh, wenn ihnen die Augen nicht ganz ausgekratzt wurden, und ihre Ohren nicht tauber wurden, als wären sie in einer förmlichen Schlacht gewesen.

Zu derlei Gefechten hatte die Natur die ehrliche Meg gebildet, und da ihr edles Gemüth sich daran ergötzte, so entsprachen auch natürlicherweise ihre äußeren Eigenschaften dieser Neigung. Sie hatte ein Haar, das zwischen Schwarz und Grau schillerte, und wenn sie in heftige Bewegung gerieth, gern sich in wilden Flechten unter ihrer Mütze hervorstahl, lange dürre Hände, die in derbe Klauen ausliefen, graue Augen, dünne Lippen, einen starken Bau, eine breite, wiewohl flache Brust, einen vortrefflichen Athem, und eine Stimme, die es mit einem Chor Fischweiber aufnahm. Sie pflegte in sanftern Stimmungen wohl von sich selbst zu sagen, ihr Bellen sei ärger als ihr Beißen; aber welche Zähne hätten es auch mit einer Zunge aufnehmen können, die, wenn sie in vollem Gange war, laut Zeugnissen, von der Kirche bis in das Schloß St. Ronans vernehmlich war.

Diese ausgezeichneten Gaben hatten indeß für die Reisenden jener leicht= und schwindelfüßigen Zeit keinen Reiz und Megs Gasthof wurde immer weniger und weniger besucht. Das Schlimmste dabei aber war, daß eine launenhafte Dame von Stand in der Nachbarschaft durch den Gebrauch einer Mineralquelle anderthalb Meilen vom Dorfe zufälligerweise von einigen eingebildeten Beschwerden befreit wurde; ein Modedoktor fand sich, der eine Analyse des Heilquells nebst einem Verzeichniß mehrerer Heilungen schrieb, und ein spekulativer Belustiger nahm ein Stück Land in Lehen, und hatte Wohnhäuser, Läden und selbst Straßen angelegt. Endlich brachte man gar die Unterschriften zu einer Tontine zusammen,

um ein Wirthshaus zu errichten, das Zierlichkeits halber ein Hô_
tel genannt wurde; so wurde Meg Dods immer mehr verlaffen.

Indeffen hatte sie immer noch ihre Freunde und Gönner, von
denen viele glaubten, sie werde als ein lediges Frauenzimmer, das
sich schon in der Welt zu bewegen wiffe, weislich sich aus dem
öffentlichen Leben zurück, und ein Zeichen einziehen, das nicht
länger ein Zauber für Gäste war. Aber Megs Geist verschmähte
jede mittelbare oder unmittelbare Demüthigung. „Ihres Vaters
Thor solle der Heerstraße offen stehen," sagte sie, „bis ihres Vaters
Kind hingestreckt läge, und mit den Füßen voraus hinausgetragen
würde. Es sei nicht um des Gewinnes willen, — der Gewinn
sei gering, — Gewinn? — es sei baarer Verlust dabei, — aber
sie wolle sich von Niemand werfen laffen. Müffen sie ein Hôtel
haben? und eine ehrliche Wirthin kann sie nimmer bedienen! Sie
mögen meinetwegen hoteliren, aber sie sollen sehen, daß Gevatter
Dods so lang hoteliren kann, als Einer, ja, und ob sie es
gleich auf eine Dumtine angelegt, und so viel sie nur Lebensathem
in den Nüstern haben, zusammennehmen Alle nach einander, wie
ein Flug Gänse, und der Ueberlebende Alles bekommt, was doch
eine sündhafte Vermeffenheit ist, so wollte sie es doch mit Jedem
aufnehmen, so lange nur ihr Athem ausreiche." Ein Glück war
es für Meg, da sie einmal diesen Entschluß gefaßt halte, daß zu
gleicher Zeit, wie ihr Gasthof an Kundschaft verlor, ihre Ländereien
so im Werth gestiegen waren, daß sie den Verlust in ihren Büchern
mehr als ausglichen, und bei ihrer Vorsicht und Sparsamkeit sie
in den Stand setzten, ihren stolzen Vorsatz durchzuführen.

Sie setzte ihr Gewerbe mit aller Bedachtnahme auf das verminderte Einkommen fort, schloß die Fenster der einen Hälfte ihres
Hauses zu, um die Fenstersteuer zu ersparen, verminderte ihr Geräth, schaffte ihre zwei Postpferde ab, entließ den alten Postillon,
der sie besorgt hatte, seines Dienstes, behielt ihn aber als Gehülfen
eines noch ältern Hausknechts bei sich. Um sich für die Einschrän-

kungen zu trösten, die ihren Stolz heimlich verwundeten, kam sie mit dem berühmten Richard Tinto überein, ihres Vaters Schild aufzufrischen, das ganz unkenntlich geworden war; Richard vergoldete demnach des Bischofs Krummstab, und malte den Teufel so furchtbar, daß er ein Schrecken der gesammten Schuljugend und eine Art sichtbarer Erläuterung der Schrecken des Erzfeindes wurde, welche der Geistliche den kindlichen Gemüthern einzuprägen strebte.

Unter diesem erneuten Sinnbild ihres Gewerbes wurde Meg Dods oder Trotz, wie sie ihrer störrischen Gemüthsart wegen unter dem Volke hieß, von einigen beharrlichen Kunden immer noch begünstigt. Dieß waren die Mitglieder der Kiunakelty Jagd, einst berühmt auf Feld und Haide, jetzt eine Gesellschaft ehrwürdiger, grauköpfiger Waidmänner, die von Fuchshunden zu Spür- und Hetzhunden herabgekommen, und auf ihren sanftmüthigen Kleppern ganz geruhig zum Mittagessen bei Meg hintrabten. „Eine Gesellschaft ehrlicher, anständiger Leute," sagte Meg; „haben ihren Sang und ihren Spaß, und warum sollten sie nicht? Ihr Satz im Trinken sei eben ein schottisches Nößel, und ein Quart hinterdrein, und Niemand merkte ihnen darum etwas an. Die süßlichen Burschen heutiges Tages seien von einem armseligen Viertelchen mehr übernommen, als diese gesetzten Leute von einer ganzen Kanne."

Ferner war die eine Gesellschaft alter Angelbrüder aus Edinburgh, welche im Frühjahr und Sommer St. Ronans häufig besuchten, eine ganz besonders willkommene Gattung von Gästen, denen Meg darum auch in ihrem Hause mehr einräumte, als Andern. „Das seien alte kluge Leute," sagte sie, „die wohl wüßten, auf welcher Seite ihr Brod mit Butter bestrichen sei. Keiner von ihnen gehe zu der Quelle, wie sie den alten stinkenden Brunnen dort nennen. Nein, — die seien früh Morgens auf, äßen ihren Pudding von Habermehl, tränken vielleicht ein Gläschen

priesen, wo man gute Aufwartung und gutes Essen um billig
Preis bekomme, indeß andere minder glückliche nur über die finste
Zimmer, die garstigen alten Möbeln und die abscheuliche Keiffu
der Wirthin, Meg Dods, klagten.

Wenn du, mein Leser, von der sonnigern Seite der Twe
kommst, oder auch, wenn du ein Schotte und so glücklich bist,
den letzten fünfundzwanzig Jahren geboren zu sein, so möchtest
vielleicht diese Schilderung der Königin Elisabeth in Frau Qui
lys aufgekrämptem Hut und grüner Schürze etwas übertrie
finden. Aber ich berufe mich auf meine Zeitgenossen, welche Fah
Reit- und Fußwege so ein dreißig Jahr lang kennen, ob sie t
nicht an Meg Dods, oder eine Ihresgleichen erinnern. Es
dieß in der That so häufig der Fall, daß ich um die Zeit, wov
ich spreche, mich ordentlich gefürchtet hätte, fast in jeder Richtu
einen Ausflug aus der schottischen Hauptstadt zu wagen, weil
auf eine aus der Schwesterzunft der Frau Quickly hätte stoß
können, die mich in Verdacht gehabt hätte, als hätte ich sie un
dem Bilde der Meg Dods dem Publikum vorgeführt. Obgle
es auch noch jetzt hie und da eine oder die andere von dieser bes
dern Art wilder Katzen geben mag, so müssen doch ihre Klai
vor Alter ziemlich stumpf geworden sein, und ich glaube, sie k
nen nicht viel mehr thun, als gleich dem Riesen Papst in des P
grims Reise an der Thüre ihrer unbesuchten Höhlen sitzen, u
die Pilger angrinsen, an denen sie früher ihren Despotismus übt

———

Zweites Kapitel.

Der Gast.

Quis novus hic hospes?
Dido b. Virgil.

Einfältig Ding! der Herr im vordern Zimmer.

An einem schönen Sommertage ritt ein einsamer Reisender zu dem altmodischen Thorweg herein, stieg im Hofe von Megs Gasthof ab, und übergab die Zügel seines Pferdes dem buckligen Postillon. „Bring' meinen Mantelsack in's Haus," sagte er, „oder — halt, — ich glaube, ich kann ihn besser tragen, als Du." Nun half er dem magern alten Stallknecht die Riemen losschnallen, welche dieß geringe und jetzt verachtete Reisegeräth festhielten, und gab unterdeß strengen Befehl, daß sein Pferd abgezäumt, in einen reinlichen und bequemen Stall gestellt, die Gurten losgemacht, und ihm eine Decke übergeworfen werden solle, der Sattel aber dürfe nicht abgenommen werden, bis er selbst dabei sei.

Der Reisegenoß schien dem Hausknecht allerdings diese Sorgfalt zu verdienen, denn es war ein starkes, rüstiges Pferd, für Straße und Feld gut, aber doch von der langen Reise etwas abgemagert, obgleich aus der Haut sich ergab, daß man es äußerst sorgfältig gehalten habe. Während der Hausknecht des Fremden Befehle vollzog, ging dieser mit seinem Mantelsack über dem Arm in die Küche des Gasthofs.

Hier traf er die Wirthin selbst nicht eben in der besten Laune. Die Küchemagd war nach etwas weggeschickt, und Meg machte unterdessen bei einer genauen Musterung des Küchengeschirrs die unangenehme Entdeckung, daß etliche Teller zerbrochen oder ge= sprungen, Töpfe und Brühnäpfe nicht so sorgfältig gescheuert wa= ren, als ihre strengen Begriffe von Reinlichkeit forderten, was nebst einigen andern Entdeckungen geringfügigerer Art ihre Galle nicht wenig aufregte, so daß sie, während sie das Topfbrett in Un= ordnung und wieder in Ordnung brachte, halblaute Klagen und Drohungen gegen die abwesende Verbrecherin brummte.

Sie ließ sich durch den Eintritt des Gastes in dieser angeneh= men Unterhaltung nicht stören, — sie blickte bloß auf, wandte ihm dann kurzweg den Rücken zu, und fuhr in ihrer Arbeit und ihrem klagenden Selbstgespräch fort. Sie glaubte nämlich in dem Fremden einen jener nützlichen Sendlinge der Handelschaft zu erkennen, welche sich selbst Reisende per excellence nennen und von den Aufwärtern nennen lassen, von andern aber Musterreiter und Mantelsackritter genannt werden. Gegen diese Art von Kun= den hatte Meg besondere Vorurtheile; denn da in dem alten Dorfe Ronans keine Kaufläden waren, so nahmen besagte Handelsemissäre zum bessern Betrieb ihres Gewerbs ihr Absteigequartier immer im neuen Wirthshaus oder Hôtel, in dem neuentstehenden Nebenbuh= lerdorfe, St. Ronansbrunnen genannt, wenn nicht etwa ein Streif= zügler zufällig oder aus trauriger Nothwendigkeit in ein altes Dorf, wie nun allmählig Megs Wohnort allgemein genannt wurde, einkehren mußte. Kaum hatte sie daher diesen vorschnellen Schluß gemacht, daß das fragliche Individuum zu dieser verwerflichen Klasse gehöre, so nahm sie ihr erstes Geschäft wieder vor, und fuhr fort zu monologisiren und ihre abwesenden Mägde anzureden, ohne scheinbar Kunde von seiner Gegenwart zu nehmen.

„Die schlumpige Hanne, — die Trulle Eppie, — das Teufels= mensch! — schon wieder ein Teller hin, — sie brechen mich noch von Haus und Hof!"

Der Reisende, der mit seinem Mantelsack auf einer Stuhllehne *ruhte, und stillschweigend auf einen Laut des Willkommens gewar=*

tet hatte, fah nun, daß er wohl oder übel zuerst sprechen müffe, wenn er Antwort haben wolle.

„Seid Ihr nicht meine alte Bekannte, Frau Meg Dods?" fragte der Fremde.

„Warum nicht, und wer seid Ihr denn, der fragt?" fagte Meg in einem Athem, und begann einen kupfernen Leuchter noch stärker, als vorher zu reiben, — während der trockene Ton, in dem fie fprach, unverhohlen bewies, wie wenig Antheil fie an dem Geschäft nahm.

„Ein Reisender, gute Frau Dods, der hier ein Paar Tage bleiben will."

„Ihr feid wohl im Irrthum," fagte Meg; „hier ift kein Plaß für Mantelfäcke und Mähren, — Ihr habt die Straße verfehlt, Nachbar, — „Ihr müßt Euch noch ein wenig weiter den Berg hinab bemühen."

„Ich fehe, Ihr habt meinen Brief nicht erhalten, Frau Dods," fagte der Gaft.

„Wie follt ich denn auch, Herr?" antwortete die Wirthin; „man hat ja die Poft von hier weggenommen, und fie hinunterverlegt nach dem Spawwaffer dort, wie man's nennt."

„Nun, das ift ja nur ein Schritt," bemerkte der Gaft.

„Um fo bälder feid Ihr dort," antwortete die Wirthin.

„Wohl," fagte der Gaft, „aber wenn Ihr nur nach meinem Briefe gefendet hättet, fo würdet Ihr erfahren haben" —

„Ich brauche nichts zu erfahren in meinen Jahren," fagte Meg. „Hat mir Jemand was zu fchreiben, fo mag er den Brief an den Fuhrmann John Hislop geben, der feit vierzig Jahren auf diefem Wege fährt. Briefe aber an die Poftmeifterin dort unten, da können fie paffen an ihrem Schiebfenfter und Hellerkram bis zum dritten Mai, ehe ich fie einlöfe. Ich will meine Finger nicht damit befudeln. Poftmeifterin! freilich — die aufgeblafene Trine! ich erinnere mich fehr wohl, wie fie Buße that für vorhoch" — — —

Lachend, aber noch zu rechter Zeit für die Ehre der Postmeisterin unterbrach der Fremde Meg, und versicherte sie, er habe seine
Angelruthe und Koffer an ihren vertrauten Freund, den Fuhrmann, gegeben, und hoffe doch, sie werde einen alten Bekannten
nicht aus dem Hause weisen, besonders da er glaube, er könne fünf
Meilen in der Runde in keinem Bette schlafen, wenn er wisse, daß
ihr blaues Zimmer unbesetzt sei."

„Angelruthe! — alter Bekannter! blaues Zimmer!" wiederholte Meg mit einigem Erstaunen, und betrachtete den Fremden
mit Theilnahme und Neugier vom Kopf bis zu den Füßen, —
„so seid Ihr ja am Ende gar kein Mantelsackritter."

„Nein," sagte der Fremde, „seit ich den Mantelsack aus der
Hand gelegt, nicht."

„Nun, ich kann nicht anders sagen, als daß mich das freut,
— ich kann das läppische Englischradbrechen dieser Leute nicht leiden. — Freilich habe ich auch ordentliche Bursche unter ihnen
gekannt,   warum das nicht? Das war aber, als sie noch hier
anhielten, wie andere gesetzte Leute; seitdem sie aber dahinunter
gezogen sind, der ganze Zug, wie ein Flug wilder Gänse, in das
neumodische Hôtel, da sollen sie in der Passagierstube, wie sie's
nennen, so tolle Streiche machen, als wäre sie voll betrunkener
junger Lairds."

„Das macht, weil Ihr sie nicht mehr in der Zucht haltet, Frau
Meg."

„Meint Ihr?" erwiederte Meg; „Ihr seid ein rechter Fuchs,
daß Ihr meint, mich mit solchen Schmeicheleien zu kirren!" und
damit wendete sie sich nach ihrem Gaste um, und beehrte ihn mit
einer noch genauern und aufmerksamern Besichtigung, als vorher.

Alles, was sie sah, war nach ihrer Meinung dem Fremden
günstig. Er war ein wohlgebauter Mann, eher über, als unter
Mittelgröße, dem Anschein nach zwischen fünfundzwanzig und
dreißig Jahren, denn obwohl er auf den ersten Blick das letztere

Alter erreicht zu haben schien, so machte man doch bei näherer Prüfung die Bemerkung, daß wohl die brennende Sonne eines heißern
Landstrichs, als Schottland, vielleicht auch Anstrengung des Körpers und Geistes Spuren der Sorge und des männlichen Alters
seinem Gesichte aufgeprägt hätten, ohne den Lauf der Jahre abzuwarten. Seine Augen und Zähne waren vortrefflich, seine übrigen
Züge konnten zwar kaum schön genannt werden, drückten aber
Verstand und Scharfsinn aus; in seinem Wesen war jene Unge-
zwungenheit und Ruhe, die gleich fern von Ungeschlachtheit und
Ziererei den gebildeten Mann bezeichnet, und obgleich weder die
einfache Kleidung, noch der völlige Mangel an der gewöhnlichen
Dienerschaft einen reichen Mann in ihm vermuthen ließ, so zweifelte Meg doch gar nicht, daß er im Range höher stehe, als ihre
gewöhnlichen Kunden.. Während die gute Wirthin diese Bemerkungen machte, kamen ihr allerlei dunkle Erinnerungen, daß sie den
Mann schon gesehen habe, aber wann und bei welcher Gelegenheit
konnte sie sich durchaus nicht entsinnen. Besonders verlegen machte
sie der kalte, sarkastische Ausdruck des Gesichts, den sie gar nicht
mit den Erinnerungen, die es weckte, vereinigen konnte. Endlich
sagte sie mit aller Höflichkeit, deren sie fähig war. — „Entweder
habe ich Euch schon gesehen, Sir, oder Jemand der Euch gleicht!
Ihr kennt das blaue Zimmer, und seid doch fremd in diesem
Lande?"

„Nicht so fremd, als Ihr vielleicht glaubt, Meg," sagte der
Gast in einem vertraulichen Tone, — „ich heiße Franz Tyrrel."

„Tyrl!" rief Meg verwundert aus, — „es ist unmöglich!
Ihr könnt nicht Franz Tyrl, der wilde Bursche sein, der vor sieben
oder acht Jahren hier fischte, und Vogelnester ausnahm. — Es
kann nicht sein, Franz war nur ein Bürschchen!"

„Setzt aber sieben oder acht Jahre zu eines solchen Bürschchen
Leben hinzu," sagte der Fremde ernst,   dann habt Ihr den
Mann, der jetzt vor Euch steht."

„Ja, ja," sagte Meg mit einem Blick auf den Wiederschein Ihres eigenen Gesichts in den kupfernen Kaffeekessel, den sie eben so blank gescheuert hatte, daß er den Dienst eines Spiegels verrichtete, — „ja so ist's, man wird alt oder stirbt. — Aber Herr Tyrl, denn ich darf Euch, glaube ich, nicht mehr Franz nennen — — - "

„Nennt mich, wie Ihr wollt, gute Frau; ich habe mich lange bei einem Namen nennen hören, der wie frühere Freundlichkeit klang, so daß er mir lieber ist, als ein Lords Titel."

„Gut denn, Herr Franz, — wenn es Euch also nicht beleidigt, — ich hoffe, ihr seid kein Nabob?"

„Gewiß nicht, das kann ich Euch versichern, meine alte Freundin, — doch wenn ich's nun wäre?"

„Ei nun, da müßt ich Euch bitten, weiter zu gehen, um Euch schlechter bedienen zu lassen. — Ja, ja, die Nabobs! das Land ist mit ihnen geplagt. Sie haben die Eier und Hühner vertheuert auf zwanzig Meilen in der Runde.   Was habe ich aber zu thun? — Sie brauchen fast alle den Brunnen da unten, — sie müssen wohl, um ihre Kupfergesichter zu reinigen, die eben so gescheuert sein wollen, wie meine Brühnäpfe, die Niemand rein machen kann, als ich selbst."

„Gut, meine liebe Freundin," sagte Tyrrel, „das Ende vom Liede ist, daß ich hier bleibe und hier zu Mittag esse."

Warum das nicht?" erwiederte Frau Dods.

„Und daß ich das blaue Zimmer auf eine oder zwei Nächte bekomme, — vielleicht auf länger?"

„Ich weiß das nicht," sagte die Wirthin. — „Das blaue Zimmer ist das beste, — und die das nächste Beste bekommen, denen geht es nicht schlimm in der Welt."

„Macht das, wie Ihr wollt," sagte der Fremde. — „Ich überlasse das alles Euch. — Inzwischen will ich nach meinem Pferde sehen."

Der gute Mensch," sagte Meg, „als ihr Gast die Küche verlassen hatte, „er erbarmt sich seines Viehes. — Er hatte immer
so was an sich, das Bürschchen. — Aber, du meine Güte, das ist
eine schlimme Veränderung in seinem Gesicht, seit ich ihn das Letzte-
mal sah! — Nun, er soll ein gutes Essen bekommen, um alter
Zeiten willen, dafür steh' ich!"

Meg machte nun die Vorbereitungen mit aller ihrer angebore-
nen Rüstigkeit, die jetzt so sehr auf die Besorgung der Küche ging,
daß ihre zwei Mägde, als sie nach Hause kamen, den bittern Vorwürfen über ihre Schlumperei und Nachlässigkeit, die sie schon zum
Voraus eingeübt hatte, entgingen. Ja, ihre Gefälligkeit ging so
weit, daß sie, als Tyrrel durch die Küche ging, um seinen Mantelsack zu holen, Hannen ein faules Ding schalt, weil sie des Herren
Sachen nicht auf sein Zimmer trug.

„Ich danke Euch," sagte Tyrrel; „ich habe einige Zeichnungen
und Farben in diesem Mantelsack, und trage ihn daher immer lieber selbst."

„Und Ihr gebt Euch immer noch mit dem Malen ab?" sagte
Meg; „ehedem pinseltet Ihr wohl viel in's Zeug hinein."

Ich kann nicht leben ohne das," sagte Tyrrel, nahm seinen
Mantelsack, und wurde von der Magd in ein schmuckes Zimmer
geführt, wo er bald die Freude hatte, ein ausgezeichnetes Gericht
gehackter Kälberschnitten mit Gemüse, und einen Krug vortrefflichen
Biers von den sorgsamen Händen Meg's selbst sich vorgesetzt zu
sehen. Er konnte ehrenhalber nicht weniger thun, als Meg um
eine Flasche mit gelbem Siegel bitten, wenn noch von diesem herrlichen Claret etwas übrig sei.

„Uebrig? — Freilich ist noch übrig, — eine ganze Menge,"
sagte Meg; „davon gebe ich nicht Jedermann. — Ach, Herr Tyrl,
Ihr könnt doch Eure alten Streiche nicht lassen! — Gewiß, wenn
Ihr malt, um davon zu leben, wie Ihr sagt, so wäre ein wenig
Rum und Wasser wohlfeiler, und würde Euch eben so gut thun.

Aber heute sollt Ihr Euren Willen haben, wenn auch sonst nie wieder."

Und fort trollte Meg, mit den Schlüsseln im Gehen klappernd, und nachdem sie viel umher gestöbert hatte, kehrte sie mit einer Flasche Claret zurück, wie kein modisches Weinhaus sie aufzeigen könnte, und würde sie von einem Herzog gefordert oder herzoglich bezahlt. Auch schmunzelte sie nicht wenig, als ihr Gast sie versicherte, er gedenke dieser herrlichen Blume gar wohl. Nach diesen Beweisen ihrer Gastlichkeit zog sie sich zurück, und ließ den Fremden die köstlichen Sachen, die sie ihm aufgetischt hatte, in Ruhe genießen.

Aber in Tyrrel's Gemüth war etwas, das der belebenden Kraft einer guten Mahlzeit und eines guten Weins trotzte, der das Herz des Menschen nur dann erfreut, wenn in diesem Herzen kein stiller Kummer entgegen wirkt. Tyrrel befand sich an einem Orte, den er in jener Wonnezeit geliebt hatte, wo Jugend und hochfliegender Muth alle die schmeichelnden Träume wecken, die dem Manne so schlecht gehalten werden. Er zog seinen Stuhl in die Vertiefung des altmodischen Fensters, öffnete das Schiebfenster, um der frischen Luft zu genießen, und weilte im Geiste bei früheren Tagen, während sein Auge über Gegenstände hinstreifte, die er seit mehreren ereignißreichen Jahren nicht gesehen hatte. Vor seinem Blicke lag der untere Theil des verfallenen Dorfs, dessen Trümmer aus dem dichten Laube hervorblickten, das sie verhüllte. Noch tiefer unten auf dem kleinen Holme, der den Kirchhof bildete, zeigte sich die Kirche von St. Ronans; noch weiter hin nach der Gegend, wo St. Ronansborn sich mit dem Fluß im breitern Thale verbindet, sah er die emporragenden Häuser, die um den Heilquell her theils eben vollendet waren, theils noch gebaut wurden, von der sinkenden Sonne erhellt.

„Die Zeit ändert Alles um uns," war die natürliche, wenn auch alltägliche Betrachtung, die durch Tyrrel's Gemüth zog. —

„warum sollte Liebe und Freundschaft länger dauern, als unsere Wohnungen und Denkmale?" In diesen düstern Betrachtungen störte ihn der Eintritt seiner geschäftigen Wirthin.

„Ich dachte Euch eine Tasse Thee anzubieten, Herr Franz, um alter Bekanntschaft willen. Ich will ihn von dem Mädchen herbringen lassen, und ihn selbst aufgießen. — Aber Ihr seid ja mit dem Weine noch nicht fertig."

„Doch, Frau Dods," antwortete Tyrrel, „und ich bitte Euch, die Flasche wegzunehmen."

„Die Flasche wegnehmen, und der Wein ist nicht halb ausgetrunken!" sagte Meg mit Unmuth auf der Stirne; „ich will doch hoffen, daß an dem Weine nichts auszusetzen ist, Herr Tyrl?"

Auf diese fast in einem trotzigen Tone ausgesprochene Antwort erwiederte Tyrrel demüthig, an dem Claret sei nicht nur nichts auszusetzen, sondern er sei ganz vortrefflich.

„Und warum trinkt Ihr ihn denn nicht?" sagte Meg schneidend; „man muß nicht mehr Getränk verlangen, als man eben tragen kann. Ihr denkt wohl, es geht bei uns her wie an der Table d'hôte, wie sie dort unten ihren neumodischen Speisetisch nennen, wo die Essigfläschchen in einen Schrank zurückgesetzt werden, wie es heißt, mit den Paar Tröpfchen Spühlicht drin, und einen Zettel am Halse, um zu wissen, welchem Gaste sie gehören, — da stehen sie, wie Arzneigläser, und nicht ein ehrliches schottischer Rößel hält eine ihrer Flaschen, und wäre sie noch so voll."

„Vielleicht," sagte Tyrrel, auf den Unmuth und das Vorurtheil seiner alten Bekannten eingehend, — „vielleicht ist der Wein dort nicht so gut, daß man ein volles Maaß wünschen mag."

„Da mögt Ihr wohl recht haben, — und doch trägt's denen, die ihn verkaufen, ein Erkleckliches ein, denn sie machen ihn selbst, der meiste hat Frankreich oder Portugal nie gesehen. Aber was ich sagen wollte, — das ist nicht der einzige Ort, wo der Wein für die, die ihn nicht trinken können, zurückgesetzt wird, wenn der

Kork von der Flasche ist, muß der Wein ausgetrunken werden, – und warum denn nicht? — oder er muß wieder zugekorkt werden.

„Ihr habt ganz Recht," sagte der Gast, „aber mein heutig Ritt hat mich etwas erhitzt, — und ich glaube, die Tasse The die Ihr mir versprochen habt, wird mir besser thun, als wenn i die Flasche vollends ausleere."

„Nun denn, so wird's das Beste sein, was ich thun kann, d ich sie bei Seite setze, zur Brühe für die wilde Ente morgen, der Ihr habt mir ja, glaube ich, gesagt, Ihr bliebet einige Tage da.

„Das ist allerdings meine Absicht, Meg," versetzte Tyrrel.

„So mag es denn sein," sagte Meg; „und der Wein ist nicht verloren; es hat wohl selten solcher Claret in der Bratpfan gebrodelt, das glaubt mir nur, — und ich erinnere mich noch rec wohl der Zeit, wo Ihr mit oder ohne Kopfweh den Boden d Flasche sehen mußtet, und vielleicht noch einen zweiten, wenn J sie mir ablisten konntet. Damals half Euch freilich Euer Vett mit, ach! das war ein lustiger Junge, der Valentin Bulme nun, Ihr gebt ihm auch nichts nach, Herr Franz, und ich ha genug zu thun, um Euch beide in Ordnung zu erhalten, we Euch der Rummel ankam. Aber Ihr waret doch ein klein wen gesetzter, als Valentin, — das war ein prächtiger Junge, Aug wie Diamanten, Wangen wie Rosen, einen Kopf wie et Heidebolde, — er war der erste, den ich sah, der mit abgeschnitt nen Haaren ging, jetzt aber prellt alle Welt den Friseur, — u lachen konnt' er, als sollte er die Todten auferwecken! — Moch man über ihn schimpfen oder lachen, so lange Valentin im Ha war, konnte man an Niemand anders denken. Und wie steht's de um Euren Vetter, Valentin Bulmer, Herr Franz?"

Tyrrel blickte zu Boden, und antwortete nur mit eine Seufzer.

„Ei — ist's also wirklich wahr?" sagte Meg; „mußte d arme Junge so bald aus dieser elenden Welt fort? — Ja, ja, –

wir müssen alle diesen Weg gehen, — zersprungene Flaschen, — verlegte Fässer, lecke Krüge sind wir alle, und können den Lebenssaft nicht halten. Das sei Gott geklagt! War der arme Junge aus der Bulmer-Bucht, wo man den holländischen Branntwein landet? nicht wahr? — Dort läuft man auch lange um ein bischen Thee, — ich hoffe, der ist gut, den ich Euch gemacht habe, Herr Franz?"

„Vortrefflich, meine liebe Freundin," sagte Franz Tyrrel, aber mit einer Stimme, welche bewies, daß sie einen Punkt berührt habe, der unangenehme Erinnerungen erweckte.

„Wann starb denn der arme Junge?" fuhr Meg fort, die von Eva's Eigenschaften auch ihren Theil bekommen, und zu wissen wünschte, was ihren Gast so besonders bewege, aber er wich ihr aus, und schlug zugleich eine andere Saite bei ihr an, indem er sich gegen das Fenster wandte, und auf die fernen Gebäude von St. Ronans-Brunnen hinblickte. Als sähe er diese neuen Gegenstände zum Erstenmal, sagte er zu Meg in gleichgültigem Tone: „Ihr habt dort etliche lustige neue Nachbarn bekommen."

„Nachbarn!" sagte Meg in aufsteigendem Zorn, wie immer, wenn auf diesen verdrießlichen Gegenstand die Rede kam; „Ihr könnt sie Nachbarn nennen, wenn es Euch beliebt, aber für Meg Dods mag der Teufel die Nachbarschaft holen!"

„Ich glaube," sagte Tyrrel, als ob er ihren Unmuth nicht bemerkte, „dort drüben ist das Fuchs-Hôtel, von dem man mir sagte."

„Der Fuchs!" sagte Meg; „ja wohl ist es der Fuchs, der alle meine Gänse gestohlen hat. — Ich könnte mein Haus schließen, wenn ich davon leben müßte, — ich, die all' unserer vornehmen Leute Kinder gesehen, ihnen Pfefferkuchen und Zuckerbrod meist mit eigener Hand gegeben hat. Sie hätten meines Vaters Dachstuhl herunter fallen, und mich ersticken sehen können, ehe sie einen Heller darum gegeben hätten, es zu stützen, — aber da drüben am

Brunnen ein Hôtel aufzubauen, dazu konnten sie alle fünfzig Pfund
hergeben, — und viel hat es ihnen eingetragen, die bankerotte
Sandy Lawson hat ihnen vier Fristen lang keinen Heller Zins
bezahlt."

„Gewiß, wenn der Brunnen seiner Heilkraft wegen wirklich
so berühmt wurde, so wäre das Wenigste, was die Herren thun
konnten, gewesen, Euch zur Priesterin zu machen."

„Mich zur Priesterin! Ich bin keine Quäkerin, so viel ich weiß,
Herr Franz; und ich habe auch nie von einer Bierwirthin gehört,
welche Predigerin geworden wäre, außer Luckie Buchan im Westen.
Und sollte ich predigen, so glaube ich, ich hätte zu viel schottischen
Geist, um in demselben Zimmer zu predigen, wo man alle Abende
in der Woche, den Sonnabend selbst nicht ausgenommen, tanzt
bis Nachts zwölf Uhr. Nein, nein, Herr Franz, dergleichen überlasse ich dem Herrn Simon Chatterly, wie der prälatistische Sprosse
der Geistlichkeit dort unten heißt, der Karten spielt, und sechs
Tage in der Woche tanzt, und am siebenten das allgemeine Gebet-
buch im Tanzsaale liest mit Tom Simson, dem betrunkenen Bar-
bier, als Küster."

„Ich glaube, ich habe von diesem Herrn Chatterly gehört,"
sagte Tyrrel.

„Ihr meint gewiß die Predigt, die er hat drucken lassen,"
sagte das zornige Weib, „wo er die Kothlache vom Brunnen dort
unten mit dem Teiche Bethesda vergleicht, der losmäulige,
fuchsschwänzige, schwachköpfige Narr! Er hätte wissen sollen, daß
der Platz alle seine Berühmtheit in den Zeiten des schwarzen Pabst-
thums bekam, und obgleich sie ihn mit dem Namen St. Ronan
taufen, so glaube ich doch nie, daß der ehrliche Mann etwas dabei
zu thun hatte, denn ich habe mir von einem, der es wissen muß,
sagen lassen, daß er kein Römer war, sondern nur ein Cuddie oder
Culdee oder so was. — Aber wollt Ihr nicht noch eine Tasse
Thee, Herr Franz? und ein bischen Gesundheitsbrod in meiner

eigenen frischen Butter aufgebacken, Herr Franz? nicht bei brenz-
lichtem Kuchenfeuer, wie die Kümmelkuchen da drüben beim Kuchenbäcker, worauf eben so viele todte Flöhe sind, als Kümmel. Und
der gibt sich für einen Kuchenbäcker aus! Mit Roggenmehl für
einen Pfennig und eben so viel Syrup und zwei oder drei Küm-
melkörnern will ich besseres Confekt machen, als je aus seinem
Ofen kam."

„Ich zweifle nicht daran, Frau Dods," sagte der Gast; „und
ich möchte nur wissen, wie sich die Leute einem Hause von so altem
Ruf, als das Eure, gegenüber niederlassen konnten? Es muß doch
die Heilkraft des Brunnens sein, aber wie bekam nur das Wasser
mit einemmale diese Kraft?"

„Ich weiß es nicht, — sonst hielt man es für zu nichts gut,
als hie und da für armer Leute Kinder, die die Drüsen hatten,
und nicht einen Pfennig an Salz rücken konnten. Aber Lady
Penelope Penfeather ist krank geworden, wahrscheinlich wie Niemand sonst, und so mußte sie auch auf eine Weise kurirt werden,
wie Niemand je kurirt wurde, das war nicht mehr wie billig, —
und die Lady, wie Ihr wißt, ist gescheit, und versammelte alle
gescheiten Leute aus Edinburg in ihrer Wohnung da drüben, was
die Lady das Lustschloß zu nennen beliebt, — und alle haben so
ihre eigenen Gaben, denn die einen können Verse zusammen stop-
peln, so gut als Robert Burns oder Allan Ramsay, — andere
rennen bergauf und thalab, schlagen die Kieselsteine mit Hämmern
entzwei, wie tollgewordene Straßenarbeiter, — sie sagen aber, es
sei um zu sehen, wie die Welt gemacht wäre! — Einige spielen
auf alle Arten zehnsaitiger Instrumente, — Andere wieder zeichnen, die kann man, wie die Krähen auf jeder Felsenspitze im Lande
sitzen sehen, um Euer Gewerbe zu treiben, Herr Franz; dazu Leute,
die in der Fremde gewesen sind, oder gewesen sein wollen, was, wie
Ihr wißt, auf eins heraus kommt, und vielleicht zwei oder drei
schlepptragende Mädchen, welche die Tollheiten wieder von vorn

halten nennen kann, denn er ist fast immer unten am Brunnen,
— da ist denn eine kleine Küche genug."

„Fräulein Clara hat also wohl schlimme Zeit dort während
ihres Bruders Abwesenheit?" fragte der Fremde.

„O nein, er läßt sie mit all den lustigen Narren, die da hinunter kommen, herumschwenken, und an ihren Tänzen und Thorheiten
Theil nehmen. Ich hoffe, daß nichts Schlimmes dabei heraus
kommt, aber es ist immer eine Schande für die Tochter eines solchen
Vaters, daß sie mit Krethi und Plethi von Studenten, Schreiber-
lehrlingen, Mantelsackrittern und dergleichen Gesindel umgeht, wie
sich's dort am Brunnen einfindet."

„Ihr seid strenge, Meg," erwiederte der Gast. „Gewiß kann
man Clara bei ihrer Aufführung jede Freiheit gestatten."

„Ich sage nichts gegen ihre Aufführung," sagte die Wirthin,
„und es ist auch gar kein Grund da, irgend etwas zu sagen,
aber ich denke doch immer, gleich und gleich, Herr Franz. Ich habe
nie über den Ball gezankt, den die Herren vom Adel vor nun
schon geraumer Zeit in meinem Hause hielten, — wenn sie da
ankamen in ihren Kutschen, die alten Leute, mit langschweifigen
Rappen, und ein Paar muntere junge Leute auf ihren Jagdpfer-
den, und manch anständige Lady hinter ihrem Ehegemahl, manch
hübsches loses Mädchen auf ihrem Klepper, wer war da so froh,
wie diese Leute? — und warum auch nicht? Hernach da war der
Pächterball mit den derben Bauersöhnen in den neuen blauen
Röcken und bockledernen Hosen, — das heiß ich anständige Gesellschaft, das waren auch lauter Söhne und Töchter, die einander
kannten, — Pächter tanzten mit Pächterstöchtern auf dem einen,
und Edelleute mit Edeltöchtern auf dem andern, wenn nicht etwa
einer der Herren aus dem Kilnakeltz-Club mit mir bloß zur Kurzweil einen Rundtanz fegte, und ich vor Lachen nicht darüber schelten konnte. Nein, gewiß, ich habe nie über dergleichen unschuldige

Freuden gezankt, wenn schon es mir vielleicht eine Woche Aufräumens kostete, ehe ich wieder in Ordnung kam."

„Aber, liebe Freundin," sagte Tyrrel, „dergleichen Förmlichkeiten möchten doch für Fremde, wie ich, etwas hart sein; wo sollten denn wir in Euern Familienkreisen Tänzerinnen für uns bekommen?"

„Darum laßt Euch kein graues Haar wachsen, Herr Franz," entgegnete die Wirthin mit einem pfiffigen Blick   Jeder Birne ist ihr Stiel gewachsen, mag die Welt gehen, wie sie will, und im schlimmsten Fall ist es doch besser, einige Mühe zu haben, eine Tänzerin zu finden für die Nacht, als mit einer angejocht zu sein, die man früh nicht wieder los werden kann."

„Trifft sich denn das zuweilen?" fragte der Fremde.

„Trifft sich? — Ihr meint doch, unter dem Brunnenvolke?" rief die Wirthin. „War's nicht in der letzten Brunnenzeit, wie sie's nennen, um nicht weiter zurückzugehen, daß der junge Sir Bingo Binks, der englische Bursche mit dem rothen Rock, der eine Postkutsche hält, und selber fährt, an Fräulein Rachel Bonnyrizg, der alten Lady Loupengirth langbeiniger Tochter hängen blieb, — sie tanzten so lange mit einander, daß man mehr davon sagte, als man hätte sagen sollen, — der Junge wäre gern wieder los gewesen, aber die alte Lady hielt ihn fest, und der Gerichtshof und noch Jemand machten sie zur Lady Binks, troß Sir Bingo's Herzen, und er hat sich nie getraut sie bei seinen Freunden in England aufzuführen, darum lebt er seit dem Sommer und Winter am Brunnen, — und dazu ist der Brunnen gut!"

„Und hat denn Clara, — ich wollte sagen, Fräulein Mowbray, Umgang mit solchen Weibern?" fragte Tyrrel mit einer Theilnahme, die er im Fortgang der Frage unterdrückte.

„Was kann sie machen, das arme Ding! Sie muß den Umgang haben, den ihr Bruder hat, denn sie ist ganz abhängig. Doch da fällt mir *ein, was ich noch* zu thun habe, ehe es dunkel wird, und das ist nicht wenig. — Ich habe zu lange mit Euch geplaudert, Herr Franz."

Und so zog sie entschlossenen Schritts ab, und bald hörte man ihre Stimme in gellenden Octaven die Mägde ermahnen.

Tyrrel blieb einen Augenblick in tiefen Gedanken, dann nahm er seinen Hut, besuchte den Stall, wo sein Pferd ihn mit gespitzten Ohren und dem leisen freundlichen Gewieher empfing, womit dieß Thier die Nähe eines liebenden und geliebten Freundes anerkennt. Da er sah, daß das treue Geschöpf auf alle Weise abgewartet wurde, benützte er das noch verweilende Zwielicht, um das alte Schloß zu besuchen, was früher sein Lieblings-Abendspaziergang gewesen war. Er blieb, so lange das Licht es gestattete, bewunderte die Aussicht, die wir oben zu beschreiben versuchten, und verglich, wie in seinen frühern Träumen, die verblichenen Farben der dämmernden Landschaft mit denen des Menschenlebens, wenn Jugendlust und Muth sie nicht mehr vergolden.

Ein rascher Gang nach dem Gasthofe und ein leichtes Abendessen von geröstetem Käse und der Wirthin selbst gebrautem Bier erregten in ihm lebhaftere, wenigstens minder düstere Gedanken, — und das blaue Schlafzimmer, womit er beehrt worden war, erhielt an ihm einen, wenn nicht gerade heitern, doch zufriedenen Bewohner.

Drittes Kapitel.

Verwaltung.

Regiert muß sein, wo nur Gesellschaft ist,
Die Bienen haben ihre Königin.
Hirschrudel unterwerfen sich dem Führer;
Rom hatte Konsuln und Athen Archonten,
Und wir, wir haben den Verwaltungsausschuß.

Stadtbuch von St. Ronan.

Franz Tyrrel hatte sich im Laufe des folgenden Tages in seinem alten Quartiere schon völlig eingerichtet, und gab nun seine Absicht zu erkennen, hier mehrere Tage zu verweilen. Der altherkömmliche Fuhrmann hatte seine Angelruthe und Reisekoffer überbracht, nebst einem Brief an Meg, der um eine Woche voraus datirt war, und sie ersuchte, einem alten Bekannten eine Wohnung bereit zu halten. So sehr diese Meldung auch zu spät kam, so nahm sie Meg doch mit großem Wohlgefallen auf, und bemerkte, dieß sei eine höfliche Aufmerksamkeit von Herrn Tyrl, und John Hislop sei zwar nicht gerade so schnell, aber doch weit sicherer, als jede andere Post, oder auch ein besonderer Eilbote. Auch bemerkte sie mit Vergnügen, daß kein Gewehr unter ihres Gastes Gepäck war, denn das lästige Schießen hätte ihn und sie in Verlegenheit gesetzt, — die Lairds hätten darüber geschrieen, als mache sie ihr Haus zum Sammelplatz für gemeine Vogelsteller und Wilddiebe, und doch hätte sie zwei ausgelassene tolle Bursche nicht zurückhalten können. Sie seien auf des Nachbars Grund und Boden gewesen, und hätten Erlaubniß gehabt bis hinauf an den Markstein, aber das seien nicht die Leute gewesen, Gränzen zu beachten, wenn die Moorvögel aufflogen.

Nach einigen Tagen war ihr Gast in eine so ruhige und ein-

3*

siedlerische Lebensweise verfallen, daß Meg, die das rastloseste und geschäftigste Geschöpf unter der Sonne war, die Zeit ordentlich lang zu werden anfing, weil er ihr gar nicht so viel zu schaffen machte, als sie erwartet hatte, worin sie vielleicht, bei seiner völlig leidenden Gleichgültigkeit gegen Alles, das nämliche Gefühl hatte, wie ein guter Reiter bei einem übergeduldigen Pferde, das er kaum unter sich fühlt. Seine Spaziergänge gingen meist nach den einsamsten Plätzen in den benachbarten Wäldern und Bergen, — seine Angelruthe blieb oft daheim, oder wurde bloß als eine Entschuldigung für sein langsames Hinschlendern am Ufer eines kleinen Baches mitgenommen, und sein Fang war ihm so gleichgültig, daß Meg sagte, der Pfeifer von Peebles hätte einen ganzen Korb voll gefangen, ehe Herr Franz ein halbes Dutzend voll machte, so daß er endlich um des lieben Friedens willen und um seine Ehre zu retten, einen schönen Lachs fangen mußte.

Tyrrel's Malen, wie es Meg nannte, ging eben so langsam; oft zeigte er ihr die Skizzen, die er von seinen Spaziergängen mitbrachte, und zu Hause zu vollenden pflegte, aber Meg wollte nicht viel davon halten. Was bedeuteten ein Paar Wische Papier mit schwarzen und weißen Fliegenfüßen darauf, die er Büsche und Bäume und Felsen nenne! — Konnte er sie nicht malen mit grün und blau und gelb, wie andere Leute? — „Damit werdet Ihr nimmermehr Euer Brod verdienen, Herr Franz. Ihr solltet lieber ein großes, viereckiges Stück Leinwand aufziehen, wie Richard Tinto, und Gesichter darauf malen, das sehe man viel lieber, als einen Fels im Wasser, und ich hätte auch nichts dagegen, wenn einige von den Mantelsackrittern heraufkämen, und Euch sähen. Sie bringen ihre Zeit wohl schlechter zu, das weiß ich, — und ich versichere Euch, Ihr bekommt eine Guinee für den Kopf. Richard bekam zwei, das war aber auch eine alte fertige Hand, und ehe man gehen lernt, muß man kriechen."

Diese Vorstellungen beantwortete Tyrrel mit der Versicherung, daß Skizzen, womit er sich beschäftige, so hoch gehalten würden, daß oft ein Künstler in dieser Art weit mehr dafür bekäme, als für Bildnisse oder farbige Zeichnungen. Er setzte hinzu, sie dienten oft zur Erläuterung von Volksgedichten, und deutete an, wie er selbst in einer Arbeit dieser Art begriffen sei.

Sehnlich verlangte Meg, sich gegen Nelly Traber, das Fisch-weib, auszuschütten, — deren Wagen der einzige neutrale Verkehrs-kanal zwischen der Altstadt und dem Brunnen war, und die bei Meg in Gunst stand, weil sie auf dem Wege nach dem Brunnen an ihrer Thüre hielt, und ihr die erste Wahl unter den Fischen ließ; — dieser wollte sie nun die künstlerischen Verdienste ihres Gastes preisen. Die gute, alte Dods war in der That durch die Nachricht von ausgezeichneten Personen jeder Art, die Tag für Tag im Hotel ankamen, so geärgert und gleichsam verduzt worden, daß sie sich der glücklichen Gelegenheit überaus freute, auch einmal wieder triumphiren zu können, und man kann sich denken, daß die vortrefflichen Eigenschaften ihres Gastes dadurch nichts verloren, daß sie von ihr ausposaunt wurden.

„Ich muß das Beste von dem Wagen haben, Nelly, — wenn wir einig werden können, denn es ist für einen der besten Ma-ler. Eure zierlichen Leute dort unten gäben was darum, wenn sie sähen, was er gemacht hat, — er bekommt Hände voll Geld für drei gerade und drei krumme Streiche. Und er ist kein so undank-barer Schlingel, wie Richard Tinto, der kaum meine fünfundzwan-zig Schillinge in der Tasche hatte, als er hinunterging in das Hotel, und sie vertrank, nein, das ist ein anständiger, stiller, junger Mann, der wohl weiß, wo er gut aufgehoben ist, und auf den alten Gasthof noch etwas hält, wie sollt' er auch nicht? Sagt ihnen nur das alles, und hört, was sie davon meinen."

„Nun, wahrhaftig, das kann ich Euch jetzt schon sagen, ohne nur ein Bein darum zu rühren," antwortete Nelly Traber; „sie sagen, Ihr wäret eine alte Närrin, und ich dazu, die sich wohl auf

Hühnerbrühe und Engelfische verstünden, aber ihre Mäuler nicht in alles hängen müßten."

„Das sagen sie, die unverschämten Spitzbuben, und ich bin Wirthin seit dreißig Jahren!" rief Meg, „das sollten sie mir nicht ins Gesicht sagen. Aber ich spreche nicht ohne Gewährsmann, — denn wenn ich nun mit dem Geistlichen gesprochen, und ihm eine von den leichten Krizeleien gezeigt hätte, die Herr Tyrl immer auf seinem Zimmer herumliegen läßt? und wenn er nun gesagt hätte, Lord Bidmore gäbe für die schlechteste davon fünf Guineen? und alle Welt weiß, daß er lange Hofmeister im Bidmore'schen Hause war."

„Meiner Treu!" antwortete ihre Gevatterin, „wenn ich ihnen das Alles sagen wollte, so würden sie mir es kaum glauben, denn es sind so viel Kenner unter ihnen, und die halten so viel von sich selbst, und so wenig von andern Leuten, daß sie mir kein Wort von dem Allen glauben werden, was ich sage, wenn Ihr mir nicht das Gemälde selbst mit hinuntergebt."

„Nicht glauben, was ein ehrliches Weib sagt, — ich will nicht einmal sagen zwei?" rief Meg; „o das ungläubige Geschlecht! — Nun gut, Nelly, da ich einmal in der Hitze bin, so sollt Ihr das Gemälde oder die Skizze, oder was es ist, mitnehmen, und das eingebildete Volk beschämen. Aber seht zu, daß Ihr es wieder zurückbringt, Nelly, denn es ist eine Sache von Werth; und laßt es nicht aus der Hand, das sage ich Euch, denn ich traue nicht viel auf ihre Ehrlichkeit. Und Nelly, Ihr könnt auch sagen, er hätte ein erläutertes Gedicht, — erläutert, vergeßt das Wort nicht, — das spickt dergleichen Dinge aus, wie Speckschnitten einen Puter."

So mit ihren Beglaubigungsstücken versehen, und als Herold zwischen zwei feindlichen Lagern trieb Nelly ihren kleinen Fischwagen hinunter nach dem St. Ronans-Brunnen.

In Brunnenörtern, wie bei andern Menschenvereinen, hat Zu-

fall, Laune oder Uebereinkunft mancherlei Regierungsarten eingeführt, aber fast in allen hat man Vorkehrungen gegen die Anarchie
getroffen. Zuweilen ist die ganze Macht einem Ceremonienmeister
übertragen worden, aber auch diese Zwingherrschaft ist, wie alle
übrigen, in den letzten Zeiten aus der Mode gekommen, und die
Gewalt dieses Großwürdenträgers ist selbst in Bath, wo Nasch
einst mit unbestrittener Oberherrlichkeit regierte, sehr beschränkt
worden. Meistens nahm man seine Zuflucht zu Verwaltungsaus-
schüssen, die aus den beständigsten Gästen erwählt wurden, als zu
einer freisinnigern Regierungsart, und einem solchen war auch die
Verwaltung des jungen Freistaats von St. Ronans-Brunnen anvertraut. Es muß bemerkt werden, daß dieser kleine Senat bei
der Erfüllung seiner hohen Pflichten um so mehr Mühe hatte, da
die Unterthanen hier, wie in andern Freistaaten, in zwei mißhellige
und streitende Parteien getheilt waren, welche jeden Tag mit einander aßen, tranken und sich lustig machten, während sie sich mit
aller Heftigkeit politischer Parteien haßten, durch alle mögliche
Künste bemüht waren, sich den Beitritt jedes ankommenden Gastes
zu sichern, und ihre beiderseitigen Thorheiten und Albernheiten mit
allem ihnen zu Gebot stehenden Witz und aller Bitterkeit lächerlich
machten.

An der Spitze einer dieser Parteien stand Niemand Geringe-
res, als Lady Penelope Penfeather, welcher die ganze Anstalt ihren
Ruf, ja ihr Dasein verdankte, und deren Einfluß nur in dem
Gutsherrn, Herrn Mowbray von St. Ronans, oder wie die Gesellschaft ihn gewöhnlich nannte, dem Squire, welcher Anführer der
andern Partei war, ein Gegengewicht finden konnte.

Der Rang und das Vermögen der Lady, ihre Ansprüche auf
Schönheit sowohl, als Talent (wiewohl die erstere etwas verblichen
war), und die Wichtigkeit, die sie sich selbst als Modedame beilegte,
versammelte Maler, Dichter, Philosophen, Gelehrte, Vorleser,
fremde Abenteurer et hoc genus omne um sie.

wird, und das ist nicht wenig. — Ich habe zu lange mit Euch geplaudert, Herr Franz."

Und so zog sie entschlossenen Schritts ab, und bald hörte man ihre Stimme in gellenden Octaven die Mägde ermahnen.

Tyrrel blieb einen Augenblick in tiefen Gedanken, dann nahm er seinen Hut, besuchte den Stall, wo sein Pferd ihn mit gespitzten Ohren und dem leisen freundlichen Gewieher empfing, womit dieß Thier die Nähe eines liebenden und geliebten Freundes anerkennt. Da er sah, daß das treue Geschöpf auf alle Weise abgewartet wurde, benützte er das noch verweilende Zwielicht, um das alte Schloß zu besuchen, was früher sein Lieblings=Abendspaziergang gewesen war. Er blieb, so lange das Licht es gestattete, bewunderte die Aussicht, die wir oben zu beschreiben versuchten, und verglich, wie in seinen frühern Träumen, die verblichenen Farben der dämmernden Landschaft mit denen des Menschenlebens, wenn Jugendlust und Muth sie nicht mehr vergolden.

Ein rascher Gang nach dem Gasthofe und ein leichtes Abendessen von geröstetem Käse und der Wirthin selbst gebrautem Bier erregten in ihm lebhaftere, wenigstens minder düstere Gedanken, — und das blaue Schlafzimmer, womit er beehrt worden war, erhielt an ihm einen, wenn nicht gerade heitern, doch zufriedenen Bewohner.

Drittes Kapitel.

Verwaltung.

Regiert muß sein, wo nur Gesellschaft ist.
Die Bienen haben ihre Königin.
Hirschrudel unterwerfen sich dem Führer.
Rom hatte Konsuln und Athen Archonten,
Und wir, wir haben den Verwaltungsausschuß.

Stadtbuch von St. Ronant.

Franz Tyrrel hatte sich im Laufe des folgenden Tages in seinem alten Quartiere schon völlig eingerichtet, und gab nun seine Absicht zu erkennen, hier mehrere Tage zu verweilen. Der altherkömmliche Fuhrmann hatte seine Angelruthe und Reisekoffer überbracht, nebst einem Brief an Meg, der um eine Woche voraus datirt war, und sie ersuchte, einem alten Bekannten eine Wohnung bereit zu halten. So sehr diese Meldung auch zu spät kam, so nahm sie Meg doch mit großem Wohlgefallen auf, und bemerkte, dieß sei eine höfliche Aufmerksamkeit von Herrn Tyrl, und John Hislop sei zwar nicht gerade so schnell, aber doch weit sicherer, als jede andere Post, oder auch ein besonderer Eilbote. Auch bemerkte sie mit Vergnügen, daß kein Gewehr unter ihres Gastes Gepäck war, denn das lästige Schießen hätte ihn und sie in Verlegenheit gesetzt, — die Lairds hätten darüber geschrieen, als mache sie ihr Haus zum Sammelplatz für gemeine Vogelsteller und Wilddiebe, und doch hätte sie zwei ausgelassene tolle Bursche nicht zurückhalten können. Sie seien auf des Nachbars Grund und Boden gewesen, und hätten Erlaubniß gehabt bis hinauf an den Markstein, aber das seien nicht die Leute gewesen, Gränzen zu beachten, wenn die Moorvögel aufflogen.

Nach einigen Tagen war ihr Gast in eine so ruhige und ein-

3*

fiedlerifche Lebensweife verfallen, daß Meg, die das raftlofefte und
gefchäftigfte Gefchöpf unter der Sonne war, die Zeit ordentlich
lang zu werden anfing, weil er ihr gar nicht fo viel zu fchaffen
machte, als fie erwartet hatte, worin fie vielleicht, bei feiner völlig
leidenden Gleichgültigkeit gegen Alles, das nämliche Gefühl hatte, wie
ein guter Reiter bei einem übergeduldigen Pferde, das er kaum unter
fich fühlt. Seine Spaziergänge gingen meift nach den einfamften
Plätzen in den benachbarten Wäldern und Bergen, — feine Angelruthe blieb oft daheim, oder wurde bloß als eine Entfchuldigung
für fein langfames Hinfchlendern am Ufer eines kleinen Baches
mitgenommen, und fein Fang war ihm fo gleichgültig, daß
Meg fagte, der Pfeifer von Peebles hätte einen ganzen Korb voll
gefangen, ehe Herr Franz ein halbes Dutzend voll machte, fo daß
er endlich um des lieben Friedens willen und um feine Ehre zu
retten, einen fchönen Lachs fangen mußte.

Tyrrel's Malen, wie es Meg nannte, ging eben fo langfam;
oft zeigte er ihr die Skizzen, die er von feinen Spaziergängen
mitbrachte, und zu Haufe zu vollenden pflegte, aber Meg wollte
nicht viel davon halten. Was bedeuteten ein Paar Wifche Papier
mit fchwarzen und weißen Fliegenfüßen darauf, die er Büfche und
Bäume und Felfen nenne! — Konnte er fie nicht malen mit grün
und blau und gelb, wie andere Leute? — „Damit werdet Ihr
nimmermehr Euer Brod verdienen, Herr Franz. Ihr folltet lieber
ein großes, viereckiges Stück Leinwand aufziehen, wie Richard
Tinto, und Gefichter darauf malen, das fehe man viel lieber, als
einen Fels im Waffer, und ich hätte auch nichts dagegen, wenn
einige von den Mantelfackrittern heraufkämen, und Euch fähen.
Sie bringen ihre Zeit wohl fchlechter zu, das weiß ich, — und ich
verfichere Euch, Ihr bekommt eine Guinee für den Kopf. Richard
bekam zwei, das war aber auch eine alte fertige Hand, und ehe
man gehen lernt, muß man kriechen."

Diefe Vorftellungen beantwortete Tyrrel mit der Verficherung, daß Skizzen, womit er sich beschäftige, so hoch gehalten würden, daß oft ein Künstler in dieser Art weit mehr dafür bekäme, als für Bildnisse oder farbige Zeichnungen. Er setzte hinzu, sie dienten oft zur Erläuterung von Volksgedichten, und deutete an, wie er selbst in einer Arbeit dieser Art begriffen sei.

Sehnlich verlangte Meg, sich gegen Nelly Traber, das Fischweib, auszuschütten, — deren Wagen der einzige neutrale Verkehrskanal zwischen der Altstadt und dem Brunnen war, und die bei Meg in Gunst stand, weil sie auf dem Wege nach dem Brunnen an ihrer Thüre hielt, und ihr die erste Wahl unter den Fischen ließ; — dieser wollte sie nun die künstlerischen Verdienste ihres Gastes preisen. Die gute, alte Dods war in der That durch die Nachricht von ausgezeichneten Personen jeder Art, die Tag für Tag im Hotel ankamen, so geärgert und gleichsam verduzt worden, daß sie sich der glücklichen Gelegenheit überaus freute, auch einmal wieder triumphiren zu können, und man kann sich denken, daß die vortrefflichen Eigenschaften ihres Gastes dadurch nichts verloren, daß sie von ihr auspofaunt wurden.

„Ich muß das Beste von dem Wagen haben, Nelly, — wenn wir einig werden können, denn es ist für einen der besten Maler. Eure zierlichen Leute dort unten gäben was darum, wenn sie sähen, was er gemacht hat, — er bekommt Hände voll Geld für drei gerade und drei krumme Streiche. Und er ist kein so undankbarer Schlingel, wie Richard Tinto, der kaum meine fünfundzwanzig Schillinge in der Tasche hatte, als er hinunterging in das Hotel, und sie vertrank, nein, das ist ein anständiger, stiller, junger Mann, der wohl weiß, wo er gut aufgehoben ist, und auf den alten Gasthof noch etwas hält, wie sollt' er auch nicht? Sagt ihnen nur das alles, und hört, was sie davon meinen."

„Nun, wahrhaftig, das kann ich Euch jetzt schon sagen, ohne nur ein Bein darum zu rühren," antwortete Nelly Traber; „sie sagen, *Ihr wäret eine alte Närrin*, und ich dazu, die sich wohl auf

Hühnerbrühe und Engelfiſche verſtünden, aber ihre Mäuler nicht
in alles hängen müßten."

„Das ſagen ſie, die unverſchämten Spißbuben, und ich bin
Wirthin ſeit dreißig Jahren!" rief Meg, „das ſollten ſie mir nicht
ins Geſicht ſagen. Aber ich ſpreche nicht ohne Gewährsmann, —
denn wenn ich nun mit dem Geiſtlichen geſprochen, und ihm eine
von den leichten Krizeleien gezeigt hätte, die Herr Tyrl immer auf
ſeinem Zimmer herumliegen läßt? und wenn er nun geſagt
hätte, Lord Bidmore gäbe für die ſchlechteſte davon fünf Guineen?
und alle Welt weiß, daß er lange Hofmeiſter im Bidmore'ſchen
Hauſe war."

„Meiner Treu!" antwortete ihre Gevatterin, „wenn ich ihnen
das Alles ſagen wollte, ſo würden ſie mir es kaum glauben, denn
es ſind ſo viel Kenner unter ihnen, und die halten ſo viel von ſich
ſelbſt, und ſo wenig von andern Leuten, daß ſie mir kein Wort
von dem Allen glauben werden, was ich ſage, wenn Ihr mir nicht
das Gemälde ſelbſt mit hinuntergebt."

„Nicht glauben, was ein ehrliches Weib ſagt, ich will nicht
einmal ſagen zwei?" rief Meg; „o das ungläubige Geſchlecht! —
Nun gut, Nelly, da ich einmal in der Hiße bin, ſo ſollt Ihr das
Gemälde oder die Skizze, oder was es iſt, mitnehmen, und das eingebildete Volk beſchämen. Aber ſeht zu, daß Ihr es wieder zurückbringt, Nelly, denn es iſt eine Sache von Werth; und laßt es
nicht aus der Hand, das ſage ich Euch, denn ich traue nicht viel
auf ihre Ehrlichkeit. Und Nelly, Ihr könnt auch ſagen, er hätte
ein erläutertes Gedicht, — erläutert, vergeßt das Wort nicht,
— das ſpickt dergleichen Dinge aus, wie Speckſchnitten einen
Puter."

So mit ihren Beglaubigungsſtücken verſehen, und als Herold
zwiſchen zwei feindlichen Lagern trieb Nelly ihren kleinen Fiſch-
wagen hinunter nach dem St. Ronans-Brunnen.

In Brunnenörtern, wie bei andern Menſchenvereinen, hat Zu-

fall, Laune oder Uebereinkunft mancherlei Regierungsarten eingeführt, aber fast in allen hat man Vorkehrungen gegen die Anarchie
getroffen. Zuweilen ist die ganze Macht einem Ceremonienmeister
übertragen worden, aber auch diese Zwingherrschaft ist, wie alle
übrigen, in den letzten Zeiten aus der Mode gekommen, und die
Gewalt dieses Großwürdenträgers ist selbst in Bath, wo Nash
einst mit unbestrittener Oberherrlichkeit regierte, sehr beschränkt
worden. Meistens nahm man seine Zuflucht zu Verwaltungsaus-
schüssen, die aus den beständigsten Gästen erwählt wurden, als zu
einer freisinnigern Regierungsart, und einem solchen war auch die
Verwaltung des jungen Freistaats von St. Ronans-Brunnen anvertraut. Es muß bemerkt werden, daß dieser kleine Senat bei
der Erfüllung seiner hohen Pflichten um so mehr Mühe hatte, da
die Unterthanen hier, wie in andern Freistaaten, in zwei mißhellige
und streitende Parteien getheilt waren, welche jeden Tag mit einander aßen, tranken und sich lustig machten, während sie sich mit
aller Heftigkeit politischer Parteien haßten, durch alle mögliche
Künste bemüht waren, sich den Beitritt jedes ankommenden Gastes
zu sichern, und ihre beiderseitigen Thorheiten und Albernheiten mit
allem ihnen zu Gebot stehenden Witz und aller Bitterkeit lächerlich
machten.

An der Spitze einer dieser Parteien stand Niemand Geringe-
res, als Lady Penelope Penfeather, welcher die ganze Anstalt ihren
Ruf, ja ihr Dasein verdankte, und deren Einfluß nur in dem
Gutsherrn, Herrn Mowbray von St. Ronans, oder wie die Gesellschaft ihn gewöhnlich nannte, dem Squire, welcher Anführer der
andern Partei war, ein Gegengewicht finden konnte.

Der Rang und das Vermögen der Lady, ihre Ansprüche auf
Schönheit sowohl, als Talent (wiewohl die erstere etwas verblichen
war), und die Wichtigkeit, die sie sich selbst als Modedame beilegte,
versammelte Maler, Dichter, Philosophen, Gelehrte, Vorleser,
fremde *Abenteurer et hoc genus* omne um sie.

Der Einfluß des Squires dagegen, als eines Manne
guter Familie und Grundbesitz in der Nachbarschaft, der
hunde wirklich hielt, und von Jägern und Wettrennern wen
sprach, sicherte ihm die Unterstützung aller der halben und g
Wildfänge aus den drei nächsten Grafschaften, und wenn i
Lockungen nothwendig waren, so konnte er seinen Günstlinge
Vorrecht ertheilen, über seine Moore hinzuschießen, was '
genug ist, um einem jungen Schotten den Kopf zu verdrehen
der letzten Zeit erhielt ihn in seinem Uebergewicht hauptf
eine enge Verbindung mit Sir Bingo Binks, einem weisen,
lischen Baronet, der, wie viele glaubten, sich schämte, in sei
terland zurückzukehren, und darum am St. Ronans-Brunne
niedergelassen hatte, um hier den Segen zu genießen, den ih
caledonische Hymen in der Person von Fräulein Rachel Bonr
so gütig aufgedrungen hatte. Da dieser Herr wirklich eine
mäßig gebaute Postkutsche fuhr, die von denen Seiner M
in keiner Hinsicht verschieden war, als daß sie öfter umwa
war sein Einfluß auf eine gewisse Klasse unwiderstehlich, u
Squire von St. Ronans, der mehr Verstand hatte, erntet
alle Vortheile seiner wichtigen Freundschaft.

Diese zwei streitenden Parteien hielten sich nun dergesta
Gleichgewicht, daß der vorherrschende Einfluß der einen od
andern oft vom Sonnenlauf bestimmt wurde. Früh Morgen
Vormittags, wenn Lady Penelope ihre Heerde in's Freie od
schattigen Laube führte, entweder um ein zerstörtes Denkmal
Zeit zu besuchen, oder ihr Pickenik-Frühstück zu genießen,
Papier mit schlechten Zeichnungen, und gute Verse durch W
holung zu verderben, mit einem Worte:

Zu rasen, vorzulesen, alles toll zu machen,
schien der Lady Herrschaft über die Müssiggänger unbestritte
unbeschränkt, und alles ward in den Wirbel hineingerissen,
Dreh- und Mittelpunkt sie bildete. Selbst die Jäger, S

und Trinker folgten manchmal widerstrebend ihrem Zuge, schmollend, stotternd und ihre feierlichen Feste verhöhnend, wobei sie denn auch die jüngern Nymphen zum Kichern ermunterten, wenn sie empfindsam aussehen sollten. Aber nach dem Mittagsmahl änderte sich die Scene, und ihrer Herrlichkeit süßestes Lächeln und sanfteste Einladungen reichten oft nicht hin, den neutralen Theil der Gesellschaft in das Theezimmer zu ziehen, so daß ihre Gesellschaft auf diejenigen einschmolz, deren Leibesbeschaffenheit oder Finanzen einen baldigen Abzug aus dem Speisesaale zur Nothwendigkeit machten, nebst dem ergebenern und eifrigern Theile ihrer unmittelbaren Ab- und Anhänger. Selbst die Treue der Letztern war nicht ganz sicher. Ihrer Herrlichkeit gekrönter Dichter, zu dessen Gunsten sie jeden Reuankommenden zur Ueberschrift lockte, wurde so unabhängig, daß er in Ihrer Herrlichkeit Gegenwart an der Abendtafel ein ziemlich zweideutiges Lied sang, und ihr erster Maler, der an einer erläuternden Ausgabe der Pflanzenbegattung arbeitete; wurde einmal zu einer solchen Weintapferkeit verführt, daß er, als die Lady ihre gewöhnliche Gabe von Kritik über seine Werke ausgoß, nicht nur derb ihr Urtheil bestritt, sondern auch etwas über sein Recht fallen ließ, als gebildeter Mann behandelt zu werden.

Diese Fehden wurden von dem Leitungsausschuß aufgenommen, welcher am nächsten Morgen für die reuigen Beleidiger sich verwendete, und sie unter mäßigen Bedingungen in Lady Penelope's Gunst wieder einsetzte. Noch übte er manche Akte gebietender Amtswürde, theils zur Ruhe der Brunnengäste, und so wesentlich war seine Herrschaft für das Gedeihen des Orts, daß ohne ihn St. Ronans-Quell bald verödet gewesen sein würde. Wir müssen daher eine kurze Skizze dieses vielvermögenden Ausschusses geben, welchem beide Parteien, als handelten sie nach einem Gesetze der Selbstverläugnung, gemeinsam die Zügel der Regierung anvertraut hatten.

Jedes Mitglied schien wegen seiner besondern Gaben erwählt

zu sein, wie Fortunio im Feenmährchen seine Gesellschafter aus-
las. Zuerst auf der Liste stand der Mann der Heilkunde Herr
Quinbus Quackleben, der auf das Recht Anspruch machte, medi-
cinische Angelegenheiten an der Quelle zu reguliren, nach dem
Grundsatze, der vor Alters das Eigenthum eines neuentdeckten
Landes dem ersten Flibustier zusprach, der an der Küste Seeräuberei
trieb. Die Anerkennung der Verdienste des Doctors, der zuerst
die Kraft der Quelle bekannt gemacht und behauptet hatte, erforderte, daß man ihn allgemein als ersten Arzt und Gelehrten bestellte,
welche letztere Eigenschaft er zu jedem Zwecke brauchen konnte vom
Sieden eines Eies bis zu einer Vorlesung. Er war, wie viele
seiner Kunstgenossen, geeignet, einem an Unverdaulichkeit leidenden
Kranken Gift und Gegengift vorzulegen, denn er war ein so kun-
diger Gastronom, wie Doctor Redgill selbst, oder jeder andere
würdige Arzt, der zum Besten der Küche geschrieben, von Doctor
Moncrieff von Tippermalloch an bis auf den seligen Dr. Hunter
von York und Dr. Kitchiner in London. Aber die Menge ist
immer neidisch, und darum überließ der Doctor klüglich das Amt
des Tischraths und Obervorschneiders dem Manne von Geschmack,
der regelmäßig und von Amtswegen den Vorsitz am Tisch führte,
und behielt nur sich das Vorrecht vor, gelegentlich die guten Speisen, welche vorkamen, zu beurtheilen, und nach Kräften verzehren
zu helfen. Zum Schlusse dieser kurzen Nachricht über den gelehr=
ten Doctor fügen wir noch für den Leser die Bemerkung bei, daß
er ein langer, hagerer, finsterblickender Mann war, mit einer schlecht
gemachten, schwarzen Perücke, die zu beiden Seiten über seine
durchsichtigen Backen hervorstand. Neun Monate brachte er jährlich zu St. Ronans zu, und stand sich, wie man glaubte, ziemlich
gut dabei, besonders da er Whist bewundernswürdig spielte.

Der erste der Reihe nach, vielleicht aber nur der zweite nach
dem Doctor an wahrem Ansehen, war Mr. Winterblossom, ein
höfliches Männchen, ängstlich sauber im Anzug, das Haar in einen

Zopf gebunden, gepudert, trug Gürtelschnallen mit Bristoler Stei-
nen besetzt, und einen Siegelring, so groß wie Sir John Falstaff.
In seinen jüngern Jahren besaß er ein kleines Gut, das er aber
auf vornehme Weise im Umgang mit der lustigen Welt verschwendet hatte. Kurz er war einer jener achtbaren Menschen, welche die
Gecken der alten Welt mit den jetzigen verketten, und konnte aus
eigener Erfahrung die Thorheiten beider vergleichen. In der
letztern Zeit hatte er Verstand genug, sich den Zerstreuungen, freilich mit geschwächter Gesundheit und geschmolzenem Vermögen zu
entziehen.

Herr Winterblossom lebte jetzt von einer mäßigen Jahrsrente,
und hatte dadurch, daß er beständiger Vorsitzer an der Brunnen-
wirthstafel war, ein Mittel ausfindig gemacht, seine Sparsamkeit
mit angenehmer Unterhaltung und einer gut besetzten Tafel in
Einklang zu bringen. Er pflegte die Gesellschaft mit Geschichten
von Garrick, Foote, Bonnel Thornton und Lord Kellie zu unterhalten, und in Sachen des Geschmacks und der Kunstfertigkeit
seine Meinung abzugeben. Ein trefflicher Vorschneider, verstand
er es, jedem Gaste zu dem zu verhelfen, was ihm gebührte, und
nie verfehlte er, zum Lohn für seine Mühe, sich ein gehöriges Stück
vorzubehalten. Schließlich besaß er auch einigen Geschmack in den
schönen Künsten, wenigstens in Malerei und Musik, wiewohl derselbe mehr technischer, als von jener Art war, welche das Herz
erwärmt und das Gefühl erhebt, denn in Herrn Winterblossom
selbst war durchaus nichts von Wärme und Erhebung zu verspü-
ren. Er war schlau, selbstsüchtig und sinnlich, welche letztere Eigenschaft er unter dem gleißenden Firniß äußerlicher Gefälligkeit
verbarg. Deßhalb ließ er bei aller vorgeblichen und in die Augen
fallenden Aengstlichkeit, den Wirth bei der Tafel genau so zu machen, wie es die gute Erziehung erforderte, doch nie die Kellner für
die Bedürfnisse Anderer sorgen, bevor er nicht sich mit Allem,
was ihm behagte, versorgt und abgefunden hatte.

„Nein, nein, — die Lady ist heute schon im Warmbad gewesen," sagte der Squire, ein Sarkasmus, den die Lady nur mit
einem verachtenden Blick erwiederte.

„Und, Dinah, bring' den Zucker, — den weichen, ostindischen
Zucker, Dinah, — und eine Citrone, Dinah, eine von denen, die
heute frisch kamen, — geh', hole sie, Tobies, und falle nicht die
Treppe hinab, wenn es dir möglich ist, und, Dinah, — halt,
Dinah, — die Muskatnuß, — Dinah, — und den Ingwer, mein
liebes Kind, — und, Dinah, leg' mir einmal das Kissen hinter
meinen Rücken, — und gieb mir den Fußschemel, meine Zehe ist
von dem Morgenspaziergang mit der Lady auf das Belvedere etwas
schlimmer geworden."

„Und, Dinah," — fuhr der Vorsitzer fort, „heb' mein Schnupftuch auf, — und — ein wenig Biscuit, Dinah, — und sonst
brauche ich wohl nichts mehr. — Sieh' nach der Gesellschaft, mein
gutes Mädchen. — Ich habe die Ehre, auf die Gesundheit der
Gesellschaft zu trinken. — Wollen Eure Herrlichkeit mir die Ehre
anthun, und ein Glas Negus von mir annehmen? — Ich lernte
den Negus machen von des alten Dartineuf's Sohn. Er nahm
immer ostindischen Zucker, und setzte Tamarinden hinzu, — es
erhöht den Duft ungemein. Dinah, sorge doch, daß dein Vater
nach Tamarinden schickt,   Dartineuf verstand das Ding so gut,
wie sein Vater, — ich traf ihn zu Bath im Jahre —   laßt
doch sehen"   Garrick nahm eben Abschied, und das war im
Jahr u. s. w. u. s. w. Was ist denn das Dinah?" sagte er, als
sie ihm eine Rolle Papier einhändigte.

„Etwas, das Nelly Traber (die trabende Nelly, wie die Gesellschaft sie nannte) von einem Zeichner brachte, der bei dem Weibe
(so plump beschrieb der winzige Aufschößling die ehrwürdige Meg
Dobs) droben in der Altstadt in der Hakenschenke lebt," — ein
Name, beiläufig gesagt, den das Wirthshaus von dem Gebrauch
erhalten hatte, den der Heilige von seinem Krummstab machte.

„Wirklich, Dinah?" sagte Herr Winterblossom, indem er ernst seine Brille herausnahm und sie abwischte, ehe er das Papier aufrollte; „das Geschmier eines Jungen vermuthlich, den Papa und Mama gern in der Pflegschule haben möchten, und um etwas zu sparen, herumschicken, — aber ich bin ganz ausgebeutet, — ich brachte im vorigen Jahr drei Jungen an, und hätt' ich mich nicht ganz besonders bei dem Sekretär verwendet, der mich hie und da um meine Meinung fragt, so hätte ich es nicht einmal möglich machen können. Aber eine Hand wäscht die andere, sage ich immer. — Ei, in des Teufels Namen, was ist denn das? — Da ist Kraft und Haltung — wer kann das sein, Mylady? — seht nur diese Schattenstriche, das ist ja etwas, — etwas, — etwas ausgesucht Schönes. Wer Teufel kann denn das sein? und wie gerieth er nur in das Hundeloch in der Altstadt zu dieser keifenden — — ich bitte Euer Herrlichkeit tausendmal um Verzeihung, — die dort haust?"

„Ich glaube, Mylady," sagte ein kleines, vierzehnjähriges Fräulein, deren Augen immer runder und größer, und deren Wangen immer röther und röther wurden, als sie inne ward, daß sie allein sprach, und so viele Leute zuhörten, „o ja, das ist derselbe Herr, den wir neulich im Unterwalde trafen; er sah aus, wie ein vornehmer Herr, war aber nicht aus der Gesellschaft, und Ihr sagtet, es sei ein schöner Mann."

„Ich sagte nicht schön, Maria," erwiederte Ihre Herrlichkeit. „Damen sagen nie, Männer seien schön, — ich sagte blos, er sehe artig und interessant aus."

„Und dieß, Mylady," sagte der junge Pfarrer lächelnd und mit einer Verbeugung, — „ich berufe mich auf die Gesellschaft, ließ ist das schmeichelhaftere Compliment, — wir werden nun eifersüchtig auf diesen Unbekannten sein."

„Ja, aber," fuhr die süßgeschwätzige Maria theils mit wahrer, theils mit angenommener Einfalt fort, „Eure Herrlichkeit vergißt, — denn Ihr sagtet gleich darauf, er sei gewiß kein Mann von Stande, denn er lief Euch nicht mit dem Handschuh nach, den Ihr hattet fallen laffen, so ging ich nach dem Handschuh zurück, und er erbot sich gar nicht, mir zu helfen, und ich sah ihn näher, als Ihr, Mylady, und gewiß, er ist schön, wenn auch nicht sehr höflich."

„Ihr sprecht ein wenig zu viel und zu laut," sagte Lady Penelope, indem ein natürliches Roth die Nüance erhöhte, welche gewöhnlich jenes entbehrlich machte.

„Was sagt Ihr dazu, Squire Mowbray?" fragte der zierliche Sir Bingo Binks.

„Eine hübsche Ausforderung, Sir Bingo," antwortete der Squire; „wenn eine Dame den Handschuh hinwirft, kann ein Herr schon immer das Schnupftuch werfen."

„Ich bin immer so glücklich, von Euch, Herr Mowbray, am besten verstanden zu werden," sagte die Lady mit Würde. „Vermuthlich hat Fräulein Maria das allerliebste Geschichtchen zu ihrer Unterhaltung ersonnen. Ich kann es der Frau Digges kaum danken, daß sie sie in eine Gesellschaft bringt, wo sie so viel Aufmunterung erhält, sich so zu benehmen."

„Nun, nun, Mylady," sagte der Vorsitzende, „Ihr müßt den Scherz durchlaffen: und da dieß wirklich eine bewundernswürdige Zeichnung ist, so müßt Ihr uns schon mit Eurer Meinung beehren, ob die Gesellschaft schicklicherweise diesem Manne ein wenig entgegenkommen kann."

„Meiner Meinung nach," sagte Mylady noch immer mit glühendem Aerger, „sind schon genug Männer unter uns, — ich wünschte sagen zu können, feine Männer, — wie die Sache stehen, sehe ich nicht, wie Damen zu St. Ronans etwas dabei zu thun haben können."

Dieß war eine Weisung, die den Squire immer wieder zum guten Ton zurückbrachte, der ihm, wenn er wollte, wohl zu Gebot stand. Er bat die Lady um Verzeihung, bis sie ihm mit wiederkehrender guter Laune sagte, sie würde ihm nicht trauen, wenn er nicht als Bürgen seine Schwester mitbrächte.

„Flora, Mylady," sagte Mowbray, „ist ein wenig eigensinnig, und ich glaube, Eure Herrlichkeit muß sich selbst die Mühe geben, sie in Eure Hände zu bringen. Was sagt Ihr zu einem Zigeunerzug nach meinem alten Hause? — Es ist eine Junggesellenwohnung, — Ihr dürft Euch also keine zu große Ordnung versprechen, aber Flora würde sich geehrt fühlen." — —

Lady Penelope nahm den Vorschlag einer Gesellschaftspartie willig an, und völlig mit Mowbray ausgesöhnt, fragte sie, ob sie den fremden Künstler mitbringen dürfe, „vorausgesetzt," sagte sie, mit einem Blicke auf Dinah, „daß er ein artiger Mann ist."

Hier versicherte Dinah, der Herr bei Meg Dods sei ein ganz artiger, vornehmer Mann, und ein erläuterter Dichter dazu.

„Dinah!" sagte Lady Penelope, „du meinst ein berühmter Dichter."

„Euer Herrlichkeit mag wohl Recht haben," sagte Dinah mit einem Knixe.

Ein freudiges Leben der Ungeduld flog sogleich durch den ganzen ästhetischen Theil der Gesellschaft, und auch den übrigen war die Neuigkeit nicht ganz gleichgültig. Die ersten gehörten zu der Klasse, welche, wie der junge Askanius, immer auf einen gelbmähnigen Löwen ausgehen, aber überglücklich sind, wenn sie dann und wann einen großen Eber finden; und die andern, die alle ihre gewöhnlichen Angelegenheiten und anziehenden Gegenstände daheim gelassen, waren froh, aus dem unbedeutendsten Vorfall eine Sache von Wichtigkeit zu machen. Ein gewaltiger Dichter, sagten die erstern, wer konnte das wohl sein? Alle Namen wurden aufgeführt, — ganz Britannien durchforscht, von den hochländischen Bergen bis zu den cumberländischen Seen, — von Sydenham-Common bis zum St. Jakobs-Platz, selbst die Gestade des Bot-

phorus wurden durchsucht nach einem Namen, dem dieß ausgezeich-
nete Beiwort zukommen könnte. Und dann außer einem berühmten Dichter noch ein so vortrefflicher Zeichner! wer könnte das
sein? und alle die Maulaffen, die sonst nichts vorbringen konnten,
hallten die Frage nach: „wer könnte das sein?“

Der Claretclub, der die auserwähltesten und festesten Anhänger
Squire Mowbray's und des Baronets enthielt, — Leute, die eine
Flasche Wein für das morgende Gelag aufheben wollten, wiewohl
sie sich um die eine jener schönen Künste so wenig kümmerten, als
um die andere, hatten doch ein eigenes Interesse, welches sich auf
dasselbe Individuum bezog.

„Ich meine, kleiner Sir Bingo,“ sagte der Squire, „das ist
derselbe Mensch, den wir am Sonnabend an der Weidenschlucht
sahen, er war sonderbar genug angezogen, und warf zwölf
Ellen Angelschnur mit einer Hand, — das Ding fiel wie Distel-
wolle in's Wasser.“

„Uff!“ antwortete der Angeredete im Tone eines Hundes, den
das Halsband drückt.

„Wir sahen ihn den Lachs da drüben herausziehen,“ — sagte
Mowbray; „Ihr erinnert Euch, — ein netter Fisch war's, Floßen
hatte der Kerl, — er wog gewiß achtzehn Pfund.“

„Sechszehn!“ erwiederte Sir Bingo in eben dem Tone des
Erstickens.

„Keine von Euern Possen, Bing!“ sagte sein Zechbruder, —
„eher achtzehn, als sechszehn!“

„Eher sechszehn, beim T....!“

„Wollt Ihr darauf der Gesellschaft ein Dutzend Flaschen zum
Besten geben?“ fragte der Squire.

„Hol' mich der...., nein,“ krächzte der Baronet, „aber uns
Beiden will ich's.“

„Dann sage ich, es gilt!“ sprach der Squire.

„Und es gilt!" antwortete der Ritter, und heraus zogen sie
ie rothen Taschenbücher.

„Aber wer soll die Wette entscheiden?" fragte der Squire.
Doch wohl das Genie selbst, man spricht davon, ihn hieher zu
itten, aber ich glaube, er wird sich um solche Kauze nicht viel
immern."

„Selber schreiben — John Mowbray," sagte der Baronet.

„Ihr, Baronet! — Ihr schreiben? — zum Teufel, das wer=
et Ihr bleiben laffen, — Ihr werdet nicht schreiben."

„Ich werde," grölte Sir Bingo vernehmlicher, als vorher.

„Ei, Ihr könnt nicht!" sagte Mowbray. „Ihr habt ja in
:urem Leben keine Zeile geschrieben, als die, wofür Ihr in der
5chule geprügelt wurdet."

„Ich kann schreiben, — ich werde schreiben!" sagte Sir Bingo.
Zwei gegen eins, ich werde."

Dabei blieb es, denn die Berathungsbehörde der Gesellschaft
berlegte reiflich, wie ein Verkehr mit dem geheimnißvollen Frem=
en am schicklichsten zu eröffnen sei, und Winterbloffom's Stimme,
eren von Natur feine Töne das Alter zum Falset ausgebildet
atte, rief der ganzen Gesellschaft zu: „Ordnung, Ordnung!"
So mußten die Lärmgeister still sein, lehnten sich mit beiden Ar=
nen auf den Tisch, und bezeugten durch Husten und Gähnen ihre
Ueichgültigkeit gegen die fraglichen Gegenstände, während die
brige Gesellschaft darüber verhandelte, als gälte es Leben und Tod.

„Ein Besuch eines der Herrn, — Herrn Winterbloffom's,
enn er die Mühe übernehmen wollte — im Namen der Gesell=
haft überhaupt," meinte Lady Penelope, „würde wohl die nö=
jige Einleitung zu einer Einladung sein."

Herr Winterbloffom war ganz Ihrer Herrlichkeit Meinung,
— und würde sehr gerne persönlicher Vertreter der Gesellschaft
om St. Ronans=Brunnen sein, — aber man müffe den Berg
nauf, — Ihre Herrlichkeit wiffe, sein Tyrann, die Gicht sei im

Anzuge, — es gäbe ja noch andere, jüngere Herrn, die würdiger
wären, als er, der alte Vulcan, auf den Befehl der Damen zu fliegen,   da sei der tapfere Mars, der beredte Merkur.

Bei diesen Worten verbeugte er sich gegen den Hauptmann
Mac Turk und den ehrwürdigen Herrn Simon Chatterley, lehnte
sich in seinen Stuhl zurück, und schlürfte seinen Negus mit dem
selbstzufriedenen Lächeln eines Redners, der durch eine zierliche Rede
sich eines beschwerlichen Auftrags überhoben hat. Zu gleicher Zeit
steckte er, wahrscheinlich in einer Geistesabwesenheit, die Zeichnung
ein, die an der Tafel herumgegangen und wieder zum Vorsitzer
zurückgekommen war, von dem sie ausging.

„Bei Gott, Madame," sagte Mac Turk; „ich würde stolz
darauf sein, Euer Herrlichkeit Befehle zu befolgen, — aber, bei
Gott, ich rede nie Jemand zuerst an, der mich nicht angesprochen
hat, ich müßte ihm denn Botschaft bringen von einem Freunde,
oder etwas dergleichen."

„Seht doch den alten Kunstkenner," sagte der Squire zu dem
Ritter. — „Er steckt die Zeichnung in die Tasche."

„Frisch daran, John Mowbray,   tränkt's ihm ein," flüsterte Sir Bingo.

„Ich bedanke mich schön, Sir Bingo," sagte der Squire eben
so leise. — „Winterblossom ist Einer von uns, — war wenigstens Einer von uns, und möchte sich's nicht gefallen lassen. Er
hat seine Handgriffe noch immer, die zu seiner Zeit vortrefflich
waren, und kann's mit dem Besten von uns aufnehmen,   aber
halt, sie hetzen den Pfarrer."

Wirklich war man von allen Seiten bemüht, Herrn Chatterley zum Besuche bei dem unbekannten Genie zu bewegen, aber obgleich er lächelte, und junqherrlich that, und durchaus nicht nein
sagen konnte, so bat er doch in aller Demuth, den Auftrag ablehnen zu dürfen. „Die Sache sei diese," führte er zu seiner Entschuldigung an, „daß er eines Tags das alte St. Ronans habe

besuchen wollen, und auf dem Rückweg durch die Altstadt habe er
an der Thüre der Hakenschenke angehalten, um irgend eine Er-
frischung zu bekommen; er hätte auch seinen Wunsch geäußert, und
ziemlich laut angepocht, als plötzlich ein Schiebfenster aufgegangen
sei, und ehe er noch hätte gewahren können, was erfolgen solle, sei
er mit einer Fluth von Wasser, wie er sagte, überschüttet worden,
wobei die Stimme einer alten Hexe von innen ihn versicherte, wenn
das ihn noch nicht abkühle, so stehe noch mehr bereit, — eine Weisung, die ihn vermocht hatte, in aller Eile sich einem zweiten Guß-
bade zu entziehen."

Alles lachte über des Kaplans Mißgeschick, das er nur mit
Widerstreben zu erzählen schien, weil er doch einen gewichtigen
Grund angeben mußte, weßhalb er der Lady Befehle ablehnte.
Aber der Squire und der Baronet trieben die Lustigkeit weiter, als
der Anstand gestattete, warfen sich in die Sessel zurück, steckten die
Hände in die Seitentaschen, und lachten mit aufgesperrten Mäu-
lern ausgelassen, bis der zornige und außer Fassung gebrachte Lei-
densbruder, indem er sich das Ansehen geben wollte, als blicke er
mit Verachtung darauf, ein nochmaliges allgemeines Gelächter veranlaßte.

Als es Herrn Winterblossom gelungen war, einigermaßen die
Ordnung herzustellen, fand er, daß der Unfall des jungen Gottes-
gelehrten eben so einschüchternd, als spaßhaft sei. Keiner von der
Gesellschaft wollte demnach als außerordentlicher Gesandter sich in
die Besitzungen der Königin Meg begeben, von welcher anzunehmen war, daß sie die heilige Person eines Gesandten nicht sonder-
lich respektiren würde. Was aber noch schlimmer war, als man
beschloß, daß dem Fremden statt des Besuchs, eine höfliche Karte
von Herrn Winterblossom gesendet werden solle im Namen der
Gesellschaft, so bemerkte Dinah, daß sich gewiß aus dem Hause
Keiner hergeben würde, um einen solchen Brief zu überbringen,
denn als vor *zwei Jahren ein solcher Fall eingetreten*, habe Meg,

die dieß für einen Versuch gehalten, ihren Gast abspenstig zu machen, den Bauernjungen, der den Brief überbracht, so behandelt, daß er sich schnell davon gemacht, und sich nicht eher für sicher gehalten habe, als bis er zehn Meilen davon in einem Dorfe gewesen sei, wo er, wie man nachher erfuhr, sich anwerben ließ, und lieber gegen die Franzosen zu Felde ziehen, als sich noch einmal Megs Unwillen aussetzen wollte.

Als man eben diese neue Schwierigkeit erwog, ließ sich draußen ein furchtbares Geschrei vernehmen, welches, wie die Gesellschaft anfangs besorgte, Meg zu sein schien, die in allen ihren Schrecken der vorgeschlagenen Einladung zuvorkommen wollte. Bei näherer Nachfrage ergab es sich indeß, daß es ihre Gevatterin, die trabende Nelly oder Nelly Traber sei, die sich, trotz der vereinten Anstrengung der ganzen Dienerschaft des Hotels, die Treppe hinauf Bahn brach, um Dods Gemälde, wie sie es nannte, zurück zu fordern. Darüber erzitterte der Schatz in der Tasche des Kenners, der schnell eine halbe Krone in Tobiesens Hand warf, und ihm befahl, diese ihr zu geben, und sie wo möglich zurückzuhalten. Tobies, der Nelly schon kannte, steckte die halbe Krone in seine eigene Tasche, und stipitzte ein halbes Nößel Whisky vom Seitentische weg. So bewaffnet trat er keck dem Mannweib entgegen, und legte ein Moratorium ein, das der armen Nelly entschlossensten Lauf hemmen mußte, es gelang ihm auch, nicht nur den unmittelbaren Sturm, der die Gesellschaft im allgemeinen und Herrn Winterblossom insbesondere bedrohte, abzuwehren, sondern er brachte auch den Gästen die angenehme Nachricht, die trabende Nelly habe, wenn sie in der Scheune ihr Schläfchen gemacht haben werde, sich willig finden lassen, ihre Aufträge an den Unbekannten in der Hakenschenke zu befördern.

Nachdem nun Herr Winterblossom sein Verfahren beurkundet hatte, indem er in das Tagebuch des Ausschusses den ihm gewordenen Auftrag eintrug, schrieb er seine Karte in dem besten diplo-

ntiſchen Style, und ſiegelte ſie mit dem Brunnenſiegel, das
was wie eine Nymphe vorſtellte, welche neben einer ſeinſollenden
rne ſaß.

Die rivaliſirenden Parteien aber trauten dieſer offiziellen Einladung nicht ganz. Lady Penelope war der Meinung, man müſſe
ein Mittel erſinnen, woraus der Fremde, ganz unbezweifelt ein
Mann von Talent, erſehen müſſe, daß in der Geſellſchaft, zu der
er eingeladen war, auserleſenere Geiſter ſeien, die ſich würdig fühl-
ten, ſich in ſeine Einſamkeit einzudrängen.

Demzufolge gab die Lady dem eleganten Herrn Chatterley den
Auftrag, den Wunſch der Geſellſchaft, den unbekannten Künſtler
zu ſehen, in einem ſauber geſchriebenen Gelegenheitsgedicht auszudrücken. Die Muſe des armen Herrn ließ ſich ungnädig vernehmen, denn in einer halben Stunde brachte er nicht mehr als zwei
Zeilen zuſammen, welche wir nebſt den Veränderungen aus der
fleckſten Handſchrift beifügen, wie Dr. Johnſon Pope's Ver-
eſſerung in ſeiner Ueberſetzung der Iliade beidrucken ließ:

(Damen)
(Mädchen) (geſellet)
Die Nymphen, vereint in Ronans Thal,
(Hirten)
Der Jüngling, der Zeichner und Dichter zumal,
— — — — — — — freundlichem Mahl.

In Abweſenheit der himmliſchen Muſe mußte man demnach
nothwendig zur Beredtſamkeit eines proſaiſchen Billets ſeine Zuflucht nehmen, und dieß ward heimlich der trabenden Nelly anvertraut. Dieſelbe treue Bötin erhielt, nachdem ſie ihr Schläfchen
auf Erbſenſtroh gemacht, und ihren Wagen zur Rückkehr an die
Seeküſte, wo ſie über die Altſtadt mußte, wieder angeſchirrt hatte,
noch eine von Sir Bingo Binks, wie er gedroht hatte, ſelbſt ge-
ſchriebene Karte; er hatte ſich nämlich dieſe Mühe gegeben, um die
Wette feſt zu machen, in der Vorausſetzung, daß ein Mann mit
ſolchem Aeußern, der zwölf Ellen Angelſchnur ſo genau auf

einmal auswerfen konnte, Winterbloſſoms Einladung für das Ge-
ſchwätz eines alten Narren nehmen, und ſich eben ſo wenig um die
Gnade einer affectirten äſthetiſchen Dame und ihr Kränzchen bekümmern würde, deren Unterhaltung nach Sir Bingo's Meinung
nur nach ſchwachem Thee und Butterbrod ſchmeckte. So erhielt
der glückliche Herr Franz Tyrrel, zu ſeinem nicht geringen Erſtaunen, nicht weniger als drei Einladungen auf einmal von dem
St. Ronans-Brunnen.

***

Fünftes Kapitel.

Briefliche Beredtſamkeit.

Wie kann ich antworten? ich muß doch erſt leſen.
Prior.

Da wir unſere wichtigeren Thatſachen mit ſo viel Original-
urkunden, als möglich, zu belegen wünſchen, ſo finden wir uns
nach vielen Nachforſchungen endlich in den Stand geſetzt, dem Le-
ſer folgende der trabenden Nelly anvertraute Noten in genauer
Abſchrift vorzulegen. Die erſte lautete ſo:

„Herr Winterbloſſom (von Silverhed) hat den Auftrag von
Lady Penelope Penfeather, Sir Bingo und Lady Binks, Herrn
und Fräulein Mowbray (von St. Ronans) und der übrigen Geſellſchaft im Hôtel und Tontinen-Wirthshaus von St. Ronans-
Brunnen, ihre Hoffnung auszudrücken, daß der, in der Haken-
ſchenke, Altſtadt St. Ronans, wohnende Fremde ſie mit ſeiner Geſellſchaft ſobald und ſo oft, als es ſeine Verhältniſſe erlauben, beehren werde. Die Geſellſchaft erachtet es für nöthig, dieſe Einladung zu ſenden, weil nach den Geſetzen des Orts der Gaſthof
nur von Herrn und Damen beſucht werden darf, die am St. Ro-

nans-Brunnen wohnen, aber sie freut sich, zu Gunsten eines durch seine Leistungen in den schönen Künsten so ausgezeichneten Herrn, als Herr — — —, dermalen in der Hakenschenke, eine Ausnahme zu machen. Wenn Herr — — — geneigt sein sollte, wenn er mit der Gesellschaft und den Gesetzen des Orts näher bekannt geworden, seinen Aufenthalt nach dem Brunnen zu verlegen, so hofft Herr Winterblossom, wiewohl er sich dießfalls doch gerade zu nichts Bestimmtem verbürgen möchte, es würde sich, trotz des außerordentlich zahlreichen Besuchs in diesem Jahre, eine Einrichtung treffen lassen, Herrn — — — in dem Lilliput-hall genannten Hause einzumiethen. Es würde diese Unterhandlung sehr erleichtern, wenn Herr — — — eine genaue Angabe seiner Länge einsenden wollte, da Hauptmann Rannletree geneigt scheint, auf das Feldbett zu Lilliput-hal zu verzichten, weil er es ein wenig zu kurz findet. Herr Winterblossom bittet ferner Herrn — — —, sich der Achtung, welche er seinem Genius zollt, und seiner hohen, persönlichen Werthschätzung versichert zu halten.

An — — —, Esquire, Hakenschenke,
Altstadt St. Ronans.

Gesellschaftszimmer, Hôtel
und Tontine, St. Ronans-
Brunnen u. s. w. u. s. w.

Vorstehende Karte war in sauberer, runder, kanzleimäßiger Hand geschrieben, die, wie Herr Winterblossoms Charakter, in vielen Punkten höchst genau und alltäglich war, obgleich sie in den Zügen und der Genauigkeit Affektation verrieth.

Das folgende Billet stach gegen die diplomatische Würde und Umständlichkeit der offiziellen Mittheilung Herrn Winterblossoms sehr stark ab, indem des jungen Gottesgelahrten akademische Schätze und klassische Redeblumen mit einigen wilden Blumen aus Lady Penelope's schaffender Phantasie gemischt waren.

„Ein am Heilquell von St. Ronans versammelter Chor von *Dryaden und Najaden* hat mit Erstaunen erfahren, daß ein von

Apolls in verschwenderischer Laune mit zwei seiner geschätztesten Gaben beschenkter Jüngling nach Belieben in ihrem Bereich umher wandert, Hain und Fluß besucht, ohne auch nur daran zu denken, den Schutzgottheiten derselben seine Huldigung zu leisten. Er wird demnach vor sie geladen, und schneller Gehorsam wird ihm Verzeihung zusichern; im Falle ungehorsamen Außenbleibens aber mag er zusehen, wie er Leier und Palette wieder versuche."

Nachschrift. „Die anbetungswürdige Penelope, die ihrer Schönheit und Tugend willen längst unter den Göttinnen aufgezeichnet ist, gibt Donnerstag Abends acht Uhr Nektar und Ambrosia, Sterbliche nennen es Thee und Kuchen, nahe am heiligen Quell im Gesellschaftszimmer, wo die Musen nie verfehlen, sich einzustellen. Der Fremde wird ersucht, an den Freuden des Abends Theil zu nehmen."

Zweite Nachschrift. „Ein Schäfer, der ehrgeiziger Weise nach größerer Bequemlichkeit trachtet, als seine enge Hütte bietet, verläßt sie in einigen Tagen."

„Gewiß, es kann das Ding gemiethet werden."

Shakespeare.

Dritte Nachschrift. „Unsere Iris, Sterblichen als die trabende Nelly in ihrem Tartanmantel bekannt, wird uns des Fremden Antwort auf unsere himmlische Vorladung bringen."

Der Brief war in zarter italienischer Schrift, mit feinen Haarstrichen und Zügen geschrieben, die zuweilen so geschickt geschwungen waren, daß sie Leiern, Pallete, Vasen und andere schickliche, dem Inhalt gemäße Verzierungen bildeten.

Der dritte Brief war das vollkommene Widerspiel gegen die beiden andern. Es war eine grobe, unregelmäßige Schulknabenhand, welche indeß dem Schreiber so viele Mühe gekostet zu haben schien, als wäre sie ein Muster von Schönschreiberei gewesen. Der Inhalt war folgender:

„Ser — Jack Mowbray hat mit mir gewettet, daß der Sabner,

den Ihr letzten Sonnabend gefangen, nah' an achtzehn Pfund
wog, — ich sagte näher an sechzehn. — Da Ihr ein Waidmann
seid, so ist die Sache berichtet, — so hoffe ich, Ihr kommt oder
sendet mirs; dürft nicht zweifeln, Ihr werdet willkommen sein.
Die Wette ist ein Dutzend Flaschen Claret, die von uns im Hôtel
am nächsten Montag geleert werden sollen, — und wir bitten, daß
Ihr von der Partie seid, — und Mowbray hofft, Ihr werdet
'runter kommen.   Bin, Ser, Euer gehorsamster Diener, —
Bingo

Binks, Baronet, und von Blockhall."

Nachschrift. „Hab' einige indische Rundschnüre nebst einigen
aus roher Seide mitgeschickt, die mein Stallknecht gedreht hat;
hoffe, sie sollen das ihrige thun, je nachdem Fluß und Jahres-
zeiten sind."

Länger als drei Tage erfolgte auf alle diese Einladungen keine
Antwort, und da dieß insgeheim die Neugier der Brunnengäste
hinsichtlich des Unbekannten eher vermehrte, als verminderte, so
wurde öffentlich viel gegen ihn, als einen rohen, ungesitteten Menschen geschmäht.

Indessen fand Franz Tyrrel allmählig zu seinem großen Erstaunen, daß er, wie die Philosophen, nie weniger allein war, als
wenn er allein war. Auf den einsamsten, stillsten Spaziergängen,
wohin ihn seine jetzige Stimmung führte, fand er gewiß einige
Streifzügler vom Brunnen, für die er ein Gegenstand lebhafter
Aufmerksamkeit geworden war. Da ihm durchaus unbekannt war,
daß er selbst die Anziehungskraft besitze, die sein häufiges Zusammentreffen mit ihnen veranlaßte, fing er an, zu glauben, Lady
Penelope und ihre Mädchen, — Herr Winterblossom und sein
graues Pferd, — der Pfarrer und sein kurzer, schwarzer Rock
nebst graulichen Hosen — möchten entweder nur holzgraphische
Kopien der nämlichen Individuen sein, oder eine Schnelligkeit der
Bewegung besitzen, die der Allgegenwart glich, denn er konnte

Nelly Traber wollte entweder ihrer Gevatterin Meg Dods ohne die Zeichnung nicht wieder unter die Augen treten, oder sie war durch den Doppelschnaps, den sie am Brunnen getrunken, vergeßlich geworden, und taumelte mit ihrem Wagen nach ihrem geliebten Dörfchen Scateraw, von wo aus sie die Briefe mit dem ersten besten Barb einem Jungen, der nach der Altstadt von St. Ronans ging, abschickte, so daß sie endlich nach langem Verzug in die Hakenschenke und Tyrrels Hände gelangten.

Die Ankunft dieser Urkunden klärte ihm einigermaßen das seltsame Benehmen seiner Brunnen-Nachbarn auf, und da er sah, daß er für eine Art Wunderthier angesehen wurde, und wohl wußte, daß ein solcher Charakter eben so lächerlich, als schwer durchzuführen sei, so eilte er, Herrn Winterblossom im Style gewöhnlicher Sterblicher zu antworten. Er erwähnte die schlechte Bestellung des Briefs, drückte sein Bedauern darüber aus, und zeigte seine Absicht an, mit der Gesellschaft am folgenden Tage zu speisen, bedauerte jedoch, daß seine Gesundheit und Stimmung, so wie auch andere Umstände ihm nur sehr sparsam diese Ehre während seines Aufenthalts in der Gegend gestatten würden, und bat, sie möchten sich ja wegen seiner Einquartierung am Brunnen keine Ungelegenheit machen, indem er mit seinem jetzigen Aufenthalt vollkommen zufrieden sei. Ein besonderes Schreiben an Sir Bingo sagte, es freue ihn, das Gewicht des Fisches angeben zu können, da er es in seinem Tagebuche aufgezeichnet habe, und wiewohl das Resultat nur dem einen Theil erwünscht sein könne, so wünsche er doch, Beide, der Gewinner, wie der Verlierer, möchten sich beim Weine lustig machen; er bedaure, daß er sich die Freude nicht versprechen könne, daran Theil zu nehmen. Beigefügt war eine Angabe des Gewichts des Fisches. Hiemit gerüstet forderte nun Sir Bingo seinen Wein, — triumphirte über seine Urtheilskraft, — schwor lauter und vernehmlicher, als man je etwas von ihm gehört hatte, dieser Tyrrel sei ein verteufelt ehrlicher Kerl, und so

hoffe ganz gewiß, beffer mit ihm bekannt zu werden; der kleinlaut
gewordene Squire dagegen verfluchte im Stillen den Fremden,
und konnte seinen Gegner nur dadurch beschwichtigen, daß er seinen Berluft zugeftand, und einen Tag zur Bezahlung der Wette
fetfehte.

Im Gefellschaftszimmer unterjuchte man nun die Antwort des
Fremden mikroskopisch genau, bot allen Scharfſinn auf, um in den
gewöhnlichſten Ausdrücken einen tiefern und geheimen Sinn zu
entdecken. Herr Micklewham, der Rechtsgelehrte, verweilte bei
dem Wort Umſtände, das er mit beſonderem Nachdruck las.

„Ach, der arme Junge!" schloß er, „er mag wohl an Megs
Kaminecke wohlfeiler ſitzen, als er es in dieſer Geſellſchaft könnte."

Doktor Quackleben ſuchte ſich, wie ein Geiſtlicher aus ſeinem
Texte, ein Wort heraus, worauf er beſonders haften blieb, und
wiederholte halblaut: „Zuſtand der Geſundheit? — hum — Zuſtand der Geſundheit? — Nichts hitziges, noch Niemand iſt geſendet worden, — muß chronisch ſein, — neigt ſich vielleicht zur
Gicht. Oder ſeine Geſchäftsſcheu, — flüchtig wilder Blick,
unregelmäßiger Gang, — ſtutzt, wenn ihm plötzlich ein Fremder
begegnet, wendet ſich dann raſch und unwillig weg. — Herr Winterbloffom, erlaubt doch, daß ich die Zeitungen durchlaufen darf,
— dieſe Beſchränkung iſt doch recht ſtörend."

„Ihr wißt, ſie iſt nöthig, Doktor," ſagte der Präſident;
„Wenige von der guten Geſellſchaft leſen ſonſt etwas Anderes, ſo
daß die alten Zeitungsblätter längſt in Stücken zerriſſen ſind."

„Schon gut, erlaubt mir nur," ſagte der Doktor, „ich erinnere mich, etwas von einem Herrn geleſen zu haben, der ſeinen
Freunden entlief, ich muß nach der Beſchreibung ſehen, — ich
glaube, ich habe eine Zwangsweſte in meinem Laboratorium."

Während dieſe Andeutung die Männer in der Geſellſchaft er-
ſchreckte, welche ſich auf die bevorſtehende Tafelgeſellſchaft mit einem
Herrn, deſſen Geſundheitszuſtand ſo mißlich ſchien, nicht ſonderlich

freuten, flüsterten einige der jungen Mädchen einander zu: — „ach, der arme Mensch!" wenn es ist, wie der Doktor glaubt, My-lady, wer weiß, was die Ursache seiner Krankheit gewesen sein mag? — Er klagt über seine Stimmung, — der arme Mensch!"

So wurde durch die scharfsinnigen Commentarien der Brun-nengesellschaft über einen so einfachen Brief, als je einer auf einem Oktavblatt stand, der Schreiber seines Verstandes und seines Her-zens ganz und gar, oder doch eines und des andern, wie es kurz und deutlich in der Rechtsformel heißt, verlustig erklärt.

Kurz es ward so viel für und wider gesprochen, so viel Ideen wurden angeregt, und so viel Theorien über die Stimmung und den Charakter eines Menschenfeinds aufgestellt, daß, als die Ge-sellschaft sich zur gewöhnlichen Zeit vor dem Essen versammelte, man, wie es schien, ungewiß war, ob der erwartete Zuwachs ihrer Gesellschaft auf Händen oder Füßen in's Zimmer kommen würde, und als Tobies mit möglichst lauter Stimme „Herr Tyrrel" an-meldete, so hatte der Eintretende so wenig, was ihn von Andern unterschied, daß man auf einen Augenblick verlegen war. Die Da-men besonders begannen zu zweifeln, ob dieß Gemisch von Talent, Menschenfeindlichkeit, Tollheit und Empfindsamkeit, das sie sich ausgemalt hatten, eins und dasselbe sei mit dem artigen, selbst mo-disch gekleideten Mann, den sie vor sich sahen; der, wiewohl in einem Morgenkleide, das seine entlegene Wohnung und die herr-schende Freiheit entschuldigte, selbst in den geringfügigsten Kleinig-keiten seines Anzugs durchaus nichts Nachläßiges oder Wildes hatte, was man einem menschenfeindlichen, gleichviel ob vernünf-tigen oder tollen, Sonderling zutrauen durfte. Als er sich ringsum im Kreise verneigt, schienen denjenigen, die er anredete, die Schup-pen vom Auge zu fallen, und sie sahen mit Erstaunen, daß die Uebertreibungen nur in ihrer Einbildung bestanden hatten, und daß Herrn Tyrrels Benehmen, seine Vermögensumstände und sein

Rang mochten nun sein, wie sie wollten, nicht scheu, sondern setn und gefällig war. Er dankte Herrn Winterblossom auf eine Weise, daß dieser alle seine Lebensart zusammennehmen mußte, um dem Fremden gehörig zu antworten. Dann vermied er die Unbehol= fenheit, Aller Augen auf sich zu ziehen, indem er allmälig sich un= ter die Gesellschaft mischte, — nicht wie eine Eule, die sich im Dickicht zu verbergen sucht, oder wie ein plumper, blöder Mann, der vor der Gesellschaft erschrickt, in die er genöthigt wurde, son= dern mit der Miene eines Mannes, der sich gemächlich auch in einem höhern Zirkel bewegen konnte. Seine Anrede an Lady Pe= nelope war in dem romantischen Ton von Herrn Chatterley's Sendschreiben, worauf angespielt werden mußte. „Er fürchte,“ sagte er, „er müsse sich bei Juno über die Nachlässigkeit der Iris beklagen, die einen ätherischen Befehl, den er nur mit stummem Gehorsam zu beantworten gewagt habe, so schlecht ausgerichtet — wofern nicht etwa, wie der Inhalt des Briefs anzudeuten scheine, die Einladung einem Höherbegabten zugedacht gewesen sei, als dem der Zufall sie in die Hände gespielt habe.“

Lady Penelope versicherte ihn mündlich, und viele jungen Da= men mit den Augen, daß hier kein Mißgriff obwalte; daß er in der That die begabte Person sei, welche die Nymphen vor sich ge= laden, und daß sie mit seinen Talenten als Dichter und Maler hinreichend bekannt seien. Tyrrel lehnte mit Ernst und Nachdruck den Dichter ab, und bekannte, daß er, weit entfernt auf die Kunst selbst Anspruch zu machen, nur mit Widerwillen etwas lese, was nicht Erzeugnisse der Dichter ersten Ranges wären, und einige von diesen, — er fürchte sich fast, es zu sagen, — würden ihm in schlichter Prosa lieber gewesen sein.“

„Ihr dürft nur noch Eure Künstlerschaft abläugnen,“ sagte Lady Penelope, „und wir müssen den Herrn Tyrrel für den Fal= schesten und Hinterlistigsten seines Geschlechts halten, der uns um en Genuß seiner *unvergleichlichen* Anlagen bringen will. Ich

5 *

verſichere Euch, ich werde meine jungen Freundinnen vor Euch
warnen. Solche Verſtellung muß ihren Grund haben."

„Und ich," ſagte Herr Winterbloſſom, „kann ein entſcheiden-
des Beweisſtück gegen den Schuldigen vorbringen."

Mit dieſen Worten rollte er die Nelly Trabern abgeliſtete
Zeichnung auf, die er beſchnitten und aufgezogen hatte, was er
vortrefflich verſtand, ſo daß alle Fältchen ausgeglättet, und alle
Brüche ausgeglichen waren.

„Das wahre corpus delicti," ſagte der Rechtsgelehrte grin-
ſend, und rieb ſich die Hände.

„Wenn Ihr ſo gütig ſeid, derlei Gekritzel Zeichnungen zu
nen," ſagte Tyrrel, „ſo muß ich freilich bekennen. Ich machte ſie
ſonſt blos zu meinem Zeitvertreib, da aber meine Wirthin, Frau
Dods, neulich entdeckt hat, daß ich auch einen Erwerbszweig daraus mache, warum ſollte ich es verläugnen?"

Dieß Geſtändniß, ohne die mindeſte Scheu oder Zurückhaltung
gethan, ſchien auf die ganze Geſellſchaft auffallend zu wirken. Der
Präſident ſchob mit zitternder Hand die Zeichnung in das Porte-
feuille zurück, vermuthlich aus Furcht, ſie möchte ihm förmlich wieder abgefordert, oder von dem Künſtler Entſchädigung dafür verlangt werden. Lady Penelope war in Verlegenheit, wie ein Pferd,
wenn es mit einem Male in Galopp geſprengt wird. Sie mußte
aus dem achtungsvollen leichten Umgangston, den er ſelbſt ange-
ſchlagen hatte, in einen andern übergehen, der ihrerſeits Gönner-
ſchaft, auf Tyrrels Seite Abhängigkeit ausdrückte, und dieß ließ
ſich nicht ſo in einem Augenblick machen.

Der Rechtsgelehrte murmelte: „Umſtände, Umſtände, — ich
dacht' es doch."

Sir Bingo flüſterte ſeinem Freunde, dem Squire, zu: „aus-
geſtochen, — in die Luft geſprengt, — gethan um's Rennen
Schade, ein verdammt hübſcher Kerl wär's doch."

„Ein Lump von Haus aus!" flüsterte Mowbray. — „Ich habe ihn für nichts Anders gehalten."

„Ich halte ein Pferd dagegen, mein Bester, und will ihn fragen."

„Topp, es gilt das Pferd, vorausgesetzt, daß Ihr ihn in zehn Minuten fragt," sagte der Squire, „aber Ihr wagt's nicht, Bingelchen, — er hat einen verdammten, spaßverleidenden Blick trotz allem seinem höflichen Gewäsch."

„Topp!" sagte Sir Bingo, aber in einem minder zuversichtlichen Tone, als vorher, und mit dem Vorsatz, etwas vorsichtig zu Werke zu gehen. — „Ich habe eine Rolle Geld oben, und Winterblossom soll den Satz halten."

„Ich habe keine Rolle, aber ich stelle eine Anweisung auf Ricklewham," sagte der Squire.

„Nur eine bessere, als die letzte, denn ich möchte nicht wieder hinter's Licht geführt sein. — Jack, mein Junge, jetzt habe ich Euch."

„Nicht eher, als bis die Wette gewonnen ist, und ich will's erleben, der wandernde Sausewind bricht Euch vorher den Hals, Bingelchen," antwortete Mowbray. „Sprecht lieber vorläufig mit dem Hauptmann, Ihr wagt Euch da in eine höllische Klemme, — ich will Euch noch loslassen, wenn Ihr eine Guinee Strafe zahlt. Da habe ich eben den Schwätzer verblüfft."

„Verblüfft ihn zum Teufel!" sagte Sir Bingo. „Ihr habt verloren, Jack, das versichere ich Euch." Und mit einer listigen Verbeugung ging er hin, und stellte sich dem Fremden als Sir Bingo Binks vor.

„Hatte — Ehre — schreiben, Sir," waren die einzigen Worte, welche sein Hals, oder vielmehr seine Halsbinde herauszulassen schien.

„Der Teufel reitet den Tölpel!" dachte Mowbray; „wenn er so fort macht, schlägt er über den Strang, und zwiefach verwünscht

sei der verfluchte Landstreicher, der, Gott weiß warum, hieher gekommen ist, Gott weiß woher, um mir mein Spiel zu verderben."

Indeß nun sein Freund so da stand mit der Uhr in der Hand
und mit einem Gesichte, das unter dem Einfluß dieser aufsteigen-
den Bemerkungen immer länger wurde, eröffnete Sir Bingo mit
einem instinktartigen Takte, den die Selbsterhaltung einem sonst
weder gar zarten, noch gar feinen Hirn einzugeben schien, sein
Nachfragen mit einigen allgemeinen Bemerkungen über Fischerei
und Jagd. Mit allen diesen Gegenständen fand er Herrn Tyrrel
mehr als nur leidlich bekannt. Vom Fischen und Schießen besonders sprach er mit einiger Begeisterung, so daß Sir Bingo immer
mehr Achtung vor ihm bekam, und sich überzeugte, er könne unmöglich der reisende Künstler sein, für den er sich ausgab, könne
wenigstens nicht ursprünglich dazu erzogen sein; — dieß, so wie
die schnell ablaufende Zeit bestimmte ihn, so zu Tyrrel zu sprechen:
„Ich meine — Herr Tyrrel,   nun, Ihr waret Einer von uns,
behaupte ich." —

„Wenn Ihr einen Waidmann darunter versteht, Sir Bingo,
— so war ich's, und bin es noch stark," erwiederte Tyrrel.

„Also treibet Ihr nicht immer dergleichen Dinge?"

„Was für Dinge meint Ihr, Sir Bingo?" fragte Tyrrel.
„Ich bin nicht so glücklich, Euch zu verstehen."

„Nun, ich meine die Zeichnungen," sagte Sir Bingo. „Ich
will Euch hübsch zu thun geben, wenn Ihr mir das sagen wollt.
Auf Ehre, das werde ich."

„Liegt Euch besonders daran, Sir Bingo, um meine Angelegenheiten zu wissen?"

„Nein, — gewiß, — nicht so gerade," antwortete Sir Bingo
etwas stotternd, denn der trockene Ton, in dem Tyrrel antwortete,
behagte ihm nicht halb so gut, als ein Glas Xeres; „ich behaupte
nur, Ihr wäret ein verflucht pfiffiger Gesell, und wettete darauf,

ß Ihr nicht immer das Handwerk getrieben hättet, — das ist
lles."

Herr Tyrrel erwiederte: „eine Wette mit Herrn Mowbray
rmuthlich?"

„Ja, mit Jack, — Ihr habts getroffen, — ich hoffe, ich habe
wonnen."

Tyrrel zog die Stirnfalten zusammen, blickte erst auf Mow-
ray, dann auf den Baronet, und sagte nach kurzem Bedenken zu
m Letztern: „Sir Bingo Binks, Ihr seid ein Mann, der sein
ndschaftet, und scharf urtheilt, — Ihr habt vollkommen Recht,
— ich war nicht zu dem Gewerbe eines Künstlers erzogen, übte
auch früher nicht, was ich auch jetzt thun mag, und somit ist
iese Frage beantwortet."

„Und Jack ist 'rum," sagte der Baronet, schlug sich im Triumph
f den Schenkel, und wandte sich dann zu dem Squire und zu
m Sachbewahrer mit freudigem Blicke.

„Haltet einen Augenblick, Sir Bingo," sagte Tyrrel; „noch
n Wort. Ich habe eine große Achtung vor Wetten, es ist ein
tück von dem Freibrief eines Engländers, zu wetten, worauf er
ill, und seine Nachforschungen über Zaun und Graben zu ver-
lgen, wie ein Jäger. Da ich nun aber zweimal Euch in Wett-
ngelegenheiten gedient habe, so habe ich mit der Landessitte mich
inreichend abgefunden, darum bitte ich, Sir Bingo, macht mich
der meine Angelegenheiten nicht wieder zum Gegenstand einer
Bette."

„Ich will verdammt sein, wenn ich's thue," dachte Sir Bingo.
mit murmelte er einige Entschuldigungen, und war herzlich froh,
ß die eben ertönende Eßglocke ihm einen Vorwand ließ, in einer
dern Richtung zu entkommen.

Sechstes Kapitel.

Tischgespräch.

Und, Sir, find die Gerüchte wahr,
Hat Holland Großes vor, fürwahr.
Oestreich — vor allen Zugemüsen
Mag welsche Bohnen ich genießen.
* * * * * * *
Und wie das lebhaft, munter ist,
Als ob — beliebt Mylady Whist?

Tischgespräch.

Als man im Begriff war, das Zimmer zu verlassen, reichte Lady Penelope ihren Arm an Tyrrel mit einem herablassenden Lächeln, welches ihm die ganze Ehre, die ihm widerfuhr, begreiflich machen sollte. Aber der unempfindliche Künstler, weit entfernt, die mindeste Verwunderung über eine, die ihm geziemende Erwartung so hoch übersteigende Gunst zu verrathen, schien diese Auszeichnung ganz einfach als eine dem Fremdesten in der Gesellschaft gebührende zu betrachten. Ja, als er Lady Penelope an das obere Ende der Tafel geführt hatte, und seinen Stuhl zwischen dem ihrigen und dem der Lady Binks einnahm, schien der übermüthige Mensch so wenig sich über den ihm gebührenden Platz erhaben zu finden, als ob er bei der ehrlichen Mistreß Blower aus dem Bowhead gesessen hätte, welche nach dem Brunnen kam, den Ueberrest einer Influenza, wie sie eine Magenüberladung nannte, hinweg zu spühlen.

Diese Gleichgiltigkeit reizte Lady Penelope mächtig, und steigerte ihren Wunsch, in Tyrrels Geheimniß, wenn es ein solches gab, tiefer einzudringen, und ihn für ihre Partei zu gewinnen. Wenn du, mein Leser, je an einem Badeorte warst, so weißt du, daß, während die Gäste nicht immer den durch nichts ausgezeichneten Leuten artig entgegen zu kommen pflegen, sie dagegen solch' *ein fremdes*, vorher besprochenes Wunderthier mit der größten Anstrengung verfolgen. Die Amazonen, welche die Häupter der Parteien sind, bereiten, gleich den Jägern zu Buenos-Ayres, ihre Schlingen und Fallen, und alle Kriegslisten aufbietend, suchen sie ihres Sieges über das nichts ahnende Ungeheuer gewiß zu werden, und es gefesselt ihrer Menagerie einzuverleiben. Wenige Worte werden es erklären, weßhalb Lady Penelope diese Jagd mit mehr als gewöhnlichem Eifer trieb.

Sie war die Tochter eines Grafen. Schön gestaltet, konnten ihre Züge in der Jugend wohl hübsch genannt werden, obwohl sie jetzt zu stark geworden waren, um noch darauf Anspruch zu machen. Die Nase war schärfer hervorgetreten, die jugendliche Rundung der Wangen ging verloren, und da während der fünfzehn Jahre, in welchen sie als gesetzgebende Schönheit der Gegenstand der Toasts war, der rechte Mann nicht gesprochen hatte, so begann Ihro Herrlichkeit, die damals eben durch die Beerbung einer alten Verwandtin ganz unabhängig geworden war, von dem Glücke der Freundschaft zu sprechen, den Sommer in der Stadt zu hassen, und nur von grünen Feldern und Auen zu schwatzen.

In der Zeit, als Lady Penelope ihre Lebensweise zu ändern begann, war sie so glücklich, mit dem Beistande Doktor Quacklebens die Tugenden der St. Ronans-Quelle zu entdecken; und nachdem sie eifrig dazu beigetragen hatte, die Urbs in rure (Stadt auf dem Lande) einzurichten, welche sich darum zu erheben begonnen, ließ sie sich als leitendes, modisches Gestirn in der kleinen Provinz nieder, welche sie einigermaßen selbst entdeckt und bewohnbar gemacht hatte. Sie konnte folglich mit Recht wünschen, den Tribut der Huldigung eines Jeden einzufordern, der sich ihrem Gebiete nahte.

In anderer Hinsicht entsprach Lady Penelope ganz dem gewöhnlichen Bilde ihrer zahlreichen Mitschwestern. Ihre eigentlich tadellosen Grundsätze hinderten sie nicht, leichtsinnig ihrer Laune zu folgen, *und etwas frei in der Wahl ihrer Gesellschaft zu sein.*

Gutmüthig, aber eigensinnig und launig, war sie gern bereit, sich freundlich, ja großmüthig zu zeigen, in so fern es weder Anstrengung erforderte, noch ihr Vergnügen dadurch gestört ward. Sie war stets bereit, ein junges Mädchen in die Welt einzuführen, und brachte alle Welt in Aufruhr, um Subscriptionen in den Gang zu bringen. Aber wenig kümmerte sie sich darum, wie viel oder mit wem ihre thörichte, junge Pflegebefohlne tanzen mochte, so daß für einen großen Theil der jungen Damen Ihro Herrlichkeit die entzückendste Frau in der Welt war. Auch besaß Lady Penelope so viel Welt, verstand so genau, wenn es zu schweigen, wenn es zu reden galt, wie man sich einer Verlegenheit durch den Schein der Unwissenheit entziehen und doch zugleich andeuten kann, man sei nicht getäuscht, daß man ihre eigentlichen Thorheiten nicht eher inne ward, als bis sie zu sehr die Aufgeweckte zu spielen suchte. Dieß ereignete sich häufiger in der letzten Zeit, wo sie vielleicht voraussetzte, da sie nicht umhin konnte zu bemerken, wie die Künste der Toilette ihr nothwendiger wurden, daß durch die Breschen, welche die Zeit hervorbringe, neues, stärkeres Licht auf ihren Geist einwirke. Viele ihrer Freunde waren aber der Meinung, Lady Penelope hätte besser gethan, auf der Mittelstraße zu bleiben, welche einem feinen, wohlerzogenen Frauenzimmer so schön geziemt, als daß sie ihre so neu begründeten Ansprüche als Gönnerin der Künste und Wissenschaften zur Schau trug; aber das war durchaus nicht ihre Meinung, und ohne Zweifel war Ihre Herrlichkeit hierin der beste Richter.

Zur andern Seite Tyrrels saß Lady Binks, ehemals die schöne Miß Bonyriggs, welche während der letzten Badezeit in der Gesellschaft abwechselnd Bewunderung, Lächeln und Erstaunen erregte, indem sie den wildesten, hochländischen Tanz ausführte, den tollsten Klepper ritt, mit dem schallendsten Gelächter den derbsten Scherz beantwortete, und den kürzesten Rock aller zu St. Ronans versammelten Badenymphen trug. — Nur wenige begriffen es, daß dieß wilde, unweibliche, halb wahnsinnige Benehmen nur eine täuschende Hülle ihres wahren Charakters, ja nur angenommen war, um gut verheirathet zu werden. Sie hatte ihre Augen auf Sir Bingo geworfen, und sich seinen Grundsatz gemerkt, daß, um ihn zu fangen, „ein Mädchen schon einen Puff vertragen müsse," und daß er eine Frau sich wählen würde, welche gerade die Eigenschaften habe, die auch einen guten Jägersmann abgeben würden. Sie brachte ihre Zwangsheirath zu Stande, und machte sich höchst elend. Ihre tolle, lustige Laune war ihrem Charakter durchaus uneigenthümlich, der eigentlich leidenschaftlich, ehrgeizig und tiefsinnig war. Zartheit besaß sie durchaus nicht. — Sie wußte es selbst damals, als sie ihn zu fangen strebte, daß Sir Bingo ein ungeschlachter Tölpel und ein Narr war; aber darin hatte sie sich getäuscht, daß sie sich nicht zuvor vorstellte, wie tief Aerger und Scham sie kränken würden, wenn sie, nun Eins mit ihm geworden, seine Thorheiten ihn dem Gelächter und dem Mißbrauch preisgeben sah, oder wie sehr seine gränzenlose Rohheit ihren Widerwillen erregen würde, wenn sie ihr selbst so nahe trat. Wahr ist, er war im Ganzen ein ziemlich unschuldiges Ungeheuer; und bald bittend, bald strenger den Zügel lenkend, möchte er mit Schmeichelei und Heiterkeit noch menschlich genug zu leiten gewesen sein, aber sein unglückliches Schwanken, welches der Erklärung ihrer geheimen Heirath voran ging, hatte ihr ganzes Gemüth so gegen ihre Ehehälfte aufgebracht, daß jeder Gedanke der Versöhnung fern von ihr lag. Nicht allein die schottische Themis, so nachsichtig sie auch die Schwächen des schönen Geschlechts zu vertreten pflegt, war die Schutzgöttin dieser Ehe gewesen, selbst Gott Mars schien bereit, seinen Schild deßhalb zu ergreifen, wenn Hymen nicht in's Mittel trat. Es gab, so sagte man, einen gewissen Bruder der jungen Dame — einen Offizier — der zufällig auf Urlaub war — dieser stieg in der Nacht um eilf Uhr vor dem Hôtel zum Fuchse aus einem Miethwagen, einen tüchtigen Stock von wohl getrocknetem Eichenholze in der Hand; ihn begleitete noch ein anderer Gentleman, der, wie er selbst, mit einer militärischen Reisemütze und einem schwarzen Stock versehen war; aus demselben Wagen ward, nach Toby's glaubwürdiger Versicherung, ein kleiner Mantelsack, ein tüchtiger Andreas Ferrara*) und ein zierlicher Mahagony-Kasten, achtzehn Zoll lang, drei hoch und etwa sechs breit, heraus genommen. Den andern Morgen ward ein feierliches Palawer (wie die Eingebornen in Madagascar ihre Nationalversammlung nennen) zur ungewöhnlichen Stunde gehalten, welchem der Hauptmann Mac Turk und Mr. Mowbray beiwohnten; und die Schlußfolge war, daß beim Frühstück die Gesellschaft durch die Nachricht beglückt wurde, daß Sir Bingo, seit einigen Wochen der glückliche Gatte ihres allgemeinen Lieblings, welche bisher aus Familien-Rücksichten geheim gehaltene Verbindung er jetzt endlich laut erkläre, auf den Flügeln der Liebe hineile, seine klagende Taube aus den Schatten zurückzuholen, in die sie sich geflüchtet, bis die Hindernisse ihrer gegenseitigen Glückseligkeit aus dem Wege geräumt wären. So süß aber dieß auch Alles klang, so konnte dennoch diese gallenlose Turteltaube, Lady Binks, nie, ohne den bittersten Empfindungen der Rache und der Verachtung Raum zu geben, sich dieser kränkenden Ereignisse erinnern.

Diesen unangenehmen Verhältnissen hatte die Weigerung der Familie Sir Bingo's, daß er seine Gattin, ihren Wünschen gemäß, nicht nach seinem Landsitze bringen sollte, die Krone aufgesetzt; ihr Stolz ward dadurch noch tiefer gekränkt, während ihre Verachtung gegen den armen Sir Bingo sich vermehrte, der vor dem Zorn und Unwillen seiner Verwandten, so wenig er je ihren guten Rath befolgen mochte, dennoch eine kindische Angst nicht zu überwinden fähig war.

---

*) Ein Degen.   A. d. U.

Das Betragen der jungen Dame war nicht weniger verändert
ls ihre Laune; ihr ehemaliges zu unbedachtsames, freies Beneh-
nen war jetzt peinlich zurückgezogen, mürrisch und hochmüthig ge-
orden. Das Bewußtsein, daß Viele Bedenken tragen könnten,
e bei sich zu sehen, machte sie eifersüchtig auf alle Vorrechte ihres
langes, und ließ sie jede Kleinigkeit, die einer Vernachlässigung
leichen konnte, mit bitterm Unmuthe rügen. Sie hatte sich der
örse Sir Bingo's zu bemächtigen gewußt, und in den Ausgaben
ir ihre Toilette und Equipagen unbeschränkt, zog sie es, ihrer
bemaligen Weise ganz entgegen, vor, reich und glänzend, statt
ißig zu erscheinen, und durch Pracht die Aufmerksamkeit zu erringen, welche sie nicht länger durch Liebenswürdigkeit oder Un-
rhaltungsgabe zu erwerben sich herabließ. Eine geheime Ursache
res Unglücks war noch die Nothwendigkeit, der Lady Penelope
enfeather vorzügliche Aufmerksamkeit zu zollen, deren Verstand
e verachtete, so wie sie ihre Ansprüche auf ein besonderes Anrecht,
ine entscheidende Stimme im Reiche des Geschmacks und der Kunst
u behaupten, mit Scharfsinn zu durchschauen und zu würdigen
erstand. Ihre Abneigung gegen Lady Penelope war um so ent-
hiedener, weil sie wohl fühlte, daß es größtentheils von der Lady
Benehmen gegen sie abhing, welch' eine Rolle ihr selbst hier, in
er nicht sehr gewählten Gesellschaft, zu Theil werden sollte, und
aß von ihr vernachlässigt ihre Schale nur zu tief gesunken wäre.
luch Lady Penelope empfand eben keine außerordentliche Zärt-
ichkeit gegen Lady Binks. Die wohlbekannten, eigenthümlich miß-
nuthigen Gefühle unverheiratheter Frauenzimmer von gewissen
Jahren gegen andre, die vor ihren eignen Augen glänzende Hei-
athen machen, waren ihr nicht fremd — überdem war ihr die
eheime Abneigung, die Lady Binks gegen sie hegte, keineswegs
ntgangen. Aber sie führte einen schönen Namen, und der Glanz,
nit welchem sie lebte, brachte den Ort in Ruf. So begnügten sich
eide, ihren *gegenseitigen Widerwillen* in kleinen, scharfen Hieben...

gelegentlich auszulassen, doch ihren Haß scheinbar mit dem Mantel der Höflichkeit zu verhüllen.

So war Lady Binks; und dennoch, selbst in dieser drückenden Lage machte ihre Kleidung, ihre Equipage und reiche Umgebung sie zum Gegenstand des bittersten Neides der Hälfte der jungen Damen, die im Bade versammelt waren, welche, während die Lady durch finstern Mißmuth ihr sehr schönes Gesicht entstellte (denn ihre Züge waren so reizend als ihre Gestalt ausgezeichnet), sich einbildeten, daß sie stolz darauf, ihr Ziel erreicht zu haben, mit ihren Schätzen und ihrem brillantnen Diadem sich zu gut für ihre Gesellschaft halte. Sie unterwarfen sich demungeachtet ihrem gebieterischen Wesen, obwohl es ihnen um so tyrannischer erschien, da sie durch ihr unweibliches Benehmen als Mädchen einigen unter ihnen oft ein Gegenstand des Tadels und Anstoßes gewesen war. Auch hatte Lady Binks die Beleidigungen der Miß Bonyriggs keineswegs vergessen. Aber die schöne Schwesterschaft unterwarf sich ihren Launen, wie junge Offiziere das Brummen eines rohen, lärmenden Seekapitäns ertragen, mit dem geheimen Entschluß, es späterhin ihren Untergebenen wieder einzutränken, wenn sie selbst Kapitäns geworden sein würden.

In diesem Zustande der äußeren Wichtigkeit und geheimer Buße behauptete Lady Binks ihren Platz bei Tische, bald von einer plumpen Dummheit ihres Gemahls außer Fassung gebracht, bald von einem Seitenhiebe Lady Penelope's aufgereizt, den sie, so viel Lust sie dazu empfand, nicht zu erwiedern wagte.

Sie blickte zuweilen auf ihren Nachbar Franz Tyrrel, doch ohne ihn anzureden, und nahm schweigend die üblichen Höflichkeiten an, welche er ihr widmete. Sie hatte sehr wohl seine Unterredung mit Sir Bingo beobachtet, und aus Erfahrung die Art, wie ihr Gemahl sich aus einem für ihn ungünstig endenden Streit zurückzuziehen pflegte, wie seine dummdreiste Albernheit, sich in solche Verlegenheiten zu stürzen, kennend, zweifelte sie gar nicht, daß er von dem Fremden irgend eine neue Unwürdigkeit erduldet habe. Mit einem wunderbaren Gemisch von Empfindungen betrachtete sie deßhalb den Fremden, kaum wissend, ob sie sich freue, daß er den, welchen sie haßte, gekränkt habe, oder ob sie empört sei, daß er Jemand zu beleidigen wagte, dessen Erniedrigung nothwendig auf sie rückwirken mußte. Noch andre Gedanken mochten sich ihr aufdrängen — kurz sie beobachtete ihn mit großer, wenn auch stummer Aufmerksamkeit. Tyrrel dagegen vermochte ihr nur sehr wenige zu zollen, da er durch Lady Penelope Penfeather gänzlich in Beschlag genommen war.

Aus seinen höflichen, doch ausweichenden Antworten konnte Lady Penelope nur entnehmen, daß Tyrrel die entlegensten Gegenden Europens auf seinen Reisen sah, ja selbst in Asien war. Getäuscht, aber nicht zurückgestoßen fuhr die Lady in ihrer Höflichkeit fort, ihm, als einem Fremden, mehrere Anwesende schildernd, denen sie sich erbot, ihn vorzustellen, als Leuten, in deren Gesellschaft er Vortheil oder Unterhaltung finden könnte. Mitten in diesem Gespräch unterbrach sie sich, kurz ausrufend:

„Wollen Sie mir verzeihen, Mr. Tyrrel, wenn ich bekenne, daß ich Ihren Gedanken einige Augenblicke nachgespürt, und Sie jetzt durchschaut habe. Die ganze Zeit, daß ich Ihnen da von den guten Leuten hier erzähle, und daß Sie mir so höfliche Antworten darauf geben, daß man sie mit großem Nutzen und äußerst schicklicherweise in den Familiengesprächen für Fremde, die Englisch zum gewöhnlichen Gebrauch lernen wollen, einrücken könnte — ist Ihre ganze Aufmerksamkeit auf den leeren Sessel gerichtet gewesen, der uns gegenüber, zwischen unserm würdigen Präsidenten und Sir Bingo Binks unbesetzt geblieben ist."

„Ich gestehe, Mylady, daß ich einigermaßen erstaune, einen so vorzüglichen Platz unbenutzt zu sehen, da der übrige Theil des Tisches fast überfüllt ist."

„O gestehen Sie mehr, Sir! — Gestehen Sie, daß für einen

Poeten ein leerer Platz — Banko's Sitz — mehr Reiz hat, als wenn er selbst mit der Fülle eines Aldermanns eingenommen wäre. — Wie denn, wenn die finstere Dame plötzlich hinein gleiten möchte? Würden Sie den Muth haben, dem Geist in's Angesicht zu schauen, Mr. Tyrrel? — Ich versichere Sie, ganz unmöglich ist das nicht."

„Was ist nicht ganz unmöglich, Lady Penelope?" fragte Tyrrel mit einigem Erstaunen.

„Erschrecken Sie schon? — Ja dann fürchte ich, daß Sie die furchtbare Zusammenkunft nicht ertragen werden."

„Welche Zusammenkunft? Wen erwartet man?" fragte Tyrrel, unfähig seine Neugierde ganz zu unterdrücken, obwohl er das Ganze für einen Scherz der Lady ansah.

„Wie ich entzückt bin," rief sie, „daß ich endlich die Stelle, wo Sie verwundbar sind, getroffen habe! Erwartet? — sagte ich erwartet? — Nein, nein, nicht erwartet! —

> Sie gleitet gleich der Nacht, von Land zu Land
> Und eigner Zauber liegt in ihrer Rede.

Aber kommen Sie. Jetzt gehören Sie mir auf Gnade und Ungnade, und ich will großmüthig sein und mich erklären. — Wir nennen — versteht sich unter uns — Miß Clara Mowbray, die Schwester des jungen Gentleman, der zunächst bei Miß Parker sitzt, die finstere Dame, und jener Sitz ist für sie aufbewahrt. — Denn man hatte sie erwartet — nein, nicht erwartet! — Ich vergesse schon wieder! — Aber man glaubte, es sei möglich, daß sie uns heute beehre, da unsere Gesellschaft gerade so groß und so anziehend ist — Ihr Bruder ist der Gutsherr des Orts — und so zollt man ihr die Höflichkeit, sie als den ausgezeichnetsten Gast zu behandeln, und weder Lady Binks noch ich wenden etwas dagegen ein. — Es ist eine sonderbare junge Person, Clara Mowbray — sie unterhält mich sehr — ich bin immer sehr erfreut, sie zu sehen."

„Aber heute wird fie nicht erſcheinen," ſagte Tyrrel, „wenn ich Ew. Herrlichkeit recht verſtanden habe?"

„Rein, ihre Stunde iſt vorüber, ſelbſt ihre Stunde," entgegnete Lady Penelope — „man hat das Mittageſſen über eine halbe Stunde deßhalb verſpätet, und unſere alten Invaliden hier waren ganz ausgehungert, wie ſie an den Thaten ſehen können, die ſie ſeitdem glorreich verübten. — Aber Clara iſt ein unartiges Geſchöpf, nur dann, wenn es ihr durch den Kopf fährt, jetzt will ſie kommen, ſo kömmt ſie. — Sie iſt voller Grillen und Launen. — Viele Leute finden ſie hübſch, — aber ſie hat ein ſo geiſtiges, überirdiſches Weſen, daß ſie mich immer an Mat. Lewis' geſpenſtiſche Lady mahnt." Und ſie wiederholte mit vielem Ausdruck:

„Es gibt ein Ding, es gibt ein Ding,
Das hätt' ich gern von dir;
Ich hätte gern den goldnen Ring.
O Krieger, gib ihn mir!

„Und dann, erinnern Sie ſich der Antwort:

„Den Ring Lord Brooke der Tochter nimmt,
Und ſchwört den Eid dabei,
Daß er zur Braut ſie mir beſtimmt,
Sobald der Krieg vorbei.

„Sie malen eben ſowohl Figuren als Landſchaften, vermuthe ich, Mr. Tyrrel? — Sie müſſen eine Skizze für mich entwerfen, — eine Kleinigkeit. Skizzen, denke ich, zeigen den freien Geiſt der Kunſt noch beſſer als vollendete Zeichnungen. — Ich ſchwärme für die freien Ergießungen des Genius — — die Blitzen gleich aus den Wolken zucken! — Sie ſollen mir eine Skizze für mein kleines Boudoir entwerfen, mein liebes, eigenes, wunderliches Winkelchen zu Airy Caſtle, und Clara Mowbray ſoll zum geſpenſtigen Fräulein ſitzen."

„Das würde nicht ſehr ſchmeichelhaft für Eurer Herrlichkeit Freundin ſein," entgegnete Tyrrel.

St. Ronans-Brunnen.

„Freundin? Hm, ganz so weit sind wir noch nicht, obwohl ich Clara sehr gern mag. — Einen höchst gefühlvollen Ausdruck hat ihr Gesicht; ich dächte, ich hätte im Louvre eine Antike gesehen, die ihr sehr ähnlich war (ich war im Jahr 1800 dort); ja sie hat ganz einen antiken Schnitt — etwas hohläugig — die Sorge scheint ihren Augen Gewölbe bereitet zu haben, aber Gewölbe vom schönsten Alabaster mit Bogen von Ebenholz, — eine gerade Nase, und Mund und Kinn vollkommen griechisch geformt — eine Fülle lang wallenden, schwarzen Haares zu dem blendend weißesten Teint, den Sie je sahen, — weiß, wie das weißeste Pergament, — und nicht eine Spur von Farbe auf ihren Wangen, auch nicht die geringste. Wollte sie eitlerweise sich eines vorsichtigen Anflugs des Roths bedienen, so würde sie schön genannt werden können. Selbst wie sie da ist, nennen sie manche so, obwohl doch gewiß, Mr. Tyrrel, drei Farben nothwendig zur Schönheit eines weiblichen Gesichtes sind. Indessen wir pflegten sie in dem vorigen Jahre immer unsere Melpomene zu nennen, wie wir damals Lady Binks, welche noch nicht Lady Binks war — unsere Euphrosine nannten. — Thaten wir das nicht, meine Liebe?"

„Was thaten wir, Madam?" fragte Lady Binks mit schärferem Tone, als einem so schönen Gesicht wohl hätte eigen sein sollen.

„Ich bedaure, daß ich Sie aus Ihren Träumen aufschreckte, meine Liebe," entgegnete Lady Penelope. „Ich versicherte nur eben Mr. Tyrrel, daß Sie einst Euphrosine waren, obwohl Sie jetzt zu den Fahnen des Penseroso geschworen haben."

„Ich weiß nicht, ob mir eine dieser Benennungen gebührt, ich weiß nur, und dessen bin ich gewiß, daß ich nicht im Stande bin, Eurer Herrlichkeit Witz und Wissen zu begreifen."

„Die arme Seele," flüsterte Lady Penelope Herrn Tyrrel zu; „wir wissen, was wir sind, wir wissen aber nicht, was aus uns noch werden kann. — Und nun, Mr. Tyrrel, ich war die Sibylle, welche Sie hier durch unſer Eliſium hülfreich leitete, ich denke, daß ich zur Vergeltung einiges Vertrauen verdiene."

„Unbedingt, ſobald ich nur irgend etwas zu bekennen wüßte, welches im mindeſten Ew. Herrlichkeit Aufmerkſamkeit anziehen könnte;" entgegnete Tyrrel.

O der Grauſame! Er will mich nicht verſtehen!" rief Lady Penelope aus: „Ganz deutlich alſo Sir, ich erſehne mir einen Blick in Ihre Mappe — blos um zu erforſchen, welche Gegenſtände Sie der Verheerung der Zeit zu entreißen, und durch Ihren Pinſel unſterblich zu machen gedenken. Sie wiſſen es nicht, Mr. Tyrrel, Sie können es nicht wiſſen — nicht ahnen — wie ſehr ich für Ihre ‚ſanfte, lautloſe Kunſt‘ ſchwärme. Mein Herz ſtellt ſie zunächſt der Poeſie — ihr gleich — ja vielleicht noch höher als Muſik!"

„Ich beſitze in der That nur Weniges, welches würdig ſein möchte, einem ſolchen Richter, als Ew. Herrlichkeit ſind, vorgelegt zu werden;" entgegnete Tyrrel. „Solche Kleinigkeiten, wie jenes Blatt, das Ew. Herrlichkeit geſehen haben, laſſe ich zuweilen an den Füßen der Bäume zurück, wo ich ſie entwarf."

„Wie Orlando ſeine Verſe im Ardenner Walde? O der gedankenloſen Verſchwendung! — Mr. Winterbloſſom hören Sie es? — Wir müſſen Mr. Tyrrel auf ſeinen Spaziergängen nachfolgen, und aufleſen was er hinter ſich läßt."

Ein Gelächter, das Sir Bingo aufſchlug, brachte Lady Penelope etwas in Verlegenheit; ihn durch unmuthigen Blick zu mehr Rückſicht nöthigend, fuhr ſie mit großer Emphaſe fort:

„Mr. Tyrrel, das muß nicht ſein. — So läßt es der Lauf der Welt nicht zu, dem ſelbſt die Schwingen des Genies uns nicht entrücken können. — Wir müſſen einen Kupferſtecher zu Rathe ziehen — obwohl vielleicht Sie ſelbſt beider Künſte Meiſter ſind?"

„Ich möchte es faſt behaupten," rief Winterbloſſom, mit Mühe

6*

ein Wort einmischend, „die freie Zeichnung wollte es mir schon andeuten."

„Ich will nicht läugnen, daß ich zuweilen etwas Kupfer durch meine Kritzeleien verdorben habe," erwiederte Tyrrel, „da so gute Richter mich dieses Verbrechens zeihen; aber es waren nie mehr als flüchtige Versuche."

„Nichts weiter," rief Lady Penelope. Mein Lieblingstraum ist erfüllt! — Schon seit langer Zeit wünschen wir die merkwürdigsten und romantischsten Punkte unsers kleinen Arkadiens hier, Plätze, welche der Freundschaft, den Künsten, der Liebe und den Grazien geheiligt sind, durch des Künstlers Griffel unsterblich gemacht zu sehen. Sie sollen dieß Werk beginnen, Mr. Tyrrel; wir wollen mit Noten und Beschreibungen Ihr Unternehmen verherrlichen — alle wollen wir beitragen — doch einigen muß es verstattet werden, ungenannt zu bleiben. Sie wissen, Mr. Tyrrel, die Gunst der Feen muß stets das Geheimniß umhüllen. — Ja, Ihnen soll sogar die Plünderung des Stammbuchs vergönnt werden. — Einige sehr liebliche Dinge enthält es von Mr. Chatterley; — und Mr. Edgeit, ein Jünger Ihrer Kunst, ich bin dessen gewiß, er wird uns seinen Beistand gönnen. — Doktor Quackleben trägt auch einige gelehrte Notizen bei. — Und was die Subscription anbetrifft — "

„Finanzielle Dinge — finanzielle! Ew. Herrlichkeit, ich rufe zur Ordnung!" rief der Rechtsgelehrte, Lady Penelope mit der bäuerischen Vertraulichkeit unterbrechend, welche er wahrscheinlich humoristischen Scherz zu nennen pflegte.

„Wie käme ich dazu, die Ordnung überschritten zu haben, Mr. Micklewham?" fragte Ihro Herrlichkeit, sich in die Brust werfend.

„Ich rufe noch einmal, zur Ordnung! — Kein Befehl einer Geldzahlung kann ohne die Zustimmung des Ausschusses erlassen werden."

„Ich bitte Mr. Micklewham, wer hat hier denn vom Gelde gesprochen?" fragte Ihro Herrlichkeit, und flüsterte Tyrrel zu, „der alte erbärmliche Rabulist denkt an nichts, als an seinen elenden Mammon!"

„Sie sprachen von einer Subscription, Mylady, und das will eben so viel sagen als vom Gelde, nur in Hinsicht der Zeit findet ein Unterschied Statt — da nämlich eine Subscription ein Contrakt de futuro ist, und einen Tractum temporis in gremio enthält. — Und ich habe viele der vorzüglichsten Badegäste schon die Subscriptionen als einen großen Mißbrauch tadeln hören, die, wenn sie nicht andern Leuten nachstehen und sich ihrem Spotte aussetzen wollten, sie nöthigten, gute gültige Münzen für Balladen, Kupferstiche oder Dinge hinzugeben, die sie nachher gar nicht brauchen konnten."

Mehrere Gäste an dem untern Ende des Tisches stimmten durch Zeichen und beifälliges Murmeln dem Redner bei, der dadurch aufgemuntert, kräftig fortfahren wollte, als Tyrrel mit Mühe, ehe die Debatten fortgesetzt wurden, sich Gehör verschaffte, und die Gesellschaft versicherte, daß Ihro Herrlichkeit aus zu großer Güte in einem Irrthume sei; daß er eben kein Werk unter den Händen habe, welches Ihres Schutzes würdig wäre, und daß es, mit dem größesten Danke für ihre gütige Absicht, nicht in seiner Macht stehe, ihrer Aufforderung Genüge zu leisten. Man kicherte hin und wieder ein wenig auf Kosten Lady Penelopens, und der Rechtsgelehrte bemerkte leise, sie sei etwas zu freigebig mit ihrer Gönnerschaft. — Ohne für den Augenblick einen neuen Versuch zu machen (da auch überdem die schon längst hinweggetragenen Speisen kaum längere Zögerung erlaubten), gab Lady Penelope das Zeichen zum Aufbruch der Damen, und ließ die Männer bei den umkreisenden Bechern zurück.

Siebentes Kapitel.
Der Theetisch.

— wo jene Schale wartet,
Die uns erquicken, aber nicht berauschen kan
Cowj

Es war Gebrauch auf dem Gesundbrunnen unter dem f
Geschlechte, daß eine der versammelten Damen zuweilen der
Gesellschaft einen Thee gab, wenn nämlich ihr Rang und !
men in diesem kleinen Zirkel für wichtig genug erachtet war
Regentin eines Abends zu sein. Die Lady trug dann gen
die Obergewalt, welche sie an diesem Abend behauptete, i
Ballzimmer über, wo zwei Violinen und ein Baß, für eine (
die Nacht, von der dazu gehörigen Anzahl von Talglicht
leuchtet (wider deren Gebrauch sich Lady Penelope oft aufl
die Gesellschaft fähig machten, wenn man sich so ausdrücke
„den Abend auf leichter, lustiger Zeh' zu schließen.

Im gegenwärtigen Falle hatte der Held des Tages, Mr.
c's Tyrrel, so wenig den hochgeschraubten Erwartungen de
Penelope entsprochen, daß sie es fast bedauerte, sich jemals 1
bemüht, besonders aber sich den Vorsitz am Theetisch ne
dazu gehörigen Ausgabe für Kuchen und Congo-Thee für
Abend erlistet zu haben. Demzufolge hatte Ihro Herrlichkei
ihrer Kammerfrau und Stubenmädchen den Befehl ertheil
Thee zu machen, und den Pagen nebst Lakeien und Postillc
Herumreichen desselben angestellt (bei welchem Geschäft f
zwei reich gekleideten und dick gepuderten Dienern der Lady
unterstützt wurden, deren Livreen die einfacheren der Lady
lope verdunkelten, und selbst den Glanz der kleinen Krone a
Knöpfen ihrer Lakeien überstrahlten), als sie auch schon (
verächtlich und herabsetzend von dem Manne zu sprechen,
lange ein Gegenstand ihrer Neugierde war.

„Dieser Mr. Tyrrel," sagte sie in einem gebieterisch entscheidenden Tone, „scheine nach allem eine sehr gewöhnliche Art von Menschen, gleichsam aus der Klasse des Volks, welcher, sie erkühne es sich zu sagen, seinen Stand wohl beachtet habe, indem er nach dem alten Bierhause gegangen sei, ihrer Aller Rath verschmähend, welcher ihm das gemeinsame Wohnhaus anpries. „Er habe seinen Platz besser gekannt," sagte sie, „es sei gar nichts Ungewöhnliches, weder in seiner Erscheinung noch Unterhaltung — gar nichts Hervorstechendes! — Sie glaube kaum, daß er die Skizze entworfen habe. Mr. Winterblossom mache zwar viel Lärm davon, aber alle Welt wisse ja, daß jeder Schnitzel von Kupferstich oder Zeichnung, welche sich Mr. Winterblossom anzueignen vermöchte, sobald es in seine Sammlung käme, das Schönste würde, was man jemals gesehen hätte. Dieß wäre die Weise aller Kunstsammler, ihre Gänse wären immer Schwäne."

„Und, meine theure Lady Penelope, Ew. Herrlichkeit Schwan ward zur Gans," sagte Lady Binks.

„Mein Schwan, theuerste Lady Binks? in Wahrheit, ich weiß gar nicht, wie ich diese Zueignung verdient habe!"

„Erzürnen Sie sich nicht, theure Lady Penelope, ich meine bloß, daß Sie seit vierzehn und mehreren Tagen stets nur von diesem Mr. Tyrrel gesprochen haben, und während des Mittagessens nur zu ihm —"

Die schöne Welt umher begann sich zu sammeln; da sie das Wort: Theuerste so bedeutend und oft in dem kurzen Gespräche ertönen hörte, und sich dadurch einige Kurzweil versprach, so bildete sie bald, wie der gemeine Haufe zu thun pflegt, einen Kreis um die zum Kampfe gerüsteten.

„Er saß zwischen uns, Lady Binks," antwortete Lady Penelope mit Würde. „Sie hatten Ihre gewöhnliche Migräne, wie Sie wissen, und um der Gesellschaft Ehre zu machen, sprach ich für Sie."

„Für zwei, wenn es Ew. Herrlichkeit gefällt," entgegnete Lady Binks, — „ich meine" — fügte sie hinzu, den Ausdruck mildernd, „für sich und mich."

„Ich wäre außer mir," sagte Lady Penelope, „wenn ich für Jemand gesprochen hätte, der so entscheidend für sich zu reden vermag, als meine theure Lady Binks. In keiner Art wünschte ich, die Unterredung zu verlängern — ich wiederhole es, es waltet ein Irrthum über diesen Mann ob."

„Ich denke, es ist so," sagte Lady Binks mit einem Tone, welcher indessen mehr als eine bloße Billigung der Meinung der Lady Penelope enthielt.

„Ich zweifle überhaupt, daß er ein Künstler ist," fuhr Lady Penelope fort. — „Oder ist er einer, doch nur ein solcher, der für Journale oder ähnliches Zeug arbeitet."

„Ich zweifle auch, daß er ein Künstler von Profession ist," sagte Lady Binks. „Wenigstens gehört er dann zu den höchsten Klassen, denn ich habe kaum jemals einen so fein gebildeten Mann gesehen."

„Es gibt sehr wohl erzogene Künstler," versetzte Lady Penelope, „denn selbst Edelleute weihen sich der Kunst."

„Ganz gewiß," — antwortete Lady Binks. „Allein die ärmern dieser Klasse haben oft mit Armuth und Abhängigkeit zu kämpfen. In der Welt stehen sie da wie Handelsleute vor den Zollbeamten, und das ist immer ein schwer zu überstehender Punkt. Man findet sie von allen Arten — zurückgezogen und schüchtern, wenn sie sich ihres Verdienstes bewußt sind, — unruhig und grillenhaft, um ihre Unabhängigkeit zu zeigen, — aufdringlich, um ja recht frei sich darzustellen, zuweilen wieder schmeichelnd und unterwürfig, wenn sie Männer von geringem Werthe sind. — Fast niemals sieht man sie ohne Zwang, und darum halte ich Mr. Tyrrel *entweder* für einen Künstler der ersten Gattung, der weder

Geld-Rücksichten nöthig hat, noch eines drückenden Schutzes bedarf, oder er ist überhaupt kein Künstler."

Lady Penelope blickte Lady Binks ungefähr so an, wie Bileam vielleicht seinen Esel angestaunt hat, als er dessen Fähigkeit ent-deckte, eine Gegenrede zu halten. Sie murmelte in sich hinein (mon âne parle, et même il parle bien); allein den Wort-wechsel vermeidend, den Lady Binks zu eröffnen bereit schien, ent-gegnete sie ganz munter: „Gut, theuerste Rachel, wir wollen nicht über ihn in Zwist gerathen; nein, vielmehr Ihre gute Meinung von ihm gibt ihm in meinen Augen neuen Werth. So geht es immer, meine theure Freundin, unter uns Frauen; wir können das immerhin gestehen, wenn nur keiner dieser gebrechlichen betrügeri-schen Männer gegenwärtig ist. Man wird ja erfahren, wer er eigentlich ist, er soll nicht blos von weitem geschaut werden, und unerkannt unter uns wandeln — nicht wahr, Maria?"

„In der That, Lady Penelope," antwortete Miß Digges, mit deren voreiligen Schnattern wir bereits den Leser bekannt machten, „er ist wirklich ein schöner Mann, obgleich seine Nase zu dick und sein Mund zu groß ist, aber Zähne wie Perlen, und was hat er für Augen, besonders wenn er mit Ew. Herrlichkeit spricht. Ich weiß nicht, haben Sie seine Augen wohl betrachtet, sie sind so schwarz und melancholisch, voll strahlenden Glanzes, gerade wie Sie es uns neulich vorlasen in dem Briefe einer Dame über Ro-bert Burns."

„Auf mein Wort, Miß, Sie sind sehr scharfsichtig," rief Lady Penelope; „ich sehe, man muß sich in Acht nehmen mit dem, was man Ihnen vorliest, oder was man vor Ihnen unternimmt. Kommt, Jones, seid gnädig gegen uns mit Eurem Tassengeklim-per! — Lassen Sie uns, wenn es gefällig ist, den ersten Akt des Theetisches eröffnen."

„Meinen Euer Herrlichkeit das Gebet?" fragte die ehrliche Frau Blower, welche sich zum ersten Male dieser würdigen Gesell-

schaft anschloß, und eifrig beschäftigt war, ein indisches Schnupf-
tuch, welches ein kleines Segel auf ihres Mannes Schmuggler-
Booten hätte abgeben können, auf ihr Knie auszubreiten, um ihr
seidnes Kleid vor allen Gefahren des Thees und des Kuchens zu
decken, denen sie Willens schien, alle mögliche Ehre zu erzeigen.
„Wenn Eure Herrlichkeit das Gebet meinen, da seh' ich eben den
Prediger kommen; Ihro Herrlichkeit warten schon, Sir, daß
Sie den Segen sprechen möchten, wenn es Ihnen gefällig ist,
Sir!“

Diese Worte richteten sich an den Mr. Simon Chatterley, der
so eben mit schleichendem, höfischem Schritt in das Zimmer trat.
— Er sandte durch seine Brille einen erstaunten Blick auf die Frau,
und glitt schweigend weiter nach dem Theetische. Mr. Winterblossom, der hinter dem Geistlichen hertrödelte, da seine Zehe ihm
mahnend verständlich gemacht hatte, daß es Zeit sei, das Mittagsmahl zu verlassen, zog sich gleich auf die andere Seite des Tisches,
obgleich er die Gesichtsmuskeln der guten Person vor Verlangen
angeschwellt sah, die Gewohnheiten und Gebräuche des Orts
zu erforschen; achtlos ließ er sie in ihrer angstvollen Neugierde
sitzen.

Einen Augenblick darauf ward sie aber durch den Eintritt des
Doctor Quackleben aufgerichtet, dem ein Gast eben so würdig
seiner Aufmerksamkeit erschien, als der andere, und der aus Erfahrung wußte, daß das Honorar von solcher gottseligen Frau aus
dem Bowhead eine eben so wichtige, wenn nicht noch einträglichere
Einnahme sei, als die Lady Penelope ihm gewährte. Er setzte sich
also bei Mistreß Blower ruhig nieder, indem er sich auf die höflichste Weise nach ihrer Gesundheit erkundigte, hoffend, sie würde
nicht vergessen haben, vor Tische einen Eßlöffel voll Liqueur als
ein Gegenmittel gegen die Unverdaulichkeit zu genießen.

„In Wahrheit, Doctor,“ sagte die ehrliche Frau, „ich haßte
den Branntwein, so lange als ich den sah, dessen Gesundheit sich

durch so aufrieb, und wenn ich mich doch gedrungen sah, gesund-
hitshalber ihn hervorzuholen, nahm ich wohl hin und wieder einen
Fingerhut voll, obwohl ich das sonst nicht zu thun pflegte, Doctor
Quackleben. Ich kann aber nicht anders sagen, als daß es mir
ut that."

„Unbezweifelt haben Sie Recht, Madame," sagte der Doctor.
„Im Allgemeinen bin ich kein Freund der starken Getränke —
allein es gibt einzelne Fälle — mein werther Lehrer, einer unserer
geschicktesten Aerzte, nahm jeden Nachmittag ein ganzes Glas voll
kaum mit Zucker gemischt, zu sich."

„O bester Herr, das muß ein herrlicher Doktor gewesen sein,"
sagte Mistreß Blower — der hätte meinen Zustand gewiß beurtheilen können. Lebt er noch?"

„Todt, seid vielen Jahren todt, Madame," versetzte der Doctor.
„Wenige seiner Schüler ersetzen seine Stelle; ja, wenn ich eine
Ausnahme mache, so ist es nur, weil ich ein Liebling von ihm
war. Ach, gesegnet sei sein altes, rothes Kleid — es bedeckte mehr
Wissenschaft, als jetzt die Kleidung aller Professoren neuerer Uni-
versitäten."

„Es gibt in Edinburgh einen Arzt, der sehr empfohlen wird,"
meinte Mistreß Blower. „Macgregor, so nennt man ihn, von nah
und fern fragt man ihn um Rath."

„Ich weiß, wen Sie meinen, Madame, ein tüchtiger Mann
— ich kann's nicht läugnen — sehr wacker — allein es gibt
manchmal besondere Krankheiten — die Ihrige zum Beispiel —
und ich denke, viele andere noch der hiesigen Brunnengäste, von
denen man sagen kann, er versteht sie durchaus nicht. — Er ist
sehr rasch — sehr, sehr eilig   Ich lasse erst die Krankheit mir
den Weg anzeigen — dann beobachte ich — Mistreß Blower —
ich beobachte sorgsam den Wechsel, die Fluth und Ebbe derselben."

„Ja, das ist wahr — das ist wahr," — antwortete die Wittwe, „der arme John Blower beobachtete auch immer Fluth und Ebbe."

„Auch ist er ein Hunger-Doctor, Mistreß Blower; er besiegt die Krankheiten, wie die Soldaten die Festungen, durch Hunger, ohne zu überlegen, daß die friedlichen Einwohner eben so viel dabei leiden, als die feindliche Garnison."

Hier unterbrach er sich selbstzufrieden durch ein bedeutendes Husten und fuhr dann fort:

„Ich bin kein Freund von gewaltthätigen Mitteln, Mistreß Blower — die Natur muß nur unterstützt werden — gute Diät, die rechten Mittel freilich von einem guten Arzte empfohlen, das ist meine Meinung, Mistreß Blower, wenn ich als Freund sprechen soll; Andere mögen, wenn sie das Herz dazu haben, ihre Kranken ausdörren!"

„Der Himmel bewahre mich vor der Hungerkur, Doctor Kee-kerben," sagte die aufgeregte Wittwe. „Was sollte aus mir werden, wenn ich das entbehren sollte, was mein armer Körper täglich nothdürftig bedarf. Niemand bekümmert sich um mich, seit mein John Blower dahingerafft wurde. — Danke, mein Freund" (zum Bedienten, der Thee umher reichte), „danke, mein gutes Kind" (zum Pagen, der den Kuchen trug), „finden Sie nicht, Doctor (mit halb leiser Stimme), daß der Thee Ihro Herrlichkeit sehr schwächlich, ja fast Wasser zu nennen ist, und Mr. Jones, könnte er hier sein! — würde den Streukuchen sehr dünn gefunden haben."

„Es ist die Mode so, Mistreß Blower," antwortete der Doctor, „ich finde den Thee der Lady vortrefflich. Aber Ihr Geschmack hat ein wenig gelitten, bei dem ersten Gebrauch des Brunnens nichts Ungewöhnliches, daher entgeht Ihnen der aromatische Duft. Wir müssen die Nerven unterstützen, die Verdauungswerkzeuge stärken — lassen Sie mich machen, Mistreß Blower, Sie sind eine fremde, wir müssen Sorge für Sie tragen — ich habe ein Elixir, welches alles sogleich in die gehörige Ordnung bringt."

So sprechend, zog er aus seiner Tasche einen kleinen, tragbaren Medizin-Kasten, indem er rief: „Sie finden mich nie ohne mein Handwerkszeug! dieß ist die Quintessenz der ganzen Apotheke, das Uebrige ist Alles dummes Zeug mit hochtrabenden Namen. Dieser kleine Kasten, — vierzehn Tage oder einen Monat von St. Ronans-Brunnen dabei genossen, — so stirbt keiner, bis er Tag erscheint, wo ihm sein Ziel gesteckt ist."

So prahlend, nahm er eine kleine Phiole heraus mit einer Flüssigkeit von glänzender Farbe angefüllt, von welcher er drei Theelöffel voll in Mistreß Blowers Tasse mischte, welche unmittelbar darauf eingestand, daß der Wohlgeruch sich über allen Begriff vermehrt habe, und daß es wirklich sehr stärkend und erquickend sei.

„Sollte es nicht auch für mein Uebel gut sein, Doctor?" sagte Mr. Winterblossom, indem er zu ihm watschelte und ihm eine Tasse hinhielt.

„Behüte der Himmel, Mr. Winterblossom," rief der Doctor, indem er sein Kästchen mit großer Kälte schloß, „Ihr Fall ist ödematisch, und Sie behandeln ihn auf Ihre Weise, Sie sind sich selbst Arzt genug, und ich behandle den Kranken nie mit einem andern zusammen."

„Gut, Doctor, so muß ich warten, bis Sir Bingo kommt, der hat gewöhnlich eine Jagdflasche bei sich, die eine so gute Medizin, als die Ihrige enthält."

„So werden Sie lange warten müssen, er ist ein Edelmann, er seinen Gewohnheiten treu bleibt. Er hat neue Flaschen geordert."

„Sir Bingo ist, dünkt mich, kein passender Name für einen Edelmann; meinen Sie nicht auch, Doctor Cockleben?" sagte Mistreß Blower. „Mein guter John Blower, wenn er ein bischen lustigen Wind im Kopfe hatte, wie er es nannte, der arme Schelm, da sang er ein Lied von einem alten Hunde, genannt Bingo, der einem Pächter gehörte!"

„Unser Bingo ist aber jetzt noch ein junges Ding, Madame, und wenn er ein Hund ist, wenigstens ein durstiger Hund," sagte Mr. Winterblossom, seinem Witze mit eignem, unnachahmlichen Lächeln Beifall ertheilend.

„Oder lieber ein toller Hund," sagte wohlgefällig Mr. Chatterley, „denn er trinkt nie Wasser!" Hier lächelte er lieblich bei dem Gedanken, das Wortspiel des Präsidenten noch übertroffen zu haben.

„Zwei recht lustige Männer," sagte die Wittwe, „und so hat, denk' ich, Sir Bingo sein gehöriges Theil bekommen; allein Leid sollte es mir thun, wenn er so die Flasche liebt; das war auch des armen John Blower Fehler. Das abscheuliche Zechen! ja, wenn er darnach strebte, den Bodensatz einer Punschbowle zu ergründen, dann war keine Vernunft mehr in ihm. — Aber da haben sie schon Alles weggenommen. Ist es nicht Unrecht, Doctor, daß alle die menschlichen Genüsse so ohne Dank verzehrt worden sind? Mr. Chatterling, wenn er nämlich wirklich ein Prediger ist, hat viel zu verantworten, daß er so seines Herrn Gebote vernachlässigt."

„Ei nun, Madame," sagte der Doctor, — „Mr. Chatterley ist so eben erst zu der Würde eines ordinirten Predigers erhoben worden."

„Eines ordinirten Predigers? — ach, Doctor, das ist wohl nur ein Scherz von Ihnen," sagte die Wittwe, „das ist ja wie der arme John gesprochen, wenn ich ihn ermahnte, die liebliche Peggy (das Schiff war nach mir benannt, Doctor Kittleben), Schiff und Ladung den Gebeten der heiligen Versammlungen zu vertrauen. Die mögen, antwortete er mir, immer beten, die, welche für die Gefahr Peggy Bryces mir einstehen müssen, denn ich habe es mir verſichern laſſen! Es war ein ſpaßhafter Mann, Doctor, aber er hatte es ſo in ſich, wie er ſich luſtig auszudrücken pflegte, ſo tief in ſich, wie nur jemals ein Schiff Anker faßte auf der Rhede von Leith. — Ich bin ein recht einſames Geſchöpf ſeit ſeinem Tode; — ach die ſchrecklichen Tage und Nächte, die ich ſeitdem gehabt habe! — Ach, und die Schwere der Nerven — die Nerven — Doctor — obgleich ich ſagen kann, ich befinde mich, ſeit ich hier bin, doch beſſer, als früher. Allein was bin ich für Ihr Elixir ſchuldig? — Es hat mir ſchon ein friſches Herz gemacht, ich möchte Ihnen mein ganzes Gemüth aufſchließen."

„Pfui! pfui! Madame," ſagte der Doctor, als die Wittwe einen ledernen Schiffsbeutel herausnahm, ſolchen, worin die Seeleute ihren Tabak zu haben pflegen, der aber, wie es ſchien, wohl mit Banknoten verſehen war. „Ei, ei, Madame — ich bin kein Apotheker, ich habe mein Diplom aus Leyden, bin ein wirklicher Doctor. — Das Elixir iſt ganz zu Ihren Dienſten, und wünſchen Sie einigen Rath oder Beiſtand, ſo wird Niemand ſtolzer ſein, Ihnen ſolchen zu ertheilen, als Ihr unterthänigſter Diener."

„Wahrhaftig, ich bin Ihnen ſehr für Ihre Artigkeit verbunden, Doctor Kickalpin," ſagte die Wittwe, ihre Taſche entfaltend. „Dies war Mr. John Blowers Tabakstaſche, wie er ſie nannte, darum trag' ich ſie zu ſeinem Andenken. Ach, es war ein lieber Mann, der mich ganz gemächlich verſehen in dieſer Welt zurückließ. Aber Glücksgüter haben ihre Laſten — einzelne Frau, das iſt ein hartes Geſchick."

Doctor Quackleben rückte ſeinen Stuhl ein wenig näher zu der Wittwe hin, und leitete eine engere Unterhaltung mit ihr ein, ohne Zweifel mit zarten Tröſtungen gemiſcht, welche die Ohren der übrigen Geſellſchaft nicht vernehmen ſollten.

Eine der Hauptvergnügungen eines Badeortes iſt, daß jedes Einzelnen Angelegenheiten unter der ſpeciellen Bewachung der ganzen Geſellſchaft ſtehen, ſo daß die verſchiedenen Verhältniſſe, Ver-

bindungen u. f. w., welche natürlich sich in einer solchen Gesell
schaft anknüpfen, nicht allein zu der Unterhaltung der eigentlich
handelnden Personen, sondern auch der Zuschauer beitragen, das
heißt also, die ganze Gesellschaft, die sich dort befindet, beschäftigen
Lady Penelope, die herrschende Göttin des Tages, achtsam auf Alles
was vorging, verfehlte nicht, des Doctors emsige Unterredung mit
der Wittwe zu bemerken, wie den muthigen Griff, mit welchem e
sich ihrer schönen, dicken Hand bemächtigte, halb wie ein galante
Anbeter, halb wie ein rathgebender Doctor.

„Um des Himmelswillen!" sagte Ihro Herrlichkeit, „we
kann die angenehme Dame sein, die unser gelehrter, weiser Docto
mit so ungewöhnlicher Achtung behandelt!"

„Fett! schön! und vierzigjährig!" sagte Mr. Winterblossom
„das ist Alles, was ich von ihr weiß — eine Kaufmannsfrau.'

„Eine Karrake, Herr Präsident," sagte der Kaplan, „reich mi
Colonialwaaren beladen, die den Namen Liebliche Peggy Brye
führt, und ohne Piloten ist. Der verstorbene John Blower vo
North-Leith, der sie für das Boot des stygischen Charon vertau
schen mußte, ließ dieses Schiff ohne Steuermann zurück."

„Der Doctor," rief Lady Penelope, indem sie ihr Glas nach
ihm hinwandte, „scheint die Rolle des Steuermannes spielen z
wollen."

„Ich glaube beinahe, er will ihren Namen und Stand ver
ändern," sagte Mr. Chatterley.

„Er kann zur Erwiederung nicht weniger thun," entgegne
Winterblossom. „Sie hat seinen Namen, wie ich selbst gehört habe
sechsmal in fünf Minuten verändert!"

„Was denken Sie davon, meine theure Lady Binks?" —
fragte Lady Penelope.

„Madame?" — fragte Lady Binks, von einer Träumerei er
wachend, und antwortend wie Jemand, der entweder die Frage ga
nicht gehört, oder doch nicht verstanden hat.

„Ich meine, was denken Sie von dem, was dort unten sich anknüpft?"

Lady Binks drehte Ihr Glas dahin, wo Lady Penelope hin= deutete, blickte den Doctor und die Wittwe mit einem dreisten, mo= dischen Starren an, und dann ihre Hand wieder langsam fallen lassend, sagte sie gleichgiltig: „Wahrhaftig, ich sehe gar nichts Be= merkenswerthes dort!"

„Ich sage, es ist eine herrliche Sache, verheirathet zu sein," rief Lady Penelope. „Solcher Leute Gedanken sind so mit der eignen Glückseligkeit beschäftigt, daß sie weder Neigung noch Zeit haben, wie andere Leute zu lachen. Miß Rachel Bonvrig is würde über das, was Lady Binks kaum bemerkt, so gelacht haben, daß ihr die Augen übergegangen wären. Darum sage ich, das Glück, verheirathet zu sein, muß jedes andere übersteigen."

„Glücklich würde ich den Mann schätzen, der Euer Herr= lichkeit davon in allem Ernst überzeugen könnte," sagte Mr. Win= terblossom.

„Wer weiß, die Grille kann mich ergreifen," entgegnete die Lady. — „Aber   nein — nein — nein, da hören Sie es dreimal."

„Sagen Sie es noch sechszehnmal mehr," versetzte der galante Präsident, „und lassen Sie nur das neunzehnte Nein eine Be= jahung werden."

„Und sagte ich tausend Neins, so sollte es keinem noch so kundigen Alchymisten gelingen, ein Ja — daraus zu zaubern," rief die Lady! „Gesegnet sei das Andenken der König'n Beß! Sie steht uns allen als ein Beispiel da, unsere Macht zu be= wahren, wenn wir welche besitzen. — Aber welch' ein Lärmen ist das?"

„Nur der gewöhnliche Zank nach Tische," antwortete der Be= fragte. „Ich höre des Kapitäns Stimme ihnen Friede gebieten, in des Teufels und der Damen Namen."

„Auf mein Wort, theuerste Lady Binks, es ist sehr übel vo
Ihrem Eheherrn und von Mowbray, welche mehr Vernunft habe
sollten, wie auch von den übrigen Claret=Trinkern, daß sie unser
Nerven jeden Abend so angreifen. Sich stets gegenseitig mit P
stolen zu bedrohen, gleich wilden Jägern, die den zwölften Augu
des Regens wegen in's Haus gebannt sind. Ich bin des Frieden
machens müde — besser, es bräche einmal aus, was es auch se
— Was meinen Sie, Liebe, wenn wir Ordre ertheilten, daß d
nächste Streit ordentlich ausgefochten würde? Wir könnte
Zuschauerinnen sein, die Farben der Ritter tragen, und ereign
sich etwas Blutiges, so erleben wir es doch in Gemeinschaft.
Wittwentrauer stehet sehr gut, schauen sie nur die Dame Blow
in ihren schwarzen Gewändern an, meine theure Lady Binks —
nicht, Sie beneiden dieselbe, meine Liebe?"

Lady Binks schien bereit, eine scharfe und heftige Antwort z
geben, hielt sich aber zurück, weil sie vernünftiger Weise nic
öffentlich mit Lady Penelope brechen konnte. In demselben Auge
blick öffnete sich das Zimmer, und es erschien eine Dame i
Reitkleide, einen schwarzen Schleier auf dem Hut, am Eingan
desselben.

„Ihr Engel und all' ihr Mächte des Himmels," rief La
Penelope mit dem tragischsten Anstande. „Warum so spät, mei
theure Clara! und warum so? — wollen Sie nach meinem A
kleidezimmer gehen? — Jones soll Ihnen eines meiner Kleid
geben, wir sind von einer Taille, — bitte — thun Sie es —
ich werde eitel auf mein eigenes Kleid sein, wenn Sie es getrag
haben."

Dieses alles ward mit dem Tone der schwärmerischsten Freund
schaft gesprochen, und zu gleicher Zeit reichte die schöne Wirthi
der Miß Mowbray eine jener Liebkosungen, die das weibliche G
schlecht oft an einander verschwendet, zum großen Mißvergnüge
und Neid der männlichen Zuschauer.

„Aber Sie zittern, meine theuerste Clara — Sie haben Fieber — ich bin davon überzeugt," fuhr die zart besorgte Lady Penelope wieder fort. „O laffen Sie sich überreden sich niederzulegen."

„Sie irren, Lady Penelope," sagte Miß Mowbray, welche die freundschaftsversicherungen der Lady mehr als eine Sache der Gewohnheit zu beachten schien. „Ich bin erhitzt, mein Klepper trabte etwas hart — das ist das ganze Geheimniß, ich bitte um eine Taffe Thee, Mißreß Jones, damit ist alles gut."

„Frischen Thee, Jones — augenblicklich!" rief Lady Penelope, und führte ihre gleichmüthige Freundin nach dem Hintergrunde des Zimmers, welches sie den kleinen Winkel nannte, wo sich ihr Hof versammelte. Die Herren und Damen verneigten sich indem sie vorüber gingen, doch der neue Gast erwiederte diese Höflichkeit nur so viel, als die nothwendigste Lebensart es erforderte. Lady Binks stand nicht auf, sie zu empfangen, sondern rückte sich blos gerade, indem sie den Kopf etwas vorwärts beugte, eine Verneigung, welche Miß Mowbray eben so steif erwiederte, ohne von eben Seiten weiter auf einander zu achten.

„Nun Doctor, wer kann das sein?" fragte die Wittwe. „Sie ben mir ja versprochen all' die Leute zu nennen — wer kann die ne sein, mit welcher Lady Penelope solch' Wesen treibt? — wie kann sie mit solchem Kleide und Filzhut erscheinen, wenn alle (einen wohlgefälligen Blick auf ihr Kleid werfend) in e und Atlas sind?"

„Leicht ist es mir, Ihre Frage zu beantworten," entgegnete lenksertige Doctor. „Es ist Miß Clara Mowbray, die Schwe-s Gutsherrn des Ortes, des Edelmannes im grünen Rock. eßhalb sie dieß Kleid trägt, oder sonst irgend etwas thut, wohl leicht über eines Doctors Wissen gehen. Wahr ist habe immer gedacht, sie sei ein wenig — ein klein wenig

7 *

bindungen u. s. w., welche natürlich sich in einer solchen Gesellschaft anknüpfen, nicht allein zu der Unterhaltung der eigentlich
handelnden Personen, sondern auch der Zuschauer beitragen, das
heißt also, die ganze Gesellschaft, die sich dort befindet, beschäftigen.
Lady Penelope, die herrschende Göttin des Tages, achtsam auf Alles,
was vorging, verfehlte nicht, des Doctors emsige Unterredung mit
der Wittwe zu bemerken, wie den muthigen Griff, mit welchem er
sich ihrer schönen, dicken Hand bemächtigte, halb wie ein galanter
Anbeter, halb wie ein rathgebender Doctor.

„Um des Himmelswillen!" sagte Ihro Herrlichkeit, „wer
kann die angenehme Dame sein, die unser gelehrter, weiser Doctor
mit so ungewöhnlicher Achtung behandelt!"

„Fett! schön! und vierzigjährig!" sagte Mr. Winterblossom,
„das ist Alles, was ich von ihr weiß — eine Kaufmannsfrau."

„Eine Karrake, Herr Präsident," sagte der Kaplan, „reich mit
Colonialwaaren beladen, die den Namen liebliche Peggy Bryce
führt, und ohne Piloten ist. Der verstorbene John Blower von
North-Leith, der sie für das Boot des stygischen Charon vertauschen mußte, ließ dieses Schiff ohne Steuermann zurück."

„Der Doctor," rief Lady Penelope, indem sie ihr Glas nach
ihm hinwandte, „scheint die Rolle des Steuermannes spielen zu
wollen."

„Ich glaube beinahe, er will ihren Namen und Stand verändern," sagte Mr. Chatterley.

„Er kann zur Erwiederung nicht weniger thun," entgegnete
Winterblossom. „Sie hat seinen Namen, wie ich selbst gehört habe,
sechsmal in fünf Minuten verändert!"

„Was denken Sie davon, meine theure Lady Binks?" —
fragte Lady Penelope.

„Madame?" — fragte Lady Binks, von einer Träumerei er-
wachend, und antwortend wie Jemand, der entweder die Frage gar
nicht gehört, oder doch nicht verstanden hat.

„Ich meine, was denken Sie von dem, was dort unten sich küßt?"

Lady Binks drehte Ihr Glas dahin, wo Lady Penelope hindeutete, blickte den Doctor und die Wittwe mit einem dreisten, wüschen Starren an, und dann ihre Hand wieder langsam fallen lassend, sagte sie gleichgiltig: „Wahrhaftig, ich sehe gar nichts Bemerkenswerthes dort!"

„Ich sage, es ist eine herrliche Sache, verheirathet zu sein," rief Lady Penelope. „Solcher Leute Gedanken sind so mit der eignen Glückseligkeit beschäftigt, daß sie weder Neigung noch Zeit haben, wie andere Leute zu lachen. Miß Rachel Bonvrig würde über das, was Lady Binks kaum bemerkt, so gelacht haben, daß ihr die Augen übergegangen wären. Darum sage ich, das Glück, verheirathet zu sein, muß jedes andere übersteigen."

„Glücklich würde ich den Mann schätzen, der Euer Herrlichkeit davon in allem Ernst überzeugen könnte," sagte Mr. Winterblossom.

„Wer weiß, die Grille kann mich ergreifen," entgegnete die Lady. — „Aber — nein — nein — nein, da hören Sie es einmal."

„Sagen Sie es noch sechszehnmal mehr," versetzte der galante Präsident, „und lassen Sie nur das neunzehnte Nein eine Bejahung werden."

„Und sagte ich tausend Neins, so sollte es keinem noch so kundigen Alchymisten gelingen, ein Ja — daraus zu zaubern," rief die Lady! „Gesegnet sei das Andenken der König'n Beß! Sie steht uns allen als ein Beispiel da, unsere Macht zu bewahren, wenn wir welche besitzen. — Aber welch' ein Lärmen ist das?"

„Nur der gewöhnliche Zank nach Tische," antwortete der Verlagte. „Ich höre des Kapitäns Stimme ihnen Friede gebieten, und des Teufels und der Damen Namen."

„Auf mein Wort, theuerste Lady Binks, es ist sehr übel
Ihrem Eheherrn und von Mowbray, welche mehr Vernunft ha
sollten, wie auch von den übrigen Claret-Trinkern, daß sie un
Nerven jeden Abend so angreifen. Sich stets gegenseitig mit
stolen zu bedrohen, gleich wilden Jägern, die den zwölften Aug
des Regens wegen in's Haus gebannt sind. Ich bin des Fried
machens müde — besser, es bräche einmal aus, was es auch
— Was meinen Sie, Liebe, wenn wir Ordre ertheilten, daß
nächste Streit ordentlich ausgefochten würde? — Wir könn
Zuschauerinnen sein, die Farben der Ritter tragen, und ereig
sich etwas Blutiges, so erleben wir es doch in Gemeinschaft.
Wittwentrauer stehet sehr gut, schauen sie nur die Dame Blo
in ihren schwarzen Gewändern an, meine theure Lady Binks
nicht, Sie beneiden dieselbe, meine Liebe?“

Lady Binks schien bereit, eine scharfe und heftige Antwort
geben, hielt sich aber zurück, weil sie vernünftiger Weise
öffentlich mit Lady Penelope brechen konnte. In demselben Aug
blick öffnete sich das Zimmer, und es erschien eine Dame
Reitkleide, einen schwarzen Schleier auf dem Hut, am Einga
desselben.

„Ihr Engel und all' ihr Mächte des Himmels,“ rief L
Penelope mit dem tragischsten Anstande. „Warum so spät, m
theure Clara! und warum so? — wollen Sie nach meinem
kleidezimmer gehen? — Jones soll Ihnen eines meiner Klei
geben, wir sind von einer Taille, — bitte —– thun Sie es
ich werde eitel auf mein eigenes Kleid sein, wenn Sie es getra
haben.“

Dieses alles ward mit dem Tone der schwärmerischsten Freu
schaft gesprochen, und zu gleicher Zeit reichte die schöne Wirth
der Miß Mowbray eine jener Liebkosungen, die das weibliche G
schlecht oft an einander verschwendet, zum großen Mißvergnü
und Neid der männlichen Zuschauer.

„Aber Sie zittern, meine theuerste Clara — Sie haben Fieber — ich bin davon überzeugt," fuhr die zart besorgte Lady Penelope wieder fort. „O laffen Sie sich überreden sich niederzulegen."

„Sie irren, Lady Penelope," sagte Miß Mowbray, welche die Freundschaftsversicherungen der Lady mehr als eine Sache der Gewohnheit zu beachten schien. „Ich bin erhitzt, mein Klepper trabte was hart — das ist das ganze Geheimniß, ich bitte um eine Tasse Thee, Mistreß Jones, damit ist alles gut."

„Frischen Thee, Jones — augenblicklich!" rief Lady Penelope, und führte ihre gleichmüthige Freundin nach dem Hinterrande des Zimmers, welches sie den kleinen Winkel nannte, wo sich ihr Hof versammelte. Die Herren und Damen verneigten sich indem sie vorüber gingen, doch der neue Gast erwiederte diese Höflichkeit nur so viel, als die nothwendigste Lebensart es erforderte. Lady Binks stand nicht auf, sie zu empfangen, sondern rückte sich blos gerade, indem sie den Kopf etwas vorwärts beugte, eine Bewegung, welche Miß Mowbray eben so steif erwiederte, ohne von beiden Seiten weiter auf einander zu achten.

„Nun Doctor, wer kann das sein?" fragte die Wittwe. „Sie haben mir ja versprochen all' die Leute zu nennen — wer kann die Dame sein, mit welcher Lady Penelope solch' Wesen treibt? — und wie kann sie mit solchem Kleide und Filzhut erscheinen, wenn wir alle (einen wohlgefälligen Blick auf ihr Kleid werfend) in Seide und Atlas sind?"

„Leicht ist es mir, Ihre Frage zu beantworten," entgegnete er dienstfertige Doctor. „Es ist Miß Clara Mowbray, die Schwester des Gutsherrn des Ortes, des Edelmannes im grünen Rock. — Weßhalb sie dieß Kleid trägt, oder sonst irgend etwas thut, möchte wohl leicht über eines Doctors Wissen gehen. Wahr ist es, ich habe immer gedacht, sie sei ein wenig — ein klein wenig

7 *

verwirrt — nennen Sie es Nervenreiz — Hypochondrie — wie
Sie sonst wollen."

„Der Himmel steh' uns bei! das arme Ding!" rief die mitleidige Wittwe. — „Und wahrhaftig, sie sieht so aus. Aber es ist
unrecht sie so allein umherschweifen zu lassen, Doctor, sie kann ja
sich selbst oder Andern ein Leides zufügen! — Sehen Sie doch —
Sie hat das Messer ergriffen! — Ach, sie will nur ein Schnittchen
von dem gerösteten Brode abschneiden. Sie will nicht zugeben,
daß der Junge, die gepuderte Meerkatze, ihr hilft. — Ei das ist
nicht dumm gehandelt, Doctor, denn nun kann sie es sich nach
ihrem Belieben dick oder dünn schneiden. — Mein Herr des Himmels, sie hat nicht mehr genommen als ein Krümmchen, das man
allenfalls einem Kanarienvogel zwischen die Stäbe seines Bauers
stecken könnte. — Ich wollte sie würfe den langen Schleier zurück,
oder zöge das Reitkleid aus, Doctor. Man sollte ihr wahrhaftig
die Badegesetze zeigen, Doctor Kickelskin."

„Sie kümmert sich um kein Gesetz, das wir machen können,"
erwiederte der Doctor; „und ihres Bruders Wille und Vergnügen,
wie Lady Penelopens wunderliche Grille, ihr alles nachzusehen,
halten ihr überall die Stange. — Jene sollten Rath über ihren
Zustand einziehen."

„Ja, wahrhaftig, da ist's wohl noch Zeit Rath einzuziehen,
wenn solch' ein junges Geschöpf wie ein Seeräuber gekleidet unter
geputzten Damen erscheint, gerade als ob sie eben von der Rhede
von Leith ausgerissen wäre! — Nein, sehen Sie nur, was Mylady
für ein Leben mit ihr treibt! Man sollte glauben, es wären zwei
Närrinnen aus einem Nest!"

„Sie mögen allerdings einen gleichen Flug genommen haben,
so viel ich weiß," entgegnete Doctor Quackleben; „aber frühzeitig
ward Lady Penelopens Gesundheit einer guten Leitung übergeben.
Mein Freund, der verstorbene Graf von Penfeather, hatte ein sehr
richtiges Urtheil! — ohne ärztlichen Rath ward wenig in seiner

Familie unternommen, — so also, theils durch den Gebrauch des Brunnens, theils durch meinen Rath, ist Lady Penelope jetzt nur phantastisch-wunderlich — und dabei bleibt es. — Ihre übrigen Eigenschaften gleichen das aus — unter einer andern Behandlung möchte der bösartige Stoff leicht zur Krankheit ausgebrochen sein."

„Ja, ihre Freunde haben gut für sie gesorgt," rief die Wittwe. „aber dieses arme Mowbray'sche Kind, armes Ding, wie kömmt es, daß man sie so ganz sich selbst überließ?"

„Ihre Mutter war todt; der Vater nur mit seiner Jagd beschäftigt; der Bruder war in England erzogen, und würde sich um Niemand gekümmert haben, selbst wenn er hier gewesen wäre. Ihr selbst blieb es überlassen, welche Erziehung sie sich gab. Eine Bibliothek alter Romane war ihre Lektüre; — Gesellschaft und Freunde — wie sie der Zufall ihr gab — es gab dort keinen Familienarzt, nicht einmal einen Chirurgus damals, zehn Meilen in der Runde! Da ist es denn eben kein Wunder, wenn das arme Ding ganz wirrig ward.

„Armes Ding! — Kein Doctor — nicht einmal ein Chirurgus! — Aber Doctor," sagte die Wittwe, „gesetzt der Fall, das arme Ding wäre ganz ordentlich gesund gewesen, nun dann" —

„Ah, ha ha, Madame, was dann? — Gerade dann, Madame, hätte sie eines Arztes noch mehr bedurft, als wenn sie schwächlich war. Ein unterrichteter Arzt, Mistreß Blower, versteht es, solche kernige Gesundheit, die ein sehr beunruhigender Zustand ist, wenn man sie secundum artem (von dem Standpunkte der Kunst) betrachtet, gehörig herunter zu bringen. Viel plötzliche Todesfälle entstehen aus solchem kräftigem Gesundheitszustande. — Ach — solch' eine unerschütterliche Gesundheit, das ist's, was die Aerzte am meisten bei ihren Kranken befürchten."

„Ei wirklich, Doctor? Ja ich sehe es ein," sagte die Wittwe,

„was für einen großen Vortheil man davon erhält, wenn man einen solchen klugen Mann in seiner Nähe hat."

Und des Doktors Stimme, in dem Eifer, den er aufbot, Mistreß Blower zu überzeugen, wie gefährlich es für sie sei, ohne ärztlichen Rath und Beistand zu leben, sank zu so leisem bittenden Laut herab, daß unser Berichterstatter nichts deutlich mehr vernehmen konnte. Er ward, wie es großen Rednern zuweilen geht, der Gallerie unverständlich.

Unterdessen überschüttete Lady Penelope Clara Mowbray mit ihren Liebkosungen. Welche Liebe eigentlich wirklich Lady Penelope in ihrem Herzen für Clara empfand, möchte schwer zu bestimmen sein — wahrscheinlich hegte sie für sie die Zärtlichkeit, die ein Kind einem Lieblingsspielwerke weiht. Aber Clara war ein Spielwerk, das nicht immer leicht zu behandeln war. Eben so wunderlich in ihrer Art, als Ihro Herrlichkeit in der ihrigen, waren der armen Clara Sonderbarkeiten ernsterer Gattung, als die nur angenommenen und übertriebenen der Lady. Ohne dem harten Ausspruch des Doktors über Clara beizutreten, war sie doch von sehr ungleicher Gemüthsstimmung, und ihre vorübergehenden Ausbrüche fröhlicher Ausgelassenheit wechselten mit langen schwermüthigen Zwischenräumen ab. So schien ihr Leichtsinn in den Augen der Welt bei weitem größer, als er wirklich war, denn sie hatte niemals die Rücksichten kennen gelernt, welche die wahrhaft gute Gesellschaft ehrt, und hegte eine unverdiente Verachtung gegen die, welche der Kreis, mit dem sie zuweilen zusammentraf, forderte, da sich unglücklicherweise in ihrer Umgebung Niemand befand, der ihr die wichtige Wahrheit gelehrt hätte, daß fast mehr aus Achtung für uns selbst als gegen andere wir stets einige Formen und Beschränkungen zu ehren haben. Deßhalb war ihre Kleidung, ihr Benehmen und ihre Art zu denken sehr eigenthümlich; und so reizend sie ihr auch standen, doch waren sie, gleich Opheliens Kränzen und abgebrochenen Gesängen, nur zu sehr fähig, selbst indem sie den

eobachter unterhielten, zugleich Mitleiden und Trauer zu er-
ecken.

„Und weßhalb kamen Sie nicht zum Mittageffen? — Wir er-
arteten Sie — Ihr Thron war bereitet."

„Kaum wäre ich zum Thee gekommen," sagte Miß Mowbray,
wenn es meinem freien Willen überlaffen blieb. Aber mein Bru-
r sagte, Ew. Herrlichkeit hätten sich vorgesetzt, nach Shaw-
astle zu kommen, und er bestand darauf, daß es durchaus noth-
endig sei, Sie in einem so schmeichelhaften Vornehmen zu bestär-
a, daß ich hier erscheinen und sagen müßte, bitte, kommen Sie,
ahy Penelope; und so bin ich denn hier, und sage, bitte, kommen
ie."

„Ist eine so schmeichelhafte Einladung mir allein bestimmt,
eine theure Clara? — Lady Binks wird eifersüchtig werden."

„Bringen Sie Lady Binks, wenn Sie die Herablaffung haben
ill, uns zu beehren — (und steif verneigten sich die Damen gegen
inander) — bringen Sie Mr. Springbloffom — Winterbloffom
— und alle hier versammelten Löwen und Löwinnen — wir ha-
en Raum für die ganze Sammlung. — Mein Bruder wird, vermuthe ich, sein eigenes besonderes Regiment von Bären mitbringen,
elches mit der dazu gehörigen, bei allen solchen Carawanen vor-
andenen Auswahl von Affen die Menagerie vollzählig machen
ird. Wie Sie sich übrigens in Shaw-Castle unterhalten wer-
en, das ist, dem Himmel sei Dank, Johns, nicht meine Sorge!"

„Wir werden keiner bedeutenden Unterhaltung bedürfen, meine
seliebte," sagte Lady Penelope; „ein dejeuner à la fourchette;
— wir wiffen schon, Clara, Sie würden sterben, müßten Sie bei
nem förmlichen Diner die Wirthin machen."

„O nicht doch! Ich würde immer noch lange genug leben, um
nein Testament zu entwerfen, und alles Bedeutende dem alten Nick
u übertragen, welcher diesen Dingen immer vorsteht."

Lady Binks, die oft durch die sehr freisinnigen Aeußerungen

Clara's in ihrem früheren Charakter der Koketterie und Unweib
lichkeit sowohl, als in ihrer jetzigen steifen Zurückhaltung gekränkt
worden war, sagte:

„Miß Mowbray entscheidet sich für Champagner und ein kal
tes Hühnchen nur!"

„Das Hühnchen ohne den Champagner, mit Ihrer Erlaub
niß," entgegnete Miß Mowbray. „Ich habe Damen gekannt, di
den Champagner auf ihrer Tafel theuer erkauften. — Apropos
Lady Penelope, Ihre Menagerie ist nicht so gut in Zucht un
Ordnung gehalten, als die des Pidcock und Polito. — Es wa
gewaltig viel Lärmen und Geheule in der untern Höhle, als i
vorbei ging."

„Es ist die Futterstunde, meine Geliebte," sagte Lady Pene
lope, „und die niedrigern Thiere jeder Gattung werden, wen
diese Zeit herannaht, immer wild — Sie sehen, alle unsere sanf
teren, zähmeren Thiere sind frei gelassen und in vollkommen gute
Ordnung."

„Ja, ja; in Gegenwart des Hüters, das kennt man. — Ic
muß es doch versuchen, trotz alle dem Gebrüll und Lärmen, durc
die Gasse zu gehen. — Ich wollte, ich hätte die Lammsviertel de
Prinzen im Feenmährchen, sie ihnen vorzuwerfen, wenn sie au
brechen sollten — den meine ich, der das Wasser aus dem Löwen
brunnen holen sollte. — Aber alles besser überlegt, will ich di
Hinterthür hinausgehen und sie vermeiden. — Sagt nicht de
würdige Bottom:

Denn wenn im Kampf sie mit dem Löwen ringen
An solchem Ort, wird's Tod den Schwachen bringen."

„Soll ich mit Ihnen gehen, meine Liebe?" fragte Lad
Penelope.

„Nein — dazu habe ich eine zu starke Seele. — Ich denl
auch überdem, bei einigen derselben macht bloß die Haut de
Löwen."

„Aber weßhalb wollen Sie so früh hinweg, Clara?"

„Weil mein Auftrag vollzogen ist. — Habe ich Sie und die Ihrigen nicht eingeladen? und würde Lord Chesterfield selbst mir nicht einräumen müssen, daß ich Höflichkeit ausübte?"

„Aber Sie sprachen mit gar Niemand in der Gesellschaft — wie können Sie so unfreundlich sein, meine Geliebte?"

„Ei, ich habe mit ihnen Allen gesprochen, wenn ich mit Ihnen und Lady Binks sprach. — Aber ich bin ein gutes Mädchen, ich thue, was man mir sagt."

Damit in dem Zirkel umhersehend, wandte sie sich an einen Jeden mit dem Schein des Antheils und der Höflichkeit.

„Mr. Winterblossom, ich hoffe, Ihr Podagra ist jetzt besser. Mr. Robert Rymar — (ich bin glücklich umhin gekommen, daß ich ihn nicht wieder Thomas nannte) ich hoffe doch, das Publikum muntert theilnehmend die Musen auf? — Mr. Reelavire, nicht wahr, Ihr Pinsel ist immer thätig? — Ah, Mr. Chatterley, gewiß, ich bezweifle es nicht, Ihre Heerde vergrößert sich täglich?— Doktor Quackleben, Ihre Patienten erholen sich gewiß alle. — Das sind Alle, die ich in der werthen Gesellschaft kenne — was die Uebrigen anbetrifft — Gesundheit den Kranken — Vergnügen den Gesunden!"

„Sie werden uns doch nicht wirklich verlassen, meine Geliebte?" fragte Lady Penelope. Dieses stürmische Reiten erschüttert Ihre Nerven — gewiß, das ist der Fall — Sie sollten vorsichtig sein! Soll ich mit dem Doktor Quackleben sprechen?"

„Weder Quick noch Quack soll sich um mich bekümmern, theuerste Lady. — Nein, nein, so ist's nicht, wie es da wohl Ihre Zeichen an Lady Binks sagen sollen — es ist wirklich nicht so, in der That. Ich werde keine Lady Clementina werden, um das Mitleiden und das Erstaunen der Brunnengäste zu St. Ronans zu erregen. — Auch eine Ophelia nicht — obwohl ich mit Ihr

sage — gute Nacht, süße Damen! — Und nun, meinen Wagen
meinen Wagen! — Oder mein Pferd, mein Pferd!" — Und hin
weg eilte sie durch eine Seitenthür, während die zurückbleibende
Damen ihr bedeutend nachblickten.

„Etwas hat das arme unglückliche Mädchen verstört," sag
Lady Penelope, „ich sah sie nie zuvor so sehr seltsam."

„Soll ich meine Meinung sagen," äußerte Lady Bink
„so denke ich, wie in der Posse Mistreß Highmore sagt, if
Wahnsinn ist nur eine schlechte Entschuldigung für ihre Ung
zogenheit."

„Nicht doch," Lady Binks," rief Lady Penelope, „schonen S
meinen armen Liebling! Sie gewiß, Sie vor allen Andern sollte
das Uebermaaß einer liebenswürdigen Ueberspannung eines le
haften Gemüthes entschuldigen. — Verzeihen Sie mir, mei
Geliebte, aber ich muß meine abwesende Freundin vertheidigen
Mylady Binks, davon bin ich überzeugt, ist zu großmüthig u
aufrichtig, um

Die Kunst zu hassen, die sie selbst erhoben.'

„Keiner hohen Erhebung mir bewußt, Mylady," entgegne
Lady Binks, „kenne ich eben so wenig irgend eine Kunst, wel
ich mich genöthigt gesehen hätte anzuwenden. Ich denke, ein Frä
lein aus einer alten schottischen Familie kann die Gemahlin ein
englischen Baronets werden, ohne daß es eine so außerordentli
Verwunderung erregen sollte!"

„Gewißlich — aber Sie wissen wohl, die Menschen wu
dern sich hienieden oft über gar nichts!" entgegnete Lady Pe
lope.

„Wenn Sie mir den armen Sir Bingo beneiden, Lady Pe
lope, ich will Ihnen einen bessern einfangen!"

„Ich bezweifle Ihre Talente keineswegs, aber wenn ich ein
Mann bedarf, will ich mich schon selbst versorgen. Aber da ko

die ganze Trinker-Gesellschaft. — Joltffe, bietet den Herren Thee
an — dann macht den Raum für die Tanzenden zurecht, und stellt
die Spieltische im nächsten Zimmer auf."

Achtes Kapitel.

Der Nachmittag.

> Der Kork, er springt. Man zapft die Tonne;
> Doch bittrer Streit folgt kurzer Wonne.
>
> Prior.

Wenn der Leser das Treiben des Hundegeschlechts oft seiner
Aufmerksamkeit würdigte, so wird er vielleicht die sehr verschiedene
Art bemerkt haben, auf welche die verschiedenen Geschlechter desselben
ihren Streit unter einander auskämpfen. Die weiblichen Thierchen
sind knurrig, heftig und sehr bereit, ihren gegenseitigen Widerwillen oder ihre Eifersucht in einem plötzlich ausbrechenden Gebell
und möglichst vortheilhaften schnellen Biß an den Tag zu legen.
Aber diese Ausbrüche des Unmuths führen zu keinem ernsten, fort-
gesetzten Streite; ein Augenblick erregt und stillt sie wieder. Nicht
so ist's mit dem Zorne der männlichen Gattung, der, einmal erweckt und durch gegenseitiges mißtrauisches Zähnefletschen begonnen,
gemeinhin zu einem wilden, hartnäckigen Kampfe führt. Sind es
dabei geübte Hunde von gleichen Kräften, so balgen und würgen
sie sich, ja verbeißen sich so in einander, daß sie nur zu trennen
sind, wenn man sie an ihren eigenen Halsbändern so schüttelt, daß
ihnen Luft und Beute zugleich entgeht, oder wenn man durch
eine plötzliche Ueberschüttung mit kaltem Wasser ihre Wuth nieder-
schlägt.

ihm felbe, zu rechtfertigen. — Ich will ihm durch den Sinn fahren, bei —"

„Still, schweigt — ruhig — halten Sie den Mund, St. Ronans! Bleiben Sie hübsch gelassen! — Sehen Sie, ich machte
den Prozeß, weil Ihr Vater es wünschte, vor dem Quartalgericht
anhängig — aber ich weiß nicht, wie es kam — der alte Justitiarius war der Burschen Freund — einige der Richter meinten, es
habe nur ein Mißverständniß der Gränzsteine obgewaltet, so konnten wir kein Strafurtheil gegen sie auswirken; — Ihr Vater litt
damals sehr an Podagra, ich fürchtete ihn zu ärgern, und so entschloß ich mich, den Prozeß einschlafen zu lassen, aus Furcht, sie
möchten ganz freigesprochen werden. — Sie thun also besser, St.
Ronans, hübsch vorsichtig zu Werke zu gehen, denn wenn sie auch
vorgefordert wurden, so waren sie darum nicht überführt."

„Könnten Sie die Klage nicht wieder anhängig machen?"
fragte Mowbray.

„Pah, die ist seit sechs oder sieben Jahren verjährt!" Es ist
eine wahre Schande, St. Ronans, daß die Strafe der Jagdgesetze,
die beste Schutzwehr der Landedelleute gegen die Eingriffe unterge-
ordneter Menschen in ihre freiherrlichen Rechte, in so kurzer Zeit
verjährt sind. Ein Wilddieb kann wahrhaftig lustig hin und her,
aus einer Grafschaft in die andere, wie (mit Erlaubniß) ein Floh
auf einem weißen Bettlacken umherspringen, — und wenn Sie
ihm nicht im Augenblick der That den Daumen in den Nacken
drücken können, so mögen Sie sich bei einer Schüssel Verjährung
zum Mittag — bei einer Suppe Lossprechung zum Abendessen zu
Gaste bitten."

„Es ist in der That eine Schande!" rief Mowbray, von seinem
Vertrauten und Rathgeber sich zur Gesellschaft im Allgemeinen
wendend, wobei sein Blick mit einer gewissen Bedeutung auf Tyrrel
verweilte.

Was ist eine Schande, Sir?" fragte Thrrel, der es bemerkte,
iß ihm die Bemerkung vorzugsweise galt.

„Daß wir stets so viel Wilddiebe in unsern Gehegen haben,
Sir," antwortete St. Ronans. „Zuweilen bedaure ich es fast, die
Einrichtung des Gesundbrunnens hier zugelassen zu haben, wenn
ich mir überlege, wie viel Flinten er mir zu jeder Jahreszeit in
mein Eigenthum führt."

„Nicht doch! — Pfui — hinweg damit, St. Ronans!" sagte
der Mann des Gesetzes. — „Den Gesundbrunnen nicht zulassen?
— Was wäre die ganze Gegend umher ohne ihn, das möchte ich
wohl wissen? — Es ist die vortheilhafteste Verbesserung, die seit
dem Jahre fünfundvierzig in der Grafschaft stattfand. Nein, nein,
dem Gesundbrunnen muß man nicht Vorwürfe über die Wild-
dieberei und die Eingriffe in's Jagdrecht machen. — In dem alten
Ort, da muß man die Höhle dieser Art Raubthiere suchen. Unsre
Brunnengesetze sprechen sich klar und deutlich gegen solche Ueber-
treter aus."

„Ich weiß gar nicht," sagte der Laird, „was meinen Vater
veranlassen konnte, das Eigenthumsrecht jenes Wirthshauses dort
der alten Hexe zu verkaufen, die es recht eigentlich nur aus Trotz,
und um Wilddiebe und Vagabunden zu beherbergen, noch aufrecht
erhält. — Ich begreife nicht, was ihn zu solchem thörichten Unternehmen veranlaßte."

„Wahrscheinlich hatte Ihr Vater Geld nöthig, Sir," sagte
Thrrel trocken, „und meine würdige alte Wirthin Mistreß Dods
besaß Vorrath davon. Sie wissen, wie ich voraussetze, daß ich
dort wohne?"

„Ah, Sir," erwiederte Mowbray, in einem zwischen Höflichkeit und Verachtung schwankenden Tone: „Sie können nicht vermuthen, daß hier irgend eine Beziehung auf die gegenwärtige Gesellschaft dort oben stattfinden kann. — Ich wollte nur als einer
Thatsache erwähnen, daß wir von gemeinen Leuten, die ohne Recht

und Erlaubniß in unſern Gehegen zu ſchießen ſich unterſtehen, geplagt worden ſind. Ich hoffe, ich werde die Alte dafür zwingen ihr Schild herabzunehmen; — das iſt das Ganze! — Zu meines Vaters Zeiten gab es eben ſolche Plackereien; nicht wahr, Mick?" —

Aber Mr. Micklewham, der Tyrrels Blicke keineswegs anlockend genug fand, Luſt zu fühlen hier als Bürge aufzutreten, erwiederte nur im Allgemeinen ein unverſtändliches Murmeln, und flüſterte heimlich ſeinem Patron in's Ohr: „die ſchlafenden Hunde möge er ruhn laſſen."

„Ich kann den Menſchen kaum ertragen," ſagte der Laird, „und doch weiß ich nicht recht, was ihn mir ſo zuwider macht. — Aber es wäre eine raſende Narrheit, um nichts und wieder nichts mit ihm anzubinden; alſo, mein ehrlicher Mick, will ich ſo gelaſſen ſein, als ich kann."

„Und damit Sie das möglich machen," entgegnete Micklewham, „ſo ſollte ich denken, Sie würden gut thun, nicht mehr zu trinken."

„Ich glaube es ſelbſt," ſagte der Squire, „denn jedes Glas, das ich trinke, ſchürt meinen Groll heftiger an. — Und doch iſt der Menſch eben nicht beſonders von anderem Lumpengeſindel unterſchieden — aber es liegt etwas in ihm, das ihn mir ſchlechterdings unausſtehlich macht."

Mit dieſen Worten ſtieß er ſeinen Stuhl zurück, ſtand auf, und — regis ad exemplar — nach dem Beiſpiel des Lairds erhoben ſich alle Anweſende.

Widerſtrebend, wie er es durch mürriſches Brummen kund gab, folgte auch Sir Bingo der Geſellſchaft in das äußere Gemach, welches zwiſchen dem Eßſaal und dem Theezimmer gelegen, zugleich beiden als Vorzimmer diente. Hier, während die Herren ihre Hüte ergriffen, um ſich zu den Damen zu begeben (Leute nach der alten Welt pflegten ſie nur aufzuſetzen, wenn ſie in's Freie sagen), sagte Tyrrel einem wohlgeschniegelten Bedienten, der ihn hinderte, sich seinem Hute zu nahn, er möge ihm denselben reichen.

„Rufen Sie Ihren eigenen Bedienten; Sir," entgegnete der Bursche mit der eigenthümlichen Unverschämtheit eines solchen wohlgefütterten Dienstboten.

„Euer Herr hätte Euch ein anständiges Betragen lehren sollen, ehe er Euch hieher brachte!" entgegnete Tyrrel.

„Sir Bingo Binks ist mein Herr!" antwortete der Mensch mit unverrückter Unverschämtheit.

„Jetzt ist's an Euch! Steht für ihn ein!" raunte der Equire dem Baronet zu, da er vermuthete, daß der Weinmuth Sir Bingo's jetzt zur eigentlichen Kampfeshöhe gestiegen sei.

„Ja!" rief Sir Bingo sehr laut und deutlicher als gewöhnlich, „der Mensch ist mein Diener! — Wer hat hier etwas dawider einzuwenden?"

Mit der größesten Ruhe erwiederte Tyrrel: „Ich mindestens bin ganz befriedigt. — Ich würde mich gewundert haben, wenn Sir Bingo's Diener wohlerzogener gewesen wäre, als er selbst."

„Was wollen Sie damit sagen, Sir?" — rief Sir Bingo, mit drohender Geberde vorwärts schreitend. „Was wollen Sie damit sagen? Hol' Sie der Teufel, Sir; ich will Sie hinauswerfen ehe Sie sich dessen versehen."

„Und ich, Sir Bingo, wenn Sie nicht augenblicklich Ihr Benehmen und Ihren Ton ändern, will Sie zu Boden schmettern, ehe Sie nur „zur Hülfe" rufen können."

Der Fremde führte mit dem dünnen eichnen Stock, den er in Händen hielt, bei diesen Worten einen leichten Hieb durch die Luft, welcher deutlich seine Fertigkeit im Gebrauch dieser Waffe bewies. Bei dieser Bewegung fand Sir Bingo es der Vorsicht gemäß, sich ein wenig zurückzuziehn, obwohl er seinen Rücken durch seine

Freunde gedeckt wußte, die in ihrem Eifer für seine Ehre viel lieber seine Gebeine in einem kühnen Kampfe zerschmettert, als seinen Ruf durch einen feigen Rückzug befleckt gesehen hätten; auch schien Tyrrel in der That Lust zu haben, ihren Wunsch zu erfüllen. Aber in demselben Augenblick, wo seine Hand sich in keiner länger zu bezweifelnden Absicht erhob, erklang dicht an seinem Ohr eine leise flüsternde Stimme, die nachdrücklich ihm zuraunte: „Seid Ihr ein Mann?"

Der in's Innerste dringende Ton, mit welchem unsre unnachahmliche Siddons auf der Scene so ergreifend wirkt, wenn sie die nämlichen Worte flüstert, brachte nie einen allgewaltigeren Eindruck auf die Zuschauer hervor, als diese unerwarteten Töne auf denjenigen bewiesen, an den sie so eben gerichtet wurden. Tyrrel vergaß Alles — seinen Streit — die Umgebungen, in denen er sich befand — die ganze Gesellschaft. — Vernichtet schien für ihn die Menge, die ihn umgab; das ganze Leben nur auf den einen Zweck hingerichtet, dem Wesen, das hier zu ihm sprach, nachzufolgen. Aber so jäh er sich auch umwandte, verschwunden war schon der Warner; denn unter den höchst gewöhnlichen Gesichtern, die ihn umgaben, war kein einziges, welches mit dem Tone und den Worten, die solche Gewalt über ihn ausgeübt hatten, im Einklange stehen konnte. „Gebt Raum," rief er daher den Umstehenden zu, und Blick und Worte sagten es deutlich, daß er im Nothfall ihn sich zu sichern wissen werde.

Mr. Mowbray von St. Ronans trat jetzt hervor: „Sir," sagte er, „so möchte es nicht weiter gehn; Sie, ein Fremder unter uns, scheinen hier sich einen Ton und Betragen zu erlauben, der, bei Gott, allenfalls einem Herzog oder Prinzen geziemen möchte! Wir verlangen zu wissen, wer oder was Sie sind, bevor wir Ihnen gestatten wollen, sich dieses anmaßenden Tones weiter zu bedienen."

Diese Anrede schien zu gleicher Zeit Tyrrels Zorn, und seinen

dunsch, die Gesellschaft zu verlassen, zu hemmen. Er wandte sich
zu Mowbray, sammelte sich einen Augenblick, und entgegnete
ihm:

„Mr. Mowbray, ich habe mit Niemand hier Streit gesucht
besonders mit Ihnen würde ich nur sehr ungern eine Zwistigkeit
ausbrechen sehen. — Einer Einladung Folge leistend kam ich hieher, zwar nicht mit der Erwartung eines großen Vergnügens, aber
mindestens ohne alle Ahnung, mich Unarten bloßgestellt zu sehen.
— Ich sehe, daß diese letzte Ansicht mich täuschte, und wünsche
deshalb der Gesellschaft gute Nacht.   Doch muß ich zuvor mich
bei den Damen beurlauben.“

Mit diesen Worten that er einige Schritte, doch noch immer
unschlüssig, wie es schien, nach dem Theezimmer — dann aber, zur
steigenden Verwunderung der Gesellschaft, blieb er plötzlich stehn,
murmelte etwas über die unpassende Zeit, kehrte wieder um, und
bloß grüßend, wo man ihm auswich, schritt er der entgegengesetzten
Thüre zu, die auf den Flur führte.

„Verflucht, Bingo, wollt Ihr ihn entwischen lassen?“ fragte
Mowbray, der sein Ergötzen darin zu finden schien, seinen Freund
zu neuen Händeln aufzureizen. — „Auf ihn, Freund — auf ihn
— er steckt die weiße Fahne auf!“

So aufgemuntert, stellte sich Sir Bingo mit einem herausfordernden Blicke gerade zwischen Tyrrel und die Thüre; worauf der
sich nahende Gast ihn mit vielem Nachdruck einen Narren nennend,
ihn beim Kragen ergriff und ziemlich gewaltsam aus dem Wege
schleuderte.

„Wem irgend daran gelegen ist, mich zu sehn, der wird mich
am alten Ort zu St. Ronans treffen,“ — rief Tyrrel und verließ, ohne den weiteren Erfolg dieses Angriffs abzuwarten, das
Hotel. In dem Hof aber blieb er zögernd stehn, als wisse er nicht,
wohin er sich wenden sollte, und sehnte sich eine Frage auszusprechen, die auf seinen Lippen vergehn zu wollen schien. Endlich fielen

seine Blicke auf einen Stallknecht, der unweit des Thors des Gast-
hauses ein schönes Pferd mit einem Damensattel umherführte.

„Wem gehört" — fragte Tyrrel, — doch unfähig schien er,
die Frage zu vollenden.

Der Mann aber entgegnete, als ob er die ganze Phrase gehört habe: „der Miß Mowbray, Sir, von St. Ronans — sie
reitet gleich wieder weg, da führe ich indessen das Pferd ein wenig
umher. — Es ist ein munteres Ding, Sir, für eine Dame."

„Sie kehrt nach Shaw-Castle durch den Bucksteinweg zurück?"

„Ich glaube, Sir," antwortete der Knecht. „Es ist der nächste
Weg, und Miß Clara kümmert sich wenig darum, ob er rauh und
steil ist. Der Tausend! die setzt lustig über Gräben und Hecken
hinweg!"

Tyrrel verließ jetzt schleunig den Redner und das Gasthaus,
aber nicht auf dem Wege, der nach dem alten Orte führte, sondern
auf einem Fußpfad, der sich durch das Gebüsch wandte, welches, am
Bache hinauf sich erstreckend, den gewöhnlichen Reitweg nach Shaw-
Castle, den Sitz Mr. Mowbray's, an einem sehr romantisch gelege-
nen Ort, der Buckstein genannt, durchschnitt. Auf einer kleinen
Halbinsel, welche die Krümmungen des Baches bildeten, war auf
einem Hügel ein großer, unregelmäßig behauener steinerner Pfei-
ler aufgerichtet; wie die Sage sagte, einst bestimmt, das Andenken
eines Hirsches von ungewöhnlicher Größe, Schnelligkeit und Kraft
zu verewigen, der hier, nachdem er einen ganzen langen Sommer-
tag hindurch den Eifer der Jäger täuschte, seine Flucht durch den
Tod zum Preise und Ruhme irgend eines alten und kräftigen Barons von St. Ronans und dessen muthiger Hunde beendet sah.
So oft auch die Geldbedürfnisse der Familie zu St. Ronans die
Waldung gelichtet hatten, doch waren in der Nähe dieses rohen
Obelisks einige Eichen verschont geblieben, die vielleicht alt genug
sein mochten, Zeugen der Errichtung jenes Denksteins und des
brausenden Halloh's gewesen zu sein, welches den Fall des edlen

ärsches feierte. Diese Bäume mit ihren weithin schattenden Aesten
erbreiteten selbst in der Glut der Mittagssonne milde Dämme-
rung umher; und jetzt, da das glänzende Tagesgestirn sich zur
Ruhe neigte, umdunkelten hier schon nächtliche Schatten den stillen
Ort. Besonders war dieß der Fall dort, wo drei oder vier ihre
Aeste über eine tiefe Schlucht breiteten, durch welche, etwa einen
Pistolenschuß entfernt vom Buchsteine, der Reitweg nach Ebar-
kastle führte. Da die eigentliche Straße nach Mr. Mowbray's
Wohnsitz ein Fahrweg von einer andern Seite war, hatte man
diesen Pfad fast ganz so gelassen, wie ihn die Natur bildete; große
Steine, jähe Vertiefungen zeigten sich malerisch und reizend an
den schönen Ufern des Baches dem Auge des Reisenden, waren
aber mit einem strauchelnden Pferde oft unbequem, wenn nicht gar
gefährlich.

Der Fußpfad nach dem Buchstein, der sich hier mit dem Reit-
wege vereinte, war unter der Leitung Mr. Winterblossom's durch
eine Subscription zu Stande gebracht worden, da er Geschmack
genug besaß, die Schönheiten dieses verborgenen Fleckchens aufzufinden, das recht eigentlich in früheren Zeiten zur Aufnahme des
Hinterhalts irgend eines räuberischen Häuptlings tauglich gewesen
sein mogte. Auch Tyrrel waren diese Erinnerungen nicht fremd,
der, genau mit der Umgebung vertraut, eilig diesen Ort, der seiner
jetzigen Absicht so besonders zusagte, zu erreichen strebte. Er setzte
sich unter einen der weit schattenden Bäume hin, und durch die ungeheuern Aeste vor jeder Beobachtung gesichert, konnte er einen beträchtlichen Theil des Weges vom Hotel übersehen, während ihn
selbst kein darauf Vorübergehender hätte entdecken können.

Seine plötzliche Entfernung hatte indessen eine große Unruhe
unter den Zurückbleibenden erregt, welche keineswegs geneigt
waren, ein vortheilhaftes Urtheil über ihn zu fällen. Besonders
Sir Bingo lärmte lauter und lauter, je größer die Entfernung
zwischen ihm *und seinem Gegner* ward, und schwur, daß er Rache

für des Schuftes Unverschämtheit nehmen — ihn aus der Gegend vertreiben wolle — und weiß der Himmel, mit welcher harten Unbill Sir Bingo's Zorn den Armen noch weiter bedrohte. In den alten Geschichten, worin der Teufel umher spukt, sieht man ihn stets plötzlich dem zur Seite erscheinen, der teuflische Vorsätze faßt, und nur einer kleinen Unterstützung des bösen Feindes bedarf, um sie zur That umzuwandeln. Der edle Hauptmann Mac Turk besaß in so fern diese Eigenschaft des Gebieters der Hölle, daß die kleinste Ahnung herannahender Händel ihn sogleich an die Seite des Kampflustigen zog. Er war jetzt emsig um Sir Bingo beschäftigt, seine Ansicht der Sache in seinem Charakter als Friedensstifter darzulegen.

„Bei Gott! und es ist eine recht außerordentliche Wahrheit, mein guter Freund, Sir Bingo — und wie Sie richtig sagen, Ihre Ehre ist im Spiel, und die Ehre des Ortes, der Ruf der ganzen Gesellschaft, bei Gott! daß diese Angelegenheit recht geziemend abgethan werde; denn, wie mich dünkt, hat der Mensch ja thätlich Hand an Sie gelegt?"

„Die Hand an mich, Hauptmann Mac Turk?" rief Sir Bingo mit einiger Verwirrung. „Nein — hol' ihn — so schlimm war es doch nicht. — Hätte er es gethan, ich würde ihn zum Fenster hinausgeworfen haben;   aber — aber — der Kerl hatte die Unverschämtheit, mich beim Kragen fassen zu wollen. Ich kehrte eben um, ihn zur Rede zu stellen, als, Fluch über ihn, der schmutzige Kerl hinweglief."

„Wahr, sehr wahr, Sir Bingo," sagte der Mann des Gesetzes, „wirklich, ein wahrhaft schmutziger Kerl, eine Art von Wilddieb, den ich aus der Grafschaft vertreiben will, ehe drei Tage vergehen. Bekümmern Sie sich gar nicht weiter um ihn, Sir Bingo."

„Bei Gott! ich muß Ihnen durchaus sagen, Mr. Micklewham," sagte der Mann des Friedens, „daß Sie da Ihre Nase in

anderer Leute Schale stecken, und daß die Ehre, der Ruf und die
schuldige Achtung für die hiesige Brunnengesellschaft es durchaus
erfordern, daß Sir Bingo bei dieser Gelegenheit sich einen passen-
deren Rathgeber wählt, als Sie, Mr. Micklewham, es sein können;
denn wenn Ihr Rath bei kleinen Schuldangelegenheiten sehr gut
sein mag, hier, Sir, ist die Rede von der Ehre, und das, denke ich,
schlägt nicht in Ihr Fach."

„Nein, beim heiligen Georg! das schlägt nicht hinein," antwortete Micklewham. „So mögen Sie denn allein es übernehmen,
und auf Ihre eigene Art beendigen."

„Nun, so erbitte ich mir denn, Sir Bingo," sagte der
Hauptmann, „die Ehre Ihrer Gesellschaft im Rauchzimmer, wo
wir eine Cigarre und ein Glas Wachholderbranntwein erhalten
können; dabei wollen wir es überlegen, wie die Ehre der Gesellschaft bei dieser Lage der Dinge am besten aufrecht erhalten werden möchte."

Der Baronet ließ sich diese Einladung gefallen, vielleicht mehr
durch das Mittel gewonnen, womit der Hauptmann seine kriegeri-
schen Rathschläge ihm anschaulich zu machen gedachte, als durch
das Vergnügen gereizt, das ihm die Verfolgung derselben versprach. Er folgte dem militärischen Schritte seines Führers, der
gerader und steifer als je ward, wenn ein Duell zu erwarten stand,
und bereitete sich vor, während er seufzend im Rauchzimmer seine
Cigarre anzündete, den Worten der Tapferkeit und des Wissens zu
lauschen, die den Lippen des Hauptmanns entströmen sollten. Indessen hatten die übrigen Männer sich zur Gesellschaft der Damen
begeben. Lady Penelope rief dem Sir Mowbray entgegen: „Clara
war hier, doch zeigte Miß Mowbray sich hier nur wie ein
flüchtiger Sonnenstrahl, der blendend erscheint, doch eben so schnell
entsteht."

„Ach, die arme Clara!" entgegnete Mowbray. „Ich glaubte

für des Schuftes Unverschämtheit nehmen — ihn aus der Gegend vertreiben wolle und reiß der Himmel, mit welcher harten Unbill Sir Bingo's Zorn den Armen noch weiter bedrohte. In den alten Geschichten, worin der Teufel umher spukt, sieht man ihn stets plötzlich dem zur Seite erscheinen, der teuflische Vorsätze faßt, und nur einer kleinen Unterstützung des bösen Feindes bedarf, um sie zur That umzuwandeln. Der edle Hauptmann Mac Turk besaß in so fern diese Eigenschaft des Gebieters der Hölle, daß die kleinste Ahnung herannahender Händel ihn sogleich an die Seite des Kampflustigen zog. Er war jetzt emsig um Sir Bingo beschäftigt, seine Ansicht der Sache in seinem Charakter als Friedensstifter darzulegen.

„Bei Gott! und es ist eine recht außerordentliche Wahrheit, mein guter Freund, Sir Bingo — und wie Sie richtig sagen, Ihre Ehre ist im Spiel, und die Ehre des Ortes, der Ruf der ganzen Gesellschaft, bei Gott! daß diese Angelegenheit recht geziemend abgethan werde; denn, wie mich dünkt, hat der Mensch ja thätlich Hand an Sie gelegt?"

„Die Hand an mich, Hauptmann Mac Turk?" rief Sir Bingo mit einiger Verwirrung. „Nein — hol' ihn — so schlimm war es doch nicht. — Hätte er es gethan, ich würde ihn zum Fenster hinausgeworfen haben; aber — aber — der Kerl hatte die Unverschämtheit, mich beim Kragen fassen zu wollen. Ich kehrte eben um, ihn zur Rede zu stellen, als, Fluch über ihn, der schmutzige Kerl hinweglief."

„Wahr, sehr wahr, Sir Bingo," sagte der Mann des Gesetzes, „wirklich, ein wahrhaft schmutziger Kerl, eine Art von Wilddieb, den ich aus der Grafschaft vertreiben will, ehe drei Tage vergehen. Bekümmern Sie sich gar nicht weiter um ihn, Sir Bingo."

„Bei Gott! ich muß Ihnen durchaus sagen, Mr. Micklewham," sagte der Mann des Friedens, „daß Sie da Ihre Nase in

berer Leute Schale stecken, und daß die Ehre, der Ruf und die
uldige Achtung für die hiesige Brunnengesellschaft es durchaus
fordern, daß Sir Bingo bei dieser Gelegenheit sich einen paffen-
ren Rathgeber wählt, als Sie, Mr. Micklewham, es sein können;
un wenn Ihr Rath bei kleinen Schuldangelegenheiten sehr gut
ln mag, hier, Sir, ist die Rede von der Ehre, und das, denke ich,
hlägt nicht in Ihr Fach."

„Nein, beim heiligen Georg! das schlägt nicht hinein," ant-
ortete Micklewham. „So mögen Sie denn allein es übernehmen,
nd auf Ihre eigene Art beendigen."

„Nun, so erbitte ich mir denn, Sir Bingo," sagte der
auptmann, „die Ehre Ihrer Gesellschaft im Rauchzimmer, wo
r eine Cigarre und ein Glas Wachholderbranntwein erhalten
nnen; dabei wollen wir es überlegen, wie die Ehre der Ge-
llschaft bei dieser Lage der Dinge am besten aufrecht erhalten wer-
en möchte."

Der Baronet ließ sich diese Einladung gefallen, vielleicht mehr
urch das Mittel gewonnen, womit der Hauptmann seine kriegeri-
hen Rathschläge ihm anschaulich zu machen gedachte, als durch
as Vergnügen gereizt, das ihm die Verfolgung derselben ver-
prach. Er folgte dem militärischen Schritte seines Führers, der
rader und steifer als je ward, wenn ein Duell zu erwarten stand,
nd bereitete sich vor, während er seufzend im Rauchzimmer seine
igarre anzündete, den Worten der Tapferkeit und des Wissens zu
auschen, die den Lippen des Hauptmanns entströmen sollten. In-
essen hatten die übrigen Männer sich zur Gesellschaft der Damen
egeben. Lady Penelope rief dem Sir Mowbray entgegen: „Clara
ar hier, doch zeigte Miß Mowbray sich hier nur wie ein
lüchtiger Sonnenstrahl, der blendend erscheint, doch eben so schnell
ntflieht."

„Ach, die arme Clara!" entgegnete Mowbray. „Ich glaubte

auch, daß ich sie vorher durch die Menge schlüpfen sah, aber ich war dessen nicht ganz gewiß."

„Sie hat uns sämmtlich Donnerstags zu einem dejeuner à la fourchette nach Shaw-Castle eingeladen," sagte Lady Penelope. „Ich hoffe, Sie billigen die Einladung, Mr. Mowbray?"

„Unbedingt, Lady Penelope, und ich bin in der That sehr erfreut, daß Clara die Güte hatte, daran zu denken. — Wie wir uns indessen dieser Ehre würdig machen werden, ist eine andere Frage, denn wir sind Beide nicht sehr geübt, als Wirthe uns zu zeigen.

Ach, ich bin gewiß, es wird ganz entzückend sein!" rief Lady Penelope. „Clara ist stets die Anmuth selbst, und Sie, Mr. Mowbray, wissen sich mit der höchsten Artigkeit zu benehmen, — so oft Sie selbst es nur wollen."

„Das war ein böser Nachsatz! — Nun gut, ich werde mich der feinsten Lebensart befleißigen. — Gewiß, ich werde Alles aufbieten, Ew. Herrlichkeit zu Shaw-Castle, welches seit so langer Zeit keine Gäste sah, würdig aufzunehmen. — Clara und ich wir führen ein jedes in seiner Art ein gar unruhiges Leben."

„In der That, Mr. Mowbray," sagte Lady Binks, „wenn ich mir diese Bemerkung erlauben darf, — Ich glaube, Sie lassen Ihre Schwester ein wenig zu viel ganz allein ohne einen Begleiter ausreiten. — Ich weiß wohl, daß Miß Mowbray reitet, wie nie eine Frau vorher es wagte, aber dennoch könnte ihr ein Unfall begegnen."

„Ein Unfall?" erwiederte Mowbray. „Ach, Lady Binks, Unfälle ereignen sich eben so häufig, wenn die Damen Begleiter haben, als wenn sie deren entbehren.

Lady Binks, die als Mädchen gar oft und häufig unter Sir Bingo's Schutz in den Wäldern umhergeflattert war, erröthete, warf einen trotzig höhnenden Blick auf ihn und schwieg.

„Ueberdem," fuhr Mowbray mit leichterem Tone fort, „was

ist auch dabei zu wagen? Es gibt keine Wölfe in unsern Wäldern, die uns unsere lieblichen Rothkäppchen auffressen möchten; auch keine Löwen weiter — als die im Gefolge Lady Penelopens."

„Welche den Wagen der Cybele ziehn," sagte Mr. Chatterley.

Lady Penelope verstand glücklicherweise die Beziehung dieser Mythe nicht, welche überhaupt besser gemeint als passend war.

„Apropos," sagte sie, „was haben Sie mit dem Löwen des heutigen Tags gemacht? Ich sehe Mr. Tyrrel nirgends. — Leert er noch eine nachträgliche Flasche mit Sir Bingo?"

„Mr. Tyrrel, Mylady," entgegnete Mowbray, „hat abwechselnd den kriechenden und laufenden Löwen gespielt; er hat Händel angefangen, und ist dann davon gelaufen — geflohn vor dem Zorn Ihres mannhaften Ritters, Lady Binks."

„Gewiß, das hoffe ich nicht," sagte Lady Binks. „Meines Ritters ungünstige Feldzüge haben seine Lust zum Streit nicht unterdrücken können — ein Sieg würde ihn für's Leben zum kampfsüchtigen Fechter machen."

„Das könnte vielleicht einen eignen Trost verleihn," sagte Winterblossom leise zu Mowbray; „Händelmacher pflegen gewöhnlich nicht alt zu werden."

„Nein, nein," entgegnete Mowbray. „Der Dame Verzweiflung, welche so eben ihr selbst zum Trotz ausbrach, ist ganz natürlich und vollkommen gerecht. Sir Bingo läßt ihr auf dem Wege nichts zu hoffen übrig!"

Mowbray empfahl sich jetzt der Lady Penelope, und erwiederte auf ihre Einladung, daß er sich an die Tanzenden oder Spielenden anschließen möge, ihm bliebe keine Zeit übrig; er sei überzeugt, daß die Köpfe der betagten Domestiken zu Shaw-Castle in der Erwartung der Dinge, welche der nächste Donnerstag bringen sollte, schon jetzt ganz verwirrt wären, und da Clara bestimmt die

nöthigen Befehle nicht ertheilen würde, so sei es durchaus nothwendig, daß er selbst sich darum bekümmere.

„Wenn Sie scharf reiten," erwiederte Lady Penelope, „so
können Sie vielleicht selbst noch der ersten Verwirrung zuvorkommen, indem Sie Clara einholen, ehe sie zu Hause ist. — Sie läßt
zuweilen ihr Pferd ganz nach seiner Willkühr durch den Wald
gehen, leise und langsam wie der Zelter Betty Fay's."

„Ja, aber zuweilen," sagte die kleine Miß Diggs, „galoppirt
Miß Mowbray so schnell, daß die Lerche eine Schnecke gegen ihr
Pferd zu sein scheint — man erschrickt, wenn man es sieht."

Der Doctor stieß Mistreß Blower an, welche bis an die äußere
Gränze dieses feinen Kreises vorgerückt war, ohne sich hinein zu
wagen, und Beide wechselten kopfschüttelnd bedeutende Blicke. Zufällig streifte in diesem Augenblicke Mowbray's Auge an Beiden
vorüber und ließ ihn, so schnell auch Beide den Ausdruck ihres
Gesichts zu ändern versuchten, errathen, welche Gedanken sie be-
schäftigten. Plötzlich seinen Hut ergreifend, verließ er das Gemach, so trübes Nachdenken in seinen Zügen, wie man selten darin
zu erblicken pflegte. Einen Augenblick darauf hörte man den Hufschlag seines Rosses, das zum eiligen Ritt gespornt vom Hofe
sprengte.

„Ueber diesen Mowbrays waltet heute etwas ganz Besonderes
und Seltsames," sagte Lady Penelope. „Clara, der arme theure
Engel, ist immer höchst wundersam, aber ich würde Mowbray zu
viel Weltklugheit zugetraut haben, um so phantastisch zu sein. —
Was suchen Sie denn mit so großer Aufmerksamkeit in Ihrem
Souvenir, theure Lady Binks?"

„Ich sehe nur nach dem Stand des Mondes!" erwiederte Lady
Binks, den kleinen in schildplattner Schale eingebundenen Kalender
wieder in ihren Ridikule steckend, und stand dann der Lady Penelope bei, für die Abendunterhaltung der Gesellschaft Sorge zu
tragen.

Reuntes Kapitel.

Die Zusammenkunft.

Wie Schatten in dem Reich der Träume nur
Durch Zeichen reden
                    Ein Ungenannter.

Hinter einer der im vorigen Kapitel beschriebenen Eichen verborgen, wie der Jäger, der seiner Beute, der Indier, der seines
Feindes harrt, aber mit andern, so ganz andern Absichten lag Tyrrel, die heiße Brust an die kühlende Erde gepreßt, dicht an dem
Buchstein; sein Auge war unverwandt auf den Weg gerichtet, welcher sich durch das Thal schlängelte, das Ohr aufmerksam jedem
ungern Flüstern des Abendwindes, jedem stärkeren Rieseln des
Baches lauschend.

„Sie dort in jenem widrigen Kreise von Narren und rohen
Elenden zuerst wieder zu sehen," diese Gedanken durchglühten seine
Brust, „das wäre Thorheit, ja fast Wahnsinn gewesen. — Wahnsinn, welcher der Feigheit würdig wäre, die mich bis jetzt verhinderte ihr zu nahen, als unser gewichtiges Zusammentreffen noch
unbemerkt möglich zu machen war. — Aber jetzt — jetzt — mein
Entschluß steht so fest, als dieser Platz hier günstig dazu ist. Ich
will nicht darauf warten, daß der Zufall uns zusammen schleudert,
wo hundert bösartige Augen uns bewachen, staunen und starren,
und umsonst die Fülle der Empfindungen zu begreifen trachten,
welche ich nicht zu beherrschen vermöchte. — Horch! — horch!
— Ich höre den Hufschlag des Pferdes. — Nein — es war das
täuschende Rieseln des Baches über die Kiesel. — Kann sie nicht
vielleicht den andern Weg nach Shaw-Castle gewählt haben? —
Nein — der Schall wird deutlicher, — man kann schon ihre Gestalt unterscheiden. — wie sie schnell herannaht. — Habe ich den

Streit geriethen. — Aber nicht wahr, Sie wollen nach Shaw-
Castle kommen, den Donnerstag um zwei Uhr? — John wird
sich freuen, Sie dort zu sehen! — Er kann sehr freundlich sein,
wenn er Lust hat — dann wollen wir von alten Zeiten reden. —
Ich muß hinweg, Alles anzuordnen. — Guten Abend."

Sie würde fortgeeilt sein, aber er wußte sich gewandt der Zügel zu bemächtigen und sagte: „Ich will Sie begleiten, Clara,
der Weg ist rauh und gefährlich — Sie müssen nicht zu schnell
reiten, — Ich will neben Ihnen gehen, und wir wollen jetzt viel
besser, als in Gegenwart Anderer, von frühern Zeiten zusammen
sprechen."

„Wahr, wahr! — Sehr wahr, Mr. Tyrrel. — Es sei, wie
Sie es sagen. Mein Bruder nöthigt mich zuweilen dort an jenem
verhaßten Ort in Gesellschaft zu erscheinen; ich thue es, weil er
es wünscht, und weil die Leute mir meine eigne Weise gestatten,
und mich kommen und gehen lassen, wie es mir gefällt. Wissen
Sie wohl, Tyrrel, daß oft, wenn ich dort bin, und John mich im
Auge behält, ich so lustig und heiter sein kann, als ob Sie und
ich uns nie begegnet wären?"

„Wollte Gott, es wäre nie geschehen," entgegnete Tyrrel mit
zitternder Stimme, „wenn so die Folge sich gestalten soll."

„Und weßhalb soll der Gram nicht die Folge der Sünde und
Thorheit sein? — Wann entsprang das Glück dem Ungehorsam?
— Wann senkte sich sanfter Schlummer auf ein blutiges Kissen
herab? — Das rufe ich mir selbst zu, Tyrrel, das müssen Sie
auch sich sagen lernen, dann werden Sie Ihre Bürde so heiter tragen, wie ich die meinige. — Wenn uns nur das wird, was wir
verdienen, wie können wir uns beklagen? — Ich glaube, Sie vergießen Thränen? — Ist das nicht kindisch? — Man sagt freilich,
es sei eine Erleichterung. — Ist dem so, nun wohl, so weinen
Sie, ich will das Auge abwenden."

Unfähig sich zu sammeln oder etwas zu entgegnen, schritt

Tyrrel neben dem Pferde her. Endlich unterbrach Clara die stumme
Pause, ausrufend:

„Armer Tyrrel! armer Frank Tyrrel! — Vielleicht werden
Sie mir auch erwiedern, arme Clara! — Aber mein Geist ist nicht
so niedergedrückt, wie der Ihrige. — Der Sturm kann mich beugen, zerschmettern soll er mich nie!"

Wieder entstand eine lange Pause, denn Tyrrel war gänzlich
unfähig, den richtigen Ton zu finden, mit dem unglücklichen jungen
Mädchen zu reden, ohne Erinnerungen zu erwecken, die ihr Gefühl
peinigend erregen und ihre schwankende Gesundheit gefährlich erschüttern konnten. Endlich fuhr sie selbst fort:

„Was kann das Alles nützen, Tyrrel? — Und in der That,
weßhalb nur kamen Sie her? — Warum fand ich Sie soeben
zankend und lärmend unter den lautesten Raufbolden und Schreiern
jener unnützen Wüstlinge? — Sie pflegten sonst mehr Vernunft,
mehr Mäßigung zu haben. Ein Anderer — ja ein Anderer, den
Sie und ich einst kannten — er möchte solch' eine Thorheit wohl
begangen haben, und wäre doch nur seinem Charakter treu geblieben. — Aber Sie, der Sie auf Klugheit Anspruch machen
schämen Sie sich — schämen Sie sich! — Ja wirklich, wenn wir
davon reden wollen, welche Klugheit lag wohl überhaupt darin,
hieher zu kommen? — Zu welchem guten Zwecke kann Ihr Aufenthalt hier dienen?   Gewiß erscheinen Sie hier doch nicht,
weder Ihr Unglück zu erneuen, noch das meinige zu vermehren!"

„Das Ihrige zu vermehren? — Gott behüte!" erwiederte
Tyrrel. „Nein — ich kam hieher nur, weil ich nach so manchem
Jahre trüber Wanderschaft mich heiß sehnte, den Ort wieder zu
besuchen, wo alle meine Hoffnungen begraben liegen."

„Ja, begraben! — das ist das Wort!" erwiederte sie. „Zer-
treten und begraben, als sie am holdesten erblühten. Ich denke oft
daran, Tyrrel; ja es gibt Zeiten, wo, Gott steh' mir bei! ich wenig

Anderes denken kann. — Sehen Sie mich an — Sie erinnern sich, was ich war — sehen Sie, was Gram und Einsamkeit aus mir gemacht haben."

Sie warf den Schleier zurück, der, bis jetzt von ihrem Reit= hut niederwallend, ihr Gesicht verhüllt hatte, es waren dieselben Züge, die er einst in der ganzen Fülle jugendlich blühender Schön= heit gekannt hatte; aber wenn auch die reizende Form sich noch zeigte, auf immer war die Blüthe entflohn! — Weder die Be= wegung des Reitens, noch die tiefe Erschütterung dieser unerwar= teten Zusammenkunft, die Gram und Verwirrung in ihr erweckte, hatten in der armen Clara Wangen auch nur den vorüberfliehen= den Anhauch der Farbe hervorgerufen. Eine Marmorweiße machte sie der schönsten Bildsäule gleich.

„Ist es möglich?" rief Tyrrel. „So vermag der Kummer zu verwandeln?"

Clara entgegnete: „Kummer ist die Krankheit des Geistes, körperliches Leiden ist ihre Schwester — Zwillingsschwester, Tyr= rel, die selten lange getrennt bleiben. Zuweilen ist es das körper= liche Leiden, welches zuerst unsere Augen umwölkt, unsere Hand lähmt, ehe noch die rege Glut des Geistes und der Beurtheilungs= kraft erlischt. — Aber geben Sie wohl Acht, bald folgt ihre grau= samere Schwester, und träufelt aus ihrer Urne kalten Thau auf unsere Hoffnungen, unsere Liebe, unsere Erinnerungen und Ge= fühle, und zeigt uns, daß sie alle insgesammt nicht die Zerstörung unserer körperlichen Kräfte zu überleben vermögen."

„O mein Gott!" seufzte Tyrrel, „ist es dahin gekommen?"

Mehr dem schnellen, unregelmäßigen Gang ihrer Ideen hinge= geben, als die eigentliche Bedeutung dieses traurigen Ausrufs ver= stehend, entgegnete Clara: „Dahin muß es immer kommen, so lange die unsterbliche Seele eng mit dem der Vernichtung geweih= ten irdischen Stoffe, der unseren Körper bildet, verbunden ist. Es *gibt einst ein anderes Sein*, Tyrrel, dort wird es sich schöner ge=

halten. — Wollte Gott, die Stunde, die uns dahin führt, wäre schon erschienen."

Sie versank in ein melancholisches Schweigen, welches Tyrrel zu stören fürchtete. Die Schnelligkeit ihrer Rede zeigte nur zu deutlich die unregelmäßige Folge ihrer Gedanken, er sah sich daher genöthigt, seine bitter schmerzenden, durch tausend peinliche Erinnerungen noch herber erregten Empfindungen zu verbergen, da, wenn er seinen tiefen Gram ausbrechen ließ, er Clara's erschütterten Geist noch mehr verletzen konnte.

„Ich glaubte nicht," fuhr sie wieder fort, „daß nach einer so fürchterlichen Trennung, und so manchen Jahren, ich Sie so ruhig und gelassen wieder zu sehn vermögen würde. Aber wenn auch das, was wir uns einst waren, nie vergessen werden kann, jetzt ist es doch gänzlich vorüber und nur Freunde sind wir uns noch. Nicht wahr, so ist es?"

Tyrrel vermochte nichts zu erwiedern.

„Aber hier darf ich nicht bleiben, bis der Abend noch tiefer herabsinkt," seufzte sie. — „Wir werden uns wiedersehn, Tyrrel — als Freunde wiedersehn — nichts mehr — Sie werden mich in Shaw-Castle besuchen, nicht wahr? — Geheimniß ist jetzt nicht mehr nöthig! — mein armer Vater ruht im Grabe, und seine Vorurtheile sind mit ihm entschlafen. — Mein Bruder ist liebevoll, wenn er auch zuweilen streng und ernst sein kann. — Gewiß, Tyrrel, ich glaube, er liebt mich, obwohl er mich gewöhnt hat, wenn ich sehr aufgeregt bin, und viel plaudere, sein finsteres Stirnrunzeln zitternd zu scheuen. — Aber er liebt mich, wenigstens denke ich es, weil ich gewiß bin, daß ich ihn liebe; da versuche ich es denn, mich dort unter jene Menschen zu mischen, ihre Thorheiten zu ertragen, und Alles wohl überlegt, ich führe das Possenspiel dieses Lebens wunderbar gut durch. — Sie wissen ja, wir sind nur Schauspieler und die Welt ist nichts als das Theater selbst."

„Und trüb' und traurig fiel unsere Rolle aus," rief Tyr-

9*

rel, deſſen bitterer Schmerz ihn unwillkürlich zu dieſem Ausru
hinriß.

„Gewiß, ſo war es! — Aber Tyrrel, war es jemals ander
bei Verbindungen, welche Jugend und Thorheit ſchloß? Sie wiſ
ſen, wir wollten Beide Ehegatten werden, als wir kaum de
Kindheit entwachſen waren. — Wir hatten ſchon als Unmündig
den Leidenſchaften und thörichten Trieben der Jugend uns hinge
geben, deßhalb ſind wir gealtert vor der Zeit, und der Winte
unſeres Lebens ſinkt herab, ehe der Sommer ſich recht entfaltete
— O Tyrrel, oft, ſehr oft habe ich daran gedacht — ſo oft dar
über nachgeſonnen! — o Himmel, wann wird die Zeit kom
men, wo ich fähig ſein werde, an irgend etwas Anderes z
denken?"

Bitterlich ſeufzte das arme junge Mädchen, und ihre Thräne
ſtrömten ſo überfließend herab, wie es wahrſcheinlich ſeit lange
Zeit nicht der Fall geweſen war. Tyrrel ging an der Seite de
Pferdes, welches den Weg nach der Heimath einſchlug, und noc
immer konnte er nicht mit ſich einig werden, was er Clara ſage
ſollte, ohne ihre leidenſchaftlichen Empfindungen und ſeine eigne
zu ſehr aufzuregen. Alles, was er früher beabſichtigt habe
konnte, ihr mitzutheilen, war jetzt durch die Entdeckung, daß ih
Verſtand mehr oder minder durch eine gewiſſe Zerrüttung verdun
kelt war, unpaſſend geworden, da dieß geiſtige Leiden ihre Beur
theilungskraft, wenn nicht zerſtören, doch verwirren mußte.

Endlich fragte er ſie mit ſo ruhiger Faſſung, als er zu ſam
meln vermochte — ob ſie zufrieden ſei — ob irgend Etwas ge
ſchehen könnte, ihre Lage angenehmer zu machen — ob ſie irgen
eine Klage habe, der abzuhelfen in ſeiner Macht ſtehe? — Sie er
wiederte mild, daß ſie ruhig und ſtill ergeben ſei, wenn ihr Brude
ihr nur geſtatte, zu Hauſe zu bleiben; daß ſie aber, wenn ſie ge
zwungen würde, in der Geſellſchaft zu erſcheinen, in ſich eine Ver
änderung fühle, wie man ſich etwa denken möchte, daß ein Bach ſ

empfinden würde, der, in dem kristallnen Silbersee des Felsens
gleichsam schlummernd eingeschlossen, jetzt seinem ruhigen Bett ent-
gleitet, und in den Strudel des Wasserfalles brausend hineingezogen
wird. Sie setzte hinzu: „Aber mein Bruder Mowbray glaubt,
er handelt recht; — und vielleicht ist dem auch so. Es gibt
Dinge, über welchen wir zu lange brüten könnten; und wäre er
im Irrthum, weßhalb sollte ich mich nicht zwingen, ihm gefällig
zu sein? — Ich bin in der Unterhaltung auch ein lustiges Mädchen, Tyrrel — zuweilen, einen Augenblick lang, noch so lustig
als damals, wo Sie mich über meine Thorheiten auszuschmähen
pflegten. So, nun habe ich Ihnen Alles erzählt   ich habe
Ihnen auch eine Frage vorzulegen   eine Frage — wenn ich
nur Athem habe sie auszusprechen — Lebt er noch?"

„Er lebt," entgegnete Tyrrel; doch so leise bebten die Worte
von seinen Lippen, daß nur die angestrengte Aufmerksamkeit, mit
welcher Miß Mowbray seiner Antwort lauschte, den schwachen
Laut zu fassen vermochte.

„Er lebt;" rief sie — „lebt! — Er lebt, und so haftet das
Blut nicht unauslöschlich an Ihren Händen?   O Tyrrel,
könnten Sie nur die Freude fassen, welche mir diese Versicherung gibt."

„Freude?" entgegnete Tyrrel, „Freude, daß der Elende lebt,
der unser Glück auf ewig vergiftete? Daß er lebt, vielleicht Sie
als sein Eigenthum zurück zu fordern?"

„Nie, nie soll er es — nie soll er es wagen!" entgegnete
Clara wild auffahrend, „so lange noch das Wasser ertränken, der
Strick erwürgen, der Stahl durchbohren kann — der Felsen einen
Abgrund, der Strom ein Fluthenbett darbietet   niemals —
niemals!"

„Beunruhigen Sie sich nicht, theure Clara!" sagte Tyrrel besorgt; „ich sprach, ich weiß nicht was; — er lebt wirklich —

doch weit entfernt, und wird, ich hoffe es gewiß, nie wieder Schottland besuchen."

Noch mehr würde er hinzugefügt haben, wenn sie nicht, von
Furcht oder Heftigkeit ergriffen, dem Pferde ungeduldig mit der
Reitgerte einen Hieb gegeben hätte. Das lebendige Thier, so angespornt und zu gleicher Zeit zurückgehalten, bäumte sich so mächtig,
daß Tyrrel die möglichen Folgen längerer Widersetzlichkeit fürchtend, dem kundigen Wissen Clara's als gewandte Reiterin vertrauend, am rathsamsten für ihre Sicherheit hielt, die Zügel los-
zulassen. Sogleich flog das muthige Thier im brausenden Galopp
auf dem steinigen Pfad dahin, und war schnell den angstvollen
Blicken Tyrrels entgangen.

Als er noch nachsinnend verweilte, ob er nicht Miß Mowbray
nach Shaw=Castle folgen sollte, sich zu überzeugen, daß kein Unfall ihr begegnet sei, hörte er eiligen Hufschlag von der Seite des
Gesundbrunnens her. In diesem Augenblick das Auge des Beob-
achters scheuend, zog er sich in das schützende Gebüsch zurück, und
sah gleich darauf Mr. Mowbray von St. Ronans, von einem Diener begleitet, vor seinem Versteck vorbeireiten und denselben Weg
einschlagen, den seine Schwester so eben genommen hatte. Seine
Gegenwart schien ihm Clara's Sicherheit zu verbürgen, und ver-
nichtete also Tyrrels Hauptgrund ihr nachzufolgen. Tiefen, trüben
Betrachtungen des eben Erlebten hingegeben, fast überzeugt, daß
sein längerer Aufenthalt in Clara's Nähe nur ihr beiderseitiges
Unglück vermehren könnte, doch unfähig, sich diesen Umgebungen
zu entreißen, oder Gefühlen zu entsagen, die mit jeder Faser seines
Herzens nur zu innig verwebt waren, kehrte er nach seiner Wohnung im alten Orte, in einem nicht beneidenswerthen Gemüthszustande, zurück.

Als Tyrrel sein Gemach betrat, fand er es noch nicht erleuch-
tet, auch waren die dienenden Abigails der Mistreß Dods nicht
ganz so gewandt und schnell bereit, die Lichter herbeizuschaffen, als

ein Aufwärter im Congo Gasthof. Zu keiner Zeit fähig, viel persönliche Bedienung zu fordern, und eben jetzt mehr als je die Nothwendigkeit scheuend, mit wem es sei, auch nur über das Gering-
fügigste zu sprechen, ging er selbst nach der Küche, das was er bedurfte herbeizuholen. Er bemerkte nicht sogleich die Gegenwart
der Mistreß Dods in dem eigentlichen Mittelpunkt ihres Reichs,
und noch weniger die stolze hochfahrende Erbitterung, die auf ihrer
Stirn thronte. Zuerst ward sie nur in abgebrochenen Ausrufungen laut, zum Beispiel: „Das ist mir ein schönes Treiben!
— ein sehr ruhmwürdiges Betragen! — Ein anständiges Haus
zu solcher späten Stunde aufzustören! — Ja, einem Gasthofe vorstehn! — eben so gut einem Tollhause vorstehn!" —

Doch, als dieses unmuthige Murren keine Aufmerksamkeit zu
erregen schien, stellte sich die gute Frau zwischen die Thür und
ihren Gast, der mit dem angezündeten Lichte sich entfernen
wollte, und fragte, was ein solches Betragen wohl beabsichtigen
könnte.

„Welch ein Betragen, Mistreß?" erwiederte ihr Gast mit einer
ihm so ungewöhnlichen finstern Ungeduld, daß sie es vielleicht
einen Augenblick bereute, ihn gereizt zu haben, seiner gewöhnlichen
gelassenen Gleichgiltigkeit zu entsagen; ja sie mochte sich sogar ein
wenig vor dem Zwiste scheuen, den sie so eben aufregte, denn der
gereizte Unmuth eines sonst ruhigen Menschen hat für den Pol-
terer und Murrkopf von Profession etwas eigenthümlich Furchtbares. Aber zu stolz, sich zurückzuziehn, nachdem sie die Kampf-
signale ertönen ließ, fuhr sie, obwohl mit etwas gemäßigterem
Tone, also fort:

„Master Tirl, ich gedenke Sie nur zu fragen, Sie, der Sie
ein vernünftiger Mann sind, ob ich wohl irgend einen Grund
habe, mit Ihrem Betragen zufrieden zu sein? Seit zehn Tagen
und länger sind Sie hier gewesen, haben das Beste gegessen, getrunken, und im schönsten Zimmer meines Hauses gewohnt; und

doch laſſen Sie es ſich einfallen, da hinunter zu gehn und ſich mit
dem müßigen, haſenköpfigen Volke am Brunnen einzulaſſen!
Ich muß ganz offen mit Ihnen reden. — Ich liebe die ſchönen, neumodiſchen Leute nicht, die nur Augendienerei treiben; folglich —"

„Miſtreß Dods," unterbrach Tyrrel, „ich habe jetzt keine Zeit
auf ſolche Dinge zu achten. — Ich danke Ihnen für die mir in
Ihrem Hauſe erzeigten Aufmerkſamkeiten; aber hier, oder wo es
ſonſt ſein mag, erkenne ich nur meine eigne Meinung als Richt-
ſchnur meines Thuns an, wie es meinem Vergnügen oder meinen
Geſchäften eben am beſten zuſagt. — Sind Sie meiner als Gaſt
müde, ſo fertigen Sie mir morgen Ihre Rechnung aus."

„Meine Rechnung!" rief Miſtreß Dods; „meine Rechnung
morgen! Weßhalb ſoll ich nicht bis zum Sonnabend warten, wo
Alles wieder klipp und klar zwiſchen uns abgemacht werden kann,
wie es am letzten Sonnabend geſchah?"

„Gut — ſo ſprechen wir morgen weiter darüber, Miſtreß
Dods. — Gute Nacht!" — damit entfernte ſich Tyrrel.

Luckie Dods blieb brummend und ſinnend einen Augenblick
ſtehn. „Der Teufel ſitzt in ihm," ſagte ſie, „er will es nicht dulden, daß man ihm in die Quere kommt! Und ich glaube wahrhaftig, auch in mich iſt der Teufel gefahren, daß ich ihm in den
Weg trete, ſolch einem gutherzigen Jungen, und ſolch einem guten
Kunden; — und ich glaube, daß ihm etwas im Kopfe ſteckt —
Geldmangel kann es nicht ſein — gewiß, dächte ich das, ich wollte
meiner geringen Auslagen wegen ihn nicht plagen. — Aber Geld
kann ihm nicht fehlen — er gibt die Schillinge hin als ob es
Kieſelſteine wären, und auf die Art geben die Leute ihr Geld nicht
weg, wenn ſie nur wenig haben — ich weiß recht gut, wie ein
Kunde ausſieht, der den Grund ſeines Beutels durchſchimmern ſah.
— Gut, ich hoffe, er wird morgen nicht mehr an dieß alberne Ge-
wäſch denken, und ich will verſuchen meine Zunge beſſer in Ord-

mung zu halten! — Hilf Himmel! Aber wie der Prediger richtig
sagt, es ist gar ein widerspenstig Glied! — Wahrhaftig, ich schäme
mich über mich selbst!"

Zehntes Kapitel.

Hülfsmittel.

Komm, gib mir deinen Rath, da seiner ich bedarf,
Denn du gehörst zu denen, die den Freunden
Mit weisem Rath wohl bessern Beistand leisten,
Als Wucherer mit Gold, und Prahler mit dem Schwert.
Ich bau' auf dich, da Wort, nicht That, ich nur begehre!
Der Teufel hat seinen Mann gefunden.

Der Tag, dessen Begebenheiten wir berichteten, war ein Montag, und folglich lagen noch zwei Tage zwischen ihm und demjenigen, der die Blüthe der Brunnengesellschaft zu St. Ronans in
Shaw=Castle versammelt sehen sollte. Ein kurzer Zwischenraum
zu den nothwendigen Vorbereitungen eines so ungewöhnlichen Er-
eignisses; denn das Haus, so reizend seine Lage, war sehr wenig
gut erhalten, und hatte seit vielen Jahren keinen Gast in seinen
Ringmauern gesehen, wenn nicht irgend ein lustiger Junggeselle
oder Fuchsjäger zufällig die Gastfreundschaft Mr. Mowbray's in
Anspruch nahm, welches aber täglich weniger üblich ward, da er,
fast stets am Brunnen verweilend, mit seinen Gefährten dort, wo
es ihm keine Kosten verursachte, zusammentraf. Ueberdem bot der
Gesundheitszustand seiner Schwester ihm eine vollgiltige Entschuldigung für die schottischen Edelleute nach der alten Welt, welche
leicht, nach der rauheren Sitte der Vorzeit, im Stande gewesen
wären, eines Freundes Haus als das ihrige anzusehen. Jetzt aber
war Mr. Mowbray, zum größten Entzücken aller seiner Gefährten,

im eigentlichsten Sinne gefangen, die Einladung ausgesprochen und angenommen, und Alle harrten der Erfüllung seines Versprechens mit dem lebendigen Eifer, den die Erwartung einer Unterhaltung stets bei Müßiggängern aufregt.

Viel Unruhe und Sorge ward Mr. Mowbray und seinem vertrauten Bevollmächtigten, Mr. Micklewham, zu Theil, bevor irgend eine geziemende Anordnung des nahenden Festes zu Stande kam. Sie sahen sich allein die ganze Mühwaltung aufgebürdet, da Clara sich beide Tage hartnäckig in ihrem Gemache verschloß, und weder ihres Bruders Schmeicheleien noch seine Drohungen irgend eine Aeußerung von ihr erpressen konnten, wie sie selbst sich an dem nahenden, wichtigen Donnerstage zu benehmen gedenke. Man muß John Mowbray die Gerechtigkeit widerfahren lassen, daß er seine Schwester so sehr liebte, wie er nur irgend etwas außer sich selbst lieben konnte; da er also nach manchem vergeblichen Versuche die Kränkung hatte, einzusehen, daß sie schlechterdings zu keiner Art von Beistand gebracht werden konnte, entschloß er sich ohne weitere Klage, alles, was er vermochte, aufzubieten, selbst die bestmöglichste Einrichtung zu treffen.

Dieß war eben keine so leichte Aufgabe, als man wohl voraussetzen könnte, denn Mowbray's Ehrgeiz wünschte jenen Anstrich von feinem Ton und Zierlichkeit zu zeigen, der männlichen Anordnungen allein selten zu Theil wird. Die substanzielleren Bestandtheile des Gastmahls konnten freilich aus dem nächsten Marktflecken herbeigeschafft werden, und wurden demnach eingekauft; aber nur zu sehr fühlte er, daß man hier leichter die gemeine Fülle einer Pächter-Gasterei, als das zierliche Fest antreffen konnte, welches, in einer Ecke der Zeitung der Grafschaft preisend beschrieben, den Ruhm des Sir Mowbray Esquire von St. Ronans verkündete, der die modische und heitre Brunnengesellschaft an jener berühmten Heilquelle so gastlich bewirthete. Nur zu wahrscheinlich ließ sich jede Art von Irrthum beim Anrichten, wie bei der Auf-

g vorherſehen, denn Shaw = Caſtle rühmte ſich weder eines
ten Haushofmeiſters, noch einer gewandten Köchin, der
Hände zu Gebote ſtehen. Außer den Ställen, welche vor-
verſehen und ſehr gut unterhalten waren, hatte man alles
nur auf den unbedingt nothwendigen Fuß der ſtrengſten
omie, ſo weit es der Anſtand erlaubte, eingeſchränkt. Aber
ein Stallknecht die Dienſte eines Kammerdieners verrichten?
g ein Jäger das Vogelwildpret, welches er ſchoß, anlockend
tußen, mit Blumen auszuſchmücken und mit feinen Brühen
zuzubereiten? Man könnte ebenſowohl dem tapfern Solda-
zumuthen, das Leichenbeſorgeramt zu übernehmen, und den
, den er erſchlagen, auch zur Erde zu beſtatten.
Rit einem Worte, Mowbray ſprach, pflog Rath, erkundigte
rdnete an, und zankte ſich, ſowohl mit dem tauben Koch, als
Kleinen Mann, den er den Kellner nannte, bis ihm endlich ſo
Hoffnung blieb, die Verwirrung zur Ordnung umzuſchaffen,
nur den kleinſten Eindruck auf die vernagelten Köpfe zu ma-
mit denen er zu ſchaffen hatte, daß er endlich ſich wohl oder
ntſchloß, mit einigen kräftigen Flüchen die ganze Einrichtung
aſtmahls den Händen der damit Beauftragten ruhig zu über-
, und ſeine Aufmerkſamkeit auf die innere Einrichtung des
s wandte.
ter ſah er ſich faſt eben ſo hülflos, denn welcher männliche
und vermag es, die tauſend kleinen Künſte der Koketterie aufen-
en, welche in ſolchen Anordnungen aufgeboten werden? Welch
liches Auge kann mit Recht den Grad des Demijour beſtim-
den eben dieſe oder jene Ausſchmückung eines Zimmers er-
t, erſpähen, wo eben das volle Licht ein mittelmäßiges Bild
g beleuchten oder der Strahl des Tages verdunkelt werden
da ſonſt die ſteife Sudelei eines in einer Perücke prangenden
waters zu lächerlich in's Auge fiele? Und ſind männliche
r unfähig, dieß feine Gewebe von Licht und Schatten, welches

jedem Dinge den anmuthigsten Schein ertheilt, zu unterscheiden, wie sollen sie es vermögen, das mannigfache Hausgeräth in den Gemächern in jene mystische, unregelmäßige Ordnung zu stellen, die, scheinbar nur ein Werk des Zufalls, jedes Ding und jeden Sitz eben dahin zaubert, wo der Wunsch am gemüthlichsten eben dadurch befriedigt wird. Verwirrung und Zwang zugleich vermeidend, ist die Gesellschaft weder im steifen Kreis eingeengt, noch läuft sie Gefahr, an den im Wege stehenden Stühlen sich die Nase blutig zu stoßen; auch sagt diese Anordnung dem eigentlichen Tone guter, geselliger Unterhaltung zu, der leicht, doch nicht verworren, von Zwang und zu großer Freiheit gleich weit entfernt ist.

Wie kann nun wohl gar ein unbehülflicher, männlicher Verstand es wagen wollen, alle die unbedeutenden Kleinigkeiten zu ordnen, die Tabaksdosen, Stockknöpfe, wohlriechenden Salbenbüchsen, Rosenkränze, und all das bunte Gewirr, welches in dem Innern der Schreibspinden der Damen der alten Welt aufbewahrt ward, das man jetzt auf's Neue zum Vorschein bringt, und scheinbar sorglos mit andern ähnlichen Kleinigkeiten vereint, welche in den Aushänge=Fenstern der Allerleihändler prangen, und sie dann auf geschmackvollen Eckschränken oder zierlichen Mosaik=Arbeitstischen aufputzt, und so alle Spielereien und Plunder nützt, den die alten Fräuleins und Plapperschwestern, die seit einem Jahrhunderte auf dem Rittersitz hauseten, eingesammelt hatten? Mit welcher Bewunderung der reichen Erfindungsgabe der schönen Schöpferinnen habe ich oft dieß bunte Gemisch der Pseudo=Bijouterien durchstöbert, und des Großvaters Daumring mit den Zahnperlen und der Kinderklapper des Erstgebornen im traulichen Vereine gefunden — die Hochbootsmanns=Pfeife eines alten verwandten Seemannes oder eine silberne Tabaksdose, noch vom Geruch des Oronoko erfüllt, freundlich neben der Mutter elfenbeinernem Kammfutter, das noch immer nach Moschus duftet, und irgend einer jungfräulichen Tante schildpattnem Brillenfutteral, oder der Adlerklaue von Ebenholz, womit in jenen Tagen der steifen Schnürbürste unsere Großmütter gewöhnt waren, irgend einen kleinen Reiz auf ihren Schultern oder Rücken zu beseitigen. Auch den silbernen Durchschlag findet man, auf welchen in haushälterischeren Zeiten als die unsrigen, die Dame des Hauses die Theeblätter schüttete, nachdem der letzte Tropfen davon abgegossen war, daß sie nachher gastlich unter die Gesellschaft vertheilt würden, um mit Zucker und Brod und Butter aufgespeiset zu werden. Gesegnet sei die Mode, welche den Klauen der Zofen und dem Schmelztiegel des Goldschmieds diese sonst vernachlässigten Reliquien zum Wohl der Alterthümer und zum Schmuck der Ecktische entriß. Aber wer kann sich anmaßen, sie dort ohne Leitung des weiblichen Geschmacks aufzustellen? Und Mr. Mowbray, so reich sein Vorrath ähnlicher Schätze war, mußte dieses mächtigen Schutzes jetzt gänzlich entbehren.

Wenn diese Schilderung der schwierigen Lage des Lairds von St. Ronans nicht schon zu lang wäre, so würde ich seiner Unerfahrenheit erwähnen auch darin, wie man mit kleinen Kunstgriffen das schlechteste Hausgeräthe glänzend aufputzen, den gestopften Teppich mit einer scheinbar schonend übergebreiteten Decke verhüllen, und durch einen leicht hingeworfenen Shawl ein abgetragenes Sopha verstecken kann. Aber schon sagte ich genug, ja mehr als hinreichend ist, um seine große Noth jedem verlassenen Junggesellen anschaulich zu machen, der, gleich ihm, ohne erfahrene Haushälterin oder geprüften Küchenmeister und stattliche Diener aller Art, sich anmaßt, ein Fest zu geben, und strebt, es zierlich und comme il faut einzurichten.

Mowbray ward um so mehr durch das Bewußtsein seiner Unfähigkeit dazu niedergedrückt, weil er sich einer scharfen Kritik der Damen, namentlich seiner entschiedenen Nebenbuhlerin Lady Penelope Penfeather, ausgesetzt sah. Er hörte deßhalb nicht auf, sich anzustrengen, und zwei ganze Tage hindurch brachte er anordnend,

dachten die alten Bursche ihr Haus aufrecht zu erhalten, so hätten
sie es zum Fideicommiß machen sollen, als es noch der Müh,
lohnte; einen Mann an solch' unbedeutendes Ding, wie dies St
Ronans ist, festzubannen, das heißt, ein Roß auf sechs Ruthen
hochländisches Moorland anbinden!"

„Sie haben Ihre Lebensgränzen da unten am Brunnen schon
tüchtig gesprengt'," sagte Micklewham, „und können leicht etwas
weiter die ihnen auferlegten Bande ausgedehnt haben, als Sie
eigentlich ein Recht dazu hatten."

„Es geschah auf Ihren Rath! War dem nicht so?" fragte der
Laird.

„Ich will es nicht läugnen, St. Ronans! Aber ich bin so ein
gutmüthiges Thier, daß es mir eben so am Herzen liegt, Ihnen zu
Gefallen zu leben, wie ein altes Weib sich sehnt, ein Kind zu
hätscheln."

„Ja," sagte der Laird, „wenn sie ihm ein Messer reicht, sich
damit in die Finger zu schneiden. — Jene Aecker wären vor meinen Eingriffen sicher genug gewesen, hätte Ihr verdammter Rath
mich nicht verleitet."

„Und doch murrten Sie so eben noch," sagte der Geschäftsmann, „daß Sie nicht die Macht haben, die ganze Besitzung wie
eine wilde Ente aus dem Teiche in die Luft zu jagen? Wahrhaftig
Sie brauchen sich wenig darum zu kümmern; denn wenn Sie sich
dadurch Aerger zuziehen, so kann — so denkt auch Mr. Wisebe-
hind, der Advokat, dem ich einen ähnlichen Fall zur Beurtheilung
vorlegte — Ihre Schwester oder Ihrer Schwester Bräutigam
wenn sie Lust bekäme zu heirathen, sehr leicht die Sache anhängig
machen, und Ihnen in zwei oder drei Gerichtssessionen ganz St
Ronans abprozessiren."

„Meine Schwester wird nie heirathen," erwiederte John
Mowbray.

„Das ist leicht gesagt," entgegnete der Rechtsgelehrte, „doch

uch ein leckes Schiff erreicht zuweilen das Ufer! — Wüßte irgend
Jemand alle die Ansprüche, welche sie an diese Besitzung hat, so
würde sich mancher rechtliche Mann leicht entschließen, den kleinen
Sparren, der ihr im Kopfe steckt, zu übersehen."

„Merken Sie es sich, Mr. Micklewham," sagte der Laird,
„daß Sie mich verpflichten werden, wenn Sie von Miß Mowbray
mit der Achtung sprechen, welche der Tochter ihres Vaters und
meiner Schwester gebührt."

„Ich wollte Sie nicht beleidigen, St. Ronans, ich hatte die
Absicht nicht, aber der Mensch muß sich doch verständlich machen,
besonders wenn von Geschäften die Rede ist. Sie wissen am besten
selbst, daß Miß Clara nicht gerade so ist, wie andere Leute, und
wäre ich an Ihrer Stelle — es ist meine Pflicht, ganz offen zu
reden — ich würde den Lords eine kleine Bittschrift einreichen, daß
man mich zu ihrem curator bonis ernenne, da sie selbst unfähig
ist, ihren Geschäften vorzustehen."

„Micklewham!" rief Mowbray, „Sie sind ein —" und kurz
brach er ab.

„Was bin ich, Mr. Mowbray?" fragte der Rechtsgelehrte
etwas finster, „ich würde gern erfahren, was ich bin."

„Ein sehr guter Rechtsgelehrter, das behaupte ich gewiß," ent=
gegnete Mowbray, der zu sehr in der Gewalt seines Bevollmäch=
tigten war, um seine erste Meinung auszusprechen. „Aber das
betheure ich Ihnen, daß, ehe ich solche Maßregeln gegen die arme
Clara unternehme, als Sie mir empfehlen, ich ihr lieber die ganze
Besitzung überlassen und mein übriges Leben als Stall= oder Reit=
knecht zubringen will."

„Ah, St. Ronans," sagte der Rechtsgelehrte, „wenn Sie den
Wunsch hegten, das alte Haus aufrecht zu erhalten, da hätten Sie
einen andern Weg einschlagen sollen, als der zum Reit= oder Stall=
knecht führt. Was fehlt Ihnen, Freund, so gut wie ein anderer
ein Rechtsgelehrter zu werden? — Mein alter Patron pflegte so

ein kleines, lateinisches Sprüchlein zu wiederholen über rerum dominos gentemque togatam, welches, wie er sagte, bedeutet, daß alle Lairds Rechtsgelehrte sein sollten."

„Ich denke, die Rechtsgelehrten werden wahrscheinlich alle Lairds werden," entgegnete Mowbray. „Sie kaufen unsere Aecker für Tausende an sich, und zahlen uns, wie die alte Sage sich ausdrückt, indem sie uns das Doppelte wieder abnehmen."

„Nun gut — könnten Sie denn nicht so gut, wie Andere, Güter kaufen?"

„Ich nicht! Zu dem Geschäft habe ich kein Geschick, ich würde nur den Bombassin auf meinen Schultern und die Pracht meiner dreimal geschwänzten Perücke unnütz vergeudet haben — hätte meine Vormittage in der Vorhalle des Gerichtssaals verschwendet, meine Abende im Schauspielhause verlebt, und nicht mehr Rechtsgelehrsamkeit mir zu eigen gemacht, als die mich höchstens zum Richter bei einem kleinen Winkelgericht gemacht hätte."

„Wenn Sie wenig gewonnen hätten, so würden Sie eben so wenig verloren haben," entgegnete Micklewham, „und gesetzt, Sie wären kein großes Licht in den Schranken geworden, so hätten Sie doch eine Commissar- oder Landrichterstelle erhaschen können, die ihren Mann ernährt; und so würden Sie im Stande sein, Ihre Besitzung der Verödung zu entziehen, wenn nicht obenein gar sehr zu verbessern."

„Ja, aber ich hätte nicht die Aussicht gehabt, sie zu verdoppeln wie es mir leicht gelungen sein würde, wäre das unbeständige Glück mir nur einen Augenblick treu geblieben. Ich sage Ihnen, Mick, ich war im Laufe dieses Jahres Herr von Hunderttausenden — von Fünfzigtausenden — Herr über Nichts, als die Ueberbleibsel dieser elenden Besitzung, die zu gering sind, mir als mein Eigenthum Nutzen zu ertheilen, doch wenn sie verkauft wären, mir wieder freie Hand schaffen, und meine Lage etwas verbessern könnten."

"Ja, ja, Sie wollen immer das Heft der Klinge nachwerfen — das ist so Ihr Treiben. Was will es sagen, daß man hunderttausend Pfund gewinnt, wenn man sie nur erwarb, um sie wieder zu verlieren?"

"Was es sagen will? So viel Genuß findet ein kluger Mann darin, als ein General an einer gewonnenen Schlacht; — es thut nichts, wird er nachher auch wieder geschlagen, er weiß, auch ihm kann das Glück wieder lachen, wie den Andern, und so bewahrt er sich den Muth, ein neues Wagniß zu unternehmen. Der junge Graf von Etherington wird in wenig Tagen hier unter uns erscheinen — sie sagen, er ist zu jedem Satz bereit — hätte ich nur fünfhundert Pfund, um damit anzufangen, ich wollte ihn bald kühn überflügeln!"

"Mr. Mowbray, ich bedaure Sie sehr. Ich war der Geschäftsführer Ihres Hauses — ich kann sogar in einiger Hinsicht sagen, ich war ein Diener desselben — und jetzt scheint es, ich soll es ganz zu Grunde gerichtet sehen, und das noch dazu gerade durch den Jüngling, welchen ich als den wahrscheinlichen Wiederhersteller seiner Größe betrachtete; denn die Gerechtigkeit muß man Ihnen widerfahren lassen, Ihr eignes Interesse haben Sie immer sorgsam beachtet, so weit nämlich, als Sie es einsehen konnten. Thränen lockt der Gedanke in meine alte Augen."

"Ueber diese Dinge sparet die Thränen, mein alter Junge! Einiges von dem Verlornen wird doch wohl in Ihren Taschen sitzen geblieben sein, wenn auch nicht in den meinigen. — Ihre Dienste werden nicht stets unbelohnt geblieben sein, mein alter Freund, — der Arbeiter ist seines Lohnes werth."

"Wohl weiß ich, daß er es ist, aber ein doppelter Sold würde kaum hinreichen, zu mancher Arbeit die Leute anzuspornen. — Doch wenn Sie durchaus Geld haben wollen, so muß es herbei geschafft werden — obwohl ich gut dafür bin, es geht denselben Weg, den das Uebrige einschlug!" —

„Nein, bei tausend Teufeln! nein! Dießmal kann es nicht fehl-
schlagen, es ist schlechterdings unmöglich! — Jack Wolverine war
dem Grafen Etherington in jedem Wagniß, das er ihm vorschlug,
überlegen, und ich kann den Wolverine als Sieger von dem ent-
ferntesten Winkel des Landes bis nach Johannie Groats treiben
— doch etwas muß ich in Händen haben, damit anzufangen —
der Einsatz muß herbeigeschafft werden, Mick!"

„Ganz natürlich — ohne Zweifel versteht sich nämlich,
wenn es herbeigeschafft werden kann!" entgegnete der gesetzliche
Rathgeber.

„Das ist Ihre Sache, mein erfahrner Freund! Der junge
Mensch wird vielleicht morgen hier mit reich gefüllten Taschen erscheinen. — Er empfing eben seine Zinsen, als er hieher reisete,
vergeßt das nicht, mein alter Freund!"

„Wohl demjenigen, der Zinsen zu empfangen hat," entgegnete
Micklewham, „die unsrigen hier sind leider zu tief versunken, um
jetzt erhoben zu werden! — Aber sind Sie sicher, daß der Graf
ein Mann ist, mit dem man sich einlassen kann? — Sind Sie
überzeugt, daß Sie von ihm gewinnen, und das Gewonnene bezahlt erhalten können? — Mr. Mowbray, ich habe so manchen
nach Beute ausgehen und kahl nach Hause kehren sehen! — Obwohl Sie nun gar ein munterer, gewandter junger Mann sind,
und ich allerdings verpflichtet bin, Ihnen zuzutrauen, daß Sie gar
viele und richtige Menschenkenntniß besitzen, und was noch alles
weiter dazu gehört; doch sind Sie hin und wieder der Verlierende
gewesen, wie Sie es jetzt aus vielen triftigen Gründen wohl einsehen werden, — folglich —"

„O zum Teufel mit Ihrer Plauderei, mein guter Mick!
Wissen Sie keine Hülfe für mich, so betäuben Sie mich mindestens
nicht mit Ihrem Gewäsche! — Nun, Freund, ich war ein Neuling
— ich mußte mein Lehrgeld zahlen — und das war keine Kleinigkeit. — Doch was thut es? — Jetzt bin ich mein eigener Herr

— jener Verbindung los und ledig, und kann auf meine eigne Hand mein Glück gründen."

„Gut, gut! — Ich wünsche, daß es gelinge."

„Es soll, es muß gelingen, mein trauter Freund," entgegnete Mowbray schmeichelnd, „wenn Sie mir nur zu dem Kapital, den Handel zu beginnen, verhelfen wollen."

„Zu dem Kapital? — Was nennen Sie ein Kapital? — Ich weiß von keinem Kapital, das Sie noch zu erheben hätten."

„Aber Sie, mein alter Freund, Sie besitzen deren in Fülle — Kommen Sie, rücken Sie einige Ihrer mit drei Prozent verzinseten Summen heraus, ich will Interessen, Courtage, Alles und Jedes will ich zahlen."

„Ja, ja; Alles und Jedes oder gar Nichts! — Aber da Sie so sehr in mich dringen, so fällt mir ein — wann bedürfen Sie des Geldes?"

„Heute — in diesem Augenblick — allerspätestens morgen!" rief der ungeduldige Borger aus.

Nach einem lang gezogenen „O weh!" des Rechtsgelehrten folgte die Trauerpost: „das sei unmöglich!"

„Demungeachtet muß es sein, Mick;" entgegnete der junge Laird, der aus Erfahrung wußte, daß dieses „unmöglich" so von seinem willfährigen Freunde betont, nur recht ausgelegt bloß auf große Schwierigkeiten deuten sollte.

„So muß Fräulein Clara ihr Kapital in Staatsfonds verkaufen;" sagte Micklewham. „Ich bewundere, daß Sie daran nicht früher dachten."

„Ich wollte Sie wären verstummt, ehe Sie dessen jetzt erwähnten!" rief Mowbray zurückfahrend, als habe ihn eine Natter gestochen: „Wie, Clara's geringes Eigenthum? — Die Kleinigkeit, welche meine Tante ihr zu ihren eigenen willkürlichen Ausgaben hinterließ, die sie zu so vielen guten Zwecken anwendet —

die arme Clara, die so wenig Freude besitzt! — Warum wollen
Sie nicht lieber Ihr Eigenthum geben, Sie, der Sie sich einen
Freund der Familie nennen?"

„Ei, St. Ronans, das ist alles ganz wahr, aber verdient will
mehr sagen als geerbt; und die Freundschaft fängt zuerst bei uns
selbst an, wie es kluge Leute lange vor uns schon sagten. — So
denke ich denn, die uns zunächst stehen, können auch hübsch zuerst
etwas wagen. Sie sind Ihrer Schwester näher und theurer, St.
Ronans, als dem armen Saunders Micklewham, der nicht so viel
adeliges Blut besitzt, daß ein Floh daran ein hinreichend Abendessen fände."

„Nein, das will, das kann ich nicht!" rief St. Ronans, heftig
erschüttert auf- und niederschreitend; denn so selbstsüchtig er war,
doch liebte er seine Schwester, ja hing zärtlicher an ihr, weil eben
ihr Gesundheitszustand sie seines Schutzes um so bedürftiger
machte. „Ich will sie nicht ausplündern," fuhr er fort; „entstehe daraus was da wolle. Lieber will ich als Freiwilliger auf
dem festen Lande Dienste nehmen, und den Degen in der Hand als
Edelmann sterben!"

Er fuhr fort im düstern Schweigen das Zimmer zu durchkreuzen, welches allmälig seinen Gefährten, der seinen Patron noch
nie so tief bewegt sah, zu beunruhigen begann. Endlich versuchte
er die Aufmerksamkeit des schweigenden, unmuthigen Grüblers auf
sich zu ziehen.

„Mr. Mowbray!" Keine Antwort. — „St. Ronans, ich
wollte sagen —" Immer keine Erwiederung. „Ich habe über diesen Gegenstand nachgedacht — und   "

„Und was, Sir?" fragte mit finsterm Tone der plötzlich still-
stehende Squire.

„Und um die Wahrheit zu sagen, ich sehe wenig Möglichkeit,
das Ding auf irgend eine Weise zum Ziele zu führen; denn hätten

Sie auch heut das Geld in Ihrer Tasche, morgen wäre es in der es Grafen von Etherington.

„Bah — Sie sind ein Thor!"

„Das ist nicht unmöglich. — Sir Bingo Binks ist es ewiß, und doch hat er zwei oder dreimal über Sie den Sieg davon getragen."

„Es ist falsch — er hat nicht gesiegt!" antwortete St. Ronans trotzig.

„Ich weiß aber gewiß, er fing Sie bei der Wette über den Lachs, und noch einigen andern, welche sie denselben Tag an ihn verloren."

„Ich sage Ihnen noch einmal, Micklewham, Sie sind ein Thor, und meinem Spiel eben so wenig als meiner körperlichen Größe gewachsen. — Bingo ist ein wenig scheu geworden — ich muß ihm ein bischen Aufwasser gönnen, dann zieh ich die Angel zur rechten Zeit wieder an; er ist mir so gewiß als der Andere, — ich kenne den Flug, den Beide nehmen werden — dieser verfluchte Rangel der lumpigen fünfhundert Pfund bringt mich um zehntausend."

„Wenn Sie so ganz gewiß sind der Sieger zu bleiben, so ganz gewiß die Beute zu erwischen, meine ich, welch' ein Schaden wird dann für Miß Clara entstehen, wenn Sie einen Augenblick ihr Geld benutzen? Sie können ihr ja die Gefahr, welche sie läuft, zehnfach ersetzen?"

„Das kann ich, beim Himmel!" rief St. Ronans. „Sie haben recht, Mick, ich bin ein bedenklicher, schwachsinniger Thor. Clara soll tausend Pfund statt ihrer ärmlichen fünfhundert erhalten — sie soll es, bei —. Dann will ich sie nach Edinburgh oder London führen, den besten Rath für ihre Gesundheit zu erforschen, die angenehmste Gesellschaft sie aufzuheitern. Und findet man sie etwas sonderbar — zum Henker, ich bin ihr Bruder, und will sie schon männlich vertreten. Ja, ja; Sie haben recht. —

Es kann nicht unrecht sein, die fünfhundert Pfund von ihr zu leihen, wenn solch' ein Vortheil für sie und mich daraus entsteht. Hier füllet die Gläser, alter Junge, und laßt uns auf guten Er= folg trinken, denn Sie haben recht, ganz recht!"

„Wohl denn, von ganzer Seele auf guten Erfolg!" entgeg= nete Micklewham, der sehr froh war, seines Patrons sanguinisches Temperamt zu diesem Entschlusse gebracht zu sehn, doch zugleich strebte, seinen Einfluß durch eine Hinterthür vor jedem Vorwurf zu bewahren: „Aber Sie sind es, der hier Recht hat, nicht ich, denn ich gründe meinen Rath nur auf Ihre Versicherung, daß Sie Ihres Sieges über jenen Grafen und Sir Bingo gewiß sind — und wenn das der Fall ist, so würde ich es für unklug und un= freundlich halten, wenn irgend einer Ihrer Freunde Ihnen ent= gegen handeln wollte."

„Wahr, Mick, ganz wahr!" entgegnete Mowbray. — „Doch Würfel und Karten sind nur Knochen und Pappe, und selbst das geübteste Pferd kann ausgleiten, ehe es das gewinnertheilende Ziel erreicht — deßhalb wünsche ich, Clara's Eigenthum wäre dem Wagniß nicht ausgesetzt. — Aber hol's der Teufel, sorgen hilft zu nichts! — Erklärt sich das Glück gegen mich, so kann ich so gut wie ein Anderer mich darein finden — so laßt uns denn das Geld erheben, Mick!"

„Ja, ja; aber zu dem Handel gehören zwei Stimmen; das Geld ist auf meinen und Tam Turnpenny's, des Bankier, Namen, als Bürgen für Miß Clara, eingetragen. Nun sorgen Sie, daß sie uns einen Brief schreibt, Ihnen die Summe auszuzahlen, so wird Ihnen Tam Turnpenny die fünfhundert Pfund augenblick= lich auf Abschlag entrichten; denn ich vermuthe doch, daß Sie wünschen werden, daß man das Papier ganz verkaufe, und es wird dann zwischen sechs= und siebenhundert Pfund austragen — und gewiß, Sie stimmen für den Verkauf des Ganzen — denn es ist *unnütz, solche Kleinigkeit in zwei Parcellen zu theilen!*"

„Ja, ja," entgegnete Mowbray, „da wir einmal Spitzbuben oder etwas dem Aehnliches sein müssen, so laßt es mindestens der Mühe lohnen; gebt mir einen Entwurf des Briefes, und Clara soll ihn abschreiben — das heißt, wenn sie darein willigt; denn Sie wissen, sie versteht es so gut wie irgend eine Frau in der Welt, ihren Sinn durchzusetzen."

„Und das," sagte Micklewham, „je nachdem der Wind ihnen den Kopf dreht, man mag dagegen sagen, was man will. Aber soll ich Ihnen einen Rath, Miß Clara betreffend, ertheilen — ich würde bloß sagen, daß ich des Geldes bedürftig sei; denn ich müßte mich sehr irren, wenn sie sich gar nichts daraus machen sollte, daß Sie ihrer Tante Vermächtniß auf Spiel und Würfel gegen jenen Lord und Baronet wagen wollen. — Ich weiß, sie hat so sonderbare Grillen — sie gibt die Zinsen jenes Kapitals den Armen."

„Und ich bin Raubthier genug, die Armen und meine Schwester zu bestehlen!" rief Mowbray, die Gläser füllend: „Kommt Mick — auf Clara's Gesundheit — sie ist ein Engel — und ich bin — was ich mich selbst nicht nennen mag, noch von irgend einem Menschen genannt zu werden erdulden würde. — Aber ich werde gewinnen. — Ich bin dessen sicher, da Clara's Glück mit im Spiele ist."

„Auch denke ich noch," sagte Micklewham, „daß wenn etwas unsern Wünschen entgegen sich ereignen sollte, und der Himmel weiß, daß die besten Plane scheitern können, so wird es ein großer Trost sein, daß die eigentlich Verlierenden nur die armen Leute sein werden, welche das Kirchspiel doch dem gänzlichen Verhungern entziehen muß. — Wenn Ihre Schwester selbst ihr Geld gebraucht hätte, wäre das ein anderes Ding."

„Still, Mick, — um Gotteswillen still, ehrlicher Freund," sagte Mowbray. „Es ist ganz wahr, Sie sind ein trefflicher Rathgeber zur Zeit der Noth, und haben die liebenswürdigste Art von der Welt, eines Mannes Gewissen mit der Nothwendigkeit auszugleichen. Aber hütet Euch, mein eifriger Rathgeber und Beichtvater, den Nagel zu tief hinein zu schlagen. — Ich verspreche Ihnen, auch für Sie soll von meiner Beute etwas abfallen. Wohl, geben Sie mir den Entwurf — ich will ihn Clara bringen — obwohl ich lieber dem besten Schützen Großbritanniens auf dem grünen Rasen zehn Schritt weit gegenüber stände." Mit diesen Worten verließ er das Gemach.

Elftes Kapitel.

Brüderliche Liebe.

Was die Natur verband, soll heil'ge Liebe einen!
Wenn Kinder ich gesehn im heitern Spiel verloren,
Der Schwester lockig Haar vom bläh'nden Kranz umwunden
Den ihr der Bruder flocht, dem sie die Angel knüpft,
Da glaubt' ich nie, daß in der Zukunft Zeiten
Der Zwietracht Schlangenhaupt, des Argwohns scheuer Blick,
Des Eigennutzes feindliche Gewalten,
So heil'ge Bande einst entweihend sollten schmähn.

Ein Ungenannter.

Als Mowbray seinen gefährlichen Rathgeber verließ, den Weg einzuschlagen, den ihm derselbe angedeutet, obwohl er den Schein zu retten suchte, als habe er nicht die Hand im Spiele, begab sich der Squire in das kleine Zimmer, welches Clara das ihrige zu nennen pflegte, wo sie einen großen Theil ihrer Zeit verlebte. Es war mit einer Art phantastischer Zierlichkeit aufgeputzt, und die Nettigkeit und hohe Ordnung desselben bildete einen sehr grellen Abstich gegen die andern Gemächer des alten vernachlässigten Rittersitzes. Eine Menge zierlicher Kleinigkeiten lagen auf dem Arbeitstischchen, zugleich die feine Kunstfertigkeit und die unruhige Gemüthsstimmung der Bewohnerin andeutend. Unvollendete Zeichnungen, zerknitterte Noten, Handarbeiten aller Art, die mit Eifer und Geschick begonnen, doch plötzlich unbeendet bei Seite geworfen waren, boten sich dem Auge dar.

Clara selbst saß am Fenster auf einem niedrigen Ruhebettchen und las, oder schien mindestens in das Buch, dessen Blätter sie mechanisch umwandte, vertieft. Doch augenblicklich aufschreckend, als ihr Bruder in das Gemach trat, eilte sie ihm mit der zärtlichsten Innigkeit entgegen.

„Willkommen, willkommen, mein theurer John; es ist recht freundlich, daß du deine arme einsame Schwester besuchst. Ich habe mich gemartert, meine Augen hier fest auf das Buch zu heften, weil sie immer sagen, daß zu vieles Nachdenken mir schädlich sei. Aber entweder ist der Autor so langweilig, oder ich bin jeder Aufmerksamkeit unfähig, meine Augen gleiten über die Blätter halb träumend hin, ohne daß mir ein Wort ihres Sinnes klar wird. Sprich du mit mir, das wird mir viel besser thun. Was kann ich dir anbieten, dir zu beweisen, wie sehr willkommen du hier bist. Ich fürchte, mir steht nichts als Thee zu Gebot, und der hat gar wenig Werth für dich."

„Doch werde ich heut gern eine Tasse hier trinken, denn ich habe mit dir zu reden," entgegnete Mowbray.

„So soll Jessy ihn sogleich bereiten," rief Clara, läutend und ihrem Mädchen den Befehl dazu ertheilend. „Aber, John, du mußt nicht undankbar sein, und mich mit irgend einer Vorbereitung deinem Feste quälen. Ein jeder Tag hat an seiner Plage zur Gnüge! Ich werde meine Rolle so gut und hübsch durchführen, du nur wünschen kannst, aber Herz und Kopf würden gar unruhig werden, sollte ich schon zuvor mich damit beschäftigen; — halb hoffe ich, du wirst mich damit verschonen."

„Ei, du wildes Vögelchen, du wirst mir alle Tage menschen-

scheuer," — sagte Mowbray, „ich fürchte, du entschlüpfst uns
einst unerwartet in die Wälder, und wirst mir ganz wild, wie die
Prinzessin Caraboa. Aber ich will dich mit nichts quälen, wenn
ich es vermeiden kann. Wenn an dem großen Tage Alles nicht
ganz nach Wunsch ausfällt, so mögen sie den Dummkopf tadeln,
der keine schöne Gattin hat, ihm in seinen Nöthen beizustehen. Aber
Clara, ich habe etwas Ernsteres dir vorzutragen — etwas, das
wirklich von der höchsten Wichtigkeit ist."

„Was ist's!" rief fast aufschreiend Clara.   „Um Gotteswillen, was kann es sein? Du weißt nicht, wie sehr du mich er-
schreckst?"

„Du bebst vor einem Schatten, Clara! Es ist gar nichts
so Außerordentliches   im Gegentheil, so viel ich von der Welt
weiß, gehört es zu den allergewöhnlichsten Dingen. — Ich bin in
sehr großer Geldnoth."

„Und weiter ist es nichts?" fragte Clara mit einem Tone
der ihrem Bruder jetzt eben so geringschätzend für die Sache, vor
der es sich handelte, erschien, als er ihr Entsetzen vorher übertrieb
fand, ehe sie wußte, wovon die Rede war.

„Ob es weiter nichts ist? — Nein, weiter ist es nichts, w
doch faßt die Kleinigkeit viel Aerger und Plackerei in sich. S
werde in großer Verlegenheit sein, wenn ich nicht eine gew
Summe Geldes auftreibe   ja ich muß dich selbst fragen, ob
mir nicht helfen kannst?" —

„Ich dir helfen?   Ja von ganzem Herzen — aber
weißt, meine Börse ist gar leichter Art — mehr als die S
meiner Zinsen ist indessen noch darin enthalten, und gewiß, S
ich werde sehr glücklich sein, wenn es dir nützen kann, — beso
da dann deinem Mangel leicht abzuhelfen wäre."

„Ach Clara, wenn es mir wirklich helfen soll, so mußt t
Hühnchen selbst, welches die goldnen Eier legt, den Hals un
— du mußt mir das Kapital selbst leihen."

„Und weßhalb nicht, John, wenn dir ein Gefallen damit ge= schieht. — Bist du nicht mein natürlicher Vormund? — Bist du nicht mein freundlicher Beschützer? — Steht mein kleines Ver= mögen nicht gänzlich dir zu Gebot? — Du wirst Alles zum Besten lenken, ich bin dessen gewiß!"

„Ich fürchte, dieß könnte hier nicht der Fall sein!" rief Mow= bray, von ihr zurückbebend, da ihn ihre so willige argwohnlose Einwilligung tiefer erschütterte, als Vorstellungen oder Schwierig= keiten es vermocht hätten. Traten ihm diese entgegen, so würde er seine Gewissensbisse durch die List übertäubt haben, die er aufge= boten hätte, sie zur Einwilligung zu bewegen. Bei dieser Lage der Dinge aber fand derselbe Unterschied statt, der zwischen dem Morde eines zahmen, widerstandslosen Thieres und einer wilden Jagdlust vorhanden ist, wo die leidenschaftliche Aufregung des Jägers ihn für das Gefühl seiner Grausamkeit abstumpft. Aehn= liche Gedanken erwachten in Mowbray. „Bei Gott," sagte er, „das heißt gleichsam den Vogel in seinem Neste erschießen. — Clara," fügte er hinzu, „ich fürchte fast, dieß Geld wird nicht so angewendet werden, als du es vielleicht wünschest."

„Gebrauche es nur so, wie es dir gefällt, mein theurer Bru= der, gern will ich es so für das Beste anerkennen."

„Nein, ich bezwecke das Beste," entgegnete er, „wenigstens thue ich nur, was ich muß, denn ich sehe keinen andern Ausweg. — Alles, was du nöthig hast, ist, dieß Papier abzuschreiben und den Interessen der Banknote zu entsagen — auf einige Zeit denke ich nur — sicher werde ich dir diese Kleinigkeit verdoppeln, ist mir das Glück nur ein wenig günstig."

„Auf das Glück verlaß dich nicht," sagte Clara lächelnd, obgleich mit dem Ausdruck einer tiefen Melancholie. „Ach nie war es eine Freundin unserer Familie, mindestens nicht seit langen Zeiten."

„Fortuna begünstigt den Kühnen! stand schon in meinem al=

den deinen im Hintergrunde, und ich schwöre dir es, ich will ihn annehmen. Die Kleinigkeit, welche diese Schrift in meine Gewalt gibt, kann zum Glück führen, und wir müssen die Karten nicht sogleich wegwerfen, wenn wir das Spiel gewinnen können. Wollte ich jetzt gleich Alles gewaltsam abbrechen, diese fünfhundert Pfund würden uns weder schaden, noch helfen, so siehst du, haben wir zwei Sehnen auf unserm Bogen. Das Glück ist zwar zuweilen gegen mich — das ist wahr — aber nach richtigen Grundsätzen, wenn ich das Spiel nur durchführen kann, nehme ich es mit dem Besten von ihnen auf, oder mein Name ist nicht Mowbray. Adieu, meine theure Clara." So sagend, küßte er ihre Wangen mit mehr als gewöhnlicher Zärtlichkeit.

Ehe er sich noch von seiner gebeugten Stellung erheben konnte, schlang sie ihre Arme zärtlich um seinen Nacken, und sagte mit einem Tone der tiefsten Rührung: „Mein theuerster Bruder, dein leisester Wunsch war und wird immer mir Gesetz sein. — Ach, wenn du eine einzige Bitte mir dagegen gewähren wolltest!"

„Was ist es denn, du närrisches Mädchen?" fragte Mowbray, sich freundlich von ihrer Umschlingung losmachend. — „Was kannst du denn verlangen, was eines solchen feierlichen Vorworts bedürfte? Du weißt, ich hasse Vorreden, ja, öffne ich zufällig ein Buch, gleich wird diese überschlagen.

„Ohne Vorrede denn, mein theuerster Bruder, willst du mir zur Liebe die Zänkereien vermeiden, in welche die Leute da unten ewig verwickelt sind? Niemals gehe ich hinunter, ohne von neuen Zwistigkeiten zu hören, und nie lege ich mein Haupt zum Schlafe nieder, ohne zu träumen, daß du ein Opfer derselben wirst. Nur die letzte Nacht — — "

„Nein, Clara, wenn du anfängst deine Träume zu erzählen, so enden wir nie. Wahrhaftig, zu schlafen ist das Element deines Lebens; denn was das Essen betrifft, so macht dir ein Sperling Schande. Aber ich rathe dir, zu schlafen ohne zu träumen, oder deine Visionen für dich zu behalten. Woher hast du solche thörichte Meinung von mir? Was auf Erden kann dich nur beunruhigen! — Sicher denkst du doch nicht, daß der Dummkopf Binks oder irgend einer der guten Leute da unten sich mit mir zu messen wagen werden. — Ich wollte nur, sie würden etwas hitziger, damit ich eine Entschuldigung hätte, mit ihnen anzubinden. Wahrhaftig, ich wollte sie bald zur Ordnung bringen!"

„Nein, John," entgegnete seine Schwester, „nicht diese Menschen sind es, die mich ängstigen, und doch, auch Feiglinge können zuweilen zur Wuth gereizt werden, und dann sind sie gefährlicher als Andere. — Doch nein, diese sind es nicht, die ich fürchte — aber es gibt Personen in der Welt, deren Eigenschaften weit ihre äußere Erscheinung übertreffen, deren Verstand und Muth sich so unscheinbar verbergen unter einer glanzlosen, bescheidenen Hülle, wie das Metall in den Bergwerken. — Mit solchen kannst du zusammentreffen, du bist rasch und unbesonnen, und stets bereit, deinen Witz zu üben, ohne die Folgen zu erwägen, und   "

„Auf mein Wort, Clara," unterbrach sie Mowbray, „du bist diesen Morgen in einer sehr belehrenden Stimmung, der Pfarrer selbst könnte nicht mehr Logik oder Tiefe haben. Du mußt nur deine Rede systematisch eintheilen, sie mit nutzbaren Anwendungen und belehrenden Schlußfolgen verzieren, und du kannst sie vor einer ganzen presbyteranischen Versammlung halten, und wirst sie ohne Zweifel eben so sehr belehren als erbauen. Allein ich bin ein Weltkind, meine kleine Clara, und obgleich ich wünsche, den letzten Weg so spät als möglich zu gehen, werde ich weder einen blutigen Kopf, noch verwundete Glieder scheuen. Aber wer zum Henker ist denn der, den ich vermeiden soll? — Das muß ich wissen, Clara, denn du hattest Jemand besonders im Sinn, als du mich batest, Streit zu vermeiden."

Clara konnte nicht mehr erbleichen, als sie es gewöhnlich war, allein ihre Stimme bebte, als sie ihren Bruder eifrig versicherte, Niemand in Gedanken gehabt zu haben.

„Clara," sagte ihr Bruder, „entsinnst du dich noch, als wir Beide Kinder waren, und von einem Kobold im obern Obstgarten erzählt ward? — Erinnerst du dich noch, wie du mich unaufhörlich batest, den Kobold und die Orte, wo er sich zu zeigen pflegte, zu vermeiden — und weißt du, wie ich nun gerade auf die Entdeckung des Gespenstes ausging, und den Kuhjungen fand, der ein Hemd übergezogen, einen Birnbaum plünderte, wofür ich ihn tüchtig ausprügelte? Derselbe Mowbray bin ich immer noch, furchtlos bei Erblickung der Gefahr, und bereit, den Betrug zu entlarven. Deine Besorgniß, Clara, wird mich nur wachsamer machen, den Gegenstand derselben aufzufinden. Wenn du mich vor dem Streit mit irgend Jemand warnest, so mußt du Jemand wissen, mit welchem eine Zwistigkeit nicht unwahrscheinlich ist. Du bist eine sonderbare und närrische Dirne — aber du bist vernünftig genug, weder dich noch mich über einen Punkt, der die Ehre betrifft, zu beunruhigen, es sei denn wirklich Ursache dazu."

Clara betheuerte noch einmal, und zwar mit dem innigsten Bestreben, sich Glauben zu verschaffen, daß, was sie gesagt, nur aus allgemeinen Folgerungen entstanden sei, und nur Befürchtungen betreffe, welche ihres Bruders Art und Weise zu leben in ihr hervorgerufen hätten, da sie ihrer Meinung nach ihn so leicht in die Streitigkeiten hinein ziehen könnten, welche die edle Gesellschaft am Gesundbrunnen so oft entzweiten. Mowbray horchte ihren Versicherungen zweifelnd, oder vielmehr ungläubig zu. Endlich entgegnete er:

„Gut, Clara, ob ich Recht oder Unrecht mit meinen Vermuthungen haben mag, es wäre grausam, dich länger zu quälen, besonders wenn ich denke, was du eben für mich gethan hast. Allein sei gerecht gegen deinen Bruder, und glaube, daß, wenn du *irgend etwas* von ihm zu fordern hast, eine einfache Erklärung

deiner Wünsche beffer sein wird, als wenn du auf heimlichem Wege
ihn nach deinem Willen zu lenken versuchst. Gib solche Gedanken
je auf, meine theure Clara, du bist der List nicht gewachsen, und
wärst du der wahre Machiavell deines Geschlechts, so solltest du
doch John Mowbray nicht irre führen."

Indem er so sprach, verließ er das Zimmer, und kehrte nicht
zurück, obgleich seine Schwester zweimal nach ihm rief. Wahr ist
es, daß sie das Wort Bruder so schwach aussprach, daß vielleicht
der Ton sein Ohr nicht erreichen konnte. „Er ist fort," sagte sie,
„und ich hatte nicht Kraft, es auszusprechen. — Ich bin den un-
glückseligen Wesen gleich, die mächtiger Zauber bindet, daß sie weder Thränen vergießen, noch ihre Verbrechen gestehen können; ja,
auf diesem unglücklichen Herzen ruht ein Bann, der gelöst werden
muß, wenn es nicht endlich brechen soll."

Zwölftes Kapitel.

Die Ausforderung.

Ich habe ein kleines Briefchen bei mir, deffen Ueber-
reichung Sie gütigst entschuldigen werden. Es ist ein
Freundschaftsdienst, der Sie in keiner Art beleidigen
kann, da ich nichts wünsche, als daß beiden Theilen ihr
Recht widerfahre.
König und nicht König.

Der aufmerksame Leser wird sich erinnern, daß Tyrrel von dem
Hotel zum Fuchse nicht in so freundschaftlicher Uebereinstimmung
mit der dortigen Gesellschaft schied, als er es betreten hatte. Es
war ihm auch wohl eingefallen, daß es leicht möglich sei, daß er
noch etwas über diesen Gegenstand hören möchte, doch war unter
ernsteren, ergreifendern Gedanken diese Idee nur leichthin erwacht,

11*

und da zwei Tage ohne Botschaft Sir Bingo Binks verstrichen, war sie ganz seinem Gedächtnisse entfallen.

Allerdings waren zwei Tage entflohen, ohne daß der Hauptmann Mac Turk, obwohl er so eifrig die Glut schürte, wie nur irgend ein altes Weib die glimmenden Kohlen anzufachen strebt, es dahin bringen konnte, den sterbenden Muth Sir Bingo's zur Flamme anzublasen. In den zahllos deßhalb gepflogenen Unterhaltungen fand er Sir Bingo bereit, die Sache in jedem möglichen Lichte zu betrachten, nur nicht in dem, welches der Hauptmann das einzig wahre nannte. Sir Bingo zeigte sich trunknen Muthes — mürrischen Muthes — gedankenlosen verächtlichen Muthes — kurz in jeder Art von Muth, nur den Kampfesmuth ausgenommen. Sprach nun der Hauptmann von dem Ruf und der Ehre der Brunnengesellschaft, so spielte Sir Bingo selbst den Beleidigten, erklärte, die Gesellschaft möge zum Teufel gehn, und gab zu verstehen, daß er „ihnen Ehre genug erzeige, indem er ihnen seine Gegenwart gönne, aber keineswegs gesonnen sei, sie zum Richter seiner Angelegenheiten zu machen. Der Kerl dort sei ein Lump, mit dem er nichts zu schaffen haben wolle."

Gern hätte der Hauptmann Mac Turk gewaltsame Maaßregeln gegen den Baronet ergriffen, und ihn in contumatiam (als ungehorsam) verdammt, aber Winterblossom und andere Mitglieder des Ausschusses widersetzten sich seinem Eifer, weil sie Sir Bingo als ein zu wichtiges und bedeutendes Mitglied betrachteten, um ihn so rasch von einem Orte hinweg zu weisen, der von wenig vornehmen Personen besucht ward; so kam man endlich überein, daß ohne Mowbray's Rath, den die Vorbereitungen auf den herannahenden Donnerstag noch immer entfernt hielten, kein endlicher Beschluß festgestellt werden sollte.

Indessen schien der tapfere Hauptmann von eben so großem Mißmuthe befangen, als ob irgend ein Flecken auf seinem eigenen *so gänzlich tadellosen Rufe ruhte. Auf den Spitzen* seiner Zehen schritt er auf und nieder, seine Füße mit einem halb ärgerlichen, halb herausfordernden Schritte hochtrabend auftreten lassend.

Die Nase richtete er stolz in die Lüfte, wie die Sau, wenn sie den herannahenden Sturm riecht. — Nur in einzelnen Sylben sprach er, wenn er überall sprach — und was am allerstärksten die Tiefe seines Unmuths ausdrückte, er schlug Angesichts der ganzen Gesellschaft es aus, dem Sir Bingo in einem Glase von des Baronets eignem Cognac Bescheid zu thun.

Die ganze Brunnengesellschaft gerieth jetzt in Aufruhr durch die Nachricht, daß der junge Graf von Etherington, ein am Horizont der modischen Welt neu aufgehender Stern, wahrscheinlich von der ersten Größe, eine Stunde, vielleicht zwei, einen Tag oder Woche, wer vermochte es zu wissen — (denn man konnte Sr. Herrlichkeit nicht zumuthen, daß er selbst wisse, was er eigentlich wolle) am St. Ronans-Brunnen zuzubringen gedenke.

Alles gerieth nun in Bewegung. Man forschte in den Kalendern nach dem Alter Sr. Herrlichkeit, erkundigte sich nach dem Betrag seines Vermögens, wie er zu leben pflege, woran er Geschmack finde — und Alles, was der gesetzgebende Ausschuß vermochte, ward aufgeboten, um diesem Günstling des Glücks ihr Spaa zu empfehlen.

Ein Eilbote trug die wichtige Nachricht nach Shaw-Castle und erregte die Hoffnungen in Mowbray, welche ihn veranlaßt hatten, sich des Kapitals seiner Schwester zu bemächtigen. Er fand es indessen nicht für gut, den Aufforderungen der Brunnengäste nachzukommen; denn da er nicht mit Sicherheit voraus wissen konnte, mit welchem Auge der Graf die dort versammelten würdigen Leute betrachten würde, wünschte er nicht, vor Sr. Herrlichkeit in zu genauer Verbindung mit denselben sich zu zeigen.

Sir Bingo Binks befand sich in einer sehr verschiedenen Lage. Der Trotz, mit welchem er den Tadel der beim Brunnen Anwesenden ertragen hatte, entwich bei dem Gedanken, daß ein Mann von

so großem Ansehen, als das Publikum dem Lord Etherington einräumte, ihn zwar körperlich zu St. Ronans finden sollte, aber
eigentlich, wenn der Ausspruch der Gesellschaft zur That ward, auf
dem Wege nach der alten Stadt Coventry, dorthin verbannt, eine
unverzeihliche Sünde gegen die modische Moral, einen Verstoß
gegen die Gesetze der Ehre zu büßen, erblicken müßte. Obwohl
nun der Baronet faul und träge war, wenn er sich zu einer Kraft-
äußerung entschließen sollte, so war er doch keine Memme, oder
mindestens eine von denen, die sich in der höchsten Noth zum Fechten bequemen. Er ließ also, männlich entschlossen, den Hauptmann
Mac Turk rufen, der zuerst mit feierlichem Ernst erschien, welcher
sich aber augenblicklich in strahlende Freude umwandelte, als Sir
Bingo mit wenig Worten ihm eine Botschaft für den verdammten
wandernden Künstler auftrug, der ihn vor drei Tagen beleidigt
habe.

„Bei Gott!" rief der Hauptmann, „mein außerordentlich
guter und vortrefflicher Freund, ich bin entzückt, Ihnen diesen
Gefallen erzeigen zu können; sehr schön, daß Sie selbst daran gedacht haben, denn wäre es nicht aus Rücksichten für einige unserer
guten und vorzüglichen Freunde geschehen, die es lieben, ihre Nase
in alle Angelegenheiten zu stecken und ihren Senf mit einzumischen,
so würde ich Sie schon längst höflichst gefragt haben, wie Sie
dazu kämen, mit uns zu speisen, während all der Unflath und
Schmutz noch auf Ihrem Rockkragen saß, den Mr. Tyrrels Faust
darauf zurückließ. — Sie verstehen mich wohl. -- Doch so wie
es jetzt ist, ist es sehr viel besser, und mit Blitzesschnelle will ich zu
dem Mann hineilen.   Und wenn man freilich schon früher daran
hätte denken sollen, überlassen Sie es nur mir, darüber eine geziemende Entschuldigung nach meiner eignen höflichen Weise zu erdenken. — Sie wissen, Sir Bingo, es heißt: besser, spät gediehen,
als niemals gut gerathen; und haben Sie ihn ein bischen lange

auf seine Morgengabe warten laffen, müffen Sie ihm nun um so reichlicheres Maaß ertheilen, mein Lieber!"

Er eilte sich zu entfernen, ohne eine weitere Antwort zu erwarten, damit solche nicht etwa zufälliger Weise dem so erwünschten als unerwarteten Auftrage irgend eine seinen Ruhm schmälernde Klausel von Vergleich oder Sühne beifügte. Aber kein solcher Vorschlag erfolgte von dem muthigen Sir Bingo, der mit mürrisch trotzendem Blicke seinen Freund haftig seinen Degen umgürten sah und ihn begleitete, welches, um seinen eignen Ausdruck beizubehalten, seinen festen Entschluß ausdrücken sollte, seinem Gegner derb eins auszuwischen. Als er endlich die hinwegeilenden Schritte des Hauptmanns hörte, und die Thür sich hinter ihm schließen sah, pfiff er muthiger Weise einige Balladen, zum Beweise, daß er sich nicht einen Pfifferling aus der ganzen Sache mache.

Mit schnellerm Schritte, als wozu seine Gemächlichkeit den auf halbem Solde stehenden Krieger sonst ermunterte, oder seine eigenthümliche Würde zu gestatten pflegte, durcheilte der Hauptmann das Thal des Brunnens und seine heitern Umgebungen, und gelangte zu den Ruinen des alten Ortes, wo unsere Freundin Meg Dods, die einzige Verfechterin seiner alten Würde, regierte. Der Hauptmann näherte sich sogleich der Thüre des Gasthofs zur Teufelsfalle, entschlossen wie ein Mann, den der Krieg an rauhen Empfang gewöhnt hat; obwohl dennoch beim ersten Anblick Megs, die sich in dem Thorwege ihm entgegen stellte, seine Erfahrung ihn bald einsehen ließ, daß sein Einzug in diesen Ort höchst wahrscheinlich nicht ohne Widerstand gelingen möchte.

"Ist Mr. Tyrrel zu Hause?" war die Frage, auf welche statt der Antwort die Gegenfrage erfolgte: "Wer mögt Ihr denn sein, der hier so neugierig fragt?"

Als die höflichste Erwiederung dieser Erkundigung, und zugleich seiner eigenthümlichen Schweigsamkeit am besten zusagend, reichte der Hauptmann an Meg Dods etwa den fünften Theil einer gewöhnlichen Spielkarte, die sehr von Tabak beschmutzt war, und auf ihrer leeren Seite seinen Namen trug. Aber die ihr so dargebotene Benachrichtigung verwarf Luckie Dods mit verächtlichem Zorne.

„Ich habe nichts mit Euern teuflischen Spielkarten zu schaffen," sagte sie, „gar böse ist die Welt geworden, seit die nett gemalten Dinger da Mode geworden sind. Eine klägliche Zunge ist's, die nicht einmal den eigenen Namen sagen kann, und von Euern pappnen Karten da will ich einmal keine haben."

„Ich bin der Hauptmann Mac Turk vom — Regiment!" entgegnete der Hauptmann, eine weitere Auseinandersetzung verschmähend.

„Mac Turk?" wiederholte Meg mit so großem Nachdruck, daß der Eigner dieses Namens sich verleiten ließ, weiter hinzuzusetzen:

„Ja, meine werthe Frau — Mac Turk Hector Mac Turk. — Haben Sie irgend etwas gegen den Namen einzuwenden?"

„Nichts habe ich dagegen einzuwenden! Es ist ein vortrefflicher Name für einen Heiden. Aber Hauptmann Mac Turk, wenn dem so ist, daß Ihr ein Hauptmann seid, Ihr möget Euch nur eben wenden und wieder nach Hause marschiren nach dem Takt der Trommeln von Dumbarton; denn Ihr werdet weder Mr. Tyrrel, noch irgend einen meiner Miethsleute zu sprechen bekommen."

„Und weßhalb nicht?" fragte der Veteran. „Kömmt dieß aus Euerm eigenen thörichten Kopfe, ehrliche Frau, oder hat Euer Miether solchen Befehl zurückgelassen?"

„Kann sein, er hat es gethan, kann sein, er that es nicht," erwiederte Meg keck; „auch glaube ich, Ihr habt nicht mehr Recht, *mich ehrliche Frau* zu nennen, als wenn ich zu Euch ehrlicher kann sagen wollte, welches aber meinen Gedanken eben so fern liegt, als es fern von der göttlichen Wahrheit sein mag."

„Das Weib spricht im Wahnsinn!" sagte der Hauptmann. „Doch kommt, kommt — ein Edelmann wird sich in seinem Wege nicht aufhalten lassen, wenn er in Geschäften seines Standes ist; macht mir also da auf der Schwelle etwas Platz, daß ich vorbei kann, oder ich werde mir selbst Bahn brechen, bei Gott! und das möchte Euch wenig gefallen."

Damit setzte er sich in die Stellung eines Menschen, der sich Raum zu schaffen Willens ist. Doch Meg, ohne ihn einer weitern Antwort zu würdigen, schwang den Küchenbesen, den sie so eben in der Hand hielt, als des Hauptmanns Annäherung sie in ihrem häuslichen Wirken störte, rüstig und drohend um das Haupt, und rief:

„Ich kenne Euern Auftrag gut genug, Hauptmann! Ihr seid einer von Denen, die da umher gehen, den Leuten so lange Böses in die Ohren zu blasen, bis Ihr sie, wie Gelbschnäbel einen Volks-Auflauf machen, zum Fechten reizt. Aber Ihr sollt keinem meiner Miether, sei es Mr. Tyrrel oder wer es sonst wolle, mit solcher gottlosen Absicht nahen; denn ich bin eine Person, die den Gottesfrieden in ihrer Wohnung aufrecht gehalten wissen will."

Um ihre Meinung noch nachdrücklicher zu erklären, schwang sie wieder rüstig den Besen.

Instinktmäßig empfahl sich der Veteran dem Schutze des heiligen Georgs, und trat einige Schritte zurück, ausrufend: „das Weib ist entweder rasend, oder so betrunken, als der Whisky nur machen kann!" Eine Behauptung, an welcher Meg so wenig Gefallen fand, daß sie muthig auf ihren sich zurückziehenden Gegner anstürmte, und ihrer Waffe sich kräftig zu bedienen begann.

„Ich betrunken? Ihr elender Straßenräuber!" (Ein Schlag des Besens trat als Zwischensatz ein) „ich, die ich nichts herunter schlucke, als *Bosheit* und *Thee!*" (Ein neuer Hieb.)

Fluchend, tobend und ausweichend fing der Hauptmann die
herabströmenden Schläge auf, viel Gewandtheit in dieser Stock-
schlägerei zeigend. Die Dorfbewohner begannen sich zu versammeln, und es ist sehr schwer zu bestimmen, wie lange sein Edel-
muth der Selbstvertheidigung und Rache noch Schranken zu setzen
vermocht hätte, als die Ankunft Tyrrels, der von einem kurzen
Spaziergang zurückkehrte, dem Streite Einhalt that:

Meg, die große Achtung für ihren Gast hegte, schämte sich
ihrer Heftigkeit und schlüpfte in das Haus, doch nicht ohne noch
auszurufen: „sie hoffe, ihr Besen und des alten Heiden Kopf wären gut mit einander bekannt geworden." Die Ruhe, welche
ihr Abzug gewährte, gestattete Tyrrel, den Hauptmann zu fragen,
den er endlich erkannte, woher dieser sonderbare Strauß entstanden
sei, und ob ihm etwa sein Besuch gelten möchte. Der Veteran,
ziemlich außer Fassung, erwiederte: „er würde das schon lange erfahren haben, wenn anständige Leute da wären, die Thür zu öffnen
und eine höfliche Frage zu beantworten, statt eines zänkisch tollen
Weibes, die ärger als ein Adler, oder ein Kettenhund, eine Bärin
oder irgend eine andere Bestie auf Erden wäre."

Den Auftrag des Hauptmanns halb voraussehend, und alles
unnöthige Gespräch zu vermeiden wünschend, bat Tyrrel den Hauptmann, indem er ihn nach seinem Zimmer führte, die rohe Weise
seiner Wirthin zu entschuldigen, und von diesem Gegenstande
auf den überzugehen, der ihm die Ehre seines Besuches verschaffe.

„Sie haben ganz Recht, mein guter Mr. Tyrrel," sagte der
Hauptmann, der seine Binde und Halskrause ordnete, die Aermel
herunterzog, und alle Mühe aufbot, die anständige Fassung wieder
zu erringen, welche seinem Auftrage ziemte, doch immer empört der
Behandlung gedachte, die ihm widerfahren war. „Bei Gott! —
wäre sie ein Mann gewesen, und war es der König selbst — Indessen, Mr. Tyrrel, ich komme mit einem höflichen Ersuchen — ja
sehr höflich bin ich hier wahrhaftig behandelt worden — die alte

Bullenbeißerin sollte im Stockhause sitzen, in's Teufels Namen.
— Mein Freund, Sir Bingo Binks — Niemals werde ich des
Weibes Unverschämtheit vergessen — gäbe es einen Gerichtsdiener
oder Häscher in der Gegend —"

„Ich bemerke, Hauptmann," sagte Tyrrel, „daß Sie jetzt noch
zu sehr aufgeregt sind, des Geschäfts zu erwähnen, welches mir die
Ehre Ihres Besuchs verschaffte. — Wollten Sie in mein Schlaf=
zimmer treten und sich des kalten Wassers und des Handtuchs
dort bedienen, so wird Ihnen das Zeit geben, sich wieder zu
sammeln."

„Ich werde alles dieß nicht thun," entgegnete kurz der Haupt=
mann. „Ich brauche mich gar nicht zu sammeln, und begehre nicht
einen Augenblick länger in diesem Hause zu verweilen, als mein
Auftrag, der meinen Freund und Sie selbst betrifft, es erfordert.
Und dieß verdammte Weib, diese Dods —"

„Sie werden mir meine Unterbrechung verzeihen, Hauptmann
Mac Turk, da ich voraussetze, Ihr Auftrag hat keinen Zusammen=
hang mit diesem befremdenden Streit mit meiner Wirthin, mit
welcher ich nichts zu —"

„Und glaubte ich, er hätte einen Zusammenhang damit, Sir,"
rief der Hauptmann, jetzt seinerseits Tyrrel unterbrechend, „so
sollten Sie mir Genugthuung geben, ehe Sie eine Viertelstunde
älter wären.   O ich wollte fünf Pfund dem allerliebsten Bur=
schen geben, der sagen möchte, das Weib hätte recht gehandelt."

„Ich werde gewiß nicht derjenige sein, den sie sich da herbei=
wünschen, Hauptmann, da ich in der That nicht weiß, wer Recht
oder Unrecht hat. Aber ich bin wirklich sehr unmuthig, daß Ihnen
so Böses widerfuhr, da Sie mich besuchen wollten."

„Gut, Sir, wenn Sie darüber bekümmert sind, ich auch, und
damit ist es zu Ende.   Was meinen Auftrag betrifft — Sie
können nicht vergessen haben, daß Sie meinen Freund Sir Bingo
Binks mit ausgezeichneter Unhöflichkeit behandelten."

Dreizehntes Kapitel.

Getäuschte Erwartung.

Evans: Jetzt bitte ich Euch, Ihr, des guten Mr. Slenders Diener, und Euch, Freund Simple, auf welchem Wege spähtet Ihr nach Mr. Cajus? —
Slender: Ei, Sir, auf dem Wege zur Stadt, zum Park, überallhin; auf dem alten Wege nach Windsor, und jedem andern Wege.

Die lustigen Weiber zu Windsor.

Sir Bingo Binks empfing die Nachricht, welche der Hauptmann überbrachte, mit derselben mürrischen Verdrießlichkeit, mit welcher er die Ausforderung absandte. Ein sehr unzierliches Humph, das aus dem Innersten des Magens durch die Falten der Halsbinde sich drängte', sollte seine Zufriedenheit andeuten, fast auf eine eben so freundliche Weise, als der ermüdete Reisende dem schlarrenden Stallknecht zu antworten pflegt, der ihm zu melden kommt, daß es sogleich fünf Uhr ist und das Posthorn in einem Augenblicke ertönen wird. Der Hauptmann aber fand dieses Humph keineswegs als eine gebührende Anerkennung seiner Dienste und Mühwaltungen, und entgegnete:

„Humph! — Was soll das bedeuten, Sir Bingo? — Habe ich nicht Mühe genug gehabt, Sie endlich auf den rechten Weg zu bringen? Ja, würden Sie selbst wohl im Stande gewesen sein, überhaupt noch etwas Gutes aus der Geschichte zu machen, nachdem Sie so lange nichts dazu thaten, wenn ich mich nicht angestrengt hätte, den Herrn dazu zu stimmen, und ein so zierlich Gericht daraus zu Stande zu bringen, als ich einst einen Franzosen von einem abgestandenen Breitling bereiten sah?"

Sir Bingo fühlte die Nothwendigkeit, etwas von erkenntlicher Dankbarkeit zu murmeln, welches auch den Veteran sogleich zu-

frieden stellte, dem die Sache selbst als Lieblingsgeschäft am Her=
zen lag. Freundlich jetzt sich seiner Zusage an Tyrrel erinnernd,
eilte er, als ob ihm das größeste Werk der Barmherzigkeit auf
der Seele läge, dem Fremden den nothwendigen Zeugen zu ver=
schaffen.

Mr. Winterblossom war es, den der Hauptmann am passend=
sten zu diesem freundlichen Beistande erkohren hatte; er versäumte
deshalb keine Zeit, diesem würdigen Herrn seine Wünsche mitzu=
theilen. Aber Mr. Winterblossom, obwohl ein Mann von Welt
und vertraut mit ähnlichen Dingen, hing ihnen in keiner Art so
leidenschaftlich an, als der Mann des Friedens, Hauptmann Hektor
Mac Turk. Als ein eigentlicher Lebemann haßte er jede Art
von Unruhe, und die selbstsüchtige Schlauheit, die ihm eigen war,
ließ ihn leicht einsehen, daß aus dieser Geschichte gar manches Un=
angenehme entstehen konnte. Er erwiederte also kaltblütig, daß er
von Herrn Tyrrel eigentlich nichts wisse, — ja nicht einmal, ob
er ein Edelmann sei oder nicht; und bis er über diesen Punkt nicht
genügende Aufklärung erhalten habe, fühle er sich durchaus nicht
geneigt, als sein Sekundant aufzutreten. — Diese Weigerung
brachte den Hauptmann zur Verzweiflung. — Er beschwor seinen
Freund, mehr Gemeingeist zu zeigen, des Ruhms der Gesund=
brunnens, der ihnen Allen gleichsam ein gemeinsames Vaterland
war, der Ehre der Gesellschaft, zu welcher sie ja auch gehörten,
eingedenk zu sein, um so mehr, da er ja eigentlich als perpetuir=
licher Präsident derselben ihr Stellvertreter sei. Er erinnerte ihn,
wie viel Zänkereien am Abend ausgebrochen und des Morgens
beigelegt worden waren, ohne schickliche Folgen hervorzubringen,
sagte, „man finge an ungünstig von dem Orte zu reden, ja, daß
er selbst seine eigene Ehre so im Spiele fände, daß er sich fast ver=
bunden glaube, mit irgend Einem anzubinden, um den Ruf des
Brunnens wieder herzustellen; deßhalb jetzt, wo Alles sich so herr=
lich fügte, die schönste Gelegenheit sich darböte, Alles in das beste

Verhältniß zu stellen, sei es hart — grausam — gar nicht zu rechtfertigen — daß Mr. Winterblossom eine so einfache Forderung ablehnen wolle."

So trocken und schweigsam der Hauptmann sonst immer zu sein pflegte, zeigte er hier eine wahrhaft pathetische Beredtsamkeit; denn selbst Thränen traten in seine Augen, als er alle die beigelegten Streitigkeiten vorrechnete, bei welchen seine eifrigsten Bestrebungen es zu keiner ehrenvollen Ausforderung zu bringen vermochten, und jetzt, da eben eine Ehrensache vollkommen gereift an's Tageslicht treten sollte, war es wahrscheinlich, daß Winterblossoms Ungefälligkeit ihm dennoch wieder die längst ersehnte Freude zerstörte. — Kurz, Winterblossom sah sich endlich zum Nachgeben gezwungen. Er sagte, er glaube, es sei eigentlich ein recht thörichtes Unternehmen, aber um dem Sir Bingo Binks und dem Hauptmann Mac Turk gefällig zu sein, wolle er nichts dagegen einwenden, um Mittag mit ihnen nach dem Buckstein zu gehen, obwohl er allerdings ihnen zu bedenken gäbe, daß der Tag ziemlich warm sei, und er einige kleine Anzeichen spüre, daß sein alter Freund, das Podagra, ihn vielleicht mit einem Besuch bedrohe! —

„Daran denken Sie nicht, mein vortrefflicher Freund," entgegnete der Hauptmann. „Ein Schlückchen aus Sir Bingo's Jagdflasche bringt das leicht in Ordnung; und bei meiner Seele, die Flasche ist's nicht, die er bei einer solchen Gelegenheit zu Hause lassen wird, oder ich müßte mich sehr in dem Mann irren."

„Aber," sagte Mr. Winterblossom, „wenn ich auch Ihren Wünschen in so fern nachgebe, Hauptmann Mac Turk, so verpflichte ich mich in keiner Art diesen Mr. Tyrrel in meinen Schutz zu nehmen, da er mir ganz unbekannt ist; ich willige nur ein, Sie zu begleiten, um wo möglich Unglück zu verhüten."

„Darum brauchen Sie sich gar nicht weiter zu ängstigen, Mr. Winterblossom. So ein kleines Unglück, wie Sie es nennen, ist

kr den Ruhm dieses Ortes schlechterdings nothwendig geworden,
nd ich bin gewiß, was auch immer daraus entstehen möge, wirk-
ichen Nachtheil kann Niemand davon haben. Denn sollte den
ungen Menschen so etwas treffen nun den würde eben Keiner ver-
niffen, denn Niemand kennt ihn; und Sir Bingo — den kennt
in Jeder so gut, daß man ihn eben deßhalb um so leichter ver-
niffen wird."

„Und Lady Binks freilich wäre dann eine wohlhabende
Wittwe!" sagte Winterblossom, mit der zierlichen Gewandtheit
rüherer Tage seinen Hut auf den Kopf werfend; aber tief seufzend
ei einem Blick in den Spiegel, bemerkend, wie sehr die Zeit sein
Haar gebleicht, seinen Bauch gerundet, Furchen auf die Stirn ge-
ogen, und die jugendliche Haltung verändert hatte, fühlte er
chmerzlich, daß dieß alles ihn unpassend machte, um solchen Preis
u ringen.

Als er Winterblossoms gewiß war, ließ der Hauptmann es
ich angelegen sein, sich der Gegenwart Doctor Quacklebens zu
erschern, der, wenn er sich auch M. D. unterschrieb, es keineswegs
erschmähte, als Chirurgus aufzutreten, wenn sich ein Fall darbot,
er ihm gute Bezahlung verhieß, was hier wahrscheinlich ward, da
er wohlhabende Baronet besonders im Spiele war. Der Doctor,
em Adler gleich, der ein Gemetzel wittert, ergriff beim ersten Wort
as ungeheure anatomische Besteck von Moroquin, worin alle seine
ragbaren Instrumente sich befanden, und breitete vor dem Haupt-
nann mit prahlsüchtigem Eifer seinen furchtbaren glänzenden In-
alt aus, worüber er, als über den umfassendsten und anziehendsten
Text, sich in eine weitläufige Vorlesung einließ, bis der Kriegs-
nann es nothwendig erachtete, ihm einen Wink zur Vorsicht
u geben.

„Ich bitte Sie, Doctor," sagte er, „dieß Packet unter Ihrem
Kleide oder in Ihrer Tasche zu verbergen, kurz es der Aufmerk-
umkeit zu *entziehen*, besonders aber unter keiner Bedingung es vor

12*

den Duellanten zu eröffnen. Denn wenn auch Messer, Zangen, Bohrer, und ihres Gleichen gar sehr schlau ersonnene Instrumente sind, sowohl zierlich zu beschauen, als auch sehr nützlich, wo Zeit und Veranlassung sie erfordern, so habe ich es doch schon erlebt, daß ihr Anblick einem Menschen die Lust zum Fechten rauben kann, und so ihren Gebieter um einen schönen Lohn brachte."

Meiner Treu, Hauptmann, Sie sprechen als hätten Sie promovirt! — Ich weiß selbst, wie die verrätherischen Gegenstände ihrem Besitzer mehr als einen widerwärtigen Streich spielten. Der bloße Anblick dieser Zangen hier heilte auf einmal einen wüthenden dreitägigen Zahnschmerz, und verhinderte das Ausreißen einer vom Knochenfraß angefallenen Zahnwurzel, zu deren Aushebung sie doch eigentlich bestimmt sind, und ich mußte ohne die Guinee, welche ich schon mein nannte, nach Hause kehren. Aber reichen Sie mir jenen großen Ueberrock, Hauptmann, da wollen wir die Instrumente in Hinterhalt legen, bis es Zeit ist sie in Thätigkeit zu setzen. Ich denke, etwas muß sich ereignen. — Sir Bingo ist ein sichrer Schütze, der den Vogel im Fluge faßt."

„Ich kann dafür dennoch nicht gut sagen," entgegnete Mac Turk. „Ich habe die Pistole in mancher Hand beben sehen, welche die Vogelflinte fest genug hielt. Der Tyrrel da steht mir verteufelt kaltblütig aus; — ich beobachtete ihn die ganze Zeit über, als ich ihm meinen Auftrag bestellte, und ich gebe Ihnen mein Wort, Muth und Kraft sitzt in ihm!"

„Gut, ich will meine Bandagen bereit halten, secundum artem. Wir müssen uns vor Verblutungen hüten — Sir Bingo ist sehr vollblütig. — Also um ein Uhr, sagten Sie? — Ich werde pünktlich sein."

„Wollen Sie uns nicht begleiten?" fragte der Hauptmann, der Lust zu haben schien sein ganzes Gefolge um sich versammelt zu behalten, damit nicht Einer etwa zufällig ihm entwische.

„Nein," entgegnete der Arzt, „ich muß mich erst bei der würdigen Mistreß Blower entschuldigen, denn ich hatte versprochen, sie zu dem Strom herabzuführen, wo sie Alle einen Kessel Fische speisen wollen."

„Bei Gott, ich hoffe, wir wollen indessen einen schönern Kessel von Fischen zusammen sieden, als man noch jemals zu St. Ronans sah;" rief jubelnd, die Hände reibend, der Hauptmann.

„Sagen Sie nicht wir, Hauptmann!" entgegnete der vorsichtige Doctor: „Ich mindestens habe nichts zu dem Duell beigetragen und wasche meine Hände in Unschuld. — Nein, nein! ich kann mich nicht darauf einlassen, vielleicht als Theilnehmer eingezogen zu werden. — Sie fordern mich auf, Sie beim Bucksteine zu treffen — keine Ursache dazu wird mir mitgetheilt — ich bin bereit meinem würdigen Freunde, dem Hauptmann Mac Turk, gefällig zu sein — ich mache den Weg ohne an etwas Besonderes zu denken — höre Pistolenschüsse — eile hinzu   glücklicherweise noch zur rechten Zeit den bösesten Folgen zuvorzukommen — zufällig habe ich auch gerade mein chirurgisches Besteck bei mir in der That selten gehe ich ohne dasselbe aus — nunquam non paratus — und so statte ich denn mein ärztliches Gutachten über die Wunde und den Zustand des Patienten ab. Auf die Art, Hauptmann, muß man vor den Landrichtern, Mordbeschauern und ähnlichen Menschen sein Zeugniß ablegen. Man muß sich nie der Verantwortung blosstellen — das ist eine Regel unsrer Kunst."

„Gut, gut, Doctor, Sie wissen am besten den Weg zu finden, der Ihnen geziemt, und wenn Sie nur zur Stelle sind, um, wenn sich etwas ereignet, hülfreiche Hand zu leisten, so wird allen Gesetzen der Ehre vollkommene Genüge geleistet. Aber es würde mir schlechten Nachruhm gewähren, wenn ich als Mann von Ehre nicht Sorge trüge, daß Jemand gegenwärtig wäre, der vermittelnd zwischen den Tod und meinen Freund eintreten könnte."

Als die furchtbare Stunde Eins schlug, erschien an dem bestimmten Ort Hauptmann Mac Turk, den tapfern Sir Bingo zum

Schlachtfeld führend, nicht durchaus wie man den Jagdhund am
Strick heranzieht, aber ungefähr wie einen Bullenbeißer, der sich
zum Anpacken mürrisch entschließt, weil sein Herr es ihm befiehlt.
Doch zeigte der Baronet äußerlich kein Zagen oder gesunkenen
Muth, ausgenommen, daß die Melodie der Ballade von Jenny
Sutton, die er unaufhörlich seit ihrer Entfernung vom Hotel pfiff,
auf der letzten halben Meile ihres Weges leiser ward und endlich
ganz verklang, obwohl, wenn man den noch gespitzten Mund, die
zuckenden Muskeln um denselben, und die gedankenleeren Augen
betrachtete, es schien, daß die Töne noch immer in seinem Sinne
wiederhallten, und daß er Jenny Suttons Ballade noch in Gedanken pfiff. Zwei Augenblicke nach dem glücklichen Paare langte
Mr. Winterblossom an, und der Doctor war eben so pünktlich.

„Bei meiner Seele," sagte Ersterer, „dieß ist eine recht einfältige Geschichte, Sir Bingo, und könnte, wie ich dächte, sehr leicht
viel gefahrloser für Alle beseitigt werden, als durch eine solche Zusammenkunft. Sie sollten sich erinnern, Sir Bingo, daß Sie noch
andere Pflichten haben. — Sie sind ein verheiratheter Mann!"

Sir Bingo zog den Speichel in seinem Munde zusammen,
und spie ihn ächt kutschermäßig aus.

„Mr. Winterblossom," sagte der Hauptmann, „Sir Bingo
hat sich bei dieser Angelegenheit meiner Leitung überlassen, und
wenn Sie sich etwa nicht selbst fähiger glauben als ich es bin,
seine Handlungsweise hierbei zu bestimmen, so muß ich offen gestehen, daß mir Ihre Einmischung nicht ansteht. Sie können zu
Ihrem Freunde sagen, was Ihnen gefällt; und erhalten Sie den
Auftrag, irgend einen Vergleich vorzuschlagen, will ich sehr gern
in meines würdigen Freundes Sir Bingo's Namen Ihnen mein
Ohr gönnen. Aber ich will Ihnen offen gestehen, daß ich solche
Beilegungen auf dem Felde der Ehre selbst nicht sehr billige, obwohl ich, wie ich hoffe, ein ruhiger, friedliebender Mann bin; aber
hier gilt es zuerst, die Ehre im Auge zu behalten; deßhalb muß

ich darauf bestehen, daß jeder Vorschlag eines Vergleichs von Ihnen oder Ihrer Partei ausgehen muß."

"Meiner Partei?" entgegnete Winterblossom. "In der That, wenn ich auf Ihre Bitte hier erschien, Hauptmann, mir muß dieß alles erst klarer sein, ehe ich mich zum Sekundanten eines Mannes hergebe, den ich nur einmal sah."

"Und vielleicht nie wieder sehen werden," sagte der Doctor nach seiner Uhr sehend, "denn es ist zehn Minuten über die bestimmte Zeit, und kein Herr Tyrrel zeigt sich."

"Er spricht verdammten Unsinn!" rief der Hauptmann, seine ungeheure, altmodische, in länglicher Form gearbeitete Uhr mit schwarzangelaufenem silbernen Zifferblatte hervorziehend. "Es ist nicht mehr als drei Minuten über die rechte Zeit, und ich will gut dafür sagen, daß Herr Tyrrel ein Mann von Wort ist — denn nie sah ich einen Mann kaltblütiger in eine solche Sache eingehen."

"Wahrscheinlich war er damals eben so gelassen als die Art, wie er sich hieher verfügt, beweiset," sagte der Doctor; "denn es ist so spät an der Zeit, als wie ich es Ihnen sagte. — Vergessen Sie nicht, ich bin Arzt, — muß den Puls zählen nach den Sekunden — meine Uhr muß so richtig gehen wie die Sonne."

"Und tausend Mal bin ich nach der meinigen auf die Wache gezogen, und biete dem Teufel Troß mir zu beweisen, daß Hektor Mac Turk seiner Pflicht nicht immer pünktlich auf das zwanzigste Theilchen einer Sekunde nachkam. — Die Uhr gehörte meiner Großmutter Lady Killbracklins, und ich will ihren Ruf gegen alle andere Uhren in der Welt aufrecht halten."

"Gut, so sehen Sie nach Ihrer Uhr, Hauptmann," sagte Winterblossom, "denn die Zeit bleibt bei keinem Menschen stehen, und während wir reden, rückt die Stunde vor. Auf mein Wort, ich glaube, dieser Mr. Tyrrel denkt uns zu foppen."

„He, was sagen Sie da?" fragte Sir Bingo einmal wieder aus seinem mürrischen Sinnen auffahrend.

„Ich werde um solcher Ursache nicht nach meiner Uhr sehen!" entgegnete der Hauptmann; „auch bin ich in keiner Art geneigt, die Ehre Ihres Freundes zu bezweifeln, Mr. Winterblossom!"

„Mein Freund?" entgegnete der Angeredete. „Ich muß Ihnen noch einmal wiederholen, daß dieser Herr Tyrrel kein Freund von mir ist, — ganz und gar nicht. Er ist Ihr Freund, Hauptmann, und ich bekenne, daß wenn er uns bei dieser Gelegenheit noch länger warten läßt, so bin ich gelaunt, seiner Freundschaft wenig Werth beizulegen."

Und wie wagen Sie es denn, diesen Mann meinen Freund zu nennen?" fragte der Hauptmann wild, die Augenbrauen zusammenziehend.

„Pah, pah, Hauptmann," sagte Winterblossom kalt, wenn nicht gar verächtlich, „spart das Alles für Schulknaben auf. Ich habe zu lange in der Welt gelebt, sowohl um Händel aufzusuchen, als sie zu fürchten. — Schonen Sie also Ihr Feuer. Bei einem so alten erfahrenen Manne, wie ich, ist es verschleuderte Mühe. Aber ich wünschte wirklich zu wissen, wann der Bursch zu kommen gedenkt — zwanzig Minuten über die Zeit. — Ich meine, es ist doch ärgerlich, Sir Bingo, daß Ihre Erwartung so getäuscht wird.

„Getäuscht? He!" rief Sir Bingo. „Beim Teufel, ich glaubte es immer. — Ich wettete mit Mowbray, der Kerl wäre nur ein Lump — ich hatte es getroffen, beim Teufel! Ich warte nicht länger als die halbe Stunde, beim Teufel, und wäre er ein Feldmarschall."

„Sie werden in diesem Punkte dem Rath ihres Freundes folgen, wenn es Ihnen gefällig ist," sagte der Hauptmann.

„Hol mich dieser und jener, wenn es mir gefällig ist!" entgegnete der Baronet. — „Freund? — ein schöner Freund, mich hieher zu bringen um zum Narren gemacht zu werden. Ich wußte, daß der Kerl ein Lump sei, aber niemals hätte ich Sie, mit all Ihrem Geträtsch von Ehre, für so verdammt unbesonnen gehalten, eine Bestellung von einem Kerl anzunehmen, der den Kampfplatz mit dem Rücken ansieht."

„Wenn Sie es so sehr bereuen, zwecklos hier gewesen zu sein," sagte der Hauptmann mit sehr stolzem Tone, „und wenn Sie glauben, ich habe Sie unbesonnen hieher bemüht, wie Sie sich ausdrücken, so mache ich durchaus keine Einwendung, sogleich Herrn Tyrrels Platz einzunehmen, und Ihnen, mein Jungchen, zu Dienste zu stehen!"

„Beim Teufel, wenn Sie Lust haben, schießen Sie zu, mir recht!" — rief Sir Bingo. „Wir werfen ein Goldstück in die Luft wer den ersten Schuß hat, denn ich bin nicht der Meinung um nichts und wieder nichts hier zu sein. — Hol mich —"

„Und niemals gab es einen lebendigen Menschen, der bereitwilliger ist, als ich, Ihnen vollkommene Genüge zu leisten," entgegnete der reizbare Holländer.

„O Pfui, meine Herren! Pfui, nicht doch!" rief der friedlichgesinnte Mr. Winterblossom. „Schämen Sie sich, Hauptmann! — Hinweg da, Sir Bingo, sind Sie rasend? — Wie, der Sekundant tritt gegen seinen Freund in die Schranken? — Niemals hat man so etwas erlebt!" —

Diese Ausrufungen brachten zwar die beiden Gegner zu kaltblütigern Ueberlegungen, doch fuhren Sie fort auf eine kurze Strecke, fast wie auf einem Hinterdeck, bei einander vorbei in gleicher Richtung auf und nieder zu schreiten, sich mürrisch beim Vorbeistreifen anblickend, wie zwei Hunde, welche Lust zum Streit haben, doch sich scheuen die Feindseligkeiten zu beginnen. Bei diesem Spaziergang bildete die gerade hochaufgerichtete Haltung des Betrauen, der sich bei jedem Schritt auf die Zehenspitzen erhob, einen wunderlich seltsamen Abstich gegen den schwerfälligen, plum-

pen, wackelnden Gang des maſſiven Baronets, der vielleicht kraft
der Uebung den ſchlarrenden, wiegenden Schritt eines Dorkſhire-
ſchen Fuhrknechts, dieſe beneidenswertheſte aller Haltungen, ſich
angeeignet hatte. Sein ſchwerfälliger Verſtand war jetzt einigermaßen regſam geworden, und gleich dem Eiſen oder anderem Me-
talle, welches durch die Hitze biegſam wird, bewahrte er noch den
gährenden mürriſchen Rachegeiſt, der ihn eigentlich hieher geführt
hatte und ihn jetzt aufreizte, ſeinen Mißmuth an dem erſten beſten
Gegenſtand auszulaſſen, da er in ſeiner eigentlichen Abſicht ſich ge-
täuſcht ſah. Wie er ſelbſt ſagte, er hatte den Kamm erhoben, und
da er einmal im Kampfesmuth ſich fühlte, ſo fand er es, wie einſt
Bob Acres, einen wahrhaften Jammer, daß ſo viel tapferer Muth
unnütz verglühen ſollte. Da aber dieſer Muth hauptſächlich nur
aus böſer Laune entſtand, und er in dem Benehmen des Hauptmanns nicht die kleinſte Neigung zur Rückſicht gegen ihn, oder zu
irgend einer Entſchuldigung fand, ſo begann er aufmerkſamer die
Vorſtellungen Mr. Winterbloſſoms zu beachten, der ſie bat, nicht
durch eine Zwiſtigkeit unter ſich die Ehre zu entweihen, welche ſie
an dieſem Tage ſo glücklich ohne Gefahr und Blutvergießen errungen hätten. Er ſetzte hinzu:

Es ſei nun dreiviertel Stunden über die Zeit verſtrichen,
welche dem Menſchen, der ſich ſelbſt Tyrrel nenne, zu einer Zuſammenkunft mit Sir Bingo Binks beſtimmt geweſen wäre. Jetzt
nun, ſtatt hier noch weiter unnütz zu ſtreiten, welches zu nichts
führen könne, ſchlüge er vor, man ſolle die Umſtände dieſer Verhandlung, zum Nutzen der Brunnengeſellſchaft, zu Papier bringen,
und dieſen Aufſatz durch ihre Namens-Unterſchrift beglaubigen,
worauf er denn ergebenſt vorſchlagen wolle, ihn der prüfenden Beurtheilung des Ausſchuſſes gefälligſt zu übergeben.“

„Ich erkläre mich gegen jede prüfende Beurtheilung eines
Aufſatzes, unter welchem mein Name ſteht!“ ſagte der Hauptmann.

Recht, sehr recht, Hauptmann!" entgegnete der nachgebende
Winterblossom. „Sie werden das ohne Zweifel am besten
jen, und ihre Unterschrift ist vollkommen hinreichend, diese
ndlung rechtskräftig zu machen. — Indessen da es die wich-
ist, welche sich ereignete seit Einrichtung des Gesundbrunnens,
lage ich vor, daß wir Alle den procès verbal, wie ich es
n möchte, unterzeichnen."
Lassen Sie nur mich davon weg, wenn Sie so gut sein wol-
sagte der Doctor, der eben nicht sehr zufrieden war, daß er
l den eigentlichen Zweikampf selbst, als den Nebenstreit vor-
egangen sah, ohne daß man seiner chirurgischen Dienste nöthig
„Lassen Sie mich weg, ich bitte darum; denn es geziemt
icht bei feindseligen Dingen, die irgend einen Friedensbruch
ken, die Hand im Spiele zu haben. Und die große Wichtig-
nbetreffend, daß ich hier an einem schönen Nachmittage eine
be zubrachte, so war es nach meiner Meinung ein wichtigerer
t für den St. Ronans-Brunnen, als ich, Quentin Quack-
Lady Penelope Penfeather von ihrem siebenten Nervenanfall,
eberische Symptome begleiteten, vollkommen heilte."
Ohne Ihre Kunst herabsetzen zu wollen, Doctor," entgegnete
Winterblossom, „bin ich doch der Meinung, daß die Lehre,
dem Burschen geworden ist, künftighin unpassende Personen
ten wird, sich am Gesundbrunnen einzudrängen, und ich werde
f antragen, daß hinfort Niemand eingeladen wird, dort zu
, bevor sein Name als wirkliches Mitglied der Gesellschaft
Badeliste steht. — Ich hoffe, Sir Bingo und der Haupt-
werden allgemeinen Dank für ihr geistvolles männliches Be-
einernten, welches den Ueberlästigen verscheuchte. — Sir
wollen Sie mir gestatten, Ihrer Jagdflasche zuzusprechen?
thle ein kleines Zwicken, das mir die Feuchtigkeit des Grases
"

ereitwillig reichte der besänftigte Sir Bingo seine Herzstär-

lichen besuchten Brunnenort rechnet, deſſen Ruhm ohne Zweifel durch dieſe Annalen ſeiner frühern Geſchichte mächtig geſteigert werden wird. Da es jetzt unnöthig iſt, den Schauplatz unſerer Erzählung noch weitläufiger zu beſchreiben, wollen wir den zuvor leer gelaſſenen Raum für den Namen jenes Fleckens mit dem erdichteten Worte Marchtown ausfüllen, weil uns aus Erfahrung bekannt iſt, wie viele Verlegenheiten ſolche häßliche Lücken zuweilen veranlaſſen, die man doch oft bei dem erſten Anblick nicht mit der gebührenden Rückſicht auf die ganze Erzählung paſſend ausfüllen kann.

Marchtown war alſo eine altmodiſche ſchottiſche Stadt, deren Straßen an Markttagen eine große Anzahl kräftiger Pächter und Freiſaſſen in ihren ungeheuer weiten Röcken zeigten, welche zum Beſten ihrer Ländereien Kauf oder Verkauf trieben; dagegen erblickte man an den andern Tagen nur einige wenige einzelne Bürger, die, halb ſchlummernden Fliegen gleich, matt umher krochen und den Stadtthurm beobachteten, wenn der Schlag der zwölften Stunde von dieſem Zeitverkündiger den erſehnten Augenblick ihres Meridians *) herab tönen würde. Die engen Ladenfenſter deuteten ſehr unzureichend nur den gemiſchten Inhalt der Buden ſelbſt an, wo jeder Kaufmann, wie die Krämer zu Marchtown alle ächt ſchottiſch genannt wurden, Alles und Jedes, was man auf der Welt ſich nur denken konnte, zum Kauf feil bot. Von Manufakturen war nichts vorhanden, als die des ſorgſamen Stadtraths, der es ſich ſehr angelegen ſein ließ, den Einſchlag und das Garn vorzubereiten, welches alle ſechs oder ſieben Jahre die Stadt Marchtown beitrug, um daraus den vierten Theil eines Parlamentgliedes zu weben.

In ſolchen Städtchen iſt es gewöhnlich, daß der Juſtitiarius

---

*) Schnaps vor dem Mittageſſen

Anmerk. d. Ueberſ.

des Landgerichts, besonders wenn man ihn als Anwalt mehrerer
vornehmen Lairds aufstellt, eines der besten Häuser bewohnt, und
so war es auch Herrn Bindlooses Fall. Nichts zeigte hier freilich
die Zierlichkeit der steinernen, mit Hammerschlag glänzend bewor-
fenen Häuser der englischen Advokaten, sondern nur ein großes
finsteres Gebäude in der Mitte der Stadt mit engen kleinen Fenstern und vorspringendem Giebel, dessen unteres Stockwerk mit
eisernen Gittern verwahrt war, bot sich dem Auge dar, denn Mr.
Bindloose, wie das oft der Fall ist, stand einem Zweige einer der
Nationalbanken vor, die kürzlich auch in Marchtown ihren Sitz
aufgeschlagen hatten.

Der Thür dieses Hauses nahete sich langsam auf den leeren
Straßen dieses berühmten Fleckens ein Fuhrwerk, das, wenn es
sich in Piccadilly hätte erblicken lassen, auf eine ganze Woche lang
zu unauslöschlichem Gelächter und auf ein Jahr zur Unterhaltung
Stoff geboten hätte. Es war ein zweirädriger Wagen, welcher
keine der neuen Benennungen von Cabriolets, Tylbury's u. s. w.
sich aneignen wollte, sondern nur den alten fast vergeßnen Namen
eines Whisky in Anspruch nahm. Grün war seine ursprüngliche
Farbe gewesen, und ruhig und fest ruhte er auf den kleinen altmodischen Rädern, deren Größe bei weitem nicht dem Umfange des
Kastens, den sie trugen, angemessen schien. Zugezogen war das
Verdeck, vielleicht der Morgennebel wegen, vielleicht auch aus
großer Zartheit der Schönen, die, von ledernen Vorhängen verhüllt, sich in diesem ehrwürdigen Exemplar der vor der Sündfluth
üblichen Wagenbaukunst befand.

Da die bescheidene Inhaberin des Wagens keineswegs auf
die Kunst eines Rosselenkers Anspruch machte, so war die Leitung
des Thieres, das eben so betagt als der Wagen, den es zog, zu
sein schien, einem alten Burschen in einer Postillonsjacke übertragen, dessen graue Haare von beiden Seiten unter einer altmodischen
Sammtmütze hervorkamen, während seine linke Schulter so be-

trächtlich über seinen Kopf emporstieg, daß es schien, als könne er
ohne große Anstrengung den Kopf unter seinen Arm stecken, wie
ein gebratenes Haselhuhn. Dieser zierliche Reitknecht ritt ein eben
so altes Pferd, als das, welches in der Gabeldeichsel ging, und
von ihm vermittelst eines Zügels geführt ward; das eine Thier
bloß mit seinem Sporne, das andere mit der Reitgerte antreibend,
machte er einen ganz anständigen Lärmen auf dem Straßenpflaster,
den nur das Anhalten vor Mr. Bindloose's Thüre beendete; ein
Ereigniß, das wichtig genug war, die eifrige Neugierde der Bewohner nicht nur dieses Hauses, sondern der ganzen Nachbarschaft
aufzuregen. Die Spinnräder wurden bei Seite gestellt, die Näh-
nadel blieb in dem halbvollendeten Saume stecken, und manche
Nase, mit und ohne Brille, fuhr aus den umliegenden Fenstern
heraus, denen das Glück so wohl wollte, daß sie die Hausthür
Mr. Bindloose's beobachten konnten. Durch die vergitterten Eisen-
stäbe sah man kichernde Schreiber ihre lachenden Gesichter zwingen,
sich über das Aussteigen einer alten Dame lustig zu machen, deren
Benehmen und Anzug vielleicht modisch gewesen sein konnten zu
der Zeit, wo ihr Wagen neu war. Ein Kleid von Purpuratlas
mit Grauwerk verbrämt, eine schwarzseidene Mütze mit Krep aufgeputzt, sind Kleidungsstücke, die jetzt schwerlich die Ehrerbietung
erregen würden, welche man ihnen in ihrer ersten Frische unbezweifelt zollte. — Aber in den Zügen derjenigen, die sie trug, war
etwas enthalten, welches Mr. Bindloose's größeste Aufmerksamkeit
erregt haben würde, auch wenn er sie bei weitem schlechter umgeben
erblickt hätte; denn er erkannte das Angesicht einer alten bewähr-
ten Clientin, welche die gerichtlichen Kosten stets bis auf den letzten Heller baar entrichtete, und bei der Bank eine ansehnliche
Summe zu ihrer Disposition liegen hatte. — Kurz, es war in der
That Niemand anders, als unsere achtungswerthe Freundin
Mistreß Dods aus dem Gasthofe zur Teufelsfalle im alten Ort
St. Ronans.

Ihre Ankunft aber verkündete Ereignisse von höchster Wichtigkeit. Mehr als irgend Jemand war Meg abgeneigt, ihr Haus zu verlassen, wo, nach ihrer Meinung wenigstens, ohne ihre unmittelbare Oberaufsicht nichts gerathen konnte. So begränzt nun auch ihre Sphäre war, doch verharrte sie fest in deren Mittelpunkte, und wie klein sich auch die Zahl ihrer Trabanten gestaltet hatte, sie waren gezwungen, sich in ihrem Kreise zu bewegen, da sie selbst unbeweglich blieb. Deßhalb würde Saturn schwerlich mehr durch einen Besuch der Sonne überrascht werden, als Mr. Bindloose über die unerwartete Erscheinung seiner alten Clientin erstaunte. In einem Athem schalt er über die ungeziemende neugierige Unverschämtheit seiner Schreiber, und rief zugleich seine Haushälterin, die alte Hannah, herbei — denn Mr. Bindloose war ein Hagestolz — sogleich Thee in dem grünen Zimmer bereit zu stellen, war aber auch schon während dieser Reden an der Seite des Whisky's, die ledernen Vorhänge zurückzuziehen, den Schlag zu öffnen, und seiner alten Freundin beim Aussteigen behülflich zu sein.

„Das japanische Theegeschirr, Hannah — vom besten Thee — sage Tib soll ein Feuer anzünden — der Morgen ist so neblich. — Wollen die verwünschten faulen Lungerer da wohl die kichernden Gesichter hereinziehen und über ihre eignen leeren Taschen lachen? — es wird lange werden, wahrhaftig, bis euer Wohlverhalten sie füllt!" Diese Worte erschallten theils, wie der ehrliche Rechtsgelehrte es selbst nennen würde, in transitu (im Vorübergehn), theils zur Seite des Wagens. „Poß Sternchen! sind Sie es wirklich, Mistreß Dods? wirklich, Mistreß Dods? wirklich Ihr leibeigenes, wahrhaftes Selbst in propria persona? — Wer hätte Sie zu dieser Stunde erwartet? Anthony, wie geht es Euch, Anthony? — Nun, habt Ihr Euch einmal wieder auf den Weg gemacht? — Helft mir hier ein wenig zurecht mit dem Schlage — so Anthony, so wird es gehen. — Stützen Sie sich

13*

auf mich, Mistreß Dods — helft Eurer Gebieterin, Anthony — führt die Pferde in meinen Stall — die Wirthschafterin wird Euch den Schlüssel geben. — Kommen Sie hinweg, meine gute Mistreß Dods, ich bin sehr erfreut, daß Sie Ihre Füßchen einmal wieder auf dem Straßenpflaster unsrer guten alten Stadt versuchen — kommen Sie herein; wir wollen sehen, was wir Ihnen zum Frühstück anbieten können, denn Sie sind heute gar früh aufgebrochen."

„Ich mache Ihnen unangenehme Störung, Mr. Blindloose," erwiederte die alte Lady, seinen Arm ergreifend und ihn nach dem Hause begleitend. „Gewiß, ich störe Sie sehr, aber ich hatte keine Ruhe, bis ich mir Ihren Rath in einer Angelegenheit erbeten hatte."

„Ich werde mich sehr glücklich schätzen, einer so guten alten Bekannten dienen zu können. Doch setzen Sie sich — setzen Sie sich, Mistreß Dods. — Einige Erquickung thut keinem Geschäft Eintrag. — Sie sind ein bischen übermüdet von der Reise. — Der Geist erliegt, wenn der Körper zu sehr angestrengt wird. Mistreß Dods, Sie sollten bedenken, daß Ihr Leben gar sehr kostbar ist, und für Ihre Gesundheit hübsch Sorge tragen, Mistreß Dods."

„Mein Leben kostbar?" rief Meg aus. „Nein, nein, nichts von Ihren listigen Redensarten! Den Teufel auch, wird Einer die alte zänkische Gastwirthin vermissen, Mr. Bindloose, es sei denn etwa hin und wieder ein armer Schelm, oder der alte Hofhund, der dann nicht mehr so gut gefüttert würde."

„Pfui doch, Mistreß Dods," entgegnete der Justitiarius mit freundschaftlichem Vorwurfe. „Es kränkt einen alten Freund, wenn Sie so geringschätzend von sich selbst reden; und was das Sterben anbetrifft, Gott sei Dank! ich sah Sie seit zehn Jahren nicht so wohl wie heute. Aber vielleicht haben Sie doch die Absicht, ihre zeitlichen Angelegenheiten ganz in Ordnung zu bringen, was immer einer sorgsamen christlichen Frau sehr wohl geziemt. — Es ist in der That, wenn uns die Gnade wird, es recht zu betrachten, ein wahrhaft furchtbares Ding, ohne Testament zu sterben!"

„Ja wohl, nun ich denke es nächstens mir zu überlegen, Mr. Bindloose; doch das ist's nicht, was mir heute auf dem Herzen liegt."

„Sei es, was es sei, Mistreß Dods, Sie sind hier herzlich willkommen, und wir haben den ganzen Tag zur ernstlichen Ueberlegung vor uns — festina lente, das ist die wahre Sprache des Gesetzes — mit leerem Magen lassen sich Geschäfte schlecht abmachen — da ist auch Ihr Thee, den Hannah, hoffe ich, nach Ihrem Geschmacke zubereitet hat."

Meg schlürfte ihren Thee — erkannte Hannahs tiefe Erfahrenheit in den Mysterien der Bereitung chinesischer Blätter — schlürfte wieder, versuchte auch, aber ohne bedeutenden Erfolg, einen Bissen Butterbrod zu genießen, und schien endlich, trotz des Rechtsgelehrten Versicherungen ihres gesunden Aeußern, im Begriff, ernstlich unwohl zu werden.

Der Rechtsgelehrte, durch sein Amt und seine Beschäftigungen zu scharfer Beobachtung gewöhnt, ließ diese deutlichen Zeichen tiefer Bewegung keineswegs unbeachtet vorübergehen. Er rief: „In des Teufels Namen, wovon ist denn die Rede. Ei, liebe Frau, diese Angelegenheit nehmen Sie sich wärmer zu Herzen, als ich es je von Ihnen erlebte. Hat einer Ihrer Schuldner Bankerott gemacht, oder steht er auf der Kippe? — Was ist's denn? Erheitern Sie sich. Einen kleinen Verlust können Sie ja ertragen, und so sehr bedeutend kann es nicht sein, sonst hätte ich schon davon gehört."

„Und doch, Mr. Bindloose, ist es ein Verlust! Was halten Sie von dem Verluste eines Freundes?"

Diese Aeußerung hatte der Rechtsgelehrte noch nie (einer

langen Liste der Unglücksfälle beigefügt, und er konnte es sich gar nicht erklären, was die alte Dame mit einer so gefühlvollen Herzensergießung sagen wollte. Aber indem er einige jener Phrasen zu bringen begann, welche er gewöhnlich bei Eröffnungen der Testamente voraus zu schicken pflegte: Ja, ja, wir sind Alle sterblich! vita incerta, mors certissima!" da gefiel es der Mistreß Dods, selbst ihren Orakelspruch zu erklären.

„Ich sehe schon, Mr. Bindloose, ich muß Ihnen selbst sagen, was mich quält, denn Sie können es höchst wahrscheinlich nicht errathen; wenn Sie also die Thür schließen und darauf sehen wollen, daß keiner Ihrer kichernden Gelbschnäbel uns belauschen kann, so will ich Ihnen entdecken, wie es mit mir steht."

Mr. Bindloose erhob sich schnell, ihre Befehle zu erfüllen, warf einen vorsichtigen Blick in das Comptoir der Bank, erblickte seine Müssiggänger alle mit ihrer Arbeit ernstlich beschäftigt, schloß, als geschähe es aus Zerstreuung, das Comptoir ab, kehrte dann nicht wenig neugierig, wovon die Rede sein könnte, zu seiner alten Freundin zurück, und es aufgebend, hier mögliche Fälle zu errathen, zog er seinen Stuhl zu dem ihrigen, und harrte gelassen, bis es ihr gefallen würde, ihm Aufschluß zu ertheilen.

„Mr. Bindloose," begann sie, „ich weiß nicht, ob Sie sich erinnern, daß vor sechs oder sieben Jahren zwei kecke junge englische Bursche, die bei mir wohnten, von dem alten St. Ronans einige Unannehmlichkeiten hatten, weil sie auf der Moorhaide Vogelwildpret geschossen hatten."

„Ich weiß es so gut, als ob es gestern geschehen wäre, Mistreß, weiß auch, daß Sie mir meine Mühe, die kaum der Rede werth war, sehr ansehnlich belohnten, und mich ersuchten, kein Erkenntniß gegen die armen Jungen fällen zu lassen. — Sie hatten immer ein freundliches Herz, Mistreß Dods."

„Kann sein, kann auch nicht sein, Mr. Bindloose, — wie wir nun eben die Leute gerade anstehn. — Aber was diese jungen daute anbetrifft, sie verließen Beide das Land, und, wie ich glaube, in Folge eines bösen Handels mit einem Andern. — Nun vor etwa vierzehn Tagen kam der älteste und sanfteste von ihnen zurück, und war seitdem mein Gast."

„Nun gut, ich hoffe, liebe Frau, er hat die alten Streiche nicht wieder vorgesucht. Ich habe bei dem neuen Landrichter und der Bank der Gerichtsmänner nicht mehr so viel Einfluß, als ich zu haben pflegte, Mistreß Dods, — und der neue Prokurator-Fiskal ist sehr streng gegen Wilddiebe, denn er ist ein Kind der neuen Verwaltung — gar wenige von unsern alten Freunden aus dem Kilnakelty-Clubb sind jetzt in den Sessionen zu finden, Mistreß Dods."

„Um so schlimmer für das Land, Mr. Bindloose! — Sie waren anständige, geachtete Leute, die einem armen Hirtenbengel nicht eben sehr zu Leibe gingen, wenn er einmal eine Schnepfe oder einen Hasen schoß, wenn er nur nicht wirklich ein gemeiner Wilddieb ward. — Sir Robert Ringhorse pflegte zu sagen, die Hirtenjungen schößen so viel Geier und Krähen als Wild. — Aber neue Herren, neue Gesetze — nichts gibt es, als Strafen und Einsteckungen, und das Wild ist nicht um das Geringste wohlfeiler, noch häufiger. — Wenn ich ein oder zwei Vögel im Hause habe, — ich weiß am besten, was sie mir kosten! — Und warum sollten sie es nicht? — Die Gefahr will bezahlt sein. — Da ist selbst der John Pirrer, der seit dreißig Jahren auf den Moorhaiden allen Lairds zum Trotz schießt, er sagt mir, jetzt glaube er bei jedem Schusse schon den Strick um den Nacken zu fühlen."

„So ist es also nicht in Jagdangelegenheiten, daß Sie meinen Rath wünschen?" fragte Bindloose, der, zwar selbst sich oft Abweichungen von der Sache erlaubend, niemals gern einem Andern eine gleiche Freiheit einräumte.

„Nein, darüber freilich nicht, Mr. Bindloose; aber von dem unglücklichen jungen Menschen selbst muß ich eben zu Ihnen sprechen. — Sie müssen wissen, ich habe eine ganz besondere Neigung zu diesem Burschen, dem Francis Tyrrel — eine Neigung, die mich oft selbst in Erstaunen setzt, Mr. Bindloose, doch ist sie tugendhafter Art und keine Sünde liegt darin."

„Keine, gar keine Sünde, Mistreß Dods!" erwiederte der Rechtsgelehrte, im Stillen das Seinige dabei also denkend: „Aha, der Nebel erhellt sich. — Der junge Wilddieb hat die Spur wieder gefunden, ich sehe schon — Aha, ein Heirathskontrakt, ohne Zweifel — aber ich muß ihr Muth machen!" — und laut fuhr er fort: „Sie sind eine kluge Frau, Mistreß Dods, und können ohne Zweifel den Wechsel und die wunderlichen Fügungen menschlicher Angelegenheiten wohl beurtheilen."

„Aber nie kann ich dennoch richtig beurtheilen, was dem armen jungen Menschen durch die Bosheit schlechter Leute widerfahren sein kann. Er lebte, wie ich Ihnen erzählte, wohl vierzehn Tage so ruhig in der Teufelsfalle, wie ein Lämmchen in der Koppel — nie betrat ein bescheidenerer, anständigerer Jüngling mein Haus — aß und trank ordentlich zum Vortheil des Hauses, doch nie mehr als ihm für Körper und Seele zuträglich war — und jeden Samstag Abend, so gewiß der Samstag selbst wieder kam, zahlte er seine Rechnung pünktlich aus."

„Ein vortrefflicher Kunde, ohne Zweifel, Mistreß Dods."

„Nie gab es noch in diesem Punkte Seinesgleichen! — Aber nun sehen Sie nur die menschliche Bosheit an! — Einige von den Landläufern und Zierliesen da unten an der stinkenden Pfütze, die sie den Gesundbrunnen nennen, hatten von dem armen Jungen und den kleinen Endchens-Gemälden gehört, die er anfertigte, und da ruhten sie nicht, bis sie ihn herunter nach dem Hôtel lockten, wo sie schon mehr als eine schöne Geschichte von Mr. Tyrrel und mir erdacht haben.

Wieder eine falsche Spur ergreifend, sagte der Rechtsgelehrte: „Das ist also eine Angelegenheit für den commissarischen Gerichts-

hof. — Ich will ihnen gut zu Leibe gehn, Mißtreß Dods, wenn
Sie mir nur einige kleine Beweise gegen sie geben können. —
Ich will sie bald zur Strafe und zum Widerruf bringen. —
Sie sollen es bitter bereuen, sich um Ihren guten Namen beküm-
mert zu haben.“

„Um meinen guten Namen! Was hat mein guter Name denn
hierbei für Schaden, Mr. Bindloose? Ich glaube wahrhaftig, Sie
haben diesen Morgen schon ein kleines Räuschchen im Kopfe, so
früh es auch noch ist. — Mein guter Name! — Wenn Einer an
meinen guten Namen sich wagte, wollte ich weder einen Anwalt,
noch Gerichtshof bemühen! — Ich wäre unter sie gefahren, wie
ein Stoßfalk unter einen Zug wilder Gänse, und wenn die Aller-
vornehmsten darunter sich unterständen, von Meg Dods etwas zu
sagen, das nicht höflich und anständig ist, da wollte ich bald sehn,
ob ihre aufklavirte Frisur eigenes Haar oder eine Perrücke wäre!
— Mein guter Name, nun wahrhaftig!“

„Gut, gut, Mißtreß Dods, ich hatte mich geirrt, das ist Alles;
ich irrte mich, denn ich will wohl behaupten, daß Sie Ihr
Recht gegen männiglich zu vertreten wissen werden. — Aber
lassen Sie mich nun mit e i n e m Worte hören, was Sie eigentlich
kränkt?“ —

„In e i n e m Worte also, Mr. Bindloose,“ sagte Meg, die
Stimme senkend, denn sie erschrak vor dem Laut desselben — „hier
ist von einer kleinen Art von — Mord die Rede!“

„Mord, Mord! Mißtreß Dods! — Es kann nicht sein —
kein Wort hat man davon beim Landgericht gehört! es kann
kein Mord in der Grafschaft geschehen, von dem wir nicht etwas
hören würden. Um Gottes willen, sehn Sie sich vor, liebe
Frau, und stürzen Sie sich nicht umsonst in solche Unruhen!“

„Mr. Bindloose, ich kann nur nach meinem besten Einsehen
sprechen, Sie sind gleichsam ein Richter in Israel, mindestens sind
Sie einer der Rechtsgelehrten, welche die Gewalt in Händen haben,

— und ich erzähle Ihnen also mit schwerem bangen Herzen, daß dieser arme junge Mensch, der bei mir wohnte, ermordet oder fortgeschleppt worden ist, von dem meuchelmörderischen Volke da unten am neuen Gesundbrunnen; ich will die Gesetze gegen sie aufrufen und sollte es mich hundert Pfund kosten."

Der Rechtsgelehrte erstaunte immer mehr, sowohl über Megs Anklage, als über die Hartnäckigkeit ihrer Behauptung.

„Den Trost habe ich wenigstens," fuhr Meg fort, „daß, was auch geschehen sein mag, es wenigstens nicht meine Schuld ist, Mr. Bindloose; denn das weiß ich, daß ich dem blutdürstigen, auf halbem Sold stehenden Philister, Mac Turk, als er heraufkam, um mit ihm zu reden, die Hirnschale gut mit meinem Besen durchkratzt habe. Aber das arme, einfältige Kind selbst, das nicht mehr von der Bösartigkeit der Menschen weiß, als das Kalb von des Fleischers Schlachtmesser, es bestand darauf, mit dem alten verstockten Blutvergießer zu reden, und kam mit ihm überein, zu einer bestimmten Zeit zusammen zu treffen; fort ging er Wort zu halten, und seit der Stunde hat ihn kein Auge wieder erblickt. Und die eingefleischten Bösewichter wollen jetzt noch obendrein Schande über ihn bringen, und sagen, er sei lieber davon gelaufen, statt ihnen Rede stehn zu wollen! — Das wäre mir eine wahrscheinliche Geschichte! — ihnen zum Gefallen dem Lande den Rücken zuzukehren! — seine Rechnung unbezahlt zu lassen! — Er, der so ordentlich war, — seinen Mantelsack, seine Angelruthe, seine Pinsel und Gemälde, aus denen er solches Wesen machte, im Stiche zu lassen! Es bleibt meine feste, treue Meinung, Mr. Bindloose, — und Sie mögen mir Glauben schenken oder nicht, wie es Ihnen gefällig ist — daß irgend ein schändlicher Streich zwischen der Teufelsfalle und dem Bucksteine ausgeführt ward. Ich habe es gedacht, es hat mir geträumt, und ich will es ergründen, oder mein Name sei nicht Meg Dods, und sie sollen mir Rede dafür stehen. — Ja, ja, das ist so ganz recht, Mr. Bindloose, nehmen

Sie nur Feder und Tintefaß zur Hand, und laſſen Sie uns zum Werke ſchreiten.“

Mit großer Schwierigkeit und unendlichem Aufwande von Kreuzfragen brachte endlich Mr. Bindloose einen umſtändlichen Bericht von dem Benehmen der Brunnengeſellſchaft gegen Tyrrel und ſeiner Clientin heraus — inſofern nämlich es ihr ſelbſt bekannt war, oder von ihr vermuthet wurde — und zeichnete ſich während der fortſchreitenden Vernehmung bloß die ihm wichtiger ſcheinenden Punkte auf. Nach einer augenblicklichen Ueberlegung legte er der guten Frau die ſehr natürliche Frage vor, wie ſie eigentlich dazu gelangt ſei, von der betreffenden Thatſache, einer Verabredung zu einer feindlichen Zuſammenkunft zwiſchen ihrem Gaſte und dem Hauptmann Mac Turk betreffend, — Nachricht zu erhalten, wenn dieſe, nach ihrer eignen Ausſage, nur intra parietes und remotis teſtibus ſtattfand?

„Ei, wir Wirthsleute werden uns doch wohl darauf verſtehn, auszukundſchaften, was in unſerm Hauſe vorgeht?“ ſagte Meg. Und weßhalb auch nicht — wenn Sie nun einmal Alles darer wiſſen müſſen, ich lauſchte ſelbſt ein bischen durch’s Schüſſelloch!“

„Und Sie ſagen, Miſtreß Dods, daß Sie es hörten, wie dieſe Zuſammenkunft zu einem Duell beſtimmten — und Sie ſahen keine Maßregeln, Unglück zu verhüten, Miſtreß Dods, die ſo ſehr viel auf den jungen Menſchen hielten, wie Sie ſelbſt ſagen? — Ich würde ſo etwas von Ihnen niemals erhaben.“

„Ganz recht und wahr, Mr. Bindloose,“ ſagte Meg, mit der Schürze ihre Augen trocknend: „Das iſt’s eben, was mich mehr als alles Uebrige quält, und Sie brauchen gar nichts Weiteres einer Perſon zu ſagen, deren Herz deßhalb ſchon betrübt iſt, weil es nur einen Gedanken vorzuwerfen hat. — Aber zur Zeit als der Burſche aus dem Wilfire- und Helter-ſkelter Clubb gab es bei ihren unbesonnenen Gelagen mehr als eine Aufforderung in meinem Hause; allein sie waren immer verständig genug, sie ohne Gefecht wieder beizulegen, so daß ich in der That weit entfernt war, ein Unglück zu besorgen. — Auch müssen Sie eingestehen, Mr. Bindloose, es wäre gar sehr ungeziemend gewesen, wenn der Bewohner eines solchen reputirlichen, anständigen Gasthofes, wie der meinige, sich als eine feige Memme vor irgend einem der landläuferischen Straßenräuber dort unten am Brunnen gezeigt hätte."

„Das heißt, Mistreß Dods, Sie wünschten, daß Ihr Gast zur Ehre Ihres Hauses kämpfen möchte?"

„Weßhalb sollte ich es nicht, Mr. Bindloose? — Solch' eine Art von Kampf wird ja der Ehre wegen gefochten? Und weßhalb sollte nicht eben so gut für die Ehre eines massiven, viereckigen, dreistockigen Hauses gefochten werden, als für den Ruhm eines jener kraftlosen Gelbschnäbel, die solch' einen Lärmen über ihren Ruf machen? — Ich gebe Ihnen mein Wort, mein Haus, die Teufelsfalle, stand schon in dem alten Orte St. Ronans, ehe sie geboren waren, und wird noch stehn, wenn sie gehängt sind, wie ich denn zu Gott hoffe, daß es Einigen von ihnen so gehen werde."

„Nun wohl, aber Ihr Miether empfand vielleicht weniger Eifer für die Ehre Ihres Hauses," entgegnete der Rechtsgelehrte, „und hat sich in der Stille in Sicherheit gebracht; denn wenn ich Ihren Bericht recht verstehe, so fand diese Zusammenkunft gar nicht statt."

„Er weniger Eifer dafür haben? — Da kennen Sie ihn sehr wenig! Ich wollte, Sie hätten ihn gesehn, als er ärgerlich war! — Ich selbst hatte kaum den Muth, ihm entgegen zu treten, und es gibt wahrhaftig wenig Leute, die ich fürchte!" — Die Zusammenkunft? — Freilich, das glaube ich wohl, eine Zusammenkunft fand nicht statt! nie haben Sie gewagt, ihm tapfer entgegen zu treten. — Aber ich bin gewiß, Schlimmeres ist geschehn, als je aus einem Duell entstand! — Denn als Anthony dort am St. Ronans-Brand den alten Hengst tränkte, hörte er zwei Schüsse fallen, und das ist gar nicht weit ab von dem Fußsteig, der zum Buckstein führt. Ich war sehr erzürnt, daß er nicht untersuchte, was da vorging, aber er hatte geglaubt, es sei der alte Pirner, den man vielleicht auf der That erhascht habe, da wollte er denn vielleicht nicht gern als Zeuge vor das Gericht der Wilddiebe gefordert werden."

„Gut, und ich möchte behaupten, Mistreß Dods, daß er einen Wilddieb ein paar Schüsse abfeuern hörte, nichts wahrscheinlicher als das. Glauben Sie mir, Mistreß Dods, Ihr Gast hatte keine Lust zu der Partie, zu welcher der Hauptmann ihn eingeladen hatte — und da er ein ruhiger Schlag von Menschen ist, so ist er gelassen in seine Heimath gewandelt, wenn er nämlich eine hat.

Ich bedaure es wirklich, daß Sie sich der Mühseligkeit einer so weiten Reise so unbedeutender Ursache wegen unterzogen haben."

Mistreß Dods verharrte ein Weilchen mit dem Ausdrucke des höchsten Unmuths und gänzlicher Unzufriedenheit, die Augen auf die Erde gerichtet, und als sie endlich sprach, verrieth ihr Ton gleiche Verstimmung.

„Gut, gut! Lebe und lerne, heißt es ja! Ich glaubte einen Freund an Mr. Bindloose zu haben. — Ich weiß, wie oft ich Ihre Partei nahm, wenn die Leute schlecht von Ihnen sprachen, Ihnen dieß und jenes anhingen, ja Sie einen listigen und geldschneidenden Flegel nannten, Mr. Bindloose. — Und immer haben Sie mein bischen Geld in Händen gehabt, obwohl ohne Zweifel Tam Turnpenny mir näher wohnt, und die Leute sagen, er gäbe Einem ein halb Procent mehr, wenn man das Geld ungenützt liegen lasse, und das meinige kommt sehr selten in Bewegung!"

„Dagegen haben Sie aber dort nicht die Sicherheit, welche die Bank ertheilt, Madam!" sagte Mr. Bindloose erröthend. „Ich will Niemandem den Credit schmälern — es würde mir schlecht geziemen — doch sollte ich meinen, zwischen der Bank und Tam Turnpenny sei ein Unterschied."

„Gut, gut! Bank hin, Bank her! — Ich glaubte, Sie wären mein Freund, Mr. Bindloose; und da bin nun ich, die ich hierher von meinem eignen Hause so weit bis zu dem Ihrigen gekommen bin, mit gar geringem Troste abgefertigt, sollte ich meinen!"

„Poß Sternchen, Madam," sagte der bestürzte Landgerichtsschreiber, — „was wollen Sie nur, daß ich in einer solchen unklaren Geschichte, als die ihrige da ist, beginnen soll? — Lassen Sie sich doch Etwas vernünftig vorstellen — bedenken Sie, daß kein Corpus delicti vorhanden ist!"

„Corpus delicti? Was ist das für ein Ding?" fragte Meg. „Ohne Zweifel etwas, wofür man bezahlen muß, denn das ist immer das Ende, worauf Ihre schweren unverständlichen Worte hinauslaufen. — Und weßhalb kann ich nicht auch solch' ein Corpus delicti kaufen, oder ein Habeas Corpus, oder sonst irgend ein Corpus auf der Welt, so lange ich doch bereit bin, gern und willig das Geld dafür zu zahlen?"

„Der Himmel behüte und bewahre uns, Mistreß Dods, Sie mißverstehn mich ganz und gar! — Wenn ich sage, hier ist kein Corpus delicti, so meine ich, daß kein Beweis vorhanden ist, daß das Verbrechen wirklich stattfand."

„Und will denn der Mann mir sagen, daß ein Mord kein Verbrechen ist?" fragte Meg, welche ihre einmal gewonnene Ansicht viel zu fest gefaßt hatte, sich durch irgend Jemand anders davon abbringen zu lassen. „Ich weiß aber dennoch sehr wohl, daß es ein von göttlichen und menschlichen Gesetzen verpöntes Verbrechen ist, und mehr als ein hübscher Mensch ist dafür gehangen worden!"

„Das weiß ich Alles ebenfalls sehr wohl, Mistreß Dods. Aber poß Sternchen, Mistreß Dods, in diesem Falle hier ist ja schlechterdings kein Beweis eines Mordes vorhanden — kein An= zeichen, daß ein Todtschlag verübt ward — der Leichnam kann nicht nachgewiesen werden — das ist's, was wir ein Corpus de= licti nennen."

„Nun gut, der Teufel mag Euch mehr auspressen!" rief Meg in Wuth aufspringend, „denn ich will nun wieder nach Hause. — Und was des armen Jungen Körper anbetrifft, der soll mir gefun= den werden, und sollte ich die Erde drei Meilen umher mit Hacke und Schaufel umgraben lassen — und geschähe es auch nur, um dem armen Kinde ein christliches Begräbniß zu verschaffen, den Mac Turk zur Strafe zu ziehen, nebst dem ganzen mörderischen Haufen da unten am Brunnen, und solch' einen alten kindisch ge= wordnen Thoren, wie Sie, John Bindloose, tüchtig zu beschämen."

Wuthentbrannt verlangte sie nach ihrem Wagen. Aber des Anwalts Absicht und Vortheil stimmte keineswegs dazu, daß seine Clientin ihn so erzürnt verlassen sollte. Er beschwor sie, Geduld zu haben, erinnerte sie, daß die Pferde, die armen Dinger, ja eben erst in den Stall gekommen wären — ein Bewegungsgrund, wel= cher der alten Posthalterin unwiderstehlich zu Herzen drang, der schon bei ihrer frühsten Erziehung die sorgliche Pflege der Post= pferde unter ihren heiligsten Pflichten eingeprägt ward. Sie nahm also verdrießlich ihren Platz wieder ein, während Mr. Bindloose sich den Kopf zerbrach, irgend etwas zu ersinnen, welches die alte Dame zur Vernunft zu bringen vermöchte, als seine Aufmerksam= keit durch einiges Geräusch auf dem Flur erregt ward.

— und ich erzähle Ihnen also mit schwerem bangen Herzen, daß dieser arme junge Mensch, der bei mir wohnte, ermordet oder fortgeschleppt worden ist, von dem meuchelmörderischen Volke da unten am neuen Gesundbrunnen; ich will die Gesetze gegen sie aufrufen und sollte es mich hundert Pfund kosten."

Der Rechtsgelehrte erstaunte immer mehr, sowohl über Megs Anklage, als über die Hartnäckigkeit ihrer Behauptung.

„Den Trost habe ich wenigstens," fuhr Meg fort, „daß, was auch geschehen sein mag, es wenigstens nicht meine Schuld ist, Mr. Bindloose; denn das weiß ich, daß ich dem blutdürstigen, auf halbem Sold stehenden Philister, Mac Turk, als er heraufkam, um mit ihm zu reden, die Hirnschale gut mit meinem Besen durchkratzt habe. — Aber das arme, einfältige Kind selbst, das nicht mehr von der Bösartigkeit der Menschen weiß, als das Kalb von des Fleischers Schlachtmesser, es bestand darauf, mit dem alten verstockten Blutvergießer zu reden, und kam mit ihm überein, zu einer bestimmten Zeit zusammen zu treffen; fort ging er Wort zu halten, und seit der Stunde hat ihn kein Auge wieder erblickt. Und die eingefleischten Bösewichter wollen jetzt noch obendrein Schande über ihn bringen, und sagen, er sei lieber davon gelaufen, statt ihnen Rede stehn zu wollen! — Das wäre mir eine wahrscheinliche Geschichte! — ihnen zum Gefallen dem Lande den Rücken zuzukehren! — seine Rechnung unbezahlt zu lassen! — Er, der so ordentlich war, — seinen Mantelsack, seine Angelruthe, seine Pinsel und Gemälde, aus denen er solches Wesen machte, im Stiche zu lassen! Es bleibt meine feste, treue Meinung, Mr. Bindloose, — und Sie mögen mir Glauben schenken oder nicht, wie es Ihnen gefällig ist — daß irgend ein schändlicher Streich zwischen der Teufelsfalle und dem Bucksteine ausgeführt ward. Ich habe es gedacht, es hat mir geträumt, und ich will es ergründen, oder mein Name sei nicht Meg Dods, und sie sollen mir Rede dafür stehen. — Ja, ja, das ist so ganz recht, Mr. Bindloose, nehmen

Sie nur Feder und Tintefaß zur Hand, und lassen Sie uns zum Werke schreiten."

Mit großer Schwierigkeit und unendlichem Aufwande von Kreuzfragen brachte endlich Mr. Bindloose einen umständlichen Bericht von dem Benehmen der Brunnengesellschaft gegen Tyrrel und seiner Clientin heraus — insofern nämlich es ihr selbst bekannt war, oder von ihr vermuthet wurde — und zeichnete sich während der fortschreitenden Vernehmung bloß die ihm wichtiger scheinenden Punkte auf. Nach einer augenblicklichen Ueberlegung legte er der guten Frau die sehr natürliche Frage vor, wie sie eigentlich dazu gelangt sei, von der betreffenden Thatsache, einer Verabredung zu einer feindlichen Zusammenkunft zwischen ihrem Gaste und dem Hauptmann Mac Turk betreffend, — Nachricht zu erhalten, wenn diese, nach ihrer eignen Aussage, nur intra parietes und remotis testibus stattfand?

„Ei, wir Wirthsleute werden uns doch wohl darauf verstehn, auszukundschaften, was in unserm Hause vorgeht?" sagte Meg. „Und weßhalb auch nicht — wenn Sie nun einmal Alles darüber wissen müssen, ich lauschte selbst ein bischen durch's Schüsselloch!"

„Und Sie sagen, Mistreß Dods, daß Sie es hörten, wie sie diese Zusammenkunft zu einem Duell bestimmten — und Sie nahmen keine Maßregeln, Unglück zu verhüten, Mistreß Dods, da Sie so sehr viel auf den jungen Menschen hielten, wie Sie es selbst sagen? — Ich würde so etwas von Ihnen niemals erwartet haben."

„Ganz recht und wahr, Mr. Bindloose," sagte Meg, mit der Schürze ihre Augen trocknend: „Das ist's eben, was mich mehr als alles Uebrige quält, und Sie brauchen gar nichts Weiteres einer Person zu sagen, deren Herz deßhalb schon betrübt ist, weil sie sich nur einen Gedanken vorzuwerfen hat. — Aber zur Zeit der tecken Bursche aus dem Wilsire- und Helter-skelter Clubb gab

Fünfzehntes Kapitel.

Ein Lobsänger der alten Zeit.

— — — Zum würd'gen Ort
Wird der erfahrne Reisende jetzt kommen.
König Johann.

Das eben erwähnte Geräusch entstand von einem ungeduldigen Pochen an der Thür des Bankcomptoirs, welches auf der linken Seite des Flurs in Herrn Bindloose's Haus, dem Gemache, worin sich Mistreß Dods befand, gegenüber lag.

Gewöhnlich pflegte das Comptoir einem Jeden, der dort Geschäfte hatte, offen zu stehen; aber jetzt, so große Eile auch der Pochende haben mochte, befanden sich die Schreiber außer Stande ihn einzulassen, da die vorsichtige Aengstlichkeit Mr. Bindloose's, es ihnen unmöglich zu machen seine Unterhaltung mit Mistreß Dods zu belauschen, sie selbst als Gefangene eingesperrt hatte. Sie beantworteten deßhalb das ärgerliche, ungeduldige Klopfen des Fremden nur mit einem unterdrückten Gelächter, ohne Zweifel einen höchst vortrefflichen Spaß darin findend, daß ihres Gebieters Vorsicht sie an der Ausübung ihrer Pflicht verhindere.

Mit einigen kräftigen Flüchen über sie, als die eigentlichen Plagegeister seines Lebens, sprang Mr. Bindloose auf den Flur und führte den Fremden in's Comptoir. Da alle Thüren offen blieben, so konnten Meg Dods, wie der Leser weiß, wohlgeübte Ohren einen Theil der Verhandlung vernehmen. Die Unterredung schien eine nicht unbedeutende Geld=Angelegenheit zu betreffen, wie nach etwa fünf Minuten, wo der Fremde seine scharfe, durchdringende Stimme noch mehr erhob, Meg deutlich entnehmen konnte. „Agio? Nicht eine Guinee, Sir, nicht eine Krone, —

nicht einen Pfennig — Agio auf einen englischen Bankzettel? — Halten Sie mich für einen Narren, Sir? Weiß ich nicht, daß Sie vierzig Tage Sicht pari nennen, wenn Sie Wechsel auf London geben?"

Man hörte jetzt Mr. Bindloose etwas über den üblichen Handelsgebrauch unverständlich murmeln.

„Gebrauch?" versetzte der Fremde. „Nichts davon ein verdammt schlechter Gebrauch, wenn er überhaupt existirt — sprechen Sie mir nicht von Gebräuchen! — Meiner Six! Freund, ich kenne den Wechsel-Curs in der ganzen Welt, und habe Wechsel von Timbuctoo gezogen. Meine Freunde am Strande ließen sie mit denen Bruce's in Gondar unterlaufen — mir von Agio auf einen Postzettel der Bank von England vorzuschwatzen! Weßhalb betrachten Sie den Bankzettel? — Glauben Sie, daß er nicht gut ist? — O ich kann Ihnen einen anderen geben, Sir!"

„Das ist in keiner Art nöthig, Sir," entgegnete Bindloose, „der Bankzettel ist vollkommen gültig, aber es ist üblich, ihn zu indossiren, Sir."

„Ganz gewiß reichen Sie mir eine Feder. — Glauben Sie, daß ich hier mit meinem indischen Rohr schreiben kann? — Was ist das für miserable Tinte! — ganz quittengelb! — schadet nichts — da steht mein Name — Peregrine Touchwood. Ich erhielt von den Willoughbys meinen Taufnamen Ist das mein volles Geld?"

„Alles, Sir, ganz vollzählig," entgegnete Bindloose.

„Ei, Freundchen, Sie sollten eigentlich mir Agio zahlen, statt daß Sie es von mir begehrten."

„Es wäre ganz wider unsere Gewohnheit, Sir, ich versichere Ihnen, Sir," sagte der Bankier, „ganz wider unsere Gewohnheit. Doch wenn Sie in das Wohnzimmer treten und dort eine Tasse Thee annehmen wollten —"

Deutlicher erschallte jetzt die Stimme des Fremden, indem ihn

Herr Bindloofe aus dem Comptoir zum Wohnzimmer führte, und
er ihm erwiederte: „Ei, eine Taffe Thee ist gar nicht so etwas
Uebles, wenn man ihn von ächt lauterer Gattung erhält — aber
was das Agio eines Bankzettels anbetrifft" Mit diesen Worten
trat er in das Zimmer und verneigte sich vor Mistreß Dods,
welche in ihm das erblickend, was sie einen anständigen, leidlichen
Menschen zu nennen pflegte, von dem sie vermuthen konnte, daß
seine Taschen von englischen und schottischen gangbaren Geld-
papieren strotzten, sich erhob und seinen Gruß mit ihrem besten
Knix erwiederte.

Wenn man Mr. Touchwood näher betrachtete, so fand man in
ihm einen untersetzten, kräftigen, thätigen Mann, der, obwohl er
sechzig Jahr und noch darüber sein konnte, in seinem äußern Erscheinung die Spannkraft früherer Jahre bewahrte. Selbstver-
trauen und eine Art verächtlichen Mitleids mit denjenigen, welche
nicht so viel gesehen oder getragen hatten als er, lag in dem Ausdrucke seines Gesichts. — Sein kurzes schwarzes Haar war grau
gemischt, aber noch nicht völlig gebleicht. Seine rabenschwarzen,
kleinen, funkelnden Augen lagen tief im Kopfe, und deuteten, wie
die kurz aufgestutzte Nase, ein reizbares, heftiges Gemüth an. Der
häufige Wechsel des Klima's hatte seiner Gesichtsfarbe etwas ziegel-
artiges ertheilt, und sein Gesicht, welches in einiger Entfernung
glatt und wohlgerundet aussah, erschien näher betrachtet, von Mil-
lionen Runzeln bedeckt, welche fein, wie mit der spitzesten Nadel
gezogen, sich in allen Richtungen darauf durchkreuzten. Seine
Kleidung bestand in einem blauen Rock, ledernen Unterkleidern
und Weste, ausgezeichnet schön gewichsten Halbstiefeln und einem
seidenen Halstuch, das mit militärischer Genauigkeit umgeknüpft
war. Der einzige wirklich alterthümliche Theil seines Anzuges
bestand in einem dreieckigen Hut, der ganz gleichseitig gestutzt war,
an dessen Knopfloch er eine sehr kleine Kokarde trug. — Mistreß
Dods, welche sich gewöhnt hatte, die Leute nach dem ersten An-

blicke zu beurtheilen, sagte, daß in den drei Schritten, welche er
von der Thüre bis zum Theetische zurücklegen mußte, sie die Haltung einer Person erkannte, die ganz gut durch die Welt zu kommen wüßte; „und darin," setzte sie mit bedeutendem Winke hinzu,
„irren wir Gastwirthe uns sehr selten. Wenn eine goldbetreßte
Weste eine leere Tasche hat, so wird die einfache, aber gefüllte die
bessere sein."

„Ein feucht-kühler Morgen, Madam!" sagte Mr. Touchwood
in der Absicht, zu prüfen, welche Gesellschaft er hier fand.

„Ein schöner, milder Morgen für den Buchweizen, Sir," entgegnete Mistreß Dods mit gleicher Feierlichkeit.

„Recht, meine gute Madam! Mild, das ist das rechte
Wort, obwohl es lange Zeit her ist, daß ich es hörte. Ich habe
zweimal eine Fahrt um die runde Welt gemacht, seit ich es zuletzt
vernahm."

„So werden Sie wohl aus dem andern Welttheile her-
stammen?" fragte der Rechtsgelehrte, schlau einen solchen Fall auf-
stellend, welcher, wie er hoffte, den Fremden bewegen sollte, Aufklärung über sich zu ertheilen; „denn wirklich, Sir," fuhr er nach
einer Pause fort, „ich denke, Touchwood ist kein schottischer Name,
mindestens so viel ich davon weiß!"

„Ein schottischer Name? — Nein!" entgegnete der Reisende;
„aber ein Mann kann diese Gegenden besucht haben, ohne ein Eingeborner zu sein, oder, wenn er ein Eingeborner ist, so kann er
Ursachen haben, seinen Namen zu ändern; — es gibt mancherlei
Veranlassungen dazu."

„Gewiß, und einige derselben sind sehr triftig," sagte Mr.
Bindloose. „Wie zum Beispiel bei Lehns-Erbschaften, wo sehr oft
die Urkunden zum Besten des Lehns-Erben gemeinhin streng Annahme des Wappens und Titels als Pflicht auferlegen."

„Oder wenn ein Mann sich die vaterländische Luft zu drücken
14*

heben — ich dankte ihm, und der Kerl warf den Hut auf den Kopf
und rief: mein Dank könne zum Teufel fahren, wenn weiter nichts
dabei wäre. — St. Giles hätte nicht kräftiger einen Menschen
verwünschen können."

„Ja, ja, das mag wohl so sein, Sir, wie Sie es sagen," versetzte der Bankier; „freilich, Gut macht Muth, und Muth gibt
Uebermuth! Aber des Landes größerer Wohlstand ist nicht abzuläugnen, und der Wohlstand, das wissen Sie —"

„Ich weiß recht gut, der Wohlstand gibt Flügel!" entgegnete
der cynische Fremde; „aber ich bin nicht einmal ganz überzeugt,
daß wir ihn jetzt besitzen. Sie stellen freilich prunkende Gebäude,
landwirthschaftliche Cultur prahlend hier zur Schau, aber die Aktie
ist nicht das Kapital selbst, so wenig, wie das Fett eines wohlge-
nährten Mannes seine Kraft oder Gesundheit verbürgt."

„In der That, Mr. Touchwood, wenn Sie eine große Reihe
von Gutsbesitzern, die in allem Ernste wie wohlhabende Edelleute
leben, und Pächter, die einen bessern Haushalt führen, als sonst
die Lairds, und dabei Pfingsten und Martini so ruhig erwarten,
wie ich mein Frühstück — wenn Sie dieß Alles nicht als Zeichen
des Wohlstandes betrachten, so weiß ich nicht, wo ich ihn auffinden
sollte!"

„Es sind Zeichen der Thorheit, Sir," erwiederte Touchwood;
„der Thorheit, der Armuth, die gern reich erscheinen möchte; und
wie sie eigentlich zu diesen Mitteln gelangen, auf die sie sich so viel
einbilden, das können Sie, der Sie Bankier sind, mir vielleicht
besser sagen, als ich es zu errathen vermag."

„Freilich, Mr. Touchwood, muß hin und wieder wohl ein
Wechsel, ein Bankzettel discontirt werden; aber die Menschen müssen sich unter einander aushelfen, sonst würde Alles in's Stocken
gerathen. — Gegenseitiger Beistand ist das Fett, welches die Räder desto besser in den Gang setzt."

„Ei, am Ende werdet Ihr sie noch zum Teufel hinabrollen!"

antwortete Touchwood. „Ich verließ Euch, als Ihr Euch von
einer Schwindel-Bank zum Narren machen ließet, jetzt, glaube ich,
ist das ganze Land selbst zur Schwindel-Bank geworden! — Und
wer wird am Ende den Tanz bezahlen? — Ich will mir wenig
mehr damit zu schaffen machen. — Ein wahrhaft babylonischer
Thurmbau, der einem Manne den Kopf rein verdrehen muß, der
sein Leben in Gesellschaft von Leuten zubrachte, die das Sitzen dem
unruhigen Umherlaufen vorziehen, das Schweigen mehr als das
Reden lieben, nur essen, wann sie hungrig, trinken, wann sie durstig sind, nie ohne Grund lachen, nie ohne Ursache reden — Aber
hier ist nichts als ein ewiges Rennen, Stürzen, Treiben — Leicht-
fertigkeit, Lappalien, Gehaltlosigkeit — kein Ernst — keine Aus-
dauer — kein Charakter!"

„Ich will Leib und Seele wetten," sagte Dame Dods, ihren
Freund Mr. Bindloose anblickend, „daß der Herr da unten am
Spaa-Brunnen war."

„Spaa nennen Sie es? — Wenn Sie jene neue Niederlassung
zu St. Ronans meinen, das ist der wahre Hauptquell der Narrheit und Ausgelassenheit! — Ein wahres Babel in Hinsicht des
Lärmens, und recht eigentlich ein Sitz des Unsinns!"

Entzückt über das unrühmliche Urtheil, welches hier über ihre
modische Nebenbuhler gefällt ward, und höchst begierig, ihre Achtung dem scharfsinnigen Fremden, der es aussprach, zu bezeigen,
rief Mistreß Dods aus:

„Sir, Sir, wollen Sie mir das Vergnügen erlauben, Ihnen
eine Tasse Thee einzuschenken?" Und damit bemächtigte sie sich
dieses Amtes, welches bisher Herr Bindloose selbst verwaltete. Als
der Fremde ihre Höflichkeit mit der dankbaren Anerkennung annahm, welche Leute, die selbst gern viel sprechen, gewöhnlich einem
willigen Zuhörer schenken, fuhr sie fort: „Ich hoffe, Sir, er ist
nach Ihrem Geschmacke?"

„Er ist so gut, als wir es hier nur irgend fordern können,"

entgegnete Mr. Touchwood. „Nicht ganz so, wie ich ihn wohl schon zu Canton trank — aber das himmlische Reich sendet nicht seinen besten Thee nach der Straße Leadenhall, noch wird aus der Leadenhall=Straße die beste Waare nach Marchtown verschickt.“

„Das mag allerdings wahr sein, Sir!“ entgegnete die Dame; „aber dafür möchte ich mich wohl verbürgen, daß Mr. Bindloose's Thee viel besser ist, als der in dem Spaa=Brunnen da unten.“

„Thee, Madam? — Ich habe keinen dort gesehen! Eschen-Blätter und Schlehdorn wurden in gemalten Büchsen herbeigebracht, von gepuderten Affen in Livree zubereitet, und von denen, die Lust dazu hatten, unter dem Geplapper der Papageien und dem Geschrei der jungen albernen Dirnen herunter getrunken. Ich sehnte mich in die Tage des Zuschauers zurück, wo ich meine Zahlung entrichten und ohne weitere Umstände mich hätte entfernen können. Aber heut zu Tage — da ward dieses köstliche Gebräu von einer der halb tollen Zierliesen dort in der Form eines Festes gespendet, und man plagte uns mit allen dabei üblichen Feierlichkeiten, um uns eine elende Muschelschale auszulecken zu geben.“

„Gut, Sir, Alles, was ich Ihnen sagen kann, ist, daß wenn ich so glücklich gewesen wäre, Sie in dem Gasthofe zur Teufelsfalle zu bedienen, dem meine Angehörigen seit zwei Generationen vorstanden, so kann ich freilich nicht behaupten, daß Sie solchen Thee bekommen hätten, wie Sie ihn da, wo er wächst, gewohnt gewesen sind, aber den besten, den ich besäße, würde ich einem Manne wie Sie gegeben haben, ohne mehr als sechs Pfennige dafür zu begehren, wie ich es stets gethan, und mein Vater vor mir auch zu thun pflegte.“

„Ich wünschte, es wäre mir bekannt gewesen, daß das Wirthshaus noch erhalten ist, Madam,“ erwiederte der Reisende, „ich wäre bestimmt ihr Gast geworden, und hätte mir alle Morgen das Waffer herauf holen laffen. — Der Arzt besteht darauf, ich soll Cheltenham oder etwas Aehnliches gebrauchen — obwohl ich — hol' mich dieser und jener — wahrhaftig glaube, die Herren wollen nur ihre eigene Unwiffenheit mit diesen Brunnenkuren verstecken. Da dachte ich, dieß Spaa hier würde uns mindestens das kleinere Uebel sein; aber da bin ich schön angeführt worden — man könnte sich ungefähr eben so ruhig in dem Innern einer Glocke befinden. Ich halte den jungen St. Ronans für wahnsinnig, solch' einen Sitz des Unsinns auf seines Vaters uraltem Eigenthum gegründet zu haben."

„Kennen Sie den jetzigen St. Ronans?" fragte Dame Meg.

„Nur dem Namen nach," entgegnete Mr. Touchwood, „aber ich hörte von der Familie, und ich glaube, ich habe von ihnen in Schottlands Geschichte gelesen. Es thut mir leid, daß ich höre, wie sehr sie gegen ehemals herabgekommen sind. Es scheint auch, als schlüge dieser junge Mann eben nicht den richtigsten Weg zur Verbefferung seiner Angelegenheiten ein, da er seine Zeit mit Spielern und ihres Gleichen vergeudet."

„Ich würde mich sehr betrüben, wenn dem wirklich so wäre," sagte die ehrliche Mistreß Dods, deren angeerbte Ehrfurcht für diese Familie sie immer abhielt, in irgend einen schmähenden Tadel des jungen Lairds einzustimmen. „Meine Vorältern haben freundliche Gutthat von den seinigen empfangen, es würde mir schlecht geziemen, irgend etwas von ihm zu sagen, welches von seines Vaters Sohn nicht gesprochen werden müßte."

Mr. Bindloose hatte nicht gleiche Gründe, seine Meinung zurückzuhalten, und erklärte daher Mowbray für einen gedankenlosen Verschwender sowohl seines eigenen als des Vermögens Anderer. „Ich habe wohl Gründe, dieß zu behaupten," sagte er, „da ich zwei seiner Wechsel, jeden von hundert Pfund, selbst discontirt habe, wahrlich hauptsächlich aus Ehrfurcht und Anhänglichkeit für feine Familie, — und er so wenig daran denkt, sie einzulösen, als es ihm einfallen wird, die Nationalschuld zu bezahlen. — Und doch hat er hier alle Buden eben jetzt ausgeplündert, um den vornehmen Brunnengästen von da unten ein Fest zu geben, und die Kaufleute müssen mit seiner Unterschrift für ihre Lieferungen sich einstweilen beruhigen. Aber mag seine Wechsel annehmen, wer dazu Lust hat! — Ich weiß Jemand, der nie einen Pfifferling mehr auf ein Papier vorschießen wird, welches auf John Mowbray lautet, oder von ihm unterschrieben ist. Es thäte ihm nöthiger, seine alten Schulden abzutragen, als neue zu machen, um Narren und Schmeichler zu füttern."

„Ich vermuthe, er wird wahrscheinlich seine Vorbereitungen noch dazu nutzlos treffen!" sagte Mr. Touchwood; „denn das Fest ist aufgeschoben worden, weil Miß Mowbray erkrankt ist."

„Ach, das arme Ding!" rief Meg. „Schon seit längerer Zeit ist ihre Gesundheit sehr schwankend."

Bedeutend seine Stirn berührend, sagte der Reisende: „Man sagte mir noch etwas Schlimmeres von ihr."

„Gott allein mag es wissen!" entgegnete Meg Dods. „Ich glaube, es sitzt ihr mehr im Herzen als im Kopf. Das arme Ding wird unruhig hin- und hergetrieben, bald hinunter nach dem Brunnen, bald wieder hinweg, und zu Hause weder Ruhe noch Gesellschaft; und wenn Alles so wild und toll den Menschen hetzt — kein Wunder, wenn sie dann etwas verstört wird."

„Nun, sie soll eben jetzt schlimmer sein, als sie es war, sagt man," erwiederte Touchwood, „und das hat den Aufschub des Festes in Shaw-Castle veranlaßt. Ueberdem, da jetzt der junge Lord nach dem Gesundbrunnen gekommen ist, so wird man ohne Zweifel ihre Wiederherstellung abwarten."

„Ein Lord!" rief Dame Dods aus, „ein Lord, der nach dem Gesundbrunnen gekommen ist! — Nun wird gar kein Halten, noch Bleibens mit ihnen sein! — Je toller, je besser!

— ein Lord! der Himmel behüte uns! — ein Lord im Hôtel!
— Mr. Touchwood, ich behaupte, er hat nur durch sein Amt den
Lordstitel!"

„Nein, meine gute Dame, das ist nicht der Fall; — er ist ein
englischer Lord, und wie man zu sagen pflegt, ein Lord des Par-
laments. — Doch wollen einige Leute behaupten, es sei in seinem
Titel ein kleiner Makel vorhanden."

„O dafür will ich gut sagen; — ein Dutzend Makel und Ge-
brechen!" rief Meg mit höchster Lebendigkeit, denn es war ihr
gänzlich unerträglich, diese Vermehrung des Ruhms jener neben-
buhlerischen Niederlassung, welchen ihr die Gegenwart eines so
vornehmen Edelmannes ertheilen konnte, mit Gelassenheit zu dulden. „Ich sage gut dafür, er wird sich als ein landläuferischer
Lord bewähren, der ihnen zur Last fallen wird, und den sie am
Ende gern wohlfeil laufen lassen möchten. — Und er wird auch
wahrscheinlich ohne Noth hingekommen sein, um dann ohne Zweifel bald seine Gesundheit wieder hergestellt zu preisen, und den
Ruhm des Spaa zu vermehren."

„In der That, Madam, die Krankheit, an welcher er jetzt eben
leidet, wird der Spaa schwerlich heilen. Er ward von einem
Pistolenschusse in der Schulter verwundet — wahrscheinlich der
Versuch eines räuberischen Ueberfalls. — Das ist eine ihrer großen
Verbesserungen — zu meiner Zeit ereignete sich so etwas nie in
Schottland; — man würde eher erwartet haben, einem Phönix
als einem Straßenräuber zu begegnen."

„Und wo ereignete sich dieß, Sir, wenn Sie mir gütigst es
mittheilen wollen?" fragte der Rechtsgelehrte.

„In der Nähe des alten Dorfes, wenn man mich recht berichtete, am letztvergangenen Mittwoch."

„Ich denke, dieß erklärt Ihnen Ihre beiden Schüsse, Mistreß
Dods," sagte Mr. Bindloose. „Am Mittwoch hörte sie Ihr Stallknecht — gewiß war das dieser Angriff des Lords."

„Kann wohl sein, kann auch nicht sein!" entgegnete Mistreß Dods; „aber ich muß die ganze Geschichte sehr klar sehen, bevor ich meine Meinung fahren lasse!" Und wieder ganz zu dem Gegenstand zurückkehrend, von welchem Herrn Touchwoods anziehende Unterredung auf einige Augenblicke ihre Gedanken abgelenkt hatte, fügte sie hinzu: „Sie wünsche sehr zu wissen, ob Mr. Touchwood etwas in Betreff Herrn Tyrrels gehört habe."

„Wenn Sie die Person meinen, von welcher dieß Papier spricht," sagte der Fremde, ein gedrucktes Blatt aus der Tasche nehmend, „ich hörte von wenig andern Dingen reden. — Der ganze Ort wiederhallte nur von ihm, bis mir der Name Tyrrel so zum Ekel ward, als einst dem William Rufus. Irgend alberne Händel, in welche er verwickelt war, und die er nicht so ausgefochten hatte, als er nach ihrer Weisheit es sollte, waren der Hauptgrund des Tadels über ihn. Das ist wieder eine Thorheit, die hier Wurzel geschlagen hat. — Früherhin da mochte es sich wohl ereignen, daß ein paar alte stolze Lairds, oder jüngere Söhne altadeliger Familien, nach einem Streit im ernsten Zweikampf, nach der Sitte ihrer alten gothischen Vorältern, zusammentrafen. Aber Leute, die keine Groß- und Aelterväter hatten, träumten nicht einmal von ähnlichen Thorheiten. — Und diese Leute hier klagen einen jämmerlichen Leinwand=Bepinseler, denn das, hörte ich, wa dieses Helden Beschäftigung, ihn klagen sie an, als wäre er e dienstthuender Offizier, der die Tapferkeit zu seinem Handwerk wählt habe; und dem die Ehre rauben zugleich sein Brod entzie heißt! — Ha ha ha, es mahnt uns wahrhaftig an Don Quich der seinen Nachbar, Samson Carajes, für einen irrenden R hielt."

Die Durchsicht dieses Blattes, welches jene schon dem ! bekannte Ankündigung und scharfe Rüge des Betragens Ty bei seinem Ausbleiben am verabredeten Ort enthielt, verar Herrn Bindloose, der Mistreß Dods, mit so geringem Froh

über sein dadurch bewährtes besseres Einsehen, als jetzt zu unterdrücken die menschliche Kraft ihm nur gestattete, zu sagen: „Sie
sehen nun, Mistreß Dods, daß ich ganz recht hatte, und daß Sie
auf der Welt keinen Nutzen von Ihrer Anstrengung, eine so große
Reise zu unternehmen, haben konnten. Der junge Mensch hat sich
lieber aus dem Staube gemacht, als daß er Sir Bingo Stand gehalten hätte! — Und wahrhaftig ich meine, er war der Klügste
von allen Beiden. Sehen Sie, da können Sie es gedruckt
lesen!"

„Sie können troß dem allen im Irrthum sein, Mr. Bindloose; und so klug Sie sein mögen, will ich das Ding doch noch
genauer untersucht haben."

Dieses führte zu einer Erneuerung des vorhergegangenen
Streites über Tyrrels wahrscheinliches Schicksal, welches allmählich bei dem Fremden einigen Antheil für die Sache erregte. Endlich, da Mistreß Dods von dem erfahrenen Rechtsgelehrten keine
Unterstützung des möglichen Falles, den sie aufgestellt hatte, fand,
erhob sie sich ziemlich unmuthig, das Anspannen zu befehlen. Aber
so sehr sie Gebieterin in ihren eigenen vier Pfählen war, fühlte sie
hier doch die Unzulänglichkeit ihrer Macht; denn ihr buckliger Post-
knecht, der in seinem Departement ebenso unbeschränkt herrschte als
sie, erklärte, daß die Pferde erst nach zwei Stunden zur Rückkehr
tüchtig sein würden. Die gute Frau war also gezwungen zu barren,
bis ihm die Abfahrt belieben würde, und beklagte bitterlich allen
Schaden, den ein Gasthaus unbedingt durch Abwesenheit der Gebieter erdulden müsse, und sah schon im Geiste eine lange Liste zer-
stmetterten Geschirrs, unrichtiger Rechnungen, schlecht aufgeräum-
ter Zimmer und andrer Unannehmlichkeiten ihrer bei der Rückkehr
barrend. Mr. Bindloose, der eifrig die Achtung seiner guten
Freundin und Clientin wieder zu erhalten strebte, welche er einigermaßen durch seinen Widerspruch bei einem ihr so am Herzen liegenden Gegenstand verwirkt hatte, hütete sich wohl, ihr den unan-

genehmen, wenn auch unwiderlegbaren Trostgrund aufzustellen, daß ein unbesuchtes Gasthaus selten den Unannehmlichkeiten ausgesetzt ist, die sie befürchtete. — Im Gegentheil, er stimmte sehr herzlich in ihre Klagen ein, und ging endlich gar so weit zu äußern, daß wenn, wie es ihm nach seiner Kleidung scheinen wollte, Mr. Touchwood nach Marchtown mit Post gekommen wäre, sie vielleicht die Annehmlichkeit haben könnte, auf diese Art schneller nach St. Ronans zurückzukehren.

„Ich bin nicht gewiß, ob ich nicht vielleicht selbst dahin zurückkehre," sagte Mr. Touchwood. „In diesem Falle also werde ich sehr gern die gute Dame zurückbringen, und einige Tage in ihrem Hause verweilen, wenn Sie mich aufnehmen will. — Ich achte eine Frau, Madam, die wie Sie das Geschäft ihres Vaters fortsetzt. Ich war in Ländern, wo die Leute vom Vater auf Sohn, Tausende von Jahren hindurch, das gleiche Gewerbe trieben. — Und das ist eine Mode, wie ich sie liebe — die Festigkeit und Genügsamkeit des Sinnes beweiset."

Mistreß Dods versicherte mit großer Freude, sie wolle sich bestreben, Alles nach seinen Wünschen einzurichten, und während ihr guter Freund sich über die gemüthlichen Annehmlichkeiten preisend verbreitete, welche ihr Gast in der Teufelsfalle erwarten könne, ergötzte sie sich im schweigenden Entzücken an der Aussicht eines nahen glänzenden Triumphs, wenn sie ihrem prangenden, berühmten Nebenbuhler am Gesundbrunnen einen achtbaren, vortheilbringenden Gast entführte.

„Ich werde sehr leicht zufrieden zu stellen sein, Madam," sagte der Fremde. „Zu weite und häufige Reisen unternahm ich, um viel Forderungen zu machen. — Eine spanische Venta, ein persischer Khan, ein türkisches Karavanserai — das ist mir alles gleich — nur da ich keinen Diener habe — denn wirklich kann man sich mit solchen müßigen Lungerern nicht plagen — so müssen Sie die Güte haben, des Morgens mir das Wasser des Brunnens herauf holen zu lassen, wenn ich nicht selbst hingehen kann. Ich finde wirklich, daß es mir wohlthuend ist."

Mistreß Dods versprach bereitwillig diese vernünftige Forderung zu erfüllen, artigerweise einräumend, „daß allerdings in dem Wasser selbst eben nichts Böses enthalten sein möchte, ja daß es vielleicht einige gute Wirkung hervorbringen könnte, — es sei ja nur der neue Gasthof und die widerwärtigen Schwätzer, welche man die Gesellschaft nenne, die sie nicht leiden könne. Unter dem Volke gehe zwar die lustige Sage um, daß St. Ronans den Teufel in die Quelle untertauchte, woher ihr der Schwefel-Geschmack eigenthümlich geblieben sei, aber sie wollte behaupten, daß das bloßer Unsinn wäre, denn sie wüßte es von dem, der es sehr wohl verstände — nämlich von dem Prediger selbst, daß St. Ronans keiner der abgöttisch verehrten römischen Heiligen wäre, sondern ein Chaldäer, (Culdeer*) wollte sie wahrscheinlich sagen) und das sei doch etwas ganz anders."

Nachdem Alles so zu der Zufriedenheit beider Theile angeordnet war, wurde die Postchaise beordert, und erschien sehr bald vor Herrn Bindlooses Thüre. Nicht ohne eine geheime Empfindung des Widerwillens bestieg die ehrliche Meg den Fußtritt eines Wagens, an dessen Thüre gemalt stand: Gasthof und Hôtel zum Fuchse am St. Ronans-Brunnen; aber es war zu spät, solchem Gewissenszweifel Gehör zu geben.

„Ich hätte nie geglaubt, daß ich in einen ihrer stolzen Miethkasten einsteigen würde." sagte sie, indem sie sich niedersetzte; „und was das nun für ein Ding ist — kaum Platz darin für zwei Personen. — Gut, ich weiß, Mr. Touchwood, als ich noch Postwagen hielt, da konnten in jeder unserer beiden Chaisen vier große Personen und noch eben so viel Kinder sitzen. Nun ich hoffe,

---

*) Culdeer werden in den Noten zum Ossian die ersten Christen genannt.
W. v. U.

der alberne Mensch, der Anthony, wird mit den Pferden und meinem Whisky zurückkommen, sobald sie nur ihr Futter aufgefressen haben. — Sir, haben Sie auch gewiß so hinreichend Platz? — Ich sollte mich eigentlich hier nicht noch eindrängen."

„O, Madam," erwiederte der Orientale, „ich bin an jede Art von Reisegelegenheit gewöhnt. Eine Sänfte, ein Karren, ein Palankin oder eine Postchaise sind mir ganz gleich. — Ich glaube, ich würde mich mit der Königin Mab in einer Nußschale behelfen können, wenn ich dadurch nur vorwärts käme. — Bitte sehr um Verzeihung, aber wenn Sie nichts dagegen haben, so möchte ich wohl meine Cigarre anzünden ꝛc."

Sechzehntes Kapitel.

Der Geistliche.

Als Mensch ihn überall die Gegend hoch verehrt;
Mit jährlich vierzig Pfund man reich ihn nennen hört.
Dryden über Chaucer.

Fest und unerschüttert blieb die Ueberzeugung der Mistreß Dods, daß ihr Freund Tyrrel von dem blutdürstigen Hauptmann, Mac Turk, umgebracht worden sei; als aber einige Nachsuchungen nach dem Leichnam desselben eben so fruchtlos als kostbar ausfielen, gab sie verzweifelnd das Unternehmen auf. „Sie habe nun ihre Pflicht gethan — sie überlasse die Sache denjenigen, welchen eigentlich die Pflicht obläge, solche Dinge zu untersuchen — die Vorsehung würde endlich das Geheimniß an's Licht bringen zur rechten Zeit." Dieß waren die moralischen Vorstellungen, mit welchen die gute Dame sich selbst Trost zusprach, und weniger eigensinnig, als Herr Bindloose es gefürchtet hatte, blieb sie zwar bei ihrer Meinung, jedoch ohne deßhalb ihren Bankier und Geschäftsmann zu verändern.

Vielleicht entstand Megs nachgebende Unthätigkeit in einer Angelegenheit, die sie so ernsthaft zu nehmen gedroht hatte, großentheils daher, daß der arme Tyrrel sowohl in der blauen Stube, als in dem Kreis ihrer häuslichen Sorgsamkeit, durch ihren neuen Gast, Mr. Touchwood, ersetzt war, durch dessen Besitz sie, da er dem Brunnen gleichsam entsprungen war, nach ihrer Meinung mindestens einen glänzenden Sieg über ihre Nebenbuhler davon getragen hatte. Zuweilen aber war dennoch die ganze Kraft dieser Rücksicht nothwendig, um Meg, alt und kribbelig wie sie war, dahin zu bringen, sich den mannigfachen Grillen und Plackerein ihres Gastes zu unterwerfen. Nie wußte ein Mann seine gänzliche Gleichgiltigkeit gegen das Essen und andre Bequemlichkeiten auf Reisen preisender zu rühmen; doch wahrscheinlich erregte selten irgend Jemand größere Unruhe in einem Gasthofe.   Ueber die Kochkunst hatte er seine ganz eignen wunderlichen Grillen, und handelte man ihnen entgegen, besonders wenn er eben ein kleines Zwicken des Podagra empfand, so würde man geglaubt haben, er sei in der Pastetenbude Bedreddin Hassans in die Lehre gegangen, und stände auf dem Punkte, die Scene der unglücklichen Sahntorte zu erneuen, die ohne Pfeffer bereitet war. — Hin und wieder brachte er neue Kochmethoden zum Vorschein, welche der würdigen Meg Dods offenbare Ketzereien schienen, und dann wiederhallte das ganze Haus von ihrem Streit. — Auch mußte sein Bett genau einen bestimmten Raum vom Kopfkissen bis zur Fußlehne enthalten, und die kleinste Abweichung davon, sagte er, störe seine nächtliche Ruhe und bringe gewiß sein Gemüth in Wallung. Eben so wunderlich war er über das Bürsten und Reinigen seiner Kleider, die Anordnung des Hausgeräths im Zimmer, und bei tausend Kleinlichkeiten, war unser alter Herr über die Gedanken an eine Sultanin und einen Harem schon hinweg. Endlich fuhr ein leuchtender Gedanke durch seinen Kopf, und plötzlich sich an Mistreß Dods wendend, fragte er sie, die soeben den Thee zu seinem Frühstück in eine große Tasse von ganz besonderm chinesischen Porzellan goß, von welchem er ihr ein Service geschenkt hatte, unter der Bedingung, daß sie selbst ihm den Thee bereite.

„Sagen Sie doch, Mistreß Dods, was für eine Art von Mann ist Ihr Prediger?"

„Nun, Mr. Touchwood, er ist ein Mann, wie alle andre Männer sind! — Was soll er denn für eine besondere Art sein?"

„So wie die Andern? — Je nun, das soll soviel heißen als: er hat wie gewöhnlich Arme und Beine, Augen und Ohren! — Aber ist er ein fein empfindender Mann?"

„Das kann ich eben nicht sagen, Sir. Denn, sehn Sie, er würde zum Beispiel diesen Thee, den Sie mit der Postkutsche aus London erhielten, eben so gut für ganz gemeinen Thee - Buh trinken."

„So hat er nicht alle seine Sinne! Die Nase fehlt ihm, oder mindestens weiß er sie nicht zu gebrauchen. Der Thee ist von ganz feiner Sorte! — Ein wahrer duftender Blumenstrauß!"

„Ja wohl, das mag sein! Aber ich gab neulich dem Prediger ein Schlückchen von meinem eignen, echten Cognac-Branntwein, und mag ich nie mehr von dem Quellchen kosten, wenn er nicht meinen Whisky rühmte, als er das Glas ausgeleert hatte! — Im ganzen Kirchspiel — ja in der Kirchenversammlung selbst — ist nicht Einer, der Whisky nicht von Branntwein zu unterscheiden weiß."

„Aber was ist er für eine Art von Mann? — Ist er unterrichtet?" fragte Touchwood.

„Unterrichtet? Ach gelehrt ist er genug — so recht durch und durch von Gelehrsamkeit durchdrungen; — im Pfarrhause mag Alles gehn wie es will, wenn sie ihm nur nicht in seine Studierstube kommen! Es ist ordentlich furchtbar, solch' ein schlecht unterhaltenes Haus zu betrachten! — Wenn ich die beiden faulen Bälge, die den ehrlichen Mann so schändlich behandeln, zwei Tage in meiner Zucht hätte, ich wollte sie lehren, wie man ein Haus in Ordnung hält."

„Predigt er gut?" fragte der Gast.

„O gut genug, geht schon an! — Zuweilen mischt er wohl so eine lange Redensart, oder ein Flickchen Gelehrsamkeit ein, das unsre Pächter und Bonnet=Lairds nicht so recht verstehn können. — Aber was schadet es, wie ich ihnen schon oft sagte? — Die zu seiner Besoldung beitragen müssen, bekommen ja so nur um so mehr für ihr Geld."

„Sorgt er für sein Kirchspiel? — Ist er freundlich mit den Armen?"

„O Mr. Touchwood, was das anbetrifft, nur mehr als zu sehr. Ich bin gewiß, er handelt nach seinen Worten, und wendet sein Angesicht nicht von dem Bittenden. — Seine Tasche wird von allen schmutzigen Taugenichtsen geplündert, welche den Einwohnern der Grafschaft zu Halse liegen."

„Auf dem Halse liegen, Mistreß Dods? — Was würden Sie dann erst sagen, hätten Sie die Fakirs, die Derwische, die Bonzen, die Jamans, die Mönche und Bettler gesehen, die mir aufgestoßen sind? — Aber nur weiter, es thut nichts. Geht dieser Ihr Prediger oft in Gesellschaft?"

„Gesellschaft? Gehn Sie weg!" — rief Meg. „Gar keine Gesellschaft sieht er, weder in noch außer dem Hause. Des Morgens kommt er in einem langen zerlumpten Schlafrock ungefähr wie eine Krähenscheuche auf einem Kartoffelfelde, und setzt sich unter seine Bücher nieder; und bringen sie ihm nicht Etwas zu essen, so hat der arme verdrehte Mann gar nicht das Herz, es zu fordern, und man weiß von ihm, daß er zuweilen zehn Stunden um und

um ohne Essen da gesessen hat, rein fastend, was doch eigentli
papistisches Treiben ist, wenn es auch nur aus Vergessenheit g
schieht."

„Ei, Frau Wirthin, nach allem Diesen ist Ihr Predig
keineswegs der gewöhnliche Mensch, für den Sie ihn ausgabe

Sein Mittagessen vergessen? — der Mann muß wahnsinni
sein! er soll heute mit mir speisen — er soll ein Mittagesse
haben, wofür ich gut sagen will, daß er es sobald nicht wieder ve
gessen soll."

„Sie werden das leichter gesagt als gethan finden!" entge
nete Mistreß Dods: „der ehrliche Mann weiß eigentlich gar nic
einmal, was ihm schmecken würde — überdem ist er nie außer de
Hause — wenn er überhaupt überall ißt. — Ihm genügt an eine
Trunk Milch, einem Bissen Brod, — und vielleicht ißt er noch ei
kalte Kartoffel dazu. — Es ist eine wahrhaft heidnische Gewoh
heit von ihm, so ein guter Mann er sonst auch ist; denn jed
Christenmensch liebt doch für seinen eigenen Leib zu sorgen!"

„Ja, das mag wohl sein; aber ich habe Viele gekannt, me
gute Frau, die ihren Bauch so zum Gegenstand ihrer Sorge m
ten, daß sie für Niemand Andres noch welche zu tragen vermoch
— Aber kommen Sie, machen Sie sich munter an's Werk —
reiten Sie uns ein so schönes Diner für zwei Personen, als
nur zu Stande bringen können. — Punkt vier Uhr muß es !
sein. — Holen Sie von dem alten Rheinwein herauf, den t
von Cockburn senden ließ, eine Bouteille von dem vorzüg
indischen Sekt — und eine andere von Ihrem eignen Clar
aus dem vierten Regal, Sie wissen schon. Doch halt, er
Priester, er muß auch Porter haben! — Halten Sie Alle
— aber lassen Sie nicht den Wein in die Sonne bringen,
einfältige Närrin Beck es neulich that. — Ich kann nu
selbst nach der Vorrathskammer gehen, aber lassen Sie u
keinen Querstreich passiren!"

kopfschüttelnd entgegnete Meg: „Sein Sie ganz ohne Furcht, ganz ruhig! — In meine Vorrathskammer, denke ich, braucht Niemand als ich selbst die Nase hinein zu stecken. — Aber es ist eine unmäßige Weinmenge, die da für zwei Leute, wovon noch obendrein Einer ein Prediger ist, angeschleppt werden soll."

„Nun, thörichte Frau, ist da im Dorfe nicht eben jetzt ein Weib, die wieder einen neuen Narren in die Welt gesetzt hat, und wird sie nicht der Kraftsuppe und des Sekts bedürfen, wenn wir welchen übrig lassen?"

„Ein gutes Ale-Gebräusel würde ihr besser thun," sagte Meg. „Jedoch Ihr Wille ist es, mir soll es eine Freude sein. — Aber so eine Art von Gentleman, wie Sie, hat noch nie meine Thür betreten."

Ehe sie noch ihren Satz vollendet hatte, war der Reisende schon hinweg, der, Meg nach ihrem Gefallen wirthschaften und murmeln lassend, mit der Eile, die all' seinen Handlungen eigen war, wenn er einen neuen Gedanken aufgefaßt hatte, hinwegstürmte, die Bekanntschaft des Predigers zu St. Ronans zu machen, den wir, während Jener nach dem Pfarrhause eilt, unsern Lesern vorzuführen versuchen wollen.

Der ehrwürdige Josiah Cargill war der Sohn eines kleinen Pächters in Süd-Schottland; seine schwache Gesundheit, verbunden mit dem eifrigen Hang zum Studiren, der oft mit gebrechlicher Körperkraft vereint ist, veranlaßte seine Aeltern, wenn auch mit einigen schwerfallenden Aufopferungen, ihn für den Predigerstand zu erziehen. Sie unterwarfen sich aber den deßhalb nöthigen Entbehrungen um so leichter, da sie aus einer in der Familie herrschenden Sage den Glauben faßten, in seinen Adern fließe das Blut des berühmten Märtyrers der Covenants, Doctor Cargill, der in den trüben Tagen der Regierung Carls II. von seinen Verfolgern in der Stadt Queensferry ermordet ward, bloß weil er einst in der Fülle geistlicher Macht den König und die königliche Familie mit

allen ihnen anhängenden Ministern und Höflingen aus der Gemeinschaft der Kirche verwiesen, und durch feierlichen Bannfluch dem
Satan übergeben hatte. Wenn aber Josiah wirklich von diesem
unerschrockenen geistlichen Kämpfer abstammte, war mindestens die
Hitze des Familiengeistes, den er hätte ererben können, durch die
ihm eigenthümliche Sanftheit und die ruhige Lage, in welcher er
sich befand, unendlich gemildert. Alle, die ihn kannten, nannten
ihn einen sanften, wohlwollenden, den Wissenschaften ergebenen
Mann, der nur mit gelehrten Untersuchungen beschäftigt war, besonders in dem Fache, dem er sich geweiht hatte, dabei die höchste
Nachsicht für alle Diejenigen empfand, die andere Beschäftigungen
erwählt hatten. Die Erholungen, welche er sich zuweilen gestattete, trugen alle das Gepräge eines stillen, sanften, nachdenkenden
Charakters, und beschränkten sich gemeinhin auf einsamen Spaziergang im Walde und auf den Bergen, zu deren Lobe er sich zuweilen sogar ein Sonett zu Schulden kommen ließ, das seine Ent-
stehung vielmehr einem unwiderstehlichen Drange, als dem fernsten
Gedanken an Lob oder Lohn, der dem beliebten Dichter zu werden
pflegt, verdankte. Nein, weit entfernt, diese flüchtigen Blätter
den Journalen oder Zeitungen einzudrängen, erröthete er in seiner stillen Einsamkeit über diese poetischen Ergüsse, und war in
der That selten nur so nachsichtig gegen sich, sie dem Papiere anzuvertrauen.

Aus derselben mädchenhaften Schüchternheit unterdrückte er
als junger Student einen großen Hang zur Zeichenkunst, obwohl
Diejenigen, deren Urtheil allgemein als giltig anerkannt war, die
wenigen Skizzen, die er entwarf, höchst gelungen nannten. Und
doch war es eben dieses vernachlässigte Talent, welches gleich dem
flüchtigen Fuße des Hirsches in der Fabel ihm einen Dienst leisten
sollte, den er nur umsonst von seinem Wissen und seiner Gelehrsamkeit erwartet hätte.

Mylord Bidmore, ein ausgezeichneter Kenner, suchte gerade

einen Hofmeister für seinen Sohn und Erben, den achtbaren Herrn Augustus Bidmore, und hatte zu dem Ende einen Professor der Theologie um Rath gefragt, der ihm mehrere seiner Lieblingsschüler vorschlug, welche er sämmtlich zu dieser Stelle geeignet erklärte, jedesmal aber mußte er die wichtige und unerwartete Frage: „Versteht der Candidat das Zeichnen?" verneinend beantworten. Zwar warf der Professor ein, dieß sei ein Gegenstand, den man bei einem Theologiestudirenden weder verlangen, noch erwarten dürfe, doch da er damit als mit der Conditio sine qua non gedrängt wurde, so erinnerte er sich endlich eines träumerischen Jungen, den man nur selten dahin bringen konnte, laut zu sprechen, selbst wenn er seine Aufsätze einrichte, der aber, wie man sagte, großes Talent zum Zeichnen habe. Dieß war für Mylord Bidmore genug; er verschaffte sich einige Skizzen des jungen Cargills, und überzeugte sich, daß unter einem solchen Hofmeister sein Sohn nicht ermangeln würde, sich den erblichen Geschmack anzueignen, den sein Vater und Großvater auf Kosten eines beträchtlichen Vermögens sich erworben hatten, dessen werthvoller Stellvertreter jetzt die gemalte Leinwand in der großen Gallerie zu Bidmore-House war.

Die nähern Erkundigungen bewiesen, daß der junge Mann auch die übrigen erforderlichen Eigenschaften der Gelehrsamkeit und Sittlichkeit in einem höhern Grade besaß, als Lord Bidmore vielleicht verlangt hätte, und zum Erstaunen seiner Mitstudenten, noch mehr aber zu seinem eigenen, ward Josiah Cargill zu der erwünschten und wünschenswerthen Stelle eines Hofmeisters des achtbaren Herrn Bidmore berufen.

Herr Cargill erfüllte thätig und gewissenhaft seine Pflicht bei einem verzogenen, aber gutmüthigen Jungen von schwacher Gesundheit und sehr mittelmäßigen Fähigkeiten. Er konnte ihm freilich die edle, tiefe Begeisterung nicht einhauchen, die einen talentvollen Jüngling bezeichnet, aber er machte in allen Zweigen seines Studiums diejenigen Fortschritte, wozu ihn seine Anlagen fähig

machten. Er verstand die gelehrten Sprachen, und konnte in mancher Hinsicht für sehr belesen gelten, — er trieb Naturwissenschaf-
ten, verstand Muscheln zu klassifiziren, Moose zu trocknen, und
Mineralien zu ordnen; er zeichnete, ohne Geschmack freilich, aber
mit vieler Genauigkeit, und obgleich er in keiner Gattung des
Wissens eine gebietende Höhe erreichte, so wußte er doch von literarischen und wissenschaftlichen Gegenständen genug, um seine Zeit
nützlich anzuwenden, und einen Kopf, der keineswegs zu den wider-
standsfähigsten gehörte, gegen böse Verlockungen zu schützen.

Miß Augusta Bidmore, nächst ihrem Bruder das einzige Kind
des Lords, empfing ebenfalls Cargills Unterricht in den Zweigen
des Wissens, die ihr Vater zu ihrer Bildung erforderlich hielt, und
in welchen der Lehrer sie zu unterrichten vermochte. Aber ihre
Fortschritte standen mit denen ihres Bruders ungefähr in eben dem
Verhältnisse, wie das ätherische Feuer des Himmels sich zu dem
schwerfälligeren Elemente verhält, das auf dem rauchenden Herde
des Bauern dampft. Die italienische und spanische Literatur, die
Zeichenkunst, das Gebiet der Geschichte, kurz alles anmuthigere
Wissen ward so allgewaltig von ihr ergriffen, daß ihr Lehrer eben
so bezaubert als angespornt ward, selbst immer tiefer darin einzu-
dringen, wenn nicht in ihrem siegreichen Laufe die Schülerin den
Lehrer überflügeln sollte.

Aber ach, dieß Verhältniß, das nur zu leicht von Gefahren
bedroht wird, welche aus den besten, süßesten, und eben so natürlichen Gefühlen entspringen, zeigte sich hier, wie schon oft, höchst
verderblich für den Frieden des Lehrers. Jedes wahrhaft empfin-
dende Herz wird eine Schwäche verzeihen, die wir zugleich von der
eignen schweren Strafe begleitet erblicken. Cadenus freilich sagt,
doch mag ihm glauben, wer Lust dazu hat, daß er in einer ähnlichen verfänglichen Lage sich in den Gränzen des Rechts zu bewahren wußte, während die arme Vanessa, seine leidenschaftliche Schülerin, sie unglücklicherweise überschritt. Er behauptet, daß

Unschuld'ge Freud' ihn nur bewegt.
Das heiß des Wissens Durst sie heg
So wie der Lehrer still entzückt
Der Schüler fleißigsten erblickt.

Aber Josiah Cargill war entweder weniger glücklich oder weniger vorsichtig. Unaussprechlich theuer ließ er seine schöne Schülerin seinem Herzen werden, ehe er den Abgrund entdeckte, dem eine blinde, unpassende Leidenschaft ihn zuführte. Zwar war er durchaus unfähig, sich der Gelegenheiten zu bedienen, welche seine Lage ihm darbot, seine Schülerin in die Bande gegenseitiger Leidenschaft zu verstricken. Ehre und Dankbarkeit würden jeden so strafbaren Gedanken unterdrückt haben, hätte er selbst in seinem bescheidenen, anspruchlosen reinen Gemüthe erwachen können. Im Stillen zu seufzen und zu leiden, tausendmal den Plan fassen, sich einer mit so unendlichen Gefahren umgebenen Lage zu entreißen, und von Tage zu Tage die Ausführung eines so vorsichtigen Entschlusses aufschieben, mehr vermochte der Unglückliche nicht; und nicht unwahrscheinlich ist es mindestens, daß die Ehrfurcht, mit welcher er die Tochter seines Gönners betrachtete, nebst der gänzlichen Hoffnungslosigkeit seiner Leidenschaft seine Liebe nur immer reiner und uneigennütziger verklärte.

Endlich ward der Schritt, den die Vernunft schon längst nothwendig nannte, jeder weitern Verzögerung überhoben. Mr. Bidmore sollte ein Jahr außer Landes auf Reisen gehen, und Herrn Cargill ward die Wahl gestellt, mit einer geziemenden Versorgung zu Lohn seiner Dienste sich zurückzuziehen, oder seinen Unternen zu begleiten. Man kann schwerlich seine Wahl bezweifeln, ist er sich doch, so lange er um den Bruder lebte, nicht gänzlich der Schwester geschieden. Er war es gewiß, Augusta würde ben, oft schreiben, und er würde zuweilen mindestens einen ihrer Briefe sehen, ja vielleicht wohl gar eine Erinnerung ren guten Freund und Lehrer" finden; und sein stilles, in Beschauungen hingegebenes, und doch so hoher Begeisterung fähiges Gemüth fand in diesen Tröstungen die geheime Quelle seiner Freuden, die einzige, welche das Leben ihm hienieden noch darzubieten schien.

Aber das Schicksal traf ihn mit einem Schlage, den er nicht vorhergesehen hatte. Nie war ihm der Gedanke einer Vermählung Augustas eingefallen, so natürlich und wahrscheinlich ihre Schönheit, ihr Rang und Reichthum ein solches Ereigniß auch machten; und so wenig er jemals den so ganz hirnlosen Gedanken fassen konnte, sie die Seinige zu nennen, ward er doch unaussprechlich von der Nachricht ergriffen, daß sie das Eigenthum eines Andern geworden sei.

Des achtbaren Mr. Bidmore's Briefe meldeten bald darauf, daß Mr. Cargill an einem Nervenfieber schwer erkrankt, dann wieder, daß er zwar in der Genesung, aber doch so schwach an Geist und Körper sei, daß er durchaus unfähig zum Reisegefährten wäre. Bald darauf trennte man sich, und Cargill kehrte allein nach seiner Heimath zurück, sich ganz dem melancholischen, untheilnehmenden Tiefsinne hingebend, welchem er seit jener geistigen Erschütterung, die ihn getroffen, so viel Gewalt über sich eingeräumt hatte, und der zuweilen sich nur zu hervorstechend in seinem Benehmen äußerte. Seine Schwermuth ward nicht einmal durch irgend eine Sorge über seine Zukunft gestört, obwohl die Auflösung seines Amtes sie höchst ungewiß zu machen schien. Aber dafür hatte Lord Bidmore Sorge getragen, denn wenn auch einigermaßen ein Geck, wo die schönen Künste im Spiele waren, blieb er doch in anderer Hinsicht ein gerechter, ehrenwerther Mann, der einen wahren Stolz darin setzte, daß er Cargills Talente der Finsterniß entrissen habe, und ihm aufrichtigen Dank für den Fleiß und Eifer zollte, mit welchem er die wichtige Aufgabe, die ihm ward, zum Wohl seiner Familie lösete.

Se. Herrlichkeit hatten insgeheim das Patronatsrecht über die Pfarre zu St. Ronans, welche damals einen sehr alten, bald dar-

uf sterbenden Inhaber hatte, von der Mowbray'schen Familie getauft, so daß, als Cargill nach England kam, er sich zu der eben
frei gewordenen Pfründe berufen sah. Doch Cargill war so vollkommen gleichgiltig gegen diese Verbesserung seiner Lage, daß er
sich kaum die Mühe gegeben hätte, die zu seiner Ordination nothwendigen Schritte zu unternehmen, wäre es nicht eine theure
Pflicht für ihn gewesen, für seine jetzt verwittwete und ohne ihn
hülflose Mutter zu sorgen. Er besuchte sie in ihrer kleinen Wohnung in den Vorstädten von Marchtown, hörte es, wie sie vor dem
Allmächtigen den innigen Dank ihres Herzens ausströmte, daß er
ihr das Leben lange genug gefristet habe, ihren Sohn zu einer
Stelle berufen zu sehen, die in ihren Augen ehrenvoller und wün-
schenswerther war, als ein bischöflicher Sitz; vernahm, wie sie sich
das Leben freudig ausmalte, welches sie in der demüthigen Unabhängigkeit, die ihm geworden war, zusammen führen sollten — er
hörte dieß Alles, und hatte nicht den Muth, ihre Hoffnungen und
siegende Freude zu zerstören, indem er nur selbstsüchtig seinen
romantischen Empfindungen nachhing. Fast theilnahmlos unterwarf er sich also den hergebrachten Formen, und ward endlich als
Pfarrer in St. Ronans eingeführt.

So phantastisch und romantisch die Stimmung von Cargills
Gemüth auch war, so lag es doch nicht in ihm, sich unthätiger
Melancholie ganz zu überlassen, aber er suchte seine Erholung nicht
in der Gesellschaft, sondern in einsamen Studien. Immer größer
ward seine Abgeschiedenheit, da seine Mutter, deren Erziehung
ihrem geringen Vermögen angemessen gewesen war, sich von ihrer
jetzigen Würde gleichsam eingeschüchtert fand, und, gern in ihres
Sohnes Zurückgezogenheit von jedem geselligen Umgang willigend,
ihre ganze Zeit zur Uebersicht des kleinen Haushalts und Vermei-
dung aller zufälligen Störungen anwandte, die den geliebten Sohn
aus dem Heiligthum seiner Bibliothek hätten abrufen können. Als
ein hohes Alter ihre Thätigkeit hemmte, begann sie die Unschlüssig-

ihres Sohnes, einem Haushalte vorzustehen, zu beklagen, und sprach so manches über das Gute des Ehestandes und die Mysterien der wirthschaftlichen Verwaltung. Diese Erinnerungen beantwortete Mr. Cargill mit unbedeutenden, ausweichenden Worten, und als endlich die alte Dame hochbejahrt auf dem Kirchhof schlummerte, gab es Niemand, der die Oberaufsicht in der Wirthschaft des Pfarrherrn übernommen hätte. Auch sah sich Josiah Cargill nach keinem Ersatz um, sondern duldete gelassen alle Uebel, die ein Hagestolz zu ertragen hat, welche denen wenigstens gleichzustellen sind, die dem berühmten Mago = Pico in seinem unverheiratheten Stande zur Last fielen. Schlecht zubereitet war seine Butter, und Jedermann, er selbst und die Dirne, welche sie verfertigte, ausgenommen, erklärte sie für ungenießbar; die Milch war angebrannt, Früchte und Gemüse wurden ihm gestohlen, und seine schwarzen Strümpfe mit blau und weißem Garn gestopft.

Wenig bekümmerte sich der Geistliche um all' diese Dinge, sein Geist war immer auf andere Gegenstände gerichtet. Meine schönen Leserinnen müssen aber auch Josiah nicht über die Gebühr erheben, und etwa gar denken, daß er, gleich dem Beltenebros in der Wüste, jahrelang das Opfer einer unglücklichen, unpassenden Liebe blieb.

Nein — zur Schande des männlichen Geschlechts werde es eingestanden, daß keine wirklich hoffnungslose Liebe, wie verzweifelnd und aufrichtig sie sein mag, jahrelang das Leben eines Mannes zu verbittern fortfahren wird. Hoffnung — Ungewißheit der Erwartung — Erwiederung bedarf es, um jenem Tyrann der Seele eine langdauernde Herrschaft über das Gemüth eines kraftvollen, entschlossenen Mannes zu sichern, der selbst danach strebt, seine Freiheit zu wollen. Längst war das Andenken Augusta's in Josiah's Erinnerung verblichen, und umschwebte ihn nur zuweilen als ein melancholischer, vorüberfliegender Traum, während er eifrig und begierig einer weit erhabeneren, sprödern Herrin, nämlich der Wissenschaft, mit allen Kräften nachstrebte.

Jede Stunde, die seinen Amtsgeschäften, welche er mit einem für Kopf und Herz gleich ehrenden Eifer ausübte, entziehen konnte, weihte er seinen Studien und verlebte sie unter seinen Büchern. Aber diese Jagd nach dem Wissen, so achtungswerth und anziehend sie an und für sich selbst ist, ward allmählig zu einem Grade gesteigert, welcher die Achtung, ja die Nutzbarkeit des getäuschten Eiferers verringerte; und er vergaß, in dem reichen Ueberfluß tiefsinniger Forschungen vergraben, daß die Gesellschaft gerechte Forderungen zu machen hat, und ein Wissen, das keinem Andern mitgetheilt wird, nothwendigerweise nur als ein unfruchtbares Talent angesehen werden kann, das für das allgemeine Wohl wie des Geizigen verborgener Schatz bei dem Tode des Wucherers verloren geht. Auch hatten seine Studien noch den Nachtheil, daß, da sie bloß aus Durst nach Wissen und ohne eigentlich bestimmten Zweck getrieben wurden, sie gemeinhin abstrakte Gegenstände betrafen, die vielmehr den Scharfsinn reizend als nützlich waren, und so, indem sie dem Studirenden zwar Unterhaltung gewährten, der Menschheit im Ganzen wenig Nutzen versprachen.

So metaphysischen, physikalischen und historischen abstrakten Nachforschungen hingegeben, hatte Herr Cargill manche lächerliche Gewohnheit angenommen, welche den einsiedlerischen Studirenden dem Spott der Welt bloß stellte, und zugleich die natürliche Liebenswürdigkeit eines freundlichen Gemüthes sowohl, wie die feine Lebensart, welche er sich in Lord Bidmore's Hause aneignete, mindestens verschleierte, wenn auch nicht ganz zu verdunkeln vermochte. Er vernachlässigte sich nicht nur im Anzuge und erschien in all' dem linkischen Aeußern, welches Männer, die viel allein leben, leicht annehmen, sondern er ward noch überdem der zerstreuteste und in sich versunkenste Mann seines Standes, der ohnehin so leicht zu solchen Gewohnheiten verleitet. Niemand gerieth so oft in die Verlegenheit, die Leute zu verkennen, als eben er, der bald eine alte Jungfer nach ihrem Manne, eine kinderlose Frau nach ihrer

Familie, ja sogar den betrübten Wittwer nach der Gattin frag
die er selbst vor etwa vierzehn Tagen mit zur Gruft begleite
Niemand war bekannter mit Fremden, die er nie gesehen, und fr
der gegen Diejenigen, die sich bei ihm willkommen glauben ko
ten. Ewig verwechselte der würdige Mann Geschlecht, Alter u
Stand, und wenn ein blinder Bettler ihm die Hand, eine Ga
begehrend, reichte, so sah man ihn die Höflichkeit dankbar du
Abnahme seines Hutes erwiedern und fragen, indem er sich t
verbeugte, „er hoffe doch, daß Ihro Gestrengen sich wohl b
finden?"

Unter seinen geistlichen Brüdern erwarb sich Mr. Cargill a
wechselnd Achtung durch die Tiefe seiner Gelehrsamkeit, oder ste
sich dem Gelächter durch seine wunderlichen Seltsamkeiten blo
In den letzteren Fällen pflegte er sich gemeinhin sogleich von sein
Spöttern zu entfernen; denn trotz der großen Sanftheit sein
Gemüths hatte sein einsames Leben ihm eine mürrische Ungedu
gegen jede Gattung von Widerspruch eingeflößt, und eine schärf
gereizte Empfindlichkeit für den Spott Anderer ihm zu eigen g
macht, als sonst von seinem wenig anmaßenden Charakter zu e
warten war. Seine Pfarrkinder ergötzten sich, wie man leicht de
ken kann, durch manches herzliche Gelächter auf seine Kosten, un
wurden zuweilen, wie Meg Dods es andeutete, durch seine Geleh
samkeit mehr zum Erstaunen gebracht, als erbaut; denn wenn e
auf einen kritischen Punkt biblischer Gelahrtheit gerieth, erinnert
er sich nicht immer, daß er zu einer volksthümlichen, ungelehrte
Versammlung sprach, und nicht etwa eine concio ad clerum z
übergeben habe — ein Mißverständniß, welches aber keinesweg
aus dem Wunsch entstand, seine Gelehrsamkeit zu zeigen, oder u
sich damit zu brüsten, sondern eben jener Geistesabwesenheit zuzu
rechnen war, die den würdigen Geistlichen verleitete, wenn er vo
zum Tode verurtheilten Verbrechern predigte, plötzlich abzubrechen
indem er den Elenden, die am andern Morgen gerichtet werden

sollten, den Schluß der Rede bei nächster Gelegenheit versprach. Aber doch erkannte die ganze Nachbarschaft Mr. Cargills Ernst und Andacht in Ausübung seiner geistlichen Pflichten an; gern vergaben ihm die ärmeren Pfarrkinder bei seiner unbegränzten Wohlthätigkeit seine unschuldigen Sonderbarkeiten, während die reicheren, wenn sie auch Herrn Cargill über so manche derselben verspotteten, doch so gütig waren, sich zu erinnern, daß eben diese Wunderlichkeiten ihn abgehalten hätten, eine Vermehrung seiner Einnahme gleich allen andern Predigern zu begehren, oder von ihnen ein neues Pfarrhaus, mindestens die Ausbesserung des alten zu fordern. Er sprach einst wirklich davon, und ersuchte sie, „das Dach seiner Bibliothek auszubessern, weil es gar sehr einregne;" da er aber keine bestimmte Antwort von unserm Freunde Micklewham erhielt, der weder dem Vorschlag willfahren wollte, noch ein Mittel absah, ihm auszuweichen, ließ der Prediger ruhig die nöthige Ausbesserung auf seine eignen Kosten machen, und erregte den reichen Besitzern weiter keine Unlust.

So war der würdige Geistliche, den unser Lebemann aus dem Gasthof zur Teufelsfalle mit einem guten Mittagsessen und jener besonders wichtigen Sendung aus Cockburn zu befreunden hoffte, ein sehr gewichtiges, wirksames Mittel in den meisten Fällen', das aber wahrscheinlich in dem gegenwärtigen leicht nur von geringem Einflusse seyn konnte.

Siebenzehntes Kapitel.

Die Bekanntschaft.

Willst du den Unterschied hier wissen;
Den Kopf hast du gebrauchen müssen;
Du hast gelesen, was ich sah.
Mich hat mein Fuß zum Ziel geführet.
Ich schaute, was dich lesend rühret.
Wem ist nun wohl der Sieg geglückt? —

Bruce.

Schnell in allen seinen Entschlüssen und Bewegungen ging unser Reisender hastig die Straße hinab nach dem Pfarrhause, welches, wie wir es bereits beschrieben haben, beinahe ganz zerstört war. Die gänzliche Zerrüttung und Unordnung, die sich schon um die Hausthür herum zeigte, würde den Ort für unbewohnt haben gelten lassen, wenn nicht einige Wannen mit Seifenwasser oder ähnlichen schmutzigen Flüssigkeiten gefüllt, dagestanden hätten, wahrscheinlich um Demjenigen, der sich das Schienbein daran stieß, einen merklichen Beweis zu geben, daß hier Frauenhände geschäftig waren. Da die Thür nur noch halb in Angeln hing, war der Eingang durch eine zerbrochene Egge geschützt, welche erst weggenommen werden mußte, bevor man eintreten konnte. Der kleine Garten, der, wäre er in Ordnung gewesen, dem alten Hause einige Behaglichkeit gegeben haben würde, war ganz verwüstet.

Des Predigers Knecht, der wegen Verrichtens der halben Arbeit zum Sprüchwort geworden war, der aber in diesem Augenblick gar nichts zu thun schien, sah man zwischen Ampferkraut und Nesseln sich durchwindend an einigen Johannisbeeren sich erquicken, welche an ganz mit Moos bewachsenen Büschen noch hingen. Die-

Mr. Touchwood an, indem er nach seinem Herrn fragte;
Tölpel, fürchtend, in flagranti ertappt zu werden, wie
?t sagt, floh, anstatt sein Rufen zu beantworten, gleich
Schuldigen davon, und war bald darauf klappernd und
1b an einem Karren, den er an der andern Seite der zer-
n Mauer gelassen hatte, emsig beschäftigt.

seinen Ruf von dem Diener unbefolgt sehend, klopfte nun
uchwood mit seinem Stock, erst leise, dann stärker, dann
, endlich schimpfend, in Hoffnung, die Aufmerksamkeit
jemandes im Innern des Hauses zu erregen, an die Thüre;
r erhielt keine Antwort. Endlich denkend, daß es keine
ei, in eine so zerstörte, schlechte Wohnung einzudringen,
as ihn abhaltende Hinderniß mit solchem Geräusch hinweg,
) seiner Meinung, wenn nur irgend eine lebende Seele im
var, sie nothwendig davon beunruhigt werden mußte.
s still blieb, schlug er einen Weg zwischen feuchten Wänden
brochenen Fliesen ein, der ganz den Erwartungen des
des Hauses entsprach, bis er zuletzt eine Thüre öffnete,
er, wunderbar genug, noch eine Thürklinke befindlich war,
tzlich sich im Wohnzimmer und vor der Person, welche er
efand.

der Mitte eines Haufens Bücher und anderer literarischer
icke, welche er um sich her angehäuft hatte, saß in seinem
jetragenen, ledernen Armstuhle der gelehrte Pfarrer von
rans, ein dünner, magerer Mann, im mittleren Alter, von
Gesichtsfarbe, aber mit Augen, welche, wenn sie jetzt gleich
nd theilnahmlos umher blickten, gewiß einstens glänzend,
b ausdrucksvoll waren, dessen Züge anziehend erschienen,
iehr, da trotz der Sorglosigkeit seiner Kleidung, er den
tnlichen Gewohnheiten der Morgenländer sehr ergeben
daß ihm jede Zierlichkeit, aber keine Reinlichkeit fehlte.
iar würde vielleicht verwirrter ausgesehen haben, wenn es

Siebenzehntes Kapitel.

Die Bekanntschaft.

Willst du den Unterschied hier wissen?
Den Kopf haßt du gebrauchen müssen;
Du haft gelefen, was ich fah.
Mich hat mein Fuß zum Ziel geführet,
Ich fchaute, was dich lefend rühret,
Wem ist nun wohl der Sieg geglückt? —

Bruce.

Schnell in allen seinen Entschlüssen und Bewegungen ging unser Reisender hastig die Straße hinab nach dem Pfarrhaus welches, wie wir es bereits beschrieben haben, beinahe ganz zerstö war. Die gänzliche Zerrüttung und Unordnung, die sich schon u die Hausthür herum zeigte, würde den Ort für unbewohnt habe gelten lassen, wenn nicht einige Wannen mit Seifenwasser od ähnlichen schmutzigen Flüssigkeiten gefüllt, dagestanden hätter wahrscheinlich um Demjenigen, der sich das Schienbein daran stieß einen merklichen Beweis zu geben, daß hier Frauenhände geschäfti waren. Da die Thür nur noch halb in Angeln hing, war de Eingang durch eine zerbrochene Egge geschützt, welche erst wegge nommen werden mußte, bevor man eintreten konnte. Der klein Garten, der, wäre er in Ordnung gewesen, dem alten Hause einig Behaglichkeit gegeben haben würde, war ganz verwüstet.

Des Predigers Knecht, der wegen Verrichtens der halben Ar beit zum Sprüchwort geworden war, der aber in diesem Augen blick gar nichts zu thun schien, sah man zwischen Ampferkraut un Nesseln sich durchwindend an einigen Johannisbeeren sich erquicken welche an ganz mit Moos bewachsenen Büschen noch hingen. Die sen rief Mr. Touchwood an, indem er nach seinem Herrn fragte; aber der Tölpel, fürchtend, in flagranti ertappt zu werden, wie das Recht sagt, floh, anstatt sein Rufen zu beantworten, gleich einem Schuldigen davon, und war bald darauf klappernd und hämmernd an einem Karren, den er an der andern Seite der zerbrochenen Mauer gelassen hatte, emsig beschäftigt.

So seinen Ruf von dem Diener unbefolgt sehend, klopfte nun Mr. Touchwood mit seinem Stock, erst leise, dann stärker, dann schreiend, endlich schimpfend, in Hoffnung, die Aufmerksamkeit irgend Jemandes im Innern des Hauses zu erregen, an die Thüre; allein er erhielt keine Antwort. Endlich denkend, daß es keine Sünde sei, in eine so zerstörte, schlechte Wohnung einzudringen, hob er das ihn abhaltende Hinderniß mit solchem Geräusch hinweg, daß nach seiner Meinung, wenn nur irgend eine lebende Seele im Hause war, sie nothwendig davon beunruhigt werden mußte. Da alles still blieb, schlug er einen Weg zwischen feuchten Wänden und zerbrochenen Fliesen ein, der ganz den Erwartungen des Aeußern des Hauses entsprach, bis er zuletzt eine Thüre öffnete, an welcher, wunderbar genug, noch eine Thürklinke befindlich war, und plötzlich sich im Wohnzimmer und vor der Person, welche er suchte, befand.

In der Mitte eines Haufens Bücher und anderer literarischer Bruchstücke, welche er um sich her angehäuft hatte, saß in seinem sehr abgetragenen, ledernen Armstuhle der gelehrte Pfarrer von St. Ronans, ein dünner, magerer Mann, im mittleren Alter, von dunkler Gesichtsfarbe, aber mit Augen, welche, wenn sie jetzt gleich finster und theilnahmlos umher blickten, gewiß einstens glänzend, sanft und ausdrucksvoll waren, dessen Züge anziehend erschienen, um so mehr, da trotz der Sorglosigkeit seiner Kleidung, er den höchst reinlichen Gewohnheiten der Morgenländer sehr ergeben war, so daß ihm jede Zierlichkeit, aber keine Reinlichkeit fehlte. Sein Haar würde vielleicht verwirrter ausgesehen haben, wenn es

16*

unterbrochen, von welchem Mr. Cargill Auszüge zu machen schien, und dann und wann durch einen kleinen Ausruf belebt, wenn er seine Feder statt in die Dinte, in die Schnupftabacksdose tauchte, was einigemal geschah. Endlich, gerade als Mr. Touchwood anfing die Scene eben so sonderbar als langweilig zu finden, erhob der abstrakte Gelehrte sein Haupt, und sprach gleichsam wie im Monolog. — „Von Alcon, Accon oder St. John d'Acre bis nach Jerusalem, wie weit?"

„Dreiundzwanzig Meilen Nord=Nord=westlich," entgegnete ohne zu zögern der Fremde.

Mr. Cargill drückte nicht mehr Erstaunen aus, als hätte er die Entfernung auf der Charte gefunden und ahnete höchst wahrscheinlich nicht einmal das Mittel, wodurch seine Frage aufgelöst war, sondern nur den Inhalt der Rede beantwortend, sagte er, die Hand auf das Buch legend: „Dreiundzwanzig Meilen! — Ingulphus und Jeffrey Winesauf stimmen darin nicht überein."

„So mag man Beide für Dummköpfe erklären!" entgegnete der Reisende.

„Sie könnten ihrer Autorität widersprechen, ohne sich solcher Ausdrücke zu bedienen," sagte der Geistliche streng.

„Ich berufe mich auf Sie, Doctor! wollen Sie diese pergamentnen Bursche mit mir vergleichen, mit mir, der seine Füße als Compaß durch den größten Theil der bewohnten Welt benutzte?"

„Sie sind also in Palästina gewesen?" — sagte Mr. Cargill, indem er sich aufrecht in seinem Stuhl setzte, und mit Begierde und Interesse fragte.

„Das können Sie beschwören, Doctor — und auch in Acre. Ei, ich war einen Monat dort, nachdem Boney dort eine Nuß gefunden hatte, die ihm zu schwer zu knacken war. — Ich aß daselbst *mit Sir Sidney's* Stubenburschen, dem alten Pascha Djezzar, und welch' ein herrliches Mittagessen hatten wir! Allein ein Dessert von Rosen und Ohren, welches zuletzt erschien, verdarb mir ein wenig die Verdauung. Der alte Djezzar ist solch' ein lustiger Vogel, daß Sie wenig Leute in Acre sehen, deren Gesichter nicht so flach als meine Hand sind. — Ich nun hatte Achtung für mein Geruchsorgan, und eilte daher den nächsten Morgen so schleunig fort, wie das verruchteste, hart trabendste Dromedar, das je einem armen Pilger zu Theile ward, nur fortzustampfen vermocht werden konnte."

„Wenn Sie wirklich im heiligen Lande gewesen sind," sagte Mr. Cargill, bei dem die sorglose Heiterkeit von Mr. Touchwoods Wesen den Verdacht eines Betrugs erregte, „so werden Sie fähig sein, was die Kreuzzüge betrifft, mir einiges Licht zu ertheilen."

„Diese ereigneten sich vor meiner Zeit, Doctor!" entgegnete der Reisende.

„Sie werden wohl verstehen, daß meine Neugierde nur in geographischer Hinsicht rege ist, und sich also auf die Orte bezieht, wo diese Begebenheiten stattfanden," antwortete Mr. Cargill.

„Bis an ihre Fußspitzen will ich Sie erleuchten; was die Gegenwart anbetrifft, da kann ich Rede stehen. Türken, Araber, Copten und Drusen, alle diese kenne ich, und Sie sollen mit ihnen bekannt werden, so wie ich selbst es bin. Ohne daß Sie einen Schritt über Ihre Thürschwelle machen, soll Ihnen Syrien so befreundet werden, als mir. — Aber eine Freundlichkeit ist der andern werth — Sie müssen die Güte haben, bei mir zu essen."

„Ich gehe' selten aus, Sir," sagte der Geistliche mit zögernder Stimme, denn seine gewohnte Eingezogenheit und Einsamkeit konnten selbst durch die Erwartungen, welche des Reisenden Gespräche erregt hatten, nicht ganz überwunden werden. — „Dennoch kann ich mir nicht das Vergnügen versagen, einem so erfahrnen Manne aufzuwarten."

„Gut denn," sagte Mr. Touchwood. — „Drei Uhr ist die

Stunde. — Ich esse niemals später, und immer auf die Minute — der Ort ist die Schenke zur Teufelsfalle, dort herauf, wo Mistreß Dods so eben beschäftigt ist, ein Essen zu bereiten, wie Sie, mein hochgelahrter Herr, wohl selten gesehen haben, denn ich, Doctor, brachte aus den verschiedenen Welttheilen die Recepte mit."

Nach dieser Uebereinkunft schieden sie, und Mr. Cargill, nachdem er eine Weile nachgesonnen hatte über den sonderbaren Zufall, daß ein lebendiger Mensch ihm die Zweifel heben konnte, die er vergeblich durch den alten Klassiker zu lösen versuchte, nahm nach und nach den Faden der Gedanken wieder auf, welche Mr. Touchwood's Besuch unterbrochen hatte, und verlor in kurzer Zeit alle Erinnerung des Vorgefallenen, sogar der Einladung, welche er angenommen hatte.

Mr. Touchwood hingegen, der, wenn nicht mit wichtigen Dingen beschäftigt, die Gewohnheit hatte, wie der Leser schon bemerkt haben wird, bei Allem viel Geräusch zu machen, durchstrich bei dieser Gelegenheit ohne Aufhören die Küche, bis Mistreß Dods die Geduld verlor und ihn mit dem Rock an den Tisch zu nageln gelobte; eine Drohung, welche er indessen vergab, weil er bedachte, daß in allen Gegenden, die er besucht hatte, und welche civilisirt genug waren, sich mit Köchen zu brüsten, diese Künstler, wenn sie in ihrem feurigen Element beschäftigt sind, auch ein Privilegium haben, ungeduldig und grob zu sein. Er zog sich also aus der heißen Zone Mistreß Dods zurück, und verbrachte seine Zeit auf die gewöhnliche Weise der Müssiggänger; theilweise gehend, um den Appetit zu verstärken, dann wieder seine Uhr bewachend, wie sie sich der dritten Stunde näherte, nachdem er glücklich ein Uhr überstanden hatte.

Sein Tisch in der blauen Stube war, nach der zierlichsten Sitte des Gasthofes zur Teufelsfalle, mit zwei Couverts bereitet, *als die* Dame Dods mit einem artigen, doch schlauen Blick einige

Zweifel aufzuwerfen anfing, ob der Geistliche kommen werde, wenn Alles in Ordnung sei.

Mr. Touchwood hielt es unter seiner Würde, einen solchen Unfall zu beachten, bis die bestimmte Stunde schlug, und keinen Mr. Cargill herbeiführte. Fünf Minuten Verschiedenheit gestattete der ungeduldige Gastgeber dem Gange der Uhren, noch andere fünf dem Zögern des selten Gesellschaft Besuchenden, kaum waren aber diese letzteren vorüber, als er nach dem Pfarrhause schoß, nicht gleich dem Spürhunde oder Hirsch, sondern mit der augenblicklichen Schnelligkeit eines starken, hungrigen, ältlichen Mannes, der nach seinem Essen verlangt. Er platzte ohne Umstände in das Sprach- zimmer hinein, wo er den würdigen Geistlichen in demselben Schlaf- rock in seinem Lehnsessel sitzend fand, in welchem 'er ihn vor fünf Stunden verlassen hatte. Sein plötzlicher Eintritt rief Mr. Car- gill nicht alles Vergangene zurück, aber eine flüchtige Erinnerung der Morgenscene schien sich ihm doch aufzudringen, er suchte sich also auf folgende Weise zu entschuldigen: „Ha! in Wahrheit — schon — auf mein Wort, Mr. A—u. Ach, mein theurer Freund, ich habe sehr unrecht gegen Sie gehandelt — ich vergaß, ein Mittagsmahl zu bestellen — allein wir wollen unser Bestes thun — Eppie! — Eppie!"

Weder beim ersten, zweiten oder dritten Ruf, sondern ex inter- vallo, wie die Rechtsgelehrten sich ausdrücken, erschien endlich eine barfüßige, dickknochige, rotharmige Dirne mit borstigem Haar, und machte ihre Gegenwart durch ein nachdrückliches — „Was wollt Ihr?" — kund.

„Habt Ihr nichts im Hause zu einem Mittagessen, Eppie?"

„Nichts, als Brod und Milch im Ueberflusse! — Was sollt' ich sonst noch haben?" —

„Sie sehen, mein Herr," sagte Mr. Cargill, „Sie lau- fen Gefahr, ein pythagoräisches Mahl zu halten, allein Sie

sind ein Reisender, und haben ohne Zweifel Milch und Brod si
dankbar empfangen."

„Aber niemals, wenn ich etwas Besseres erlangen konnte,
rief Mr. Touchwood. „Kommen Sie, Doctor, ich bitte um Ver
zeihung, aber Ihr Geist ist wohl mit ihren Gedanken spazieren ge
gangen. Ich habe Sie zu mir eingeladen, nach dem Gasthaus
unten, nicht Sie mich."

„Ja, so war es auch — ich wußte nur nicht so recht!" —
rief Mr. Cargill. „Es war eine Einladung zwischen uns wegen
eines Mittagessens — dessen war ich sicher, und das ist doch di
Hauptsache. — Kommen Sie — ich folge Ihnen."

„Wollten Sie nicht erst Ihre Kleidung ändern?" — sagt
der Fremde, indem er mit Erstaunen sah, daß der Geistliche ihn i
seinem Schlafrocke begleiten wollte. „Wir würden alle Gassen
buben des Dorfs hinter uns haben, denn Sie würden der Eul
gleichen, die sich in die Sonne wagt, und jene Buben würden Si
wie ein Flug Weidensperlinge umgeben."

„Sogleich will ich meine Kleider anlegen," sagte der würdig
Geistliche. — „Ich werde schnell fertig sein. — In der That, k
bin beschämt, daß Sie auf mich warten sollen, Mr. A—i. — Ei
in dem Augenblicke ist mir Ihr Name entfallen."

„Ich heiße Touchwood, zu Ihren Diensten, Sir, ich glaub
nicht, daß Sie mich schon früher nennen hörten," antwortete der
Reisende.

„Ja, — recht — niemals habe ich — wahr, mein guter
Mr. Touchstone, wollen Sie einen Augenblick sich niedersetzen, bi
wir sehen, was wir thun können. Wir machen uns selbst zu wunderlichen Sklaven unsers Körpers, Mr. Touchstone. — Wir wenden
auf unsere Kleidung und Erhaltung viel mehr Gedanken und
Muße, die wir besser zu den Bedürfnissen unsers unsterblichen Geistes nutzen könnten."

Mr. Touchwood dachte in seinem Herzen, daß kein Bramin

noch Gymnosophist weniger Ursache haben könnte, die Ausschweifungen in Tafel oder Anzug sich vorzuwerfen, als der Weise, der sich vor ihm befand; aber er ließ sich diese Rede gefallen, wie er es bei noch größerer Ketzerei würde gethan haben, um nur nicht die Unterredung durch weitern Widerspruch zu verlängern.

In kurzer Zeit war der Prediger in seinem Sonntagsstaate ohne weitern Irrthum, als daß er einen seiner schwarzen Strümpfe links anzog, und Mr. Touchwood, glücklich wie Boswell, als er den Doctor Johnson im Triumph davon führte, mit Strachan und John Wilkes zu speisen, hatte das Vergnügen, ihn nach der Teufelsfalle zu geleiten.

Im Laufe des Nachmittags wurden sie bekannter mit einander, und diese Vertraulichkeit führte zur großen, gegenseitigen Achtung ihrer Kenntnisse und Fähigkeiten. Wahr ist es, der Reisende hielt den Gelehrten für etwas zu pedantisch, zu fest an Lehrgebäuden hängend, welche, in der Einsamkeit gebildet, er nicht aufgeben wollte, selbst wenn sie durch die Stimme und das Zeugniß der Erfahrung widerlegt wurden. Außerdem betrachtete er seine wenige Aufmerksamkeit auf Essen und Trinken als unwürdig einer vernünftigen, das heißt einer kochenden Creatur, nämlich eines Wesens, welches, wie John es zergliedert, das Mittagessen für das wichtigste Geschäft des Tages hält. Cargill handelte nicht nach dieser Regel, und war also in den Augen seiner neuen Bekanntschaft hierin mindestens unwissend und ungebildet. — Doch was nun weiter? — Er blieb immer doch ein gemüthvoller, verständiger Mann, wenn auch zu enthaltsam und zu sehr ein Bücherwurm.

Dagegen betrachtete wieder der Geistliche, seinen neuen Freund als eine Art Epicuräer, dem der Bauch sein Gott ist. Auch bemerkte er weder in ihm die vollkommene Erziehung, noch das feine Betragen, über welches ihn sein ehemaliges Leben in der großen Welt zum giltigen Richter machte, und das den Mann von Stande

bezeichnet. — Es entging ihm nicht, daß in dem Verzeichnisse von
Mr. Touchwood's Fehlern derjenige so manches Reisenden sich be=
fand, nämlich eine leichte Anlage, eigene Begebenheiten zu über=
treiben und bei seinen Thaten aufzuschneiden. Aber dennoch ge=
währten seine Kenntnisse morgenländischer Sitten, die noch eben
so waren wie zu den Zeiten der Kreuzzüge, einen lebenden Com=
mentar zu den Werken William Rynes, Raimund von St. Giles,
den moslemischen Annalen von Abulfaragi und andern Geschicht=
schreibern dieser dunkeln Zeit, womit sich seine Gelehrsamkeit jetzt
beschäftigte.

So entstand schnell zwischen diesen beiden Originalen ein freund=
schaftliches oder mindestens geselliges Verhältniß, und zum Er=
staunen des ganzen Kirchspiels sah man den Prediger einmal wieder
mit einem Wesen seines Gleichen umgehen, den man allgemein den
Nabob aus der Teufelsfalle zu nennen pflegte. Zuweilen machten
sie lange Spaziergänge zusammen, zu denen sie sich aber keines
größern Raumes bedienten, als ob etwa hundert Ruthen Landes
ganz eigens zu ihrer Leibesbewegung eingehegt worden wären.
Bald sah man sie so in dem niedrigeren Theile des zerstörten Dor=
fes auf einer kleinen Ebene, bald auf der Esplanade vor dem
alten Schlosse umherschreiten. Zuweilen, doch nur selten willigte
der Geistliche auch ein, Herrn Touchwood's Mittagsmahl zu thei=
len, obwohl es weniger glänzend eingerichtet war, als das erste
Mal; denn, gleich dem prahlenden Eigenthümer des goldnen Be=
chers in Parnells Einsiedler.

Uebt er die Gastfreundschaft, doch mit gering'ren Kosten.«

Bei diesen Gelegenheiten war die Unterhaltung keinesweges so zu=
sammenhängend und geordnet, als sie zwischen sogenannten Welt=
männern sein würde. Im Gegentheil, dem Einen lag oft Saladin
und Richard Löwenherz im Sinne, wenn der Andere von Hyder
Ali und Sir Eyre Coote docirte. Doch während der Eine sprach,

schien der Andere ihm schweigend Aufmerksamkeit zu schenken, und die leichtern Bande der Geselligkeit, die nur Unterhaltung bezwecken, können kaum auf einen sicherern Grund festgestellt werden.

An einem der Abende, wo der Geistliche einen Platz an Mr. Touchwood's gastlichem Tische einnahm, oder vielmehr an dem der Mistreß Dods — denn eine Tasse ganz vorzüglichen Thees, des einzigen Luxus-Artikels, den Mr. Cargill immer mit einiger Theilnahme genoß, war die Labung, die ihrer harrte — ward eine Karte dem Nabob überbracht.

„Mr. und Miß Mowbray empfangen am zwanzigsten dieses, um zwei Uhr, Gäste zum Frühstück zu Shaw-Castle. — Charakterkleidungen sind gestattet — lebende dramatische Bilder werden sich zeigen!"

„Sie empfangen Gesellschaft? — Um so größere Narren sind sie!" fuhr Mr. Touchwood, die Karte recensirend, fort. „Empfangen Gesellschaft? — Gewählte Phrasen sind immer empfehlenswerth — dieß Pappblatt soll also den Leuten anzeigen', daß sie dorthin gehen und alle Narren des Kirchspiels versammelt sehen können, wenn sie Lust haben — zu meiner Zeit erbat man sich die Ehre oder das Vergnügen der Gesellschaft eines Fremden. Ich vermuthe, nachgerade werden wir hier die Sitten eines Zeltes der beduinischen Araber annehmen, worin jeder zerlumpte Hadgi mit seinem grünen Turban ohne Erlaubniß Knall und Fall eintritt, und zur ganzen Entschuldigung nichts sagt, als Salam Aleicum! — Charakter-Anzüge — dramatische Bilder? — Was sind das nur wieder für neue Teufeleien? — Aber es thut nichts! Doctor, hören Sie doch, Doctor! — Ja, der ist schon wieder im siebenten Himmel — hören Sie, Mutter Dods, — Sie, die Sie alles Neue wissen — ist dieß das Fest, welches bis zur Wiederherstellung der Miß Mowbray aufgeschoben ward?"

„Sicherlich ist es das, Mr. Touchwood. — Sie sind gar nicht in der Lage, zwei Feste in einer Badezeit zu veranstalten; —

mag vielleicht überhaupt nicht sehr klug sein, daß sie überall eins geben — doch sie müssen das am Besten wissen."

„Doctor, hören Sie doch, Doctor! Verdammt, ich glaube, er rückt eben den Moslems mit dem mannhaften Richard zu Leibe. Hören Sie doch, Doctor, wissen Sie nicht etwas von diesen Mowbray's?"

Nach einer kleinen Pause entgegnete Mr. Cargill: „Ich weiß eben nichts sehr Besonderes. · Es ist nur die gewöhnliche Geschichte einer Größe, die in einem Jahrhundert auflodert, und im nächsten erlischt. Ich sollte glauben, Camden sagt, daß Thomas Mowbray der Großmarschall von England war, zu diesem hohen Amte sowohl, als zu dem Herzogstitel von Norfolk als Enkel Roger Bigots gelangte."

„Pah, Freund, Sie sind wieder in's vierzehnte Jahrhundert zurück — ich meine diese jetzigen Mowbray's von St. Ronans — nein, schlafen Sie nicht wieder ein, ehe Sie meine Frage beantworten — und starren Sie mich nicht wie ein aufgescheuchter Hase an — ich führe keinen Hochverrath im Sinne."

Der Geistliche rang einige Augenblicke nach Sammlung, wie es gewöhnlich der Fall bei einem im abstrakten Sinnen verlornen, oder aus dem Somnambulismus erwachenden Menschen der Fall ist, und antwortete dann, obwohl noch immer mit einigem Zögern:

„Mowbray von St. Ronans? — Ja — ei — ich kenne sie das sind — ja, ich kannte die Familie."

„Sie sind eben im Begriff, einen Maskenball, einen bal paré, eine Privat-Comödie, glaube ich, und wer weiß, was sonst noch zu geben," sagte Mr. Touchwood, ihm die Karte zureichend.

„Ich sah so etwas Aehnliches schon vor vierzehn Tagen," sagte Mr. Cargill. „Wirklich, ich selbst erhielt eine solche Karte, oder ich erblickte irgendwo eine solche."

„Sind Sie gewiß, Doctor, daß Sie dem Feste nicht schon beiwohnten?" fragte der Nabob.

„Wer? ich ihm beigewohnt? Scherzen Sie, Mr. Touchwood?" wiederte Herr Cargill.

„Aber sind Sie auch wirklich gewiß davon überzeugt?" wiederholte Mr. Touchwood, der zu seinem unendlichen Jubel bemerkt hatte, daß der gelehrte und abstrakte Doctor sich seiner Sonderbarkeiten zu ängstlich bewußt war, um jemals irgend einer Sache ganz sicher zu sein.

„Gewiß davon überzeugt?" wiederholte er verlegen. „Mein Gedächtniß ist so kläglich, daß ich niemals es liebe, ganz bestimmt über Etwas abzusprechen   aber sollte ich irgend Etwas unternommen haben, das so ganz aus meinem gewöhnlichen Wege liegt, so sollte ich denken, ich würde mich dessen erinnern, — und — ich bin überzeugt, daß ich nicht da war."

„Sie konnten auch nicht!" sagte der Nabob über den mühsamen Weg lachend, auf welchem der Doctor endlich zum Vertrauen auf seine eigne Meinung gelangte, „denn jenes Fest hat gar nicht stattgefunden — es ward aufgeschoben, und dies ist die zweite Einladung — für Sie wird auch eine da sein, da Sie zu dem ersten gebeten waren.   Kommen Sie, Doctor, Sie müssen hingehen wir wollen zusammen hin.   Ich als Iman — ich kann ein Bismillah wie jeder Hadgi hersagen. Sie gehen als Kardinal, oder wie Sie es für gut finden."

„Wer? ich? — Das ziemt sich nicht für meinen Stand, Mr. Touchwood; auch ist es eine Thorheit, die gänzlich meinen Gewohnheiten widerspricht."

„Desto besser! — Sie müssen ihre Gewohnheiten ändern."

„Sie würden gut thun, wenn Sie mit dahin gingen, Mr. Cargill," sagte Meg Dods, „denn es könnte leicht das letzte Mal sein, daß Sie Miß Mowbray sehen möchten — man sagt, sie wird sich nach England hin verheirathen mit einem von den neugebackenen Edelleuten, kann sein mit einem von den Narren da unten am Gesundbrunnen."

Verheirathen?" rief der Prediger, „das ist unmöglich."

„Worin liegt denn die Unmöglichkeit, Mr. Cargill, wenn man es doch sieht, wie die Leute alle Tage Hochzeit machen, da Sie selbst ja eben das Ding recht zusammenknüpfen. — Es kann wohl sein, daß Sie daran denken, da das arme Mädchen einen Sparren im Kopfe hat; aber Sie sehen es ja an sich selbst am besten, wenn Niemand als die Klugen heirathen sollten, da würde es schlecht um die Bevölkerung der Welt stehen, Mr. Cargill. — Ich meine freilich auch, klug sind die Leute, die wie Sie und ich ledig bleiben, Mr. Cargill. — Hilf Himmel! — Sind Sie unwohl? — Wollen Sie nicht ein herzstärkendes Schlückchen nehmen?"

„Riechen Sie an meiner Rosenessenz," sagte Mr. Touchwood. Der Geruch würde den Todten wieder erwecken — aber was zum Henker kann dieß bedeuten? — Sie waren noch eben ganz wohl?"

„Ein plötzlicher Schwindel," entgegnete Mr. Cargill sich erholend.

„Sehen Sie, Mr. Cargill, dies kommt von Ihrem vielen Fasten!" rief Mistreß Dods.

„Richtig, Frauchen," fügte Mr. Touchwood hinzu, „dann noch Milch und Bauernbrod dabei! — Ein jedes christliche Nahrungsmittel wird von einem solchen Magen zurückgewiesen, so wie ein kleiner Landedelmann den Besuch eines begüterten Gutsbesitzers zurückweiset, damit er nicht die Unfruchtbarkeit seiner Felder bemerke. — Ha ha ha!"

„Und so sagt man wirklich, Miß Mowbray würde sich verheirathen?" fragte der Prediger.

„Ganz gewiß! Nelly Trotter brachte die Neuigkeit mit!" entgegnete Meg. „Und wenn sie auch zuweilen einen Tropfen über den Durst trinkt, so glaube ich nicht, daß sie eine Lüge sich erdenken oder verbreiten würde — besonders nicht bei einer so guten Kundin, als ich ihr bin."

„Das muß untersucht werden!" sagte Mr. Cargill, als spräche er zu sich selbst.

„Ja gewiß, das muß es!" erwiederte Dame Dods. „Es wäre eine Sünde und Schande, wenn sie solch' eine klägliche Zymbel dabei gebrauchen sollten, wie den Menschen, den sie Chatterley nennen, da wo man eine solche geistliche Trompete besitzt, wie Sie selbst, Mr. Cargill, es sind; und wollen Sie auf eines Narren alten Rath achten, so lassen Sie sich doch in Ihrer eignen Mühle das Mahlgeld nicht entgehen, Mr. Cargill."

„Recht, ganz recht, Mutter Dods," sagte der Nabob; „man muß sich um Handschuh und Hutschnur bekümmern, und Mr. Cargill thut sehr wohl, wenn er mit mir zu diesem verdammten Feste geht, um dort gehörig seines Vortheils wahrzunehmen."

„Ich muß mit der jungen Dame sprechen," fuhr tiefsinnend der Prediger fort.

„Ja, ja, ganz recht, mein tiefstudirter Freund, Sie sollen mit mir gehen, und wir wollen sie schon zur Unterwürfigkeit unter die Mutterkirche bringen, ich bürge Ihnen dafür! — Wahrhaftig, der Gedanke, auf solche Art gepreßt zu werden, würde einen Heiligen selbst außer Fassung bringen. — Welch' eine Kleidung wollen Sie anlegen?"

„Meine eigne, ohne Zweifel," sagte, aus seiner Träumerei aufschreckend, der Prediger.

„Wahr, Sie haben wiederum recht. Sie haben dort vielleicht Lust, den Knoten gleich auf der Stelle zu schürzen, und wer würde von einem maskirten Prediger sich wohl trauen lassen? Wir gehen ohne Masken zum Fest! Das ist eine abgemachte Sache."

Der Prediger willigte ein, wenn er nämlich eine Einladung erhielte, und da er diese schon auf dem Pfarrhause vorfand, hatte er keine Entschuldigung, sein Wort zurückzunehmen, selbst wenn er eine gesucht hätte.

————

Achtzehntes Kapitel.

Die Launen des Glücks.

Graf Cassel: Wir Leute deren Fuhrwerk auf drei Rädern
fortgeht, sehen sehr leicht eins der Räder in
Stocken gerathen.

Der erzürnte Ehemann.

Unsre Erzählung muß sich jetzt einige Rückblicke gestatten, und obwohl es eigentlich unserer Art des Vortrags sonst nicht anpassend ist, muß sie sich mehr den Charakter eines Berichtes, als den des Dialogs aneignen, mehr das, was geschah, als dessen Eindruck auf die Handelnden schildern. Doch versprechen wir dies Alles nur bedingungsweise, denn wir sehen Versuchungen voraus, die es uns schwer machen könnten, zu streng unser Wort zu halten.

Den größten Eindruck hatte die Ankunft des jungen Grafen von Etherington an der Heilquelle von St. Ronans hervorgebracht, um so mehr, da der sonderbare Umstand eines Angriffs auf die Person Sr. Herrlichkeit dazu kam, den man wagte, als er eine kurze Strecke in einiger Entfernung von seinen Wagen und Leuten allein durch den Wald ging. Der Tapferkeit, womit er den Straßenräuber zurückschlug, kam nur seine Großmuth gleich, denn er wollte durchaus nicht, obwohl er eine tiefe Wunde in dem Kampfe davon trug, daß man irgend eine Nachforschung nach dem armen Teufel unternahm.

Von den „drei schwarzen Grazien", wie sie von einem sehr witzigen Kopfe unserer Zeit genannt werden, eilten Rechtsgelehrsamkeit und Arzneikunde, durch Herrn Micklewham und Quackleben repräsentirt, dem Lord Etherington ihre Huldigung darzubringen, während die Gottesgelahrtheit eben so willig, aber zurückhaltender

in der Person des ehrwürdigen Mr. Chatterley auf den Zehenspitzen bereit stand, ihre Dienste anzubieten.

Aus dem oben angeführten achtungswerthen Grunde lehnte
Se. Herrlichkeit dankbar Mr. Micklewham's Anerbieten, dem
Straßenräuber nachzuspüren, ab, während er der Sorge des Arztes die Heilung einer schmerzlichen Fleischwunde im Arme, so wie
einer leichten Schramme am Schlafe übergab; sein Benehmen bei
dieser Gelegenheit war so höchst liebenswürdig, daß der Doctor
aus Sorge für sein Wohl ihm dringend den Gebrauch des Brunnens auf einen Monat anempfahl, wenn er sich einer gänzlichen
Wiederherstellung erfreuen wolle. Nichts sei so häufig, wie er Sr.
Herrlichkeit versichern könne, als der Wiederaufbruch geheilter
Wunden; und da der St. Ronans-Brunnen, nach Doctor Quacklebens Theorie, ein Mittel gegen alle menschliche Uebel sei, so
konnte es nicht fehlen, er mußte, wie das Wasser zu Barrege, die
Ablösung der Knochensplitter oder fremden Theile befördern, welche
eine Pistolenkugel zufällig dem Körper zum großen Nachtheil desselben einverleiben kann. Er pflegte zu sagen, daß, wenn er auch
die Heilquelle, die er beschütze, nicht gänzlich für ein Universal-
mittel erklären könne, so wolle er doch durch Worte und Schrift
beweisen, daß sie die Haupt-Eigenschaften der berühmtesten Heil-
quellen der bekannten Welt besitze. Kurz, ein bloßer Scherz war
Alpheus Liebe für Arethusa im Vergleich derjenigen, welche der
Doctor für seine Lieblingsquelle hegte.

Der neue edle Gast, dessen Ankunft diesen Aufenthalt der Genesung und des Frohsinns so verherrlichte, ward im Anfang nicht
so oft im Speisesaal und den andern öffentlichen Vergnügungs-
orten gesehen, als die würdige dort versammelte Gesellschaft es gehofft hatte. Seine Gesundheit verlieh ihm hinreichende Entschuldigung, nur hin und wieder zu erscheinen.

Doch höchst einschmeichelnd und gewinnend war, wo er sich
sehen ließ, sein *ganzes* Benehmen, und das incarnatrothe seidene

17*

Tuch, welches den verwundeten Arm als Binde trug, vereint mit
der schmachtenden Bläſſe, womit der Blutverluſt ſein offenes hüb-
ſches Geſicht bedeckt hatte, verbreitete eine ſo anziehende Anmuth
über ihn, daß viele Damen ihn für ganz unwiderſtehlich erklärten.
Alle ſtrebten von ihm bemerkt zu werden, da ſie eben ſowohl durch
ſein artiges Zuvorkommen angezogen, als durch die ruhige und
leichte Nachläſſigkeit, womit es gemiſcht war, gereizt wurden.
Der plan- und ſelbſtſüchtige Mowbray, der unſeine rohe Sir
Bingo, beide gewöhnt, ſich ſelbſt als die Erſten in der Geſellſchaft
anzuſehen und von andern eben ſo betrachtet zu werden, ſanken
jetzt in ein eben ſo tiefes Nichts herab. Aber beſonders Lady Penelope ließ alle Minen ihres Witzes und ihrer Kenntniſſe ſpringen,
während Lady Binks, ihren natürlichen Reizen vertrauend, ebenfalls ſich Mühe gab, ſeine Aufmerkſamkeit auf ſich zu ziehen. Die
andern Nymphen des Brunnens traten noch beſcheiden ein wenig
zurück, jenem Höflichkeitsgrundſatze getreu, welcher auf großen geſchloſſenen Jagdpartieen den erſten Schuß auf das edelſte Stück
Wild dem vornehmſten der Anweſenden überläßt. — Aber in manchem ſchönen Buſen ſchlummerte die Hoffnung, daß Ihro Herrlichkeit trotz der ihr ſo zugeſtandenen Vorrechte ihren Zweck verfehlen
könnte, und daß dann vielleicht für weniger eingebildete, doch wohl
nicht weniger geſchickte Jägerinnen noch Zeit ſein möchte, ihre
Kunſt zu verſuchen.

Aber während der Graf ſich ſo der öffentlichen Geſellſchaft ent-
zog, war es nothwendig, mindeſtens natürlich, daß er ſich Jemand
wählte, die Einſamkeit ſeines Gemaches mit ihm zu theilen; Mowbray, der im Range dem auf halbem Solde ſtehenden, Whisky
trinkenden Hauptmann, Mac Turk, überlegen war, unterhaltender
ſprach als Winterbloſſom, der recht eigentlich zum alten Schwätzer
herabſank, und eben ſo Sir Bingo in Takt und Verſtand bei weitem übertraf, bahnte ſich leicht Eingang in des Lords genauere
Geſellſchaft; innerlich dem ehrlichen Burſchen Lob und Preis

sagend, dessen Kugel die mittelbare Veranlassung war, daß der Lord außer der seinigen von der Gesellschaft geschieden blieb, begann er allmählich das Terrain zu untersuchen und die Geschicklichkeit seines Gegners in den verschiedenen Hazard- und andern Spielen, die er unter dem Vorwand, die Langeweile der Krankenstube zu tödten, einführte, auf die Probe zu stellen.

Micklewham, der wirklich oder scheinbar den größten Antheil an dem Glücke seines Patrons nahm, und jede Gelegenheit erspähte sich zu erkundigen, wie seine Pläne fortschritten, empfing im Anfang so günstigen Bericht, daß er den Mund von einem Ohr zum andern grinsend verzerrend, sich die Hände rieb, und solche Ausbrüche der Heiterkeit zeigte, wie nur das Gelingen einer Spitzbüberei ihm zu entlocken vermochte. Aber Mowbray blieb ernst, troz all' seinem Jubel. Er sagte:

„Dahinter steckt troz dem Allen noch etwas, das er nicht ganz begreifen könne. — Etherington hätte eine gewandte Hand — wäre verflucht pfiffig — wüßte alles genau, wie es sein sollte, und doch verlöre er sein Geld auf eine wahrhaft kindische Art."

„Und was liegt daran, wie er es verliert, wenn Sie es gewinnen wie ein Mann?" fragte sein rechtsgelehrter Freund und Rathgeber.

„Ei, zum Henker, ich weiß es nicht zu sagen;" entgegnete Mowbray. „Wenn ich nicht überzeugt wäre, daß er eine solche Unverschämtheit sich möglicher Weise nicht ausführbar denken kann, so soll mich der Teufel holen, wenn ich nicht glauben möchte, daß er mich nur warm zu halten suche, um mich dann plötzlich wie ein alter Krieger den Feind in den Grund zu bohren."

Mit dem Tone eines scheinbaren Mitgefühls, sagte der Rechtsgelehrte: „Gut, Mr. Mowbray, Sie müssen zwar Ihre eigenen Wege am besten kennen — aber der Himmel segnet ein bescheidenes Gemüth. Ich würde es nicht gern sehen, wenn Sie diesen armen Burschen *total* so in Grund und Boden ruinirten. — Aber

von seinem Ueberfluß zu verlieren wird ihm eben keinen großen
Schaden thun und vielleicht eine Lehre geben, die ihm noch lange
Nutzen gewährt. — Aber als ein rechtlicher Mann kann ich nicht
wünschen, daß Sie sich tiefer mit ihm einließen.   Sie sollten
den jungen Menschen schonen, Mr. Mowbray."

„Und wer hat mich geschont, Micklewham?" fragte Mowbray,
bittern Nachdruck in Ton und Blick.   „Nein, nein,   er muß
auch daran glauben — mit Geld und Geldeswerth.   Sein Sitz
heißt Oakendale — denkt daran, Mick — Oakendale. — Name
dreifach glücklicher Vorbedeutung voll! — Sprich mir nicht von
Barmherzigkeit, Mick. — Die Squires von Oakendale müssen ab-
gesattelt werden und zu Fuß zu gehen lernen. Welche Barmherzigkeit kann der umherirrende trojanische Krieger von den Griechen
erwarten? — Die Griechen? — Ich bin ein ächter Suliot — die
tapfersten der Griechen.

Erbarmen nicht noch Furcht, nie werd' ich je sie kennen,
Wer dem Bezier gedient, weiß beide nicht zu nennen.

Und die Nothwendigkeit, Mick," schloß er mit etwas erschüt-
ternbem Tone, „die Nothwendigkeit ist ein so ernst mahnender Gebieter, wie irgend ein Bezier oder Pascha, mit welchem Scander-
beg jemals focht, oder den Byron besungen hat."

Mit einem Tone, der zwischen wimmern, kichern und seufzen
schwankte, wiederholte Micklewham seines Patrons Ausrufungen;
das erste sollte sein vorgegebenes Mitleiden mit dem zum Opfer
bestimmten Jüngling, das zweite seine Theilnahme an dem glücklichen Ausgang der Angelegenheiten seines Patrons ausdrücken;
das dritte endlich leise die noch immer drohenden Gefahren, welche
überwunden werden mußten, andeuten.

So kühner Sieger wie sich Mowbray in dieser Unterredung
darstellte, hatte er doch bald darauf vollkommen Gelegenheit einzustimmen:

„Des Kampfes Wuth entbrennt wo Griech' den Griechen trifft."

Die leichten Scharmützel waren beendet, und der ernstere Kampf begann mit einiger Vorsicht von beiden Seiten, da wahrscheinlich ein jeder wünschte, Herr der Taktik seines Gegners zu sein, ehe er die eigene entfaltete. Im Piquet, das schönste Spiel, in welchem ein Mann sein Vermögen aufopfern kann, hatte Mowbray zu seinem Unglück vielleicht sehr früh viel Erfahrung und Feinheit erworben, und auch der Graf von Etherington zeigte sich darin, wenn auch weniger geübt, doch als kein Neuling. Sie spielten jetzt um Summen, welche Mowbrays Vermögens-Zustand ihm sehr ansehnlich erscheinen ließ, obwohl sein Gegner ihre Vergrößerung gar nicht zu beachten schien. Mit abwechselndem Glücke schritt das Spiel vorwärts, denn wenn auch Mowbray zuweilen mit frohlockendem Lächeln Micklewhams fragende Blicke beantwortete, schien er ihnen zu andern Zeiten auszuweichen, als habe er ein trauriges Bekenntniß abzulegen.

Dieß häufig wechselnde Spiel des Glücks währte indessen im Ganzen eben nicht beträchtlich lange Zeit; denn Mowbray, zu jeder Stunde zum Spiel bereit, brachte einen großen Theil seiner Zeit in Lord Etheringtons Zimmer zu, und diese Stunden waren alle dem Kampfe geweiht. Während dieser Zeit ward auch, da Se. Herrlichkeit nun genugsam wieder hergestellt war, sich mit nach Shaw-Castle zu begeben, und auch Miß Mowbray genesen genannt wurde, jener Plan wieder aufgenommen, ja noch obendrein mit einer dramatischen Darstellung verbunden, deren eigentliche Beschaffenheit aus einander zu setzen, wir späterhin Gelegenheit haben werden. — Die früher ausgetheilten Einladungen wurden wiederholt, und so erhielt auch Herr Touchwood, der damals auf dem Brunnen gewohnt hatte, eine neue Karte; um so mehr, da die Damen vorsichtig übereinkamen, daß ein Nabob, obwohl zuweilen ein überlästiges unbrauchbares Geschöpf, nicht zu rasch und unnöthigerweise vernachlässigt werden müßte. Der Prediger war als ein alter *Bekannter* der Familie, den man nicht auslassen kann

wenn es einmal ein großes Essen gibt, eingeladen worden; aber
seine Lebensart und Gewohnheiten waren so allgemein bekannt,
daß man eben so wenig erwartete, er würde sein Haus bei einer
solchen Gelegenheit verlassen, als daß die Kirche sich selbst von
ihrem Fundament trennen könnte.

Bald nachdem diese Einrichtungen getroffen waren, trat der
Laird von St. Ronans plötzlich in das Kabinet Micklewhams,
mit frohlockenden Blicken. Der würdige Anwalt wandte die be-
brillte Nase seinem Patron entgegen, und die Hand sinken lassend,
welche so eben die Papiere, deren Durchsicht ihn beschäftigt hatte,
wieder mit blauem Zwirn aufreihen wollte, harrte er mit weit
aufgesperrten Ohren und Augen, was eigentlich Mowbray ihm
mitzutheilen habe.

Frohlockend, doch die Stimme bis zum leisesten Flüstern herab-
senkend, sagte der Laird: „Ich habe ihn erwischt! Dießmal ward
Se. Herrlichkeit tüchtig geschlagen — mein Kapital ist verdoppelt
und noch etwas darüber. — Still, unterbrecht mich nicht — wir
müssen jetzt an Clara denken — Sie muß den Sonnenschein theilen, sollte es auch nur ein täuschender Lichtblick sein, der dem
Sturme vorangeht. — Sie wissen, Mick, die beiden verdammten
Weiber haben beschlossen, daß sie eine Art Bal paré bei meinem
Feste, eine Art dramatischer Darstellung einrichten wollen, und
daß die, welche Lust dazu haben, in Charakter-Anzügen erscheinen
sollen. — Ich sehe ihre Absicht sehr gut ein; sie denken, Clara hat
keinen passenden Anzug für solche Narrheiten, daher hoffen sie,
meine Schwester auszustechen; Lady Pen, mit ihren altmodischen
schlecht gefaßten Juwelen, Lady Binks mit ihrem neumodischen
Prunk, für welchen sie sich selbst verkauft hat. — Aber Clara soll
nicht herabgewürdigt werden durch —. Ich vermochte das gezierte
Geschöpf, die Zofe der Lady Penelope, mir zu sagen, was ihre Gebieterin für Pläne in Hinsicht ihres Anzuges hat, und erfuhr, daß
sie eine griechische Kleidung wählt, wahrlich, wie eine der morgen-

ländischen Damen Will Allans. — Aber nun kommt der eigentliche Knoten. — Es ist nur ein einziger Shawl, der es werth ist
sich darin zu zeigen, in Edinburgh, und zwar in der Moden-Gal-
lerie, zu verkaufen. — Mick, den Shawl muß nun eben Clara
haben, mit der andern Wirthschaft von Mousselin, Treffen, und so
weiter, welches alles hier auf dem Papier aufgezeichnet ist.
Senden Sie sogleich einen Brief, sich dessen zu versichern, denn da
Lady Penelope erst mit der morgenden Post schreibt, so kann Ihr
Auftrag schon zur Nacht mit der Briefpost abgehen. — Hier ist
eine Note auf hundert Pfund."

Aus der mechanischen Gewohnheit, nie etwas auszuschlagen,
empfing Micklewham zwar bereitwillig die Note, doch fuhr er fort,
nachdem er sie durch seine Brille betrachtet hatte, seinem Patron
Vorstellungen zu machen: „Das ist zwar sehr herzlich — sehr
gut gemeint, St. Ronans, und gewiß ich würde der Letzte sein zu
denken, daß Miß Clara so viel Rücksicht und Zärtlichkeit von
Ihnen nicht verdiente, aber ich zweifle sehr, ob sie sich das geringste
aus all' den schönen Dingen machen wird. Sie wissen es selbst,
selten ändert sie nur ihre einmal gewohnte Tracht. — Wunderlich
genug, findet sie ihr Reitkleid passend für jede Gesellschaft. — Ja,
und wenn Ihnen ihr Aussehen am Herzen liegt — wenn sie nur
einen Gedanken mehr Farbe hätte! — Das arme, theure Kind!"

„Gut, gut," rief Mowbray ungeduldig: „Eine Frau mit
einem hübschen Anzug auszusöhnen, das laßt nur meine Sorge
sein."

„Gewiß, Sie müssen das am besten wissen; aber dennoch,
wäre es nicht besser, diese hundert Pfund in Tam Turnpennys
Hände niederzulegen, auf den Fall, wenn die junge Dame späterhin vielleicht der Schuh irgendwo drücken sollte."

„Sie sind ein Narr, Mick. Was könnte es nützen, solch' einem
Schuhdrücken abzuhelfen, wenn die Rede dann vielleicht gar von
einem gebrochenen Herzen wäre? — Nein, nein; thut nur was ich

sage. — Wir wollen sie mindestens auf einen Tag niederschmettern, vielleicht ist es der Anfang eines neuen Glanzes."

„Gut, gut! — Ich wünsche, daß dem so sei! Aber wie steht es mit dem jungen Grafen? — Haben Sie die schwache Seite erspäht? Ist er dem Urtheil nebst Zahlung der Unkosten verfallen? — Das ist die Frage!"

„Ich wollte ich könnte sie bejahend beantworten," entgegnete Mowbray. „Zum Teufel mit dem Burschen. Dem Range und seiner Lebensart nach steht er ein wenig höher als ich — gehört zu den großen Clubbs, und ist mit den Allerhöchsten, Unerreichbarsten jener Gattung von Leuten eng vertraut. Mein Umgang war freilich von niedrigerer Art — aber hol es dieser und jener, man zieht bessere Hunde im Hundestall als im Wohnzimmer. Ich denke, jetzt bin ich ihm über den Kopf gewachsen — mindestens soll es mir bald klar werden, ob ich seiner Herr bin, oder nicht, und das ist auch ein Trost. — Doch daran denken Sie nicht. — Richten Sie nur meinen Auftrag aus, und tragen Sie dabei Sorge, daß kein Name genannt wird. Ich muß meine kleine Abigail vor allen Vorwürfen sichern."

Man trennte sich. Micklewham eilte, seines Patrons Befehle auszuführen — sein Patron, jene Hoffnungen auf die Probe zu stellen, deren Unsicherheit er sich selbst nicht verbergen konnte.

Der Fortdauer seines guten Glückes vertrauend, entschloß sich Mowbray, an eben diesem Abend eine Crisis herbeizuführen. Alles schien äußerlich sein Vorhaben zu begünstigen. Sie hatten zusammen in Lord Etheringtons Gemach gespeiset — der Zustand der Gesundheit des Lords untersagte die Freuden des Weines, und ein herbstlicher Nebelregen machte das Spazierengehen unangenehm; auch kamen die Herren nicht weiter als nach dem besonderen Stall, wo Lord Etheringtons Pferde der Sorge eines vorzüglich wohl *erfahrenen Reitknechts* überlassen waren. Natürlich boten die Kar-

stammend, die sie so oft in Zorn an einander brachte, daß endlich der beleidigte Vater, Reginald St. Mowbray, seinem widerspenstigen Sohne auf das kräftigste die Thür wies; und der Bursche würde seinen plebejischen Sinn schwer gebüßt haben, hätte er nicht bei einem Verwandten dieser Familie von Originalen, einem Scroggie, der noch den einträglichen Handel trieb, welcher die Seinigen zuerst bereicherte, Zuflucht gefunden. Ich führe alle diese Umstände hier weitläufig an, das sonderbare Verhältniß, in welchem ich mich besinde, Ihnen genügend zu erklären."

„Fahren Sie fort, Mylord, Niemand wird die hohe Sonderbarkeit dieser Erzählung bestreiten; aber ich setze voraus, daß Sie mir diese außerordentlichen Umstände aus wahrhaft ernsten Gründen mittheilen."

„Auf meine Ehre! so ist's — und bald werden Sie selbst einsehen, wie sehr ernsthaft die ganze Sache ist. Als mein würdiger Onkel Mr. St. Mowbray (denn ich will ihn auch jetzt in der Gruft nicht Scroggie nennen) die Schuld der Natur bezahlte, glaubte Jedermann, er würde seinen Sohn enterbt haben, den unkindlichen Scroggie, und darin hatte Jedermann Recht. — Aber eben so allgemein war die Meinung, er würde seine Besitzungen dem Sohne einer Schwester, dem Lord Etherington, meinem Vater, vermachen, nd darin irrte man sich eben so allgemein. Denn mein vortrefflcher Großonkel hatte sich in seinem Sinne wohlweislich überlegt, ß der Lieblingsname Mombray keinen Vortheil und größern anz erringen würde, wenn seine Besitzung Nettlewood, auch owbray=Park genannt, ohne weitere Bedingung in unsere Faiie überginge. Deßhalb also, unter Leitung eines Rechtsgelehrbestimmte er es mir, der ich damals ein Schulknabe war, unter Bedingung, daß ich vor meinem fünfundzwanzigsten Jahre eine e Dame von gutem Rufe, die den Namen Mowbray führte, ugsweise aus dem Hause St. Ronans, wenn es darin eine

gegen die Gesetze des Spiels, dessen sich der ärgste Stümper, der je eine Karte berührte, kaum schuldig gemacht hätte, gab Lord Etherington einen Point an, ohne ihn aufzuzeigen, und nach der gewöhnlichen Regel des Piquets war Mowbray nun berechtigt die seinigen zu zählen, und im Laufe dieses und des nächsten Spiels gewann er die Partie und strich den Satz ein. Lord Etherington ließ Unmuth und Aerger blicken, und schien zu glauben, man hätte mehr auf die Strenge der Regeln bestanden, als man artigerweise gesollt hätte. Doch Mowbray schien seine Logik gar nicht zu verstehen. Er meinte, „Tausend Pfund wären in seinen Augen keine leere Nußschale; die Regeln beim Piquet würden nur von Weibern und Knaben unbeachtet gelassen, und er wenigstens wolle lieber gar nicht, als nicht streng, wie es sich ziemte, spielen."

„So schien es mir, mein theurer Mowbray," sagte der Graf. „Bei meiner Seele, nie sah ich ein so zerknirschtes Gesicht als das Ihrige bei dem unglücklichen Spiel. — Es nahm mir schlechterdings alle Aufmerksamkeit; ja, ich kann es dreist versichern, der klägliche Ausdruck desselben hat mich um tausend Pfund gebracht. — Könnte ich das langgereckte Antlitz auf die Leinwand zaubern, so würde es mir sowohl Rache als mein Geld wieder einbringen; denn eine recht treffende Aehnlichkeit wäre nicht einen Pfennig weniger werth, als mich das Original gekostet hat."

„Ihr Scherz, Mylord, sei Ihnen gern gestattet;" entgegnete Mowbray, „und zu demselben Preis stehe ich Ihnen zehntausendmal zu Diensten. Nun was meinen Sie?" fragte er, die Karten wieder mischend; „wollen Sie in einem neuen Spiel besser für sich sorgen? — Man sagt, die Rache ist süß!"

„Heute Abend habe ich keine Lust dazu;" erwiederte der Graf ernst: „Hätte ich sie, Mowbray, so könnten Sie leicht schlimm dabei fahren. Ich pflege nicht immer einen Point anzusagen ohne ihn aufzuweisen."

„Ew. Herrlichkeit sind unzufrieden mit sich selbst wegen eines

Versehens, das ein Jeder begehen kann. — Für mich war es ein eben solches Glück, als hätte ich schöne Karten bekommen; so will ich denn Dame Fortuna loben."

„Aber wie wäre es, wenn hier das Glück keinen Einfluß gehabt hätte?" fragte Lord Etherington. „Wie wäre es, wenn mit einem Freund und ehrlichen Jungen wie Sie, Mowbray, im Spiele begriffen, ein Mann es vorziehen möchte sein eigen Geld, das er missen kann, zu verlieren, statt das zu gewinnen, wovon sein Freund ohne Kummer sich nicht trennen würde?"

„Wenn man einen Fall setzt, der so ganz undenkbar wäre — denn mit Erlaubniß, leicht kann man ihn aufstellen, doch unmöglich ist es, ihn zu beweisen — so würde ich sagen, Niemand habe ein Recht, mich in einer solchen Lage zu glauben, oder zu vermuthen, daß ich um einen höheren Einsatz spielte, als mir rathsam wäre."

„So würde also Ihr Freund, der arme Teufel," rief der Lord, „nicht nur sein Geld verlieren, sondern noch Händel obenein bekommen! — So wollen wir es auf einem andern Weg versuchen.

Setzen Sie den Fall, dieser gutmüthige, einfältige Spieler habe eine Gunst von höchster Wichtigkeit von seinem Freunde zu fordern, und halte es für besser, seine Bitte einem Gewinner als einem Verlierenden vorzutragen?"

„Soll dieß mir gelten, Mylord, so ist es durchaus nöthig, daß ich erfahre, womit ich Ew. Herrlichkeit verpflichten kann."

„Das Wort ist freilich leicht ausgesprochen, doch so gar schwer zurückzunehmen, daß ich in der That lieber noch inne halte — doch heraus muß es einmal, also — Mowbray, Sie haben eine Schwester!"

„Mowbray fuhr zusammen: „Wohl habe ich eine Schwester, Mylord, doch kann ich mir keinen Fall denken, in welchem ihr Name mit Anstand in unsere jetzige Unterredung verwickelt sein kann."

„Schon wieder im drohenden Tone!" sagte Lord Etherin
ton so heiter wie zuvor; „nun das ist mir ein schöner Her
Erst will er mir den Hals abscheiden, weil er mir tausend Pfu
abgewonnen hat, und dann weil ich ihm anbiete, seine Schwester z
einer Gräfin zu machen!"

„Zu einer Gräfin, Mylord? Sie wollen Scherz treiben! –
Noch nie haben Sie Clara Mowbray gesehen!"

„Vielleicht nicht! Doch was schadet das? — Ich kann
ihr Gemälde erblickt haben, wie Puff im Schauspiel sagt, od
mich durch den Ruf in sie verlieben — oder um keine weite
Möglichkeiten aufzustellen, welche, wie ich sehe, Sie ungeduld
machen, es kann mir ja genügen zu wissen, daß sie ein schöne
höchst vollkommenes, junges Frauenzimmer, und Besitzerin ein
ansehnlichen Vermögens ist."

„Von welchem Vermögen sprechen Sie, Mylord?" frag
Mowbray, unruhig einiger Warnungen Micklewhams gedenken
daß nach seiner Ansicht Clara Ansprüche auf des Lairds Besitzu
gen habe. „Welche Güter hat sie? — Unserer Familie gehö
nichts außer diesen Besitzungen von St. Ronans, oder vielmeh
was noch von ihnen übrig ist; und von diesen bin ich selbst oh
Zweifel der sie rechtmäßig besitzende Lehnserbe."

„Das mag so sein;" entgegnete der Graf, „denn ich mac
nicht den kleinsten Anspruch an Ihre bergigen Gebiete hier, d
ohne Zweifel

— — — berühmt sind weit und breit
Durch Squires und Ritter aus der alten Zeit.

„Meine Absicht geht auf ein vielleicht weniger romantische
aber bei weitem reicheres Besitzthum — einen großen Ritters
Nettlewood-House genannt, alt, aber von so hohen ruhmwürdige
Eichen umgeben! Dreitausend Morgen Land für Ackerba
Wiesen und Waldung, außer den beiden eingehegten Bezirken, welc
die Wittwe Hodge und der Hauswirth Trampelod zur Benutzu

„Aber leider eine der farblosesten, Mylord!" erwiederte Mowbray.

„Eine schöne Farbe ist der erste Reiz, der in der modischen Welt untergeht, und zugleich am leichtesten zu ersetzen ist.

„Aber die Eigenthümlichkeiten der Menschen können, ohne daß einer von beiden die Schuld davon trägt, nicht übereinstimmen; — Ich vermuthe, Ew. Herrlichkeit haben sich nach meiner Schwester erkundigt. Sie ist liebenswürdig, gebildet, gefühlvoll und hochsinnnig. — Aber dennoch"

„Ich verstehe Sie, Mr. Mowbray, und will Ihnen die Mühe ersparen, sich zu erklären. Ich hörte, daß Miß Mowbray in einiger Hinsicht etwas — Seltsames — ja, wenn ich mir ein stärkeres Wort erlauben will   etwas Wunderliches in ihrem Benehmen hat. — Das thut nichts. — Sie braucht um so weniger Neues sich anzueignen, wenn sie eine Gräfin und eine Dame nach der Mode wird."

„Ist das Ihr Ernst, Mylord?" fragte Mowbray.

„Ich will Ihnen meine Meinung ganz offen darlegen. Ich besitze ein sehr gelassenes Gemüth und einen fröhlichen Sinn, und kann leicht denen, mit welchen ich lebte, einen großen Theil Sonderbarkeiten zu Gute halten. Ich zweifle gar nicht, daß Ihre Schwester und ich sehr glücklich zusammen leben werden. Aber gesetzt den Fall, es fügte sich anders, so können wir schon zuvor Einrichtungen festsetzen, wie wir dann ein Jedes für sich dennoch einer angenehmen Lage genießen können. Mein eignes Vermögen ist an sich schon ansehnlich, und Nettlewoods Einkünfte können immerhin eine Theilung ertragen."

„Nun denn," sagte Mowbray, „ich habe wenig mehr hinzuzusetzen — so weit es Ew. Herrlichkeit betrifft, bleibt mir keine weitere Frage. — Aber meiner Schwester bleibt freie Wahl — ich meines Theils bin vollkommen mit Ew. Herrlichkeit Antrag einverstanden.

eigene Lage dadurch sehr wenig glänzender erschien. Er entschloß sich also, selbst ein vornehmer Mann zu werden. Sein Vater hatte Schottland sehr jung verlassen, und führte, mit Scham gestehe ich es, den gemeinen Namen Scroggie. Dieß unglückliche Sylben-paar brachte mein Onkel persönlich vor das Wappenbureau in Schottland; aber weder Lyon, noch Snadoun, noch Islay, weder ein Herold noch dessen Schildträger, wollten Scroggie beschützen! Scroggie! — Daraus ließ sich schlechterdings nichts machen. — So nahm mein würdiger Verwandter seine Zuflucht zu dem bessere Hoffnung gewährenden Namen seiner Mutter, und gründete seine höhere Würde auf das Mowbray'sche Geschlecht. — Dieß gelang ihm ungleich besser, ja ich glaube, irgend ein listiger Bursche stahl für ihn ein kleines Zipfelchen Ihres eigenen Stammbaumes, das Sie, wie ich behaupten will, niemals vermißten. — Kurz, auf irgend eine Art erhielt er für sein Silber oder Gold ein zierliches Stückchen Pergament, mit dem weißen Löwen, dem Wappen der Mowbray, verherrlicht, in vier Feldern drei verkrüppelte Büsche als Wappen der Scroggie führend, und ward also nun Mr. Scroggie Mowbray, oder vielmehr, wie er sich selbst unterschrieb, Reginald (sein eigentlicher Taufname war Ranald) St. Mowbray. Er hatte einen Sohn, der sehr respektswidrig über dieß alles nur lachte, die Ehre, welche dem hohen Namen Mowbray eigen war, ausschlug, und darauf bestand, zur großen Kränkung der Ohren seines Vaters und zu dessen vielfachem Aerger, seinen eigenthüm-lichen Namen Scroggie allein beizubehalten."

„Nun, auf mein Wort, zwischen diesen Beiden," sagte Mow-bray, „gestehe ich, daß ich auch meinen eigenen Namen gewählt hätte, und den Geschmack des alten Herrn bei weitem dem des jüng-gern vorziehe."

„Ganz wahr; doch diese Leute waren Beide höchst eigenwillige, *absurde Originale*, mit einer *so* vortrefflichen Hartnäckigkeit, ich *weiß nicht, ob von den Mowbray's, ob von den Scroggie's* ab-

stammend, die sie so oft in Zorn an einander brachte, daß endlich der
beleidigte Vater, Reginald St. Mowbray, seinem widerspenstigen
Sohne auf das kräftigste die Thür wieß; und der Bursche würde
seinen plebejischen Sinn schwer gebüßt haben, hätte er nicht bei
einem Verwandten dieser Familie von Originalen, einem Scroggie,
der noch den einträglichen Handel trieb, welcher die Seinigen zuerst
bereicherte, Zuflucht gefunden. Ich führe alle diese Umstände hier
weitläufig an, das sonderbare Verhältniß, in welchem ich mich befinde, Ihnen genügend zu erklären."

„Fahren Sie fort, Mylord, Niemand wird die hohe Sonderbarkeit dieser Erzählung bestreiten; aber ich setze voraus, daß Sie
mir diese außerordentlichen Umstände aus wahrhaft ernsten Gründen mittheilen."

„Auf meine Ehre! so ist's — und bald werden Sie selbst einsehen, wie sehr ernsthaft die ganze Sache ist. Als mein würdiger
Onkel Mr. St. Mowbray (denn ich will ihn auch jetzt in der Gruft
nicht Scroggie nennen) die Schuld der Natur bezahlte, glaubte
Jedermann, er würde seinen Sohn enterbt haben, den unkindlichen
Scroggie, und darin hatte Jedermann Recht. — Aber eben so allgemein war die Meinung, er würde seine Besitzungen dem Sohne
seiner Schwester, dem Lord Etherington, meinem Vater, vermachen,
und darin irrte man sich eben so allgemein. Denn mein vortrefflicher Großonkel hatte sich in seinem Sinne wohlweislich überlegt,
daß der Lieblingsname Mowbray keinen Vortheil und größern
Glanz erringen würde, wenn seine Besitzung Nettlewood, auch
Mowbray-Park genannt, ohne weitere Bedingung in unsere Familie überginge. Deßhalb also, unter Leitung eines Rechtsgelehrten, bestimmte er es mir, der ich damals ein Schulknabe war, unter
der Bedingung, daß ich vor meinem fünfundzwanzigsten Jahre eine
junge Dame von gutem Rufe, die den Namen Mowbray führte,
vorzugsweise aus dem Hause St. Ronans, wenn es darin eine

solche gäbe, durch die heiligen Bande der Ehe mit mir vereinen solle. — Jetzt ist mein Räthsel aufgeklärt."

Nachdenkend entgegnete Mowbray: „Und es ist wirklich ein höchst sonderbares Räthsel!"

„Gestehen Sie die Wahrheit, Mowbray," sagte der Graf, die Hand auf seine Schulter legend. „Sie finden, diese Geschichte läßt noch so manches zweifelnde Sorgen, wenn nicht den Zweifel selbst zurück!"

„Mindestens, Mylord, werden mir Eure Herrlichkeit zugeben, daß, da ich der nächste Verwandte Miß Mowbrays, und ihr einziger Beschützer bin, ich allerdings, ohne Sie zu beleidigen, über eine Anwerbung um ihre Hand unter so bewandten Umständen nach-sinnen kann."

„Wenn Sie in Hinsicht des Ranges und Vermögens den klein-sten Zweifel hegen, so kann ich sogleich die genügendste Auskunft ertheilen," sagte der Graf von Etherington.

„Das ist mir sehr glaublich, Mylord'," entgegnete Mowbray. „Auch fürchte ich keinen Betrug, wo er so leicht zu entdecken sein müßte. Ew. Herrlichkeit Benehmen gegen mich (wobei sein Blick die Bankzettel streifte, welche er noch immer in Händen hielt), ist, das gebe ich zu, ganz von der Art gewesen, einen so entscheidenden Grund der Anhänglichkeit, als Sie angeführt haben, glaublich zu machen. Aber es bleibt bei alledem höchst sonderbar, daß Ew. Herrlichkeit Jahre verstreichen ließen, ohne sich einmal nach der jungen Dame zu erkundigen, welche wirklich zu der beabsichtigten Verbindung nach dem Willen Ihres Onkels die einzige passende Person ist. Es scheint mir, daß Sie schon vor langer Zeit diesen Punkt hätten zu erforschen suchen sollen; ja, daß es selbst jetzt viel natürlicher und anständiger gewesen wäre, meine Schwester minde-stens zuvor gesehen zu haben, ehe Sie um ihre Hand warben."

„Den ersten Punkt anbetreffend, gestehe ich Ihnen, mein theu-rer *Mowbray*, daß, ohne Ihre Schwester im Geringsten beleidigen zu wollen, ich sehr gern mich von dieser bindenden Klausel befreit hätte; denn ein jeder Mann wählt sich am liebsten die Frau, die ihm gefällt, und ich habe überhaupt keine Eile zum Heirathen. Aber die schurkischen Rechtsgelehrten, nachdem sie reiche Sporteln sich zahlen ließen, und mich Jahrelang hinhielten, haben mir endlich rund heraus erklärt, daß die Klausel erfüllt werden oder Nettlewood einen andern Herrn erhalten muß. So hielt ich es denn für's Beste, hieher zu kommen, die schöne Dame zu schauen; da mich aber zufällige Hindernisse davon bis jetzt abhielten, und ich in ihrem Bruder einen Mann finde, der die Welt kennt, so denke ich, Sie werden deßhalb nichts Böses von mir glauben, weil ich zum Voraus Sie mir zum Freunde zu machen suchte. Die Wahrheit ist, daß ich in dem Laufe eines Monats fünfundzwanzig Jahr alt werde, und ohne Ihren Schutz und die Gelegenheiten, die nur Sie mir verschaffen können, scheint das ein gewaltig kurzer Zeitraum, eine Dame von Miß Mowbrays Werthe sich zu gewinnen."

„Und was geschieht, wenn Sie diese Verbindung nicht schließen, Mylord?" fragte Mowbray.

„Das Vermächtniß meines Onkels verfällt, und das schöne Nettlewood mit seinem alten Hause, noch ältern Eichen, Herrenrechten und allem andern Zubehör fällt an einen meiner Cousins germains, den der Himmel vernichten möge!"

„Sie haben sich sehr wenig Zeit gegönnt, einen solchen Nachtheil abzuwenden; aber da die Sachen nun einmal so stehen, wie ich es jetzt einsehe, sollen Sie gewiß allen Beistand erhalten, den ich Ihnen zu ertheilen vermag. Wir müssen aber nun in gleicheren Verhältnissen stehen, Mylord. Ich will mich entschließen, einzuräumen, daß es mir in diesem Augenblicke unangenehm gewesen wäre, jenes Spiel zu verlieren, aber wie die Sachen sich gestaltet haben, kann ich nicht so handeln, als hätte ich es rechtmäßig gewonnen. Wir müssen um den Satz loosen."

„Wenn Sie es wirklich freundlich mit mir meinen, mein theurer Mowbray, so sprechen wir davon kein Wort weiter. Das Versehen war ganz ächter Art, denn ich dachte, wie Sie leicht denken können, an ganz andere Dinge, als an Aufdecken meiner Karten. — Alles ward ehrlich verloren und gewonnen. — Ich hoffe, mir wird Gelegenheit werden, Ihnen wahrhaftere Dienste anzubieten, die mir vielleicht ein Recht auf Ihre parteilichere Anhänglichkeit gewähren können. Jetzt stehen wir uns durchaus gleich. Ganz und gar! —"

„Wenn Ew. Herrlichkeit der Meinung sind!" — sagte Mowbray, und schnell dann auf das übergehend, wovon er mit größerer Ueberzeugung reden konnte, fuhr er fort: „In der That, was auch geschehen möchte, keine persönliche Rücksicht auf mich selbst würde mich abhalten, meiner Pflicht als Beschützer meiner Schwester auf das Strengste nachzukommen."

„Das ist außer Zweifel, auch wünsche ich nichts weiter," entgegnete der Graf.

„Ich muß also glauben, daß der Antrag Eurer Herrlichkeit ganz ernsthaft gemeint ist, und daß er nicht zurückgenommen werden wird, wenn selbst bei der Bekanntschaft mit Miß Mowbray Sie dieselbe nicht so der Aufmerksamkeit Ew. Herrlichkeit würdig fänden, als sie vielleicht dem Rufe nach glaubten."

„Mr. Mowbray," antwortete der Graf, „die Unterhandlung zwischen uns soll als so abgeschlossen zu betrachten sein, als wäre ich ein regierender Herr, der die Schwester eines benachbarten Potentaten zur Ehe begehrt, welche er, der fürstlichen Etikette gemäß, vorher weder sah, noch gesehen haben konnte. Ich war ganz offen gegen Sie, und habe Ihnen bewiesen, daß meine jetzigen Gründe, diese Unterhandlung anzuknüpfen, nicht von der Person, sondern von den Gütern herrühren; wenn ich Miß Mowbray erst kennen werde, zweifle ich nicht, daß es sich anders gestalten wird. Ich hörte, daß sie eine Schönheit sein soll."

„Aber leider eine der farblosesten, Mylord!" erwiederte Mowbray.

„Eine schöne Farbe ist der erste Reiz, der in der modischen Welt untergeht, und zugleich am leichtesten zu ersetzen ist.

„Aber die Eigenthümlichkeiten der Menschen können, ohne daß einer von beiden die Schuld davon trägt, nicht übereinstimmen; — Ich vermuthe, Ew. Herrlichkeit haben sich nach meiner Schwester erkundigt. Sie ist liebenswürdig, gebildet, gefühlvoll und hochsinnnig. — Aber dennoch"

„Ich verstehe Sie, Mr. Mowbray, und will Ihnen die Mühe ersparen, sich zu erklären. — Ich hörte, daß Miß Mowbray in einiger Hinsicht etwas — Seltsames — ja, wenn ich mir ein stärkeres Wort erlauben will etwas Wunderliches in ihrem Benehmen hat. — Das thut nichts. — Sie braucht um so weniger Neues sich anzueignen, wenn sie eine Gräfin und eine Dame nach der Mode wird."

Ist das Ihr Ernst, Mylord?" fragte Mowbray.

Ich will Ihnen meine Meinung ganz offen darlegen. Ich besitze ein sehr gelassenes Gemüth und einen fröhlichen Sinn, und kann leicht denen, mit welchen ich lebte, einen großen Theil Sonderbarkeiten zu Gute halten. Ich zweifle gar nicht, daß Ihre Schwester und ich sehr glücklich zusammen leben werden. Aber gesetzt den Fall, es fügte sich anders, so können wir schon zuvor Einrichtungen festsetzen, wie wir dann ein Jedes für sich dennoch einer angenehmen Lage genießen können. Mein eigenes Vermögen ist an sich schon ansehnlich, und Nettlewoods Einkünfte können immerhin eine Theilung ertragen."

„Nun denn," sagte Mowbray, „ich habe wenig mehr hinzuzusetzen — so weit es Ew. Herrlichkeit betrifft, bleibt mir keine weitere Frage. — Aber meiner Schwester bleibt freie Wahl — ich meines Theils bin vollkommen mit Ew. Herrlichkeit Antrag einverstanden.

„So, hoffe ich, können wir es als eine abgemachte Sache ansehen?"

„Wenn Clara beistimmt — ohne Zweifel."

„Ich hoffe, ich habe nichts von der persönlichen Abneigung der jungen Dame zu fürchten?"

„Ich kann einen Fall, zu welchem ich keinen Grund voraus= zusetzen weiß, unmöglich erwarten. Aber eigensinnig pflegt jedes Mädchen zu sein, und wenn Clara, nachdem ich ihr Alles vorstellen werde, was einem Bruder obliegt, dennoch ihre Zusage verweigert, so hat mein Einfluß allerdings Grenzen, welche ich ohne Grau= samkeit nicht überschreiten könnte.

Der Graf schritt stumm einigemal im Zimmer auf und nieder, und sagte dann mit einem ernsten und unmuthigen Tone: „Und inzwischen bin ich gebunden, doch die Lady nicht? — Mowbray, ist das wohl ganz recht?"

„Es ist das Loos eines jeden Mannes, der um ein Mädchen wirbt, Mylord; er muß nothwendigerweise durch seinen Antrag sich gebunden achten, bis in einer schicklichen Zeit er ihn angenom= men oder verworfen sieht. Meine Schuld ist es nicht, daß Ew. Herrlichkeit mir Ihre Wünsche erklärten, ehe Sie der Zustimmung Clara's gewiß waren. Da aber jetzt die Sache nur von uns Bei= den gekannt ist — stelle ich es noch in Ihre Macht, zurückzutreten, wenn Sie es besser finden. Clara Mowbray hat es nicht nöthig, um einen Bewerber sich zu bemühen."

„Ich verlange durchaus keine Erlaubniß, meinen Ihnen mit= getheilten Entschluß noch einmal zu überlegen," sagte der Graf. „Ich fürchte nicht im Geringsten, daß der Anblick Ihrer Schwe= ster mich andern Sinnes machen könnte, und bin bereit, mein vor= her gegebenes Wort treu zu erfüllen. — Wenn Sie indessen so sehr zart für mich besorgt sind, so kann ich ja auf Ihrem nahen Feste Miß Mowbray sehen und sprechen, ohne ihr zuvor besonders vorgestellt zu sein. — Die Rolle, die ich dabei übernommen habe, nöthigt mich ohnehin, in einer Maske zu erscheinen."

„Gewiß," sagte der Laird von St. Ronans, „ich freue mich sehr, daß zu unserm beiderseitigen Besten Ew. Herrlichkeit daran denken, zuvor eine kleine Prüfung anzustellen."

„Sie wird mir eben keinen Nutzen gewähren," entgegnete der Graf. „Mein Loos ist gefallen, ehe mein Blick sie trifft. — Aber wenn diese Art, die Sache einzuleiten, Ihr Gewissen beruhiget, so habe ich nichts dagegen — viel Zeit kann es nicht kosten, und das liegt mir am Herzen."

So ohne weitere für den Leser bedeutende Unterhaltung schüttelten sie sich die Hände und trennten sich.

Mowbray war höchst zufrieden, sich endlich allein zu finden, um selbst über die eigentliche Stimmung seines Geistes klar zu werden, der ihn höchst befangend aufregte. Er sah leicht ein, wie viel größern Vortheil jeder Art ihm und seiner Familie durch eine so nahe Verbindung mit dem reichen jungen Grafen werden müßte, als er sich jemals von der Beute versprechen konnte, die ihm seine größere Geschicklichkeit im Spiel oder auf der Rennbahn erwerben mochte. Aber die Erinnerung, wie ganz er sich in die Gewalt des Lords gegeben hatte, verwundete seinen Stolz, und die Rettung vom gänzlichen Verderben, welche er nur seines Gegners Schonung verdankte, verlieh seinem verwundeten Gefühl keinen heilenden Trost. Das Bewußtsein, wie vollkommen sein auserwähltes Opfer alle seine Pläne ergründete, und nur aus Rücksicht für den bessern Erfolg der eignen sie nicht verderbend auf ihn zurückfallen ließ, setzte ihn tief in seiner eignen Meinung herab, auch vermochte er eben so wenig ein unbestimmtes, doch quälendes Gefühl des Argwohns zu unterdrücken. — Welch' einen Grund konnte der junge Lord haben, durch den Verlust von tausend Pfund einem Antrage den Weg zu bahnen, der an sich so annehmbar war, ohne zuvor ein solches Opfer nöthig zu machen? Und weßhalb war er noch obenein so eifrig bemüht, sich seiner Zustimmung zu versichern, ehe er die junge Dame nur erblickte? — So eilig er sein mochte, konnte er nicht abwarten, bis er Clara bei dem Feste in Shaw-Castle sah, wo sie doch nothwendig erscheinen mußte? — Doch schien dies Benehmen, wenn auch ungewöhnlich, schlechterdings keine böse Absicht zu verrathen, da weder die Aufopferung einer so großen Summe, noch die Bewerbung um ein unbemitteltes Mädchen von Familie eine hinterlistige Absicht vermuthen ließen. So ward also Mowbray endlich mit sich einig, das Ungewöhnliche in des Grafen Benehmen dem leichtsinnigen, heftigen Charakter eines jungen Engländers zuzuschreiben, für den das Geld wenig Werth hat, und der mit viel zu übereilter Hast den Lieblingsplan eines Augenblicks verfolgt, um den vernünftigsten und geziemendsten Weg zu finden. Sollte indessen späterhin sich irgend etwas Unheimliches in dem Plane noch spüren lassen, das er jetzt noch nicht einzusehen vermochte, so gelobte sich Mowbray, die höchste Aufmerksamkeit aufzubieten, sich Licht zu schaffen, um noch zur rechten Zeit jeder bösen Folge für seine Schwester oder sich selbst zuvor zu kommen.

In solche Ueberlegungen verloren, vermied er die forschenden Blicke Mr. Micklewhams, der auf der Lauer war, um von ihm zu erfahren, wie seine Kasse stände, und bestieg, obwohl es schon spät war, sein Pferd, nach Shaw-Castle zu reiten. Unterwegs überlegte er, ob er seiner Schwester den empfangenen Antrag mittheilen sollte, um sie vorzubereiten, den jungen Grafen als einen von ihrem Bruder begünstigten Bewerber aufzunehmen. Doch sein endlicher Entschluß lautete! „Nein, nein, nein! Sie könnte es sich in den Kopf setzen, daß seine Gedanken weniger darauf gerichtet wären, sie zu einer Gräfin zu erheben, als die Güter seines Großonkels zu besitzen. — Wir müssen uns ruhig verhalten, bis ihre persönliche Erscheinung und Vollkommenheiten mindestens den Anschein einigen Einflusses auf seine Wahl haben können.

Nichts muß sie wissen, bis dieß gebenedeiete Fest gegeben und empfangen ward.“

Neunzehntes Kapitel.

Ein Brief.

So lange unermüdet hielt er's aus,
Doch Athem schöpft er jetzt. — Wohl — Mag es sein.
Richard III.

Kaum hatte Mowbray das Gemach des Grafen verlassen, als der Lord einen Brief an einen Freund und Verbündeten begann, der am besten geeignet ist, die Absichten und leitenden Gründe des Schreibers rühmlichst aufzuklären. Die Adresse lautete: An den Hauptmann Jekyl bei dem Regiment Garde — im grünen Drachen, Harrowgate; der Inhalt war folgender:

„Theurer Heinrich!

„Mit so viel Sehnsucht, als nur je ein Mann erwartet wurde, habe ich deiner in den letzten zehn Tagen geharrt; und jetzt muß ich deine Abwesenheit als Hochverrath unsers beschwornen Bundes anklagen. Du wirst doch wohl nicht, wie einer der neugebackenen Monarchen Napoleons es dir einfallen lassen, nach Unabhängigkeit zu streben, als ob deine Größe dein eignes Werk sei, oder als ob ich auf dem St. James-Kaffeehause dich allein auserlesen hätte, mich zu unterstützen, nicht zu meinem Nutzen, nein, zu deinem eigenen Vortheile? Deßhalb wirf alle deine Geschäfte bei Seite, es mag nun die Jagd auf eine Wittib, oder die Plünderung irgend eines jungen Küchleins betreffen, und begib dich sogleich hieher, wo ich bald deines Beistandes bedürftig sein könnte. — Bedür-

— — — Bei meinem Leben,
Ein schönes Weib ward diesem Mann gegeben!

„Eine liebenswürdige Frau, Heinrich,   etwas Fülle, und über die mittlere Größe — ganz dein Geschmack. — Eine Juno, der Schönheit nach, die mit solcher Verachtung auf ihren Gatten blickt, den sie geringschätzt und haßt, und doch aussieht, als könne sie so ganz verschieden Jemand anblicken, der ihr besser gefiele — daß es meiner Treu ordentlich Sünde wäre, ihr nicht Gelegenheit dazu zu geben. Wenn du Lust hast dein Glück bei dem Ritter oder der Dame zu versuchen — du sollst ohne Einmischung dein Spiel leiten können — wenn du nämlich auf diesen Ruf erscheinst; denn sonst möchte es sich so fügen, daß ich selbst die Angelegenheiten des Ritters und der Dame mir zu Herzen nähme. Wenn du also diese Winke benutzen willst, Heinrich, so eile zu unserm beiderseitigen Vortheil herbei. — Der deinige, Heinrich, wenn du dich dessen würdig zeigst.

Etherington."

Als er dieses beredtsame unterrichtende Schreiben beendet hatte, gebot der junge Lord seinem Kammerdiener Solmes, es ohne Zeitverlust und eigenhändig nach dem Postamte zu befördern.

Zwanzigstes Kapitel.

Theater-Angelegenheiten.

Das Stück ist die Hauptsache.
Hamlet.

Der wichtige Tag war endlich angebrochen, dessen Feier schon *lange alle* Gedanken und Unterredungen der Gesellschaft am

St. Ronans-Brunnen erfüllte. Um ihm sowohl Neuheit als glänzenden Nachruf zu sichern, hatte Lady Penelope schon lange vorher
Mr. Mowbray eingeflüstert, daß der talentvollere Theil der Gesellschaft zur Unterhaltung der übrigen Gäste beitragen müsse, indem
sie einige Scenen eines bekannten Schauspiels aufführten, eine
Vollkommenheit, in welcher sie nach ihrer Einbildung vorzüglich
glänzte. Mr. Mowbray, der wie es schien bei dieser Gelegenheit
die Zügel ganz den Händen Ihrer Herrlichkeit übergeben hatte,
machte gegen den Plan keine Einwendung, ausgenommen daß die
verschnittenen Hecken und Gänge des Gartens zu Shaw-Castle als
Theater und Coulissen dienen müßten, indem es die Zeit nicht er-
laube, die alte Halle zu den vorgeschlagenen theatralischen Uebungen einzurichten. Allein als die Gesellschaft selbst darüber befragt
ward, scheiterte dieser Plan auf der gewöhnlichen Sandbank, das
heißt an der Schwierigkeit Darsteller zu finden, welche Nebenrollen
des Drama übernehmen wollten. Für die ersten Rollen fanden sich
mehr als zu viel Subjekte, aber die meisten davon waren viel zu
hochsinnig, um den Buffo zu spielen, ausgenommen es müsse ihnen
erlaubt sein, die Rolle zu veredeln. Unter denen wieder, welche
weniger ehrgeizig, durch Ueberredungen und Schmeicheleien dahin
gebracht werden konnten, untergeordnete Rollen zu übernehmen,
besaßen so viele ein schlechtes Gedächtniß, daß zuletzt der Plan ver-
zweiflungsvoll aufgegeben ward.

Jetzt ward ein Ersatz, den Lady Penelope vorschlug, in Betracht gezogen. Man wollte nämlich, was die Italiener ein Cha-
rakter-Lustspiel nennen, aufführen, wo die Spielenden nicht bloß
die erlernte Rolle hersagen, sondern worin zwar der Gang des
Stücks fest bestimmt ist, und mehrere Scenen eingetheilt sind, wo
aber der Schauspieler den Dialog extemporirt oder, wie Petruchio
sagt, seinen Mutterwitz spielen läßt. Dieß ist eine Vergnügungs-
weise, welche in Italien sehr viel Unterhaltung gewährt, vorzüglich
in Venedig, wo die Charaktere des Schauspiels schon seit langer

Zeit festgestellt sind, und durch die Tradition auf Vater und Sohn übergehen. Diese Art Komödien, welche eher zu den Maskenspielen als eigentlich zum Schauspiel gehören, wird durch den Namen Commedia dell' Arte bezeichnet. Allein der blöde Charakter des Engländers eignet sich nicht zu einer Art Vorstellung, wo immerwährender selbst erfundener Witz, jene Art leichten Geschwätzes erfordert wird, welches oft die Stelle vertritt. Besser sagt ihm regelmäßige Darstellung eines Schauspiels zu, wo der Autor für Rede und Gedanken verantwortlich ist, und der Mitspielende keine weitere Mühe hat, als den richtigen Ausdruck und die beste Declamation sich anzueignen.

Doch der feurige und bewegliche Geist der Lady Penelope, immer nach neuen Gegenständen dürstend, obwohl ihre beiden ersten Pläne vereitelt waren, brachte einen dritten auf die Bahn, womit sie glücklicher durchdrang: Sie schlug vor, mehrere Gäste dahin zu vereinen, sich in dazu passenden Kleidern einzufinden, und entweder geschichtliche oder dramatische Gruppen zu bilden, die auf etwas Historisches, oder auf eine Scene in einem Schauspiel Bezug hätten. Zu dieser Vorstellung, welche man lebende Bilder nennen kann, war kein Theaterspiel, nicht einmal pantomimische Handlung erforderlich, und Alles, was von dem Schauspieler verlangt ward, war, sich in einer Gruppe zu vereinen, welche eine ergreifende und bedeutende Scene, die leicht zu erkennen sei, zurückrief, in welcher, als fände eben eine Pause Statt, die handelnden Personen ohne Sprache und Bewegung sich zeigen konnten.

Diese Art der Darstellung nahm weder das Gedächtniß noch die Erfindungskraft der Theilnehmer in Anspruch, und was sie der edlen Gesellschaft noch mehr empfahl, war wohl, daß kein hervorstechender Unterschied zwischen dem Helden und der Heldin in der Gruppe, und den weniger bedeutenden Charakteren, die sie umgaben, Statt fand, und dagegen ein Jeder, der sich auf ein hübsches Aeußere und einen guten Anzug verlassen konnte, wenn er auch nicht hoffen durfte ganz in dem vortheilhaften Lichte zu stehen, wie die Hauptfiguren, doch einen beträchtlichen Theil der Aufmerksamkeit und des zu erwartenden Beifalls davon zu tragen hoffen konnte. Der Vorschlag also, daß diejenigen unter der Gesellschaft, denen es gefiel, sich dem Zwecke gemäß zu kleiden, sich selbst in kleine Abtheilungen ordnen sollten, die dann wieder unter sich, so oft man wollte, abwechseln könnten, wurde als ein Lichtgedanke angenommen und gepriesen.

Von seiner Seite versprach Mowbray solche Vorkehrungen zu treffen, daß die handelnden Personen dieses stummen Schauspiels von den Zuschauern getrennt würden, damit sie fähig wären, das Vergnügen zu erhöhen, indem sie die Scene verließen, und so wechselnd immer neue Darstellungen bildeten. Diese Art sich zu zeigen, wo schöne Gewänder, studirte Stellungen alles ersetzten, was sonst Talent und Gedächtniß leisteten, war fast den meisten gegenwärtigen Damen angenehm, und selbst Lady Binks, deren Verdrießlichkeit sonst jedem Versuch der Zerstreuung Widerstand leistete, willigte in diesen Vorschlag zwar mit vollkommener Gleichgiltigkeit ein, aber doch weniger mürrisch als sonst.

Jetzt war es nur noch nöthig die umkreisende Lesebibliothek zu durchstöbern, um etwas zu finden, das berühmt genug die Aufmerksamkeit auf sich zu ziehen, zugleich für ihren Plan ausführbar war. Bells englisches Theater, Millers neue und alte Schauspiele, und fast zwanzig andere Bände, in denen verwirrt durch einander Lustspiele und Trauerspiele wie Passagiere in einer Postkutsche ohne die mindeste Aufmerksamkeit, Wahl und Ordnung vereint waren, wurden im Laufe ihrer Nachsuchung umsonst durchforscht.

Aber stolz und absprechend erklärte sich Lady Penelope für Shakespeare, als den Autor, dessen unsterbliche Werke in ewiger Jugend in jeglicher Erinnerung thronten. So ward also Shakespeare, und von seinen Werken der Sommernachtstraum gewählt, als das Schauspiel, welches die größte Verschiedenheit der Charaktere

19*

und folglich den umfassendsten Spielraum für die beabsichtigte Vorstellung darbot. Eine große Regsamkeit erwachte in dem geselligen Kreise, die Bände des Shakespeare, welche den Sommernachtstraum enthielten, in der ganzen Nachbarschaft in Anspruch zu nehmen; denn troß der Erklärung Lady Penelopens, daß Jeder, der zu lesen verstände, Shakespeares Schauspiele auswendig wüßte, schienen diejenigen, welche nicht wirklich auf der Bühne dargestellt werden, sehr wenig zu St. Ronans bekannt zu sein, ausgenommen den Leuten, die man vorzugsweise die Lesewelt zu nennen pflegt.

Die Vertheilung der Rollen war der erste Gegenstand der Ueberlegung, sobald diejenigen, welche darin mitwirken wollen, sich nur ein wenig den Inhalt des Stücks zurückgerufen hatten. Einstimmig ward der Theseus Mowbray zugesprochen, ihm, dem gastfreien Spender des Festes, und als solcher füglich zur Darstellung des Herzogs von Athen geeignet. Das Costüm einer Amazone, der mit wallenden Federn reich geschmückte Helm, das aufgeschürzte Untergewand, und die eng zugeschnürten himmelblau seidenen Halbstiefeln mit brillanten Schnallen befestigt, versöhnten Lady Binks mit der Rolle der Hippolyta.

Miß Mowbray's schlankere Größe machte es erforderlich, daß ihr die Rolle der Helena zufiel, und Lady Penelope war mit dem listig schlauen Charakter der Hermia nicht unzufrieden. Man beschloß, dem jungen Grafen von Etherington die Rolle des Lysanders artigerweise anzubieten, welche indessen Se. Herrlichkeit ausschlugen, und das Lustspiel dem Trauerspiel vorziehend, sich dahin erklärten, nur in dem Charakter des vortrefflichen Zettels auftreten zu wollen; er fügte diesem Wunsche eine so launige Probe von seiner Art, diese Rolle zu nehmen, bei, daß ein Jeder entzückt war, eben sowohl über die Herablassung als die Geschicklichkeit, mit welcher er sich den Charakter des Darstellers des Pyramus aneignete.

Den Aegeus übertrug man dem Hauptmann Mac Turk, dessen

hartnäckige Weigerung, sich jeder andern Kleidung als der voll-
ständigen hochländischen Tracht zu bedienen, fast das Ganze in's
Stocken gebracht hätte. Endlich ward dieß Hinderniß durch die
Autorität Childe Harelds beseitigt, welcher die Aehnlichkeit des
griechischen und hochländischen Costüms erwähnt; und die Gesellschaft, großmüthig auf die Einheit der Farben verzichtend, entschloß
sich, den würflichen Kilt (kurzen Rock) des Hauptmann Mac Turk
für das kurze Gewand eines griechischen Bergbewohners zu erklären
— den Aegeus zum Mainotten und den Hauptmann zum Aegeus
zu machen. Chatterley und der Maler, durch ihren Stand zu den
umherwandernden Leuten bestimmt, ließen sich bereitwillig finden,
die Rollen des Demetrius und Lysanders, der beiden athenienfischen
Liebhaber, ebenfalls zu durchlaufen, und Mr. Winterblossom ward
durch das Geschenk einer antiken oder antik sein sollenden Gemme
von Lady Penelope für die Rolle des Philostratus, des Aufsehers
der Festlichkeiten, gewonnen, vorausgesetzt nämlich, daß sein Podagra ihm erlaubte, so lange auf dem Rasen, wo ihr Schauspiel
aufgeführt werden sollte, zu verweilen.

Weite Unterkleider von weißem Mousselin mit Flittern gestickt,
ein vielfach gewundener Turban von Silbergaze, Flügel von eben
dem Stoffe, und reichgestickte Schuhe verwandelten sogleich Miß
Diggs zum Oberon, König der Elfen, dessen oberherrlicher Ernst
indessen nur etwas sehr oberflächlich durch die alberne Lustigkeit
des jungen Mädchens bei ihrem unverholenen Entzücken über ihren
Anzug dargestellt ward. Eine ihrer jüngern Schwestern übernahm
die Titania, und noch zwei oder drei untergeordnete Elfen wurden
in den an der heilbringenden Quelle versammelten Familien auser-
wählt, deren Eltern sich leicht überreden ließen, ihre Kinder, wenn
auch in so jugendlichem Alter, in schöne Kleider gehüllt mit auftreten zu lassen, obwohl sie mit Kopfschütteln Miß Diggs in ihren
Pantalons betrachteten, und nicht weniger verwundert über die
liberale Ansicht des rechten Beins der Lady Binks waren, welche

das hochgeschürzte Amazonengewand dem Publikum zu St. [
nans gewährte.

Doctor Quackleben ward zum Darsteller der Mauer erwä[
und ihm dazu zum Beistand eine Art Schirm oder hölzerner [
gel gegeben, auf welchem man Kleider zu trocknen oder zu reini[
pflegt. Der alte Anwalt übernahm den Löwen, und die and[
Charaktere von Zettels Schauspielern wurden leicht unter den [
bekannteren Brunnengästen aufgefunden. Proben in den Kleid[
gen u. s. w., Alles schritt munter vorwärts — Jedermann [
überein, die Sache sei zu Stande gebracht.

Aber selbst des Doctors Beredtsamkeit vermochte nicht Mist[
Blower für den Plan zu gewinnen, so sehr man gerade ihrer e[
dringend zur Thisbe bedurfte. Sie entgegnete:

„Die Wahrheit ist, daß ich solch' Komödienspiel eben nicht [
leiden kann. John Blower, der ehrliche Mann, wie nun die S[
leute bald diesen oder jenen Einfall haben, wollte mich einmal [
nehmen, eine gewisse Mistreß Siddons zu sehen. Ich dach[
wir würden todt gedrückt werden, ehe wir nur hinein kamen; au[
den vier blitzblanken Schillingen, die es uns schon kostete, rif[
Sie uns noch obenein Alles vom Leibe — und nun kamen d[
gräßliche Weibsleute mit Besen herein, und wollten eines S[
manns Frau behexen — ich war da lange genug geblieben — h[
aus wollte ich, und heraus brachte mich auch endlich John Blow[
aber nicht mit geringem Lärmen und Noth. — Mylady Penel[
Penfitter und die andern vornehmen Leute mögen immerhin h[
deln, wie es ihnen beliebt; aber nach meiner Meinung, Doc[
Quackleben, ist's eine wahre Gotteslästerung, wenn sich [
Leute ein anderes Ansehen geben wollen, als ihnen der liebe G[
gegeben hat."

„Sie mißverstehen die Sache durchaus, meine theure Mist[
Blower," sagte der Doctor. „Hier ist von nichts Ernsthaftem [
Rede — ein bloßes placebo — nichts als ein Scherz [

Aufheiterung der Gemüther, um die Wirkung des Brunnens
zu befördern. — Die Heiterkeit ist eine große Stärkung der
Gesundheit."

„Von der Gesundheit, da sprechen Sie mir nun gar nicht,
Doctor Kittlepin! — Kann es der Gesundheit des armen Mr. Turk
Vortheil bringen, herum zu ziehen wie ein Tabaksspinner an einem
kalten Morgen, mit seinen armen blau gefrornen Beinen? Nun,
ich weiß wohl, es ist ein kläglicher Anblick. Oder kann es wohl
irgend Jemand Gesundheit oder Vergnügen verschaffen, Sie selbst,
Doctor, mit einem hölzernen Schirm auf dem Rücken einher gehen
zu sehen, der mit Papier beklebt und wie Stein und Mörtel ange-
pinselt ist. — Nein, ich will nichts mit ihrem eiteln Treiben zu
schaffen haben, Doctor Kittlepin, und wenn kein anderer anständiger Mensch da ist, der für mich sorgen will, da ich es nicht liebe,
einen ganzen Nachmittag so für mich allein zu sitzen, will ich mich
nur da unten zur Mr. Lowerbrust, dem Malzhändler, hinbegeben;
— er ist ein recht gefälliger, empfindsamer Mann, ein recht acht-
barer, heirathbarer Mann in der Welt."

„Hol' der Henker Lowerbrust!" dachte der Doctor. „Hätte
ich geglaubt, daß er mir so in die Quere kommen würde, er hätte
sobald nicht gesund werden sollen." Laut fuhr er dann fort:
„Freil'ch, meine theure Mistreß Blower, ist dieß Treiben thöricht
genug; indessen, Jeder, der sich hier zum Ton und zur modischen
Welt rechnet, ist überein gekommen, dieser Vorstellung beizuwohnen; seit einem Monat fast ist in der ganzen Gegend nur davon
die Rede, und noch in einem Jahre wird es nicht vergessen sein.
Ich wollte nur, daß Sie wohl bedächten, wie wenig es sich für
Sie passen würde, meine theure Mistreß Blower, von dem Feste
weg zu bleiben; Niemand würde glauben, daß Sie eine Karte erhielten — nein, selbst wenn Sie sich eine wie ein Medizinglas um
den Hals hingen, Mistreß Blower."

„Wenn Sie das glauben, Doctor," sagte die Wittwe, von

dem Gedanken beunruhigt, daß man sie herabsetzend beurtheilen könnte, so will ich lieber zum Ansehen hingehen wie die andern Leute; wenn ihr Thun Sünde und Schande ist, mögen die, welche die Sünde begehen, die Schande tragen. — Aber ich will keine ihrer papistischen Verkleidungen anlegen — ich, die ich in Nord-Leith als Frau und Mädchen, ich weiß selbst nicht wie viele Jahre, lebte, ich habe einen Charakter aufrecht zu erhalten, sowohl bei Heiligen als bei Sündern. — Aber nun, wer soll da für mich sorgen, da Sie selbst hingehen, um Stein und Kalk darzustellen, Doctor Kickinben?"

„Meine theure Mistreß Blower, wenn Sie es so bestimmen, so will ich mich nicht zur Mauer hergeben. Ihro Herrlichkeit muß meinen Stand bedenken — sie muß überlegen, daß es mir obliegt, mich mehr um meine Patienten, als um alle Komödien in der Welt zu bekümmern — und um in einem Falle wie der Ihrige für Sie zu sorgen, Mistreß Blower, da ist es meine Pflicht, wenn es nöthig ist, das ganze Schauspiel, vom Shakespeare bis zu O'Keefe, aufzuopfern."

Sehr erleichtert fühlte sich der Wittwe Herz, als sie diesen großmüthigen Entschluß vernahm; denn sie möchte in der That, wenn der Doctor seinem Plane treu blieb, gegen den sie so entschiedenen Widerwillen zeigte, es vielleicht gar als ein Zeichen gänzlicher Abweichung von seiner Vasallenpflicht betrachtet haben. Durch eine Uebereinkunft, die beiden Parteien genügte, ward also ausgemacht, daß der Doctor, seine liebende Wittwe nach Shaw-Castle ohne Maske noch Domino begleiten sollte, und daß der gemalte Schirm von Doctor Quacklebens Rücken auf die breiten Schultern eines kurzen Anwalts übertragen werden sollte, der sehr gut zu der Rolle der Mauer paßte, da der Stoff, aus welchem seine Hirnschale bestand, in Solidität mit dem Mörtel und Stein des erfahrensten Baukundigen um den Preis streiten konnte.

Wir müssen uns nicht damit aufhalten, die verschiedenen

körperlichen und geistigen Anstrengungen zu schildern, welche seit
dem Entwurfe des heitern Planes und dem zur Ausführung bestimmten Tage von allen Seiten aufgeboten wurden. Wir wollen
es nicht versuchen zu beschreiben, wie die Reichern durch Briefe und
Abgesandten die Modengallerie nach orientalischem Putze durch-
forschten, wie diejenigen, denen es an Juwelen fehlte, den
Mangel durch Bristoler Steine und andern Flitterstaat zu ersetzen
suchten, — wie die Kaufleute in der Gegend bis zur höchsten Ungeduld durch Fragen nach Dingen, die sie nicht einmal den Namen
nach kannten, gereizt wurden — und endlich, wie die emsigen Finger der sparsameren Fräuleins Tücher zu Turbanen, Unterröcke zu
Pantalons umformten, schafften und förderten, schnitten und
schnipperten, und manches anständige Kleid verdarben, um Etwas
hervorzubringen, das einem griechischen Kostüm ähnlich sah. —
Wer vermag es, all' die Wunder zu schildern, welche Nadeln und
Scheere, Fingerhut und Seide mit Silbergaze oder beflittertem
Mousselin hervorbringen können? — oder wer kann es ausdrücken,
wie die schönen Brunnen-Nymphen, wenn es ihnen nicht ganz gelang, die erwünschte Aehnlichkeit mit den heidnischen Griechen zu
erwerben, mindestens es glücklich dahin brachten, vollkommen der
Gleichheit mit der bescheideneren Tracht der Christen los und ledig
zu werden.

Eben so wenig nöthig ist es, der mannigfachen Mittel zu erwähnen, welche in Bewegung gesetzt wurden, die schöne Welt des
Gesundbrunnens nach Shaw-Castle zu bringen. Sie waren eben
so verschieden, als das Vermögen und der Stand ihrer Eigenthümer; von dem Carriole des Lords mit seinen Vorreitern bis zu den
demüthigeren versteuerten Wagen, ja selbst unversteuerten Fuhr-
werken herab, deren sich Personen geringern Ranges bedienten.
Diese Letztern verwandelten in der That die beiden Postkaleschen
aus dem Hotel zu einer Art von Fiaker, so unaufhörlich waren
sie in Bewegung zwischen dem Hotel und Shaw-Castle. — Un-

wahrer Freudentag für die Postillone, und ein Märtyrerthum für
die armen Postpferde; so selten ist es, daß jedes Mitglied eines ge=
selligen Vereines aus einem und demselben Umstand Vortheil zu
ziehen vermag.

Der Mangel des Fuhrwerks war so groß, daß selbst Meg
Dods de= und wehmüthig ersucht ward, sie möge gestatten, daß ihr
alter Whisky an dem Tage auf dem Gesundbrunnen zu St. Ro=
nans arbeiten könne (denn das wäre das gebührende Wort ge=
wesen), versteht sich, gegen ansehnliche klingende Erkenntlichkeit.
Aber keine Aussicht des Gewinns vermochte Megs ungebeugten
Sinn mit ihrem gehaßten Nachbarn auszusöhnen. Sie antwor=
tete kurz ab: „Ihr Wagen wäre ihrem Gaste und dem Prediger
versprochen, und den solle der Teufel holen, der sich sonst hinein=
wagte. — Ein Jeder möge für die Seinigen sorgen!“ So rum=
pelte also zur bestimmten Zeit das lederne Fuhrwerk ab, in welchem,
sorglich vor dem Angaffen der Gassenbuben durch die zugezogenen
Vorhänge geschützt, Nabob Touchwood saß, der sich als ein indi=
scher Handelsmann gekleidet hatte. Vielleicht wäre der Prediger
nicht ganz so pünktlich gewesen, wären sich nicht im Laufe des
Morgens Boten und Zettel von seinem Freunde in der Teufelsfalle
so eng einander gefolgt, wie die Papiere, welche den Schweif des
Drachen eines Schulknaben schmücken, so daß Mr. Touchwood
ihn vollkommen gekleidet fand, und der Whisky nur etwa zehn
Minuten vor der Thüre der Pfarre warten mußte, während welcher
Mr. Cargill seine Brille suchte, die sich endlich schon auf seiner
Nase vorfand.

Endlich gelangten beide Herren glücklich nach Shaw=Castle,
wo sie den Thorweg des herrschaftlichen Hauses mit einer großen
Menge jauchzender Kinder umgeben fanden, die so entzückt von
dem Anblicke der seltsamen Gestalten waren, die jedem neu an=
kommenden Wagen entschlüpften, daß selbst die ernste, wohlbekannte
Stimme Johnie Tirlsneck, des Büttels, nicht fähig war, sie in Ord=

ung zu halten. Diese lärmenden, ungebetenen Gäste, denen, wie
an glaubte, Clara Mowbray einigen Schutz ertheilte, wurden
in dem innern Vorhof des Hauses durch ein paar mit Reitpeit-
jen bewaffnete Stallknechte abgehalten, und konnten bloß mit
rem kreischenden, staunenden Geschrei die Ankommenden auf dem
krzen Wege, der vom Thorwege zum Hause führte, begleiten.

Der Nabob aus der Teufelsfalle und der Geistliche wurden
it nicht weniger lärmendem Gejauchze begrüßt, welches bei dem
rsten der Freimuth, mit dem er den weißen Turban trug, bei
m Andern sein höchst seltenes Erscheinen, und endlich bei Beiden
e sonderbare Zusammenstellung veranlaßte, einen anständigen
zottischen Geistlichen in einer altmodischern Tracht, als irgend
iner in der Kirchenversammlung Schottlands aufzuweisen ver-
öchte, höchst vertraulich Arm in Arm mit einem persischen Kauf-
ann einhertreten zu sehen. Sie blieben einen Augenblick im
horwege stehen, die Façade des alten Rittersitzes zu betrachten,
elcher durch den so ungewöhnlichen Laut jubelnder Fröhlichkeit
tfgestört ward.

Shaw-Castle zeigte trotz dieser Benennung keine Spur von
efestigung, und das jetzt noch stehende Gebäude hatte nie einen
idern Zweck, als zum Wohnsitz einer friedlichen Familie zu die-
m. Das Frontispice des Gebäudes war niedrig, schwerfällig und
it einigen jener verunstalteten Zierathen beladen, in welchen sich
rlechische und gothische Bildhauerkunst vereinen, oder vielmehr ver-
orren mischen, deren man sich sehr häufig unter der Regierung
akobs VI. und seines unglücklichen Sohnes zu bedienen pflegte.
er Hof bildete ein kleines Viereck, von welchem zwei Seiten von
n für die Familien bestimmten Gemächern eingenommen wurden;
e dritte enthielt die Ställe, für deren vollkommene Instandhal-
ng der jetzige Besitzer große Sorge trug. Die vierte Seite
hm eine schirmende Mauer ein, in welcher das Thor, das den
ngang gewährte, befindlich war; kurz, das Ganze war in dem

Styl erbaut, den man noch in allen schottischen Besitzungen
kann, wo nicht die Wuth, ihre Wohnsitze parkartig, w
Modephrase war, umzuschaffen, die Eigenthümer verleite
ehrwürdigen, schützenden Umgebungen zu verbannen, wom
klügern Voreltern ihre Rittersitze beschirmten, und sie dem
lichen Hauche des Nordostwindes bloß zu stellen, gleich eine
zehnjährigen Fräulein, welches vor Kälte zittert, um dem
kum das Glück zu gewähren, ihre rothen Ellbogen, den fr
Nacken und Busen zu betrachten.

Eine Flügelthür, an diesem Tage gastlich geöffnet, fü
Gesellschaft in eine finstere, niedrige Halle, wo Mowbray
dem griechischen Unterkleid des Theseus, doch ohne zur
herzoglichen Mantel und die Stirnbinde zu tragen, ber
seine Gäste mit gebührender Artigkeit zu empfangen, u
Jeden den Weg anzuweisen, den er einschlagen sollte. D
jenigen, welche Antheil an den dramatischen Darstellunge
wurden nach einem alten Saal geführt, der ehemals zu
wächshause bestimmt, mit einer Reihe Zimmer re
Verbindung stand, welche man ollig zu Kleiden
es gehen wollte, eingezitt
linker Hand in eine
der seit langer
durch eine
von El
gra
ich

denn eine sich allmählig erhebende Anhöhe,
war mit Sitzen für die Zuschauer versehen
vollkommene Uebersicht des ländlichen Thea-
ändernden Büsche und Gesträuche waren hin-
· Scene selbst mit einem leichtbeweglichen
, verhüllt, welchen die dazu angewiesenen
ber und niederlassen konnten. Ein dichtge-
der durch einen großen Theil des Gartens
des Gebäudes, und so nach dem Gemäuer-
r eigentlich dazu bestimmt, den handelnden
er einen geheimen und sichern Eingang zu
ärer. Durch so erleichternde Bequemlich-
r sich die Darstellenden auch leicht völlig

einigermaßen weiter auszudehnen, und

20

konnte kein gemaltes Bild unbeweglicher bleiben als sie. Der Ausdruck ihres Gesichtes trug ganz das Gepräge des tiefen Kummers und der Bestürzung, welches ihrer Rolle geziemte, nur zuweilen flog eine Art spöttische Ironie darüber hin, als ob sie im Geheim die ganze Darstellung, und sich selbst für den Antheil, den sie daran nahm, mit Verachtung betrachtete. Ueberdem hatte ein Gefühl der Beschämung auf ihren Wangen einen Anflug von Farbe hervorgerufen, die, so unendlich zart sie auch sein mochte, dennoch bei weitem bedeutender war, als sonst je ihre Züge zeigten; und als jetzt nun die Zuschauer sie, die man sonst nur höchst nachlässig gekleidet sah, in aller Grazie und Pracht reicher orientalischer Kleidung erschauten, da waren Alle von dem unerwarteten Anblick um so überraschender ergriffen, so daß man sagen könnte, ihr allein hätten die rauschenden Ausbrüche des Beifalls gegolten, welche man der Gruppe weihte, ja sie könnten dreist um den Preis der Aufrichtigkeit mit denen ringen, welche die ausgezeichnetsten Schauspieler je einem Publikum entlockten.

Die ehrliche Mistreß Blower, die, seit ihre Skrupel gegen die Darstellung überhaupt einmal beseitigt waren, mit großer Aufmerksamkeit zusah sagte: „Ach die arme Lady Penelope! Ich bedaure wirklich ihr armes Gesicht recht sehr, denn sie geht wahrhaftig damit um, wie der Sturm mit John Blowers Schiffssegeln zuweilen verfahren konnte. Ach Doctor Gatleben, glauben Sie nicht, es werde ihr nöthig thun, wenn es nur möglich wäre, über ihr Gesicht mit einem heißen Eisen hinzufahren, um die vielen verzerrten Falten wieder heraus zu bringen!"

„Still still! meine gute theure Mistreß Blower," sagte der Doctor: „Lady Penelope ist eine verehrte Frau und meine Patientin, und solche Sätze ärgern immer höchst verdrießlich; — auch möchten Sie wissen bei einem Privattheater wird nicht —

„Sie mögen immerhin sagen was Sie wollen, Doctor, aber

nichts ist ärger als eine alte Närrin. — Ja, wenn sie so jung und schön wäre, wie Miß Mowbray; — nein wahrhaftig, für so hübsch hätte ich die auch nicht gehalten — aber Kleider — ja Kleider machen Leute! — Ihr Shawl da zum Beispiel — ich behaupte, solch' ein Shawl ist in ganz Schottland nicht mehr aufzutreiben — es ist ein ächt indischer Shawl — ich sage gut dafür!"

„Aecht Indisch!" sagte Mr. Touchwood mit verächtlichem Tone, der sogar Mistreß Blowers Gleichmuth erschütterte. „Wie denn, Madam, weßhalb wollen Sie den Shawl für ächt indisch halten?"

Etwas näher an den Doctor rückend, weil ihr, wie sie nachher gestand, weder der scharfe Ton noch die fremdartige Erscheinung des Reisenden besonders zusagte, warf sie dennoch ihren eigenen Shawl muthig genug um ihre Schultern, und entgegnete entschlossen: „Ich weiß das nicht eben so ganz gewiß, denn auch in Paisley werden schöne Shawls gearbeitet, die man kaum von den ausländischen unterscheiden kann."

„Wie Madam, indische Shawls nicht von denen zu Paisley unterscheiden?" fragte Touchwood: „Ei, ein Blinder kann den ächten mit der kleinsten Berührung seines Fingers erkennen. Jener Shawl ist der schönste, den ich in England sah — und selbst in dieser Entfernung kann ich ihn für einen ächten Tozie*) erklären, ohne mich darin stören zu lassen!"

„Ei," rief Mistreß Blower, „ich erkläre, wenn ich mir ihn noch genauer betrachte, daß er von der höchsten Schönheit ist."

„Madam," fuhr der Reisende fort, „die Kaufleute zu Surate sagten mir 1801, daß man die Shawls von den feinsten Haaren der Ziegen bereite."

---

*) Tozie = ein Shawl von thibetanischem Ziegenhaar.

„Der Schafe wollen Sie sagen, wie ich denke, denn die Ziegen haben keine Wolle!"

„Nicht viele wenigstens, Madam. Aber Sie müssen auch beachten, daß sie nur die allerinnerste Wolle des Felles benutzen; und dann ihre Färbereien. — Der Tozie da wird seine Farbe behalten so lange nur noch ein Lumpen daran ist. — Oft vererbt man sie in den Testamenten auf die Enkelkinder."

„Auch eine schöne Farbe ist's;" sagte die Dame, „so eine Art Mausefarbe, nur einen Gedanken mehr in's Röthliche spielend — ich möchte wohl wissen wie sie die Farbe nennen?"

Touchwood, der nun bei einem Lieblingsgegenstand war, erwiederte: „Man bewundert diese Farbe sehr, Madam; die Moslems sagen, sie stehe zwischen der Farbe eines Elephanten und der Brust des Faugtha so eben in der Mitte."

„Wahrlich, ich bin nun eben so klug als ich war!" entgegnete Mistreß Blower.

„Der Faugtha, Madam, so von den Mohren, von den Hindus Hollah genannt, ist eine Art Taube, die von den Muselmännern in Indien heilig gehalten wird, weil sie glaubten, das Thierchen habe seine Brust in dem Blute Alis gefärbt. — Aber ich sehe, man läßt den Vorhang herab. — Mr. Cargill, studiren Sie jetzt Ihre nächste Predigt, mein guter Freund? oder worüber in aller Welt sinnen Sie wohl nach?"

Mr. Cargill hatte während der ganzen Zeit tiefsinnend und ängstlich zagend, wenn auch fast ohne sich dessen bewußt zu sein, das Auge auf Clara Mowbray geheftet; und als die Anrede seines Nachbars ihn aus seinem Nachdenken aufschreckte, rief er aus:

„So liebenswürdig! — So unglücklich — ja — ich will — ich muß sie sehen!" Zu sehr mit seines Freundes Sonderbarkeiten bekannt, um viel Zusammenhang oder Vernunft in seinem Treiben und Schaffen zu erwarten, entgegnete Touchwood:

„Gut, Sie sollen sie sehen und mit ihr sprechen, wenn es

Ihnen Freude macht." — Flüsternd fuhr er fort: „Sie sagen Alle, der Mowbray sei gänzlich ruinirt. Ich sehe davon doch nichts, da er seine Schwester einer indischen Fürstin gleich kleiden kann. — Sahen Sie je solch einen prachtvollen Shawl?"

„Theuer erkaufte Pracht!" sagte Mr. Cargill mit einem tiefen Seufzer. „Ich wollte, daß der Preis schon ganz bezahlt sein möchte."

„Wahrscheinlich ist das nicht der Fall, sagte der Reisende. „Sehr wahrscheinlich ist er auf Rechnung geschrieben; und ob er theuer ist? Beim Himmel, ich sah schon tausend Rupien für einen solchen Shawl zahlen! — Aber still, still, wir werden wieder Musik zu hören bekommen — richtig — sieh, und schon ziehen sie den Vorhang auf. — Gut das. — Sie haben doch einige Barmherzigkeit — sie lassen uns mindestens nicht in langen Zwischenakten auf ihre Albernheiten warten — ich liebe es, wenn solche Narrenstreiche rasch hinter einander prasselnd empor lodern. Die Thorheit, die ernsthaft wie zum Leichenbegängniß einher schreitet und nach der Todtenglocke Takt die eigenen Schellen ertönen läßt, ist ein gar widerlich Ding."

Eine sanfte Musik, die leise anfing und in ein lebhaftes, wildes Allegro überging, führte jene wunderlieblichen Gestalten auf die Bühne, welche die reichste Einbildungskraft aus dem Reiche der Wunder herabzog; Shakespeare's Oberon und Titania. Miß Digges war keine schlechte Stellvertreterin der kleinen Majestät, als Anführer des Zuges der Elfen; allein da ihre Bescheidenheit keineswegs so groß war, sie abzuhalten, den Oberon in aller seiner Würde darzustellen, so bewegte sie sich ziemlich frei, der zierlichen Form ihres schönen Beines sich wohl bewußt, welches, mit einer Reihe Perlen umgeben und in fleischfarbene Seide so fein wie Spinngewebe gehüllt, sich lieblich in den karmoisinrothen Sandalen zeigte. Ihre mit Juwelen besetzte Königsbinde gab der Stirn die volle Würde, womit dieser König der Schatten erzürnt seine

20*

Gemahlin betrachtete, als Beide an der Spitze ihres Gefolges auf der Scene erschienen.

Die Unruhe, welche Kindern eigen zu sein pflegt, hatte man gehörig beachtet, daher sie auch bei der Aufführung mehr als bewegliche Staffage, und nicht als ein fest stehendes Bild erschienen. Die kleine Elfenkönigin blieb in ihrer Mimik nicht hinter ihrem launigen Gemahl zurück, und begegnete mit weiblicher Ungeduld und Verachtung im Blick dem hochmüthigen Wesen, welche diese Worte finster auszudrücken schien:

„Ungern begegne ich dir im Mondenlicht — stolze Titania!"

Einige Kinder waren wie gewöhnlich etwas unruhig, einige drängten sich vor, andere waren ziemlich tölpisch und linkisch, allein die Beweglichkeit der Kindheit ist immer des Beifalls sicher, wenn er auch gleich von den etwas ältern oft nur mit Mitleiden und Neid gezollt wird. Auch gibt es in der Gesellschaft immer zärtliche Papa's und Mama's, deren geräuschvolles Klatschen, wenn es auch dem Ganzen zu gelten scheint, in ihrem Herzen sich doch nur einzig auf ihre kleinen Jack's und Maria's bezieht — denn Mary, obgleich der schönste und klassischste Name Schottlands, ist jetzt im Lande unbekannt geworden.

Die Elfen also machten ihren Spaß, führten einen leichten Tanz auf, und verschwanden mit vielem Beifall.

Die Gegenfüßler, wie man sie nennen möchte, Zettel nämlich und seine Schauspieler, erschienen nun auf der Scene. Ein wüthender Beifall empfing den jungen Grafen, welcher sich so täuschend in einen athenienstischen Rüpel verwandelt hatte, daß er das griechische Kostüm zwar beibehielt, aber so gewissenhaft abstechend von den Masken der höhern Personen des Drama, daß es ganz treu den Charakter eines dickhäutigen gemeinen Handwerkers zeigte. Touchwood vorzüglich brach in überlaute Bewunderung aus, weil er allerdings über die Richtigkeit des Kostüms entscheiden konnte, denn wenn gleich dieser gute Mann, wie mancher andere Kritiker, sich eben nicht durch Geschmack auszeichnete, so hatte er doch für Aeußliche Dinge ein vortreffliches Gedächtniß, und wenn vielleicht der ausdrucksvolle Blick oder die Bewegung eines Schauspielers ihn wenig kümmerte, würde er eine Sünde wider den Schnitt eines Aermels oder die Farbe eines Schuhbandes streng gerügt haben.

Allein des Grafen Etherington Verdienst war nicht blos auf seine äußere Erscheinung beschränkt, denn hätte ihn, so zu sagen, sein Gedächtniß verlassen, so würden seine Geistes-Abwesenheiten, gleich denen des Hamlets, ihn allein zum würdigen Gefährten der größten Schauspieler gestempelt haben.

Obgleich nur mit stummen Zeichen, legte er zur unendlichen Belustigung derjenigen, welche mit dem Original wohl bekannt waren, allen naseweisen Dünkel Zettels an den Tag. Als er durch Puck verwandelt wurde, trug er die neu erlangte Würde, seinen Eselskopf, mit solchem Anschein unendlicher Selbstgenügsamkeit, daß es die an sich schon höchst lächerliche Metamorphose unwiderstehlich komisch machte. Weiterhin zeigte er denselben Muthwillen bei seinen Scherzen mit den Elfen, und in seinen Scenen mit dem Herrn Spinnweb, Senfkorn, Erbsenblüthe und übrigem Gefolge der Titania, welche bei der Ehrbarkeit, mit welcher er sie ersuchte, seine haarige Schnauze zu kratzen, fast alle ihre Ernsthaftigkeit einbüßten. Die Scene schloß sich mit einer glänzenden Gruppe aller Personen, die gespielt hatten, wobei Mr. Mowbray hoffte, daß der junge Lord Zeit genug gewinnen würde, wenigstens die äußere Gestalt seiner Schwester Clara zu betrachten, welche, wie er in dem Stolze seines Herzens fand, so gekleidet, wie sie heute war, mit jedem Schmuck, den die Kunst verleiht, selbst die brillante Amazone Lady Binks an Schönheit überstrahlte. Freilich war Mr. Mowbray nicht der Mann, die geistigen Reize der armen Clara den gleichsam sultanischen Reizen der hochmüthigen Lady

Binks unterzuordnen, welche ihrem Bewunderer alle die Abwechse-
lungen versprach, die ein in jeder Lage reizendes Aeußere gewähren
kann, das eben so oft sich verändert, als feurige und heftige Anlagen, jeden Zwanges ungewohnt, wie jede Ermahnung verachtend,
dazu Veranlassung gaben. Ja, um ihm Gerechtigkeit widerfahren
zu lassen, obgleich sein Vorzug mehr durch brüderliche Parteilich-
keit, als durch Reinheit des Geschmacks bestimmt ward, empfand
er gewiß die ganze Größe von Clara's Ueberlegenheit, und seine
Lippen umschwebte ein stolzes Lächeln, als er am Ende des Festes
den Grafen befragte, wie er sich unterhalten habe. Die übrigen
Schauspieler hatten sich schon zerstreut, nur der junge Lord war
noch auf dem Theater beschäftigt, sich seines Bisirs zu entledigen,
als Mowbray ihm die Frage vorlegte, welche zwar in allgemeinen
Ausdrücken abgefaßt, dennoch einen eigenen Sinn enthielt. „Ich
wollte meinen Eselskopf ewig tragen," entgegnete der Lord,
„wenn meine Augen immer so entzückend beschäftigt würden, als
während der letzten Scene. — Mowbray — Ihre Schwester ist
ein Engel!"

„Nehmen Sie sich in Acht, ob Ihr Kopfschmuck Ihnen nicht
den Geschmack verdorben hat, Mylord," erwiederte Mowbray.
„Aber warum trugen Sie diese Verkleidung bei ihrer letzten Erscheinung, da, dächte ich, hätten Sie unverhüllt sein sollen?"

„Ich schäme mich Ihnen darauf zu antworten," sagte der
Graf; „allein wahr ist es, die ersten Eindrücke sind von Wichtigkeit, und ich glaube, ich würde klug handeln, vor Ihrer Schwester
nicht zuerst im Charakter des gemeinen Zettels zu erscheinen."

„Sie werden also Ihre Kleider noch vor der Mittagstafel
wechseln? — wenn wir unser Bischen Essen so nennen wollen."

„Ich wollte jetzt eben deßhalb nach meinem Zimmer gehen,"
entgegnete der Graf.

„Und ich," sagte Mowbray, „muß vortreten, das Auditorium

zu entlaſſen, denn ich ſehe, ſie ſitzen noch und lauern auf eine andere Scene."

Sie trennten ſich, und Mowbray als Theſeus trat vor den Schirm und machte die Beendigung der lebenden Bilder bekannt, welche ſie die Ehre gehabt hätten vor dieſer hohen Geſellſchaft darzuſtellen, und dankte den Zuſchauern für die gute Aufnahme, die ſie ihnen gewährt hätten. Zugleich deutete er ihnen an, daß es ihnen jetzt frei ſtehe, eine Stunde im Garten zu verbringen; die Glocke würde dann Alle nach dem Hauſe zum Empfange einiger Erfriſchungen zurück berufen.

Dieſe Anzeige ward mit dem Beifalle empfangen, welchen man dem Amphitryon où l'on dine ſchuldig iſt, und die Gäſte, aufſtehend und das ziemlich weitläufige Theater verlaſſend, zerſtreuten ſich in dem Garten, ſich dort irgend eine Aufheiterung zu ſuchen oder zu ſchaffen. Die Muſik beförderte hauptſächlich dieſen Endzweck, denn es währte nicht lange, ſo war ein Dutzend Paare auf der Terraſſe beſchäftigt, „trippelnd auf leichter, luftiger Zeh," (ich liebe eine Phraſe, die nicht gewöhnlich iſt) nach heitern Weiſen zu tanzen.

Andere gingen in dem Garten umher, faſt am Ende jeder Allee ſonderbar Verkleideten begegnend, und ſich dann wieder gegenſeitig den Scherz und das Erſtaunen mittheilend, welches ſie ſelbſt in dieſem wunderlichen Treiben empfunden oder erregt hatten. Durch die verſchiedenartige Kleidung und die Freiheit belebt, womit ein Jeder ſeiner Laune den Zügel ſchießen ließ, war das allgemeine Streben, Freude zu geben und zu empfangen. Dieſes Alles machte die kleine Maskerade unterhaltender, als ſolche Scenen gewöhnlich ſind, wenn prächtigere und weitläufigere Vorkehrungen dazu getroffen werden. Ein eben ſo ſonderbarer als komiſcher Contraſt fand auch darin Statt, daß dieſe fantaſtiſchen Geſtalten eben zwiſchen dieſen Gängen wanderten, und die Ruhe der Scene, die alten verſchnittenen Hecken, der ordnungsmäßig abgetheilte Raſen, der

alterthümliche Anblick zweier Springbrunnen und künstlicher Kas=
laden, an welchen die Najaden absichtlich zur Erneuung ihrer
Scherze gezwungen worden waren, gab dem Ganzen einen Anstrich
ungewöhnlicher Natürlichkeit und Abgeschlossenheit, welcher viel
mehr den frühern Tagen, als dem jetzigen Zeitalter anzugehören
schien.

Einundzwanzigstes Kapitel.

Verwirrungen.

> Den Weg mit Blumen streuend winkt die Liebe
> Zum Fest, zum Tanz, zu jedem heitern Triebe!
> *Der Liebe verlorne Mühe.*
>
> Ihr Helden fort! — die finstern Wetter nah'n.
> *Ebendaselbst.*

Mr. Touchwood und sein unzertrennlicher Freund Mr. Cargill wanderten unter den oben geschilderten Gruppen umher, der
erste mit großem Unmuthe jeden Verstoß gegen die Strenge des
morgenländischen Kostüms rügend, und beifällig seiner eigenen
größeren Erfahrenheit sich freuend, wenn er nach maurischer oder
persischer Sitte die verschiedenen, Turbane tragenden Figuren
grüßte, die bei ihm vorüber gingen; während der Prediger, über
irgend einem wichtigen und bedeutenden Plane brütend, in jeder
Richtung die liebenswürdige Helena, jedoch umsonst, zu erspähen
suchte. Endlich erhaschte er einen Schimmer des merkwürdigen
Shawls, welcher eine so gelehrte Dissertation seines Gefährten herbei gezogen hatte, fuhr mit einer ihm ganz ungewöhnlichen

Schnelligkeit auf, und strebte, die Person, welche ihn trug, schleu=
nigst einzuholen.

„Beim Himmel," sagte sein Gefährte, „der Doctor ist heute
ganz außer Faffung! — Der Prediger ist toll! — Der Geistliche
ist von Sinnen, das ist ganz klar; und wie zum Teufel mag er
nur, er, der kaum den Weg von der Pfarre bis zur Teufelshalle
finden kann, wie kann er es wagen, unbeschützt in solchem verwor=
renen Treiben umher zu irren? — Eben so gut könnte er hoffen,
ohne Piloten über den atlantischen Ocean zu setzen. — Ich muß
ihn nur auffuchen, ehe noch mehr Unglück entsteht."

Aber der Reisende ward in seinem freundlichen Vorsatze durch
ein Gedränge verhindert, welches die eine Allee herab ihm entgegen
kam, und in deffen Mitte Hauptmann Mac Turk in vollem Ernste
beschäftigt war, zwei Pseudo=Hochländer fürchterlich auszuschmähen,
weil sie sich erkühnt hatten, ihre Unterkleider abzulegen, ohne sich
die Sprache der Bergschotten zu eigen zu machen. Zwar konnte
freilich wohl Niemand die eigentlichen Worte und Vorwürfe ver=
stehen, mit welchen er die unglücklichen falschen Hochländer über=
schüttete; aber Ton und Manier des erzürnten Celten waren so
begreiflich, daß die beiden den Plaid tragenden Leutchen, deren un=
befonnene Wahl ihres Anzuges ihn so erbittert hatte — zwei un=
bärtige Bursche aus einer gewissen großen Manufaktur=Stadt
ihre Kühnheit herzlich bereueten, und eben im Begriff waren, den
Garten in möglichster Eile zu verlaffen, entschloffen, lieber das
Mittageffen im Stiche zu laffen, als irgend einer weitern Folge
des Unmuthes des hochländischen Zänkers sich bloszustellen.

Touchwood hatte sich kaum von diesem Hinderniffe befreit und
seine Nachforschungen nach dem Geistlichen auf das Neue begonnen,
als er noch einmal in seinem Laufe durch eine Art von Preßgang,
den Sir Bingo Binks anführte, aufgehalten ward, welcher, um den
Charakter eines betrunkenen Hochbootsmanns nach dem Leben aus=
zuführen, allerdings sehr betrunken, aber wenig ein Seeman

zu sein schien. Sein Zuruf klang eher wie ein Halloh aus dem Guckloch des Mastkorbes, als wie ein Gruß, da er mit einer Ladung solcher Flüche, welche die ganze Flotte der Bethel-Union aus dem Wasser herauf zu beschwören vermochte, Touchwood befahl, unter seine Windseite zu kommen; „denn hol ihn der Teufel, sollte sein altes Gebälk auch davon zertrümmern, er müsse wieder zur See gehen, so eine alte von Sturm und Regen mitgenommene Carcasse er auch sei."

Touchwood erwiederte sogleich: „Zur See von Herzen gern, aber nicht mit einer solchen Landratze als Befehlshaber. — Hört einmal, Bruder, wißt Ihr, wie viel von einem Pferdsgeschirr bei einem Schiffe gebraucht wird?"

„Nun, nun, treibt keinen von Euren Späßen hier, mein alter Bock!" rief Sir Bingo. — „Was zum Teufel, hat ein Schiff mit Pferdsgeschirr zu schaffen! Denkt Ihr, wir gehören zur See-Cavallerie? — Ha ha ha! Ich denke, ich habe Euch abgeführt, Bruder!"

„Wie, du Sohn eines Süßwasser-Gründlings, der du in deinem Leben nicht weiter, als bis zur Hunde-Insel segeltest, unterstehst dich hier, einen Seemann zum Besten zu haben, und kennst nicht einmal den Zaum von dem Haupttau des Seitensegels, den Sattel von dem Bugspriet, das Gebiß von dem Kabeltau, den Gurt, um das Tauwerk auf- und niederzuwinden, und die Peitsche, die beim kleinen Tauwerk nützt? — Siehe, da hast du eine Liste, um einem Betrüger auf den Zahn fühlen zu können, und dir die Sechspfennige zu ersparen, welche er als abgedankter Seemann von dir erbetteln wollte. — Fort, hinweg mit Euch! — Sonst soll der Constabler Eure ganze Matrosen-Presse hier aufheben, das Arbeitshaus damit zu bevölkern."

Ein allgemeines Gelächter entstand über die Entlarvung des windbeutelnden Hochbootsmanns, und dem Baronet blieb nichts übrig, als still fortzuschleichen, vor sich murmelnd: „Hol der Teufel den alten Narren, wer zum Henker hätte es sich denken können, von einer solchen alten musselinen Nachtmütze so viel Grobheiten zu hören."

Touchwood, der jetzt der Gegenstand einiger Aufmerksamkeit geworden war, sah sich nun von mehreren Umherläufern begleitet, die er auf alle Art los zu werden suchte, und dabei eine Ungeduld an den Tag legte, welche eigentlich wenig zu der geziemenden Würde seines orientalischen Kostüms paßte, die aber aus dem Wunsche entsprang, seinen Gefährten wieder zu finden, da er einige Ahnung nicht unterdrücken konnte, es möge Cargill in seiner Abwesenheit gar mancher Unannehmlichkeit ausgesetzt sein. Denn ein so höchst gutmüthiger Mann wie Mr. Touchwood in der That war, so höchst eingenommen war er zu gleicher Zeit von sich selbst, und glaubte daher immer, daß denen, mit welchen er umging, Rath, Gegenwart und Beistand nicht nur bei bedeutenden Vorfällen, sondern selbst in den gewöhnlichsten Verhältnissen des Lebens von größestem Nutzen sei.

Indessen war Mr. Cargill, dem er umsonst nachspürte, ängstlich dem schönen indischen Shawl nachgefolgt, der ihm zur Flagge diente, ihm das Schiff anzuzeigen, auf welches er Jagd machte. Endlich war er ihm nahe genug, mit ängstlichem Laute zu flüstern: „Miß Mowbray — Miß Mowbray, ich muß Sie sprechen!" —

Ohne sich umzuwenden, fragte die Schöne, welche den Shawl trug: „Und was wollen Sie von Miß Mowbray?"

„Ich habe ein Geheimniß — ein wichtiges Geheimniß Ihnen mitzutheilen; doch dieß ist kein passender Ort. — Wenden Sie sich nicht ab! — Ihr zeitliches, ja vielleicht Ihr ewiges Glück hängt davon ab, daß Sie mich hören."

Um ihm Gelegenheit zu geben, sie unbemerkter zu sprechen, eilte die Dame in eine jener altmodischen, dickbelaubten, verborgenen Verstecke, die man oft in Gärten findet, welche denen zu Shaw-Castle ähnlich sind; und mit dem Shawl einigermaßen ihre Ge-

ſchtszüge verhüllend, ſtand ſie vor Herrn Cargill in dem zweifelhaften Lichte, den das grüne beſchattende Dach einer himmelhohen
Platane gewährte, und ſchien der verheißenen Mittheilung zu
harren.

Mit dringendem, nachdrücklichen, aber leiſen Tone, wie Jemand, der nur von dem, zu welchem er ſpricht, vernommen werden will, ſagte der Geiſtliche: „Der Ruf ſagt, Sie wollten ſich
verheirathen!“

Mit einem ſo gleichgültigen Tone, daß er den Fragenden in
das größte Erſtaunen zu verſetzen ſchien, entgegnete ſie: „Und iſt
etwa der Ruf ſo freundlich, auch hinzuzuſetzen, mit wem?“

Mit feierlichem Tone begann jetzt Mr. Cargill: „Junges
Frauenzimmer, hätte man mir dieſen Leichtſinn eidlich betheuert,
ich würde nie daran geglaubt haben! Vergaßen Sie ganz die Verhältniſſe, in welchen Sie ſich befinden? Vergaßen Sie, daß mein
Verſprechen der Verſchwiegenheit, vielleicht auch ſo ſchon ſündlich
genug, immer nur bedingungsweiſe geleiſtet ward? — oder glaubten Sie, daß ein ſo in Einſamkeit zurückgezogenes Weſen, als ich,
ganz der Welt abſterben könnte, während es noch auf ihrer Oberfläche verweilt? Erfahren Sie, junge Dame, daß, wenn ich auch
in der That den Freuden und dem gewöhnlichen Treiben der
Welt abgeſtorben bin, ich um ſo mehr der Erfüllung meiner
Pflichten lebe.“

„Auf meine Ehre, Sir,“ antwortete die Dame, „wenn es
Ihnen nicht gefällig iſt, ſich deutlicher zu erklären, ſo bleibt es mir
unmöglich, Ihnen zu antworten. Sie ſprechen viel zu ernſthaft
für einen Maskenſcherz, und doch nicht deutlich genug, ihren Ernſt
begreiflich zu machen.“

Mit ſteigender Lebhaftigkeit fuhr der Geiſtliche fort: „Iſt dies
Unmuth? — Iſt es Leichtſinn? — Verwirrung des Geiſtes?
Selbſt nach einer fieberiſchen Verirrung des Gehirns bleibt uns
ſonſt das Andenken der Veranlaſſung unſerer Krankheit!

Kommen Sie, Sie müssen und werden mich verstehen, wenn ich Ihnen sage, daß ich es nicht dulden werde, daß Sie, um Rang und Reichthum zu erwerben, und gälte es einen Kaiserthron, ein schweres Verbrechen begehen! — Mein Pfad ist ein Pfad des Lichtes; und sollte ich einen Laut von einer Verbindung mit jenem Grafen, oder was er sonst sein mag, vernehmen, so verlassen sie sich darauf, ich reiße den Schleier hinweg, und verkünde Ihrem Bruder, Ihrem Bräutigam und der ganzen Welt die Lage, in welcher Sie sich befinden, und die Unmöglichkeit, daß Sie die von Ihnen gegen die Gesetze Gottes und der Menschen beabsichtigte Verbindung schließen."

„Aber Sir, Sir," — rief die Dame, neugieriger, wie es schien, als besorgt: „Sie haben mir noch nicht gesagt, was Sie eigentlich mit meiner Heirath zu schaffen haben, noch welche Einwendungen Sie dagegen machen können?"

„Madam," erwiederte Mr. Cargill, „in Ihrem jetzigen Gemüthszustande, und bei einer Umgebung, wie die heutige, kann ich unmöglich einen Gegenstand berühren, für den dieser Zeitpunkt so ganz unpassend ist, und Sie selbst, mit Betrübniß spreche ich es aus, so ganz unvorbereitet scheinen. Es ist hinreichend, daß Sie Ihre Lage vollkommen beurtheilen können. Bei einer schicklichen Gelegenheit will ich, meiner Pflicht gemäß, das Ungeheuer des Vergehens Ihnen vorhalten, welches Sie, wie man sagt, beabsichtigten, mit dem Freimuthe, welcher einem Manne geziemt, der sich zwar mit inniger Demuth, aber dennoch nicht minder berufen fühlt, seinen Mitbrüdern die Gesetze seines Schöpfers zu erklären. — Ich fürchte inzwischen nun nicht mehr, daß Sie irgend einen übereilten Schritt nach einer solchen Warnung noch unternehmen werden."

Mit diesen Worten verließ er die Dame mit dem würdevollen Bewußtsein, seine Pflicht erfüllt zu haben, doch zugleich mit dem Gefühl tiefen Kummers über den sorglosen Leichtsinn, den seine

Zuhörerin zeigte. Auch sie hatte nicht länger versucht, ihn zurück=
zuhalten, sondern entschwand, von nahenden Stimmen verscheucht,
durch eine andere Allee. Der Geistliche, der den entgegengesetzten
Weg einschlug, stieß urplötzlich auf ein flüsterndes lachendes Pär=
chen, welches bei seiner unerwarteten Erscheinung sichtlich seinen
vertraulichen Ton veränderte, und eine größere Entfremdung gegen=
seitig anzunehmen suchte. Die Lady war Niemand anders, als
die schöne Königin der Amazonen, welche die kurz vorher bewiesene
Vorliebe Titanias gegen den liebenswürdigen Zettel sich dem An=
scheine nach zu eigen gemacht hatte, da sie in einem so engen ver=
traulichen Zwiegespräch, als wir eben schilderten, mit diesem letzten
Darsteller des artheniensischen Webers war, der auf seinem Zimmer
sich in die zierlichere Tracht eines alten spanischen Cavaliers ge=
kleidet hatte. Er schien jetzt eben, mit dem Mantel und der her=
abwallenden Feder, Schwert, Dolch und Guitarre, höchst reich ge=
kleidet, im Begriff, eine Serenade vor dem Fenster seiner Geliebten
zu bringen. Bereit, ihn schnell zu verhüllen, wenn etwa ein
Ueberlästiger nahe, hing, das Kostüm vollständiger zu machen, eine
seidene Maske an seinem glänzend gestickten Wamse.

Es ereignete sich zuweilen, daß Mr. Cargill, wie es vielleicht
bei andern zerstreuten Leuten auch der Fall sein mag, ganz seiner
Gewohnheit entgegen, gleichsam wie ein Sonnenstrahl urplötzlich
den dicksten Nebel durchdringt, einen einzelnen Punkt der Land=
schaft zu erleuchten, von einem schnellen Strahl der Erinnerung
durchblitzt, sich gezwungen fühlte, zu handeln, als ob ihn die un=
bedingteste Gewißheit und Ueberzeugung leite. Mr. Cargill
hatte kaum die Augen auf den Spanier geworfen, den er weder als
Graf von Etherington noch als Zettel wieder erkannte, als er mit
lebhafter Bewegung seine Hand ergriff und mit feierlichem, aber
eifrigen Nachdruck rief: „Ich freue mich, Sie hier zu sehen! —
Der Himmel hat Sie zur rechten Stunde hieher gesendet!"

Sehr kalt entgegnete Lord Etherington: „Ich danke Ihnen

Sir; ich vermuthe, die Freude des Wiedersehens bleibt Ihnen allein überlassen, denn ich erinnere mich nicht, Sie je zuvor gesehen zu haben."

„Heißen Sie nicht Bulmer? Ich weiß — ich irre mich wohl zuweilen. — Aber nein, ich bin davon überzeugt, Ihr Name ist Bulmer."

„Nicht daß ich oder meine Pathen irgend etwas davon gehört hätten, so viel ich weiß. — Vor einer halben Stunde freilich trug ich auch einen andern Namen: — vielleicht hat das den Irrthum veranlaßt," entgegnete der Graf mit kalter fremder Höflichkeit — „Erlauben Sie mir, Sir, die Dame hier hinweg zu führen."

„Das ist ganz unnöthig; ich lasse Sie hier zurück, Mylord, das gegenseitige Erkennen mit Ihrem alten und neuen Freunde auszumachen — es scheint, er hat Ihnen etwas mitzutheilen." Mit diesen Worten entfernte sich Lady Binks, die vielleicht eben nicht böse war, mit anscheinender Gleichgiltigkeit die Gesellschaft des Lords in der Gegenwart eines Mannes aufzugeben, der sie in einem Augenblick, wie es schien, überschwänglicher Vertraulichkeit überrascht hatte.

Der Graf von Etherington, vor welchem Mr. Cargill un-schlüssig und verwirrt, noch immer ihm den Weg so versperrend stand, daß er, ohne ihn bei Seite zu stoßen, nicht vorwärts schrei-ten konnte, sagte jetzt: „Sie halten mich auf, Sir, und ich muß in der That die Lady begleiten." Und wieder strebte er, sich einen Weg zu bahnen.

„Junger Mann," entgegnete Mr. Cargill, „Sie können sich mir nicht verbergen. Ich bin es gewiß — mein Verstand bürgt mir dafür, daß Sie eben der Bulmer sind, den der Himmel gnädig hierher sandte, einem Verbrechen zuvor zu kommen!"

„Und Sie," rief Lord Etherington, „von dem mein Verstand mir Bürge ist, daß ich Sie nie sah, sind gewiß vom Teufel hier-her gesendet, Verwirrung zu stiften."

Durch das entschloſſene hartnäckige Läugnen des Lords einigermaßen eingeſchüchtert, entgegnete der Geiſtliche: — „Ich bitte um
Verzeihung, wenn ich mich irrte — das heißt, wenn ich mich wirklich irrte — aber es iſt nicht der Fall — ich bin deſſen gewiß,
es iſt dem nicht ſo! — Dieſer Blick — dieß Lächeln — ich bin
nicht im Irrthum. Sie ſind Valentin Bulmer — derſelbe Valentin Bulmer, den ich — aber ich will Ihre eigenen Angelegenheiten nicht zum Stoff dieſer Unterredung machen — genug, Sie
ſind Valentin Bulmer.“

„Valentin? Valentin? — Ich bin weder Valentin noch Or-
ſon! — Ich wünſche Ihnen einen guten Morgen, Sir.“

„Bleiben Sie, mein Herr, bleiben Sie! Ich mache es Ihnen
zur Pflicht; es iſt möglich, daß Sie ſich deßhalb nicht zu erkennen
geben wollen, weil Sie vergeſſen haben können, wer ich bin. —
So laſſen Sie mich Ihnen den Namen Joſiahs Cargill, Prediger
zu St. Ronans, zurückrufen.“

„Wenn Sie ein ſo ehrenwerthes Amt bekleiden, Sir, welches
mir aber durchaus gleichgiltig iſt — ſo ſollte ich meinen, Sie haben einen etwas zu kräftigen Morgentrank genoſſen, und es würde
Ihnen ſehr rathſam ſein, nach Hauſe zu gehen, ihn auszuſchlafen,
ehe Sie in der Geſellſchaft erſchienen.“

„In des Himmels Namen, junger Mann, entſagen Sie dieſem
unziemlichen, unzeitigen Scherz! Bekennen Sie mir, ſind Sie
nicht, wofür ich nicht umhin kann, Sie immer noch zu halten, derſelbe junge Mann, der vor ſieben Jahren meiner Obhut ein feierliches Geheimniß anvertraute? — Wehe mir, wenn ich es einem
Fremden enthüllte! Kummer würde es auf mein eigenes Herz häu-
fen, und Unglück und Elend könnten daraus entſtehen!“

„Sie dringen ungeſtüm in mich, Sir, und ich will dagegen
eben ſo offen gegen Sie ſein. — Ich bin nicht der Mann, für
welchen Sie mich irrigerweiſe halten, und Sie mögen ihn ſuchen,
wo Sie Luſt haben. — Es wird aber bei weitem nützlicher für

Sie sein, wenn Sie im Laufe dieser Nachforschungen Ihren eigenen Verstand wieder finden, denn ich gestehe Ihnen, ich glaube, er ist Etwas spazieren gegangen." Diese Worte begleitete er mit einer so entschlossenen Bewegung, sich Bahn zu brechen, daß Herrn Cargill nichts übrig blieb, als ihm aus dem Wege zu treten.

Wie eingewurzelt blieb der würdige Geistliche stehen, und rief seiner Gewohnheit gemäß laut aus: „Meine Phantasie hat mir manchen verworrenen Streich gespielt, aber dieß ist der ärgste von Allen! Was wird der junge Mann von mir denken? — Jene Unterredung mit der unglücklichen jungen Dame muß solchen Eindruck auf mich gemacht haben, daß eine Täuschung meiner eigenen Augen mich veranlassen kann, in ihre Geschichte das Gesicht des ersten besten Fremden, der mir entgegen tritt, zu mischen. — Was muß der Fremde von mir denken!"

„Ei nun, was ein Jeder von dir denkt, der dich kennt, mein lieber Prophet!" rief die freundschaftliche Stimme Touchwoods, der seine Worte mit einem erweckenden Schlage auf des Predigers Schulter begleitete; „nämlich, daß Sie ein unglücklicher Philosoph von Laputa sind, der seine schützende Klappe im Gedränge verlor. — Kommen Sie nur — jetzt, da ich Ihnen wieder zur Seite stehe, brauchen Sie nichts zu fürchten. — Ei, jetzt, da ich Sie näher betrachte — Sie sehen ja aus, als hätten Sie einen Basilisken erblickt — und solch' ein Ding gibt es doch gar nicht, sonst wäre es mir gewiß nicht entgangen im Laufe meiner weiten Reisen. — Aber Sie sehen ganz elend und erschrocken aus! — Was zum Teufel gibt es denn?"

„Nichts weiter," erwiederte der Geistliche, „als daß ich so eben mich selbst zum ärgsten Narren machte."

„Pah, pah! Darüber muß man kein großes Leid tragen. — Das thut ein jeder Mensch, mindestens zweimal in vierundzwanzig Stunden."

„Aber beinahe hätte ich einem Fremden ein Geheimniß anvertraut, das eine achtungswerthe Familie nahe angeht!"

„Das war sehr Unrecht, Doctor! Sehen Sie sich in Zukunft beffer vor; und in der That, ich möchte Ihnen lieber rathen, mit Niemand, selbst nicht mit Ihrem Kirchendiener, Willie Watson, zu reden, bis Sie sich mindestens mit drei klaren Fragen und Antworten überzeugten, daß der eben genannte Willie Watson wirklich da vor ihnen befindlich ist, und kein Fremder sich in des ehrlichen Willies alte Perücke und abgetragenen braunen Joseph gesteckt hat. — Kommen Sie, kommen Sie."

Damit zog er den niedergeschlagenen Prediger mit sich fort, der sich umsonst anstrengte, sich dem lustigen Getümmel, in welches er so unerwartet verwickelt ward, zu entziehen. Er schützte Kopfweh vor, doch sein Freund versicherte ihm, ein Bissen Essen und ein Glas Wein sollten ihm gut thun. Er erwähnte seine Geschäfte, doch Touchwood entgegnete, er habe keine anderen, als die Predigt zum nächsten Sonntage, bis zu welchem ihm noch zwei Tage blieben. Endlich bekannte Mr. Cargill, daß er sich scheue, den Fremden wieder zu sehen, welchen er mit so großer Hartnäckigkeit für einen Bekannten gehalten habe, von dem er doch nun überzeugt sei, daß er nur in seiner eigenen Einbildungskraft hier existirt habe. Aber seine Besorgnisse verspottend, sagte der Reisende, Gäste, welche sich hier zusammen träfen, brauchten eben so wenig Rücksicht auf einander zu nehmen, als ob sie in einem Karavanserai zufällig sich begegneten.

„So bedarf es schlechterdings keiner Entschuldigung für Sie, oder vielmehr, was noch besser ist, ich selbst, ich, der ich so weit in der Welt herumkam, will das Wort für Sie führen."

Während sie so sprachen, zog er den Geistlichen nach dem Hause, wohin das oben erwähnte Signal sie berief, und wo die Gesellschaft in dem großen leeren Vorzimmer sich sammelte, ehe man sich in den Eßsaal begab, in welchem die Erfrischungen ihrer

harrten. „Nun, Doctor," fuhr der geschäftige Freund des Geistlichen fort, „laßt uns erspähen, wer von all' den Leuten hier der
Gegenstand Ihres Irrthums war. Ist's jene Bestie von Hochländer? — oder der unverschämte Tölpel, der sich für einen Hoch-
bootsmann ausgeben will? — Nun, wer von ihnen ist es denn?
— Ah, man kommen sie, immer zwei und zwei, ganz nach Newgate's Mode. — Da ist der junge Besitzer des Rittergutes mit der
alten Lady Penelope — will er sich zum Ulysses hergeben? —
das sollte mich wundern! Der Graf von Etherington mit Lady
Binks — ich dächte, er hätte Miß Mowbray führen sollen."

Mit eifriger Sorge fragte der Prediger: „Der Graf? — wie
nannten Sie ihn? — Welchen Titel gaben Sie dem jungen
Manne in spanischer Tracht?"

„Aha!" rief der Reisende, „habe ich nun den Kobold entdeckt,
der Sie neckte? — Kommen Sie, kommen Sie, — ich will Ihnen
seine Bekanntschaft verschaffen." Und ehe der Geistliche ihm seine
Unzufriedenheit damit begreiflich machen konnte, hatte er ihn zum
Etherington hingezogen und sagte:

„Mylord von Etherington, erlauben Sie mir, Ihnen Mr.
Cargill, den Pfarrer des Kirchspiels, hier vorzustellen; ein sehr
gelehrter Mann, dessen Geist aber zuweilen im heiligen Lande um-
herschweift, wenn sein Körper unter seinen Freunden verweilt. Er
ist sehr beschämt, daß er Ew. Herrlichkeit, Gott mag wissen für
wen, angesehen hat; aber wenn Sie mit ihm bekannt sein werden,
so finden Sie leicht, daß er hundert bei weitem ärgere Mißver-
ständnisse begehen kann, und so hoffen wir, Ew. Herrlichkeit werden seinen Irrthum nicht ungleich auslegen, noch als Beleidigung
ansehen."

„Eine Beleidung kann nicht Statt finden, wo man keine solche
beabsichtigte," erwiederte Lord Etherington mit großer Artigkeit.
„Ich muß im Gegentheil mir des ehrwürdigen Herrn Verzeihung
erbitten, daß ich von ihm hinweg eilte, ohne eine gänzliche Auffla-

21*

rung des Irrthums zu versuchen. Ich bitte ihn um Verzeihung für ein Benehmen, welches Ort und Zeit — denn ich war zur Begleitung einer Dame verpflichtet — schlechterdings nothwendig machte."

Mr. Cargill staunte den jungen Edelmann an, während er diese Worte mit der leichten Gleichgiltigkeit eines Weltmannes sprach, der sich gegen einen Geringeren entschuldigt, bloß um dem Rufe seiner persönlichen Höflichkeit keinen Eintrag zu thun, keineswegs aber sich darum kümmert, ob man seine Rechtfertigung genügend findet oder nicht. Und während der Prediger so den Redenden anstarrte, schwand der Glaube, an dem er so fest gehangen hatte, daß dieser Graf von Etherington und jener Valentin Bulmer eine und dieselbe Person wären, wie der blitzende Reif vor dem Strahl der Morgensonne, und das so ganz und durchaus, daß er sich selbst wunderte, wie er nur einen einzigen Augenblick daran hätte hängen können. — Eine starke Aehnlichkeit in den Zügen müsse freilich vorhanden sein, die ihn zu diesem Irrthum verleitet habe; aber die Person selbst, der Ton, die Art sich auszudrücken, war durchaus verschieden, und da jetzt seine Aufmerksamkeit auf diese besondern Persönlichkeiten sich richtete, war Mr. Cargill gar nicht abgeneigt, beide Personen einander fast vollkommen unähnlich zu finden.

Dem Geistlichen blieb jetzt nur noch übrig, seine Entschuldigung selbst auszusprechen, und dann von dem obern Ende der Tafel sich zurückziehend, auf irgend einem unbedeutenderen Sitz Platz zu nehmen, den seine Bescheidenheit vorzugsweise erwählt haben würde, als er plötzlich von Lady Penelope festgehalten, welche, ihn mit der artigsten und gewinnendsten Weise behandelnd, darauf bestand, Mr. Mowbray solle sie einander vorstellen, und Mr. Cargill bei Tische neben ihr sitzen. — Sie habe so viel von seiner Gelehrsamkeit gehört — so viel von seinem vortrefflichen Herzen, daß *sie sich unmöglich entschließen könne, eine Gelegenheit aus der Hand* zu laſſen, die Herrn Cargills große Abgeſchiedenheit zu den ſeltenſten mache — mit einem Worte, es gälte heute, wer einem Jeden den Rang ablaufen würde, und ſo ihre Beute ſichernd, ſaß ſie ſehr bald triumphirend an ſeiner Seite.

So fand eine zweite Trennung Mr. Cargills von ſeinem Freunde Statt; denn da Mr. Touchwood nicht mit in dieſer Einladung begriffen oder nur überhaupt von Lady Penelope bemerkt ward, ſo ſah er ſich genöthigt, einen Platz an dem untern Ende des Tiſches aufzuſuchen, wo er großes Erſtaunen durch die Hurtigkeit erregte, mit welcher er gekochten Reis mit Fleiſchſchnitten hinabſchlang.

Jetzt, da Mr. Cargill ſo ganz ohne Beiſtand den Batterieen Lady Penelopens ausgeſetzt war, fand er bald, daß ſie ſo feurig und unaufhaltſam ſpielten, daß ſie ſeine Geduld, die ſeit ſo manchem Jahre ſo wenig geprüft worden war, faſt auf das Aeußerſte brachten. Sie begann damit, ihn zu bitten, ſeinen Stuhl näher zu rücken, denn eine inſtinktmäßige Scheu vor modiſchen Damen hatte ihn einige Entfernung beobachten laſſen. „Sie hoffe doch, er ſcheue ſie nicht als eine biſchöflich Geſinnte; ihr Vater habe freilich zu jener Glaubensſekte gehört, denn," ſetzte ſie mit einem liſtig ſein ſollenden Lächeln hinzu, „wir waren etwas unartig Anno 45, wie Sie vielleicht davon gehört haben. — Aber das wäre nun Alles vorbei, und ſie ſei überzeugt, Mr. Cargill hege viel zu liberale Geſinnungen, irgend ein Vorurtheil oder Abneigung gegen ſie zu nähren. — Sie könne ihm verſichern, ſie ſei weit davon entfernt, dem presbyterianiſchen Glauben abgeneigt zu ſein. — In der That, ſie habe oft gewünſcht, einem ſolchen Gottesdienſt beizuwohnen, der ſie gewiß entzücken und erbauen würde, beſonders (mit einem gnädigen Lächeln) in der Kirche von St. Ronans — auch hoffe ſie dieſen Plan auszuführen, ſobald nur Mr. Mowbray aus Edinburg den kleinen Wärm-Ofen erhalte, den er dort beſtellt habe, um seinen Kirchensitz zu ihrer Bequemlichkeit durchwärmen zu lassen."

Alle diese schönen, mit übereinstimmenden Blicken und Winken gesprochenen Worte, von so überschwänglicher Höflichkeit begleitet, als wollten sie den Geistlichen an eine überzuckerte Tasse Thee mahnen, deren zu große Süßigkeit den Mangel der Kraft und des Wohlgeruchs ersetzen soll, bedurften und erhielten keine andere Erwiederung, als zuweilen einen einstimmenden Blick und eine dankbare Verneigung.

„Ah, Mr. Cargill," fuhr die unerschöpfliche Lady Penelope fort, „Ihr Amt hat so manche Forderung, sowohl an Geist als Herz — steht in so genauem Einklange mit den freundlichsten, wohlthätigsten Neigungen des Menschen — mit unseren reinsten, schönsten Gefühlen, Mr. Cargill. Sie wissen, was Goldsmith sagt:

– – – Zu seiner Pflicht auf jeden Ruf bereit,
Wacht er, und fühlt, und sorgt, und betet heiß für Alle!

Und Dryden entwarf auch ein Gemälde von einem Landprediger, so unnachahmlich, möchte man sagen, hörte man nicht hin und wieder (hier erfolgte wieder ein bedeutendes Lächeln und verbindlicher Wink) von irgend einem Sterblichen erzählen, der das holde Bild zur Wirklichkeit umschaffen will:

Er läßt den Geist die Sinne hüten
Und streng Enthaltsamkeit gebieten.
Doch Milde zeigt sein heitrer Blick;
Er strahlt Aufrichtigkeit zurück,
Nicht Zwang, nicht Mißmuth, nur geweiht
Der Güte und der Frömmigkeit."

Während Ihro Herrlichkeit diese Worte deklamirten, verriethen des Geistlichen untheilnehmend umherirrende Blicke seine Zerstreutheit. Vielleicht mochten seine Gedanken eben bei dem Abschlusse eines Waffenstillstandes zwischen Saladin und Conrad von Montferrat verweilen, oder vielleicht über einige Ereignisse des Tages nachstnnen, genug, die Lady sah sich genöthigt, ihren widerspenstigen Zuhörer mit einer wieder einleitenden Frage zu sich zurück zu rufen: „Sie sind gewiß sehr vertraut mit Dryden bekannt, Mr. Cargill?"

Aufschreckend und die Frage nur halb verstehend, entgegnete er: „Ich habe nicht die Ehre, Madam!"

„Sir!" rief erstaunt die Lady.

„Madam — Mylady! —" stammelte der Verlegene.

„Ich fragte, ob Sie Dryden bewunderten; — aber Ihr gelehrten Herren seid immer so zerstreut' — Vielleicht glaubten Sie, ich sprach von Leyden."

„Ein leider zu früh erloschenes Licht, Madam! Wohl kannte ich ihn sehr gut!"

„Auch ich habe ihn gekannt!" rief eifrig die Dame. „Er sprach zehn Sprachen — wie demüthigend für mich Arme, die ich mich nur rühmen kann, deren fünf mir eigen gemacht zu haben. — Aber ich habe freilich seit jener Zeit noch so Manches dazu gelernt. — Ja, Mr. Cargill, Sie müssen mir in meinen Studien beistehen, — es wäre eine wahre Barmherzigkeit — aber vielleicht scheuen Sie sich vor einer weiblichen Schülerin?"

Ein zuckender Schmerz, der Erinnerungen früherer Tage trüber Nachhall, fuhr durch des armen Cargills Geist mit eben solcher Schärfe, als hätte ein Schwert seine Brust durchbohrt; wir können uns daher nicht der Bemerkung enthalten, daß in der Gesellschaft ein unbescheidener Schwätzer, gleich einem geschäftigen Schreier in der Menge, außer allen andern langweiligen allgemeinen Uebereinstimmungen, auch stets wie jener, ohne es zu wollen oder zu beachten, irgend eine zarte, wunde Stelle unsein berühren und des Menschen Brust mit bitterer Empfindung füllen wird.

„Auch müssen Sie mir bei meinen kleinen Wohlthaten beistehen, Mr. Cargill, da wir jetzt nun so gut mit einander bekannt geworden sind. — Da ist die Anne Heggie — ich sandte ihr

gestern eine Kleinigkeit, aber man sagte mir — ich sollte es nicht
erwähnen, aber man will doch nicht gern das Wenige, was man
gibt, einem Unwürdigen ertheilen — man sagte mir, sie eignete
sich eben nicht ganz dazu — eine unverheirathete Mutter, um es
kurz zu sagen, Mr. Cargill — und es würde mir eben nicht zie-
men, die Unsittlichkeit zu unterstützen."

„Ich denke, Madam, die Noth des armen Weibes wird Ew.
Herrlichkeit Güte rechtfertigen, selbst wenn sie gefehlt hat."

„O ich bin keine Prüde, Sir, ich versichere es Ihnen, Mr.
Cargill. Nie werde ich meine Unterstützung Jemand ohne un-
widerlegliche Gründe entziehen. Ich könnte Ihnen von einer
meiner genauesten Freundinnen erzählen, welche ich gegen das Geträtsch des ganzen Gesundbrunnens vertheidigte, weil ich vom
Grund der Seele überzeugt bin, sie ist nur unbesonnen — nichts,
gar nichts weiter als unbesonnen. — Ah, Mr. Cargill, wie
können Sie so bedeutend da hinüber sehen? — Wer hätte das von
Ihnen gedacht? — O pfui doch! — das gleich so persönlich zu
nehmen!"

„Auf mein Wort, Madam, ich bin durchaus unfähig zu verstehen —" sagte der Geistliche.

„O pfui, nicht doch, Mr. Cargill!" fuhr sie mit so tadelndem
und erstauntem Nachdrucke fort, als ihr vertrauliches Flüstern nur
gestatten wollte, „Sie sahen Lady Binks an. — Ich weiß, was
Sie denken, aber Sie sind ganz im Irrthum, ich versichere es
Ihnen, ganz im Irrthum! — Ich wünschte auch, sie möchte nicht
immer so schön thun mit dem jungen Manne da, Mr. Cargill —
ihre Lage ist so besonders. — Wahrhaftig, ich glaube, sie bringt
ihn selbst um seine Geduld; denn sehen Sie — er verläßt das
Zimmer, ehe man sich noch setzte — wie sonderbar! — Und dann,
sagen Sie, finden Sie es nicht sehr seltsam, daß Miß Mowbray
nicht zu uns herab gekommen ist?"

„Miß Mowbray? — Was ist's mit Miß Mowbray? — Ist

fie nicht hier?" fragte Mr. Cargill mit weit größerer Lebendigkeit
des Antheils, als er bis jetzt bei irgend einer der vertraulichen Mittheilungen Lady Penelopens bewiesen hatte.

„Ach die arme Miß Mowbray," sagte Lady Penelope, die
Stimme noch mehr senkend, und den Kopf schüttelnd; „sie ist nicht
erschienen — ihr Bruder ging vor fünf Minuten zu ihr hinauf,
ich glaube, sie hierher zu bringen; so sind wir uns also selbst
überlassen, uns inzwischen gegenseitig anzustarren. Welch' ein
wunderlich verkehrtes Benehmen! — Aber Sie kennen Clara
Mowbray."

„Ich, Madam?" entgegnete Mr. Cargill, der jetzt ganz aufmerksam war. „Ja wirklich — ich kenne Miß Mowbray — das
heißt nämlich, ich kannte sie vor einigen Jahren — aber Ew.
Herrlichkeit wissen, sie war lange Zeit sehr krank — mindestens
unpäßlich, und seit sehr langer Zeit habe ich nichts von der jungen
Dame gehört."

„Ich weiß es, mein theurer Mr. Cargill, ich weiß es!" sagte
Lady Penelope mit dem Tone des tiefsten Mitgefühls. „Ich weiß
es, und gewiß sehr unglückliche Umstände müssen es gewesen sein,
die sie von Ihrem Rath und freundlicher Leitung getrennt haben.
— Alles dieß wußte ich wohl, um die Wahrheit zu gestehen, es
geschah hauptsächlich um Clara's willen, daß ich Ihnen die Mühe
verursachte, meine Bekanntschaft zu machen. Sie und ich vereint,
Mr. Cargill, können vielleicht Wunder auf ihren unglücklichen Gemüthszustand bewirken; — o ich bin dessen gewiß — nämlich,
wenn Sie sich entschließen könnten, vollkommenes Vertrauen in
mich zu setzen."

„Hat Miß Mowbray Ew. Herrlichkeit aufgefordert, über
irgend einen Gegenstand, der sie betrifft, mit mir zu sprechen?"
fragte der Geistliche mit mehr Scharfsinn und Vorsicht, als Lady
Penelope ihm zugetraut hatte. „Ich werde in dem Falle sehr
glücklich sein, ihre Aufträge zu empfangen; und was nur meine

und Alles, was zum Anzuge sich gepaßt hätte, von do
führt."

Von allen Seiten tönten die Antworten — es wäre
verlangt gewesen, daß Miß Mowbray sich noch einmal hä
Kleiden sollen — daß nichts, was sie zu wählen würdigte
Mowbray mißkleiden könnte — daß sie der Sonne gleich in
prachtvollen theatralischen Anzuge untergegangen sei, um i
Tracht als der mildere Vollmond zu erscheinen (diese S
war Herrn Chatterley's Arbeit), und daß Miß Mowbray in
eigenen Hause allerdings das Recht habe, sich ganz nach
Willkür zu kleiden. Diese letzte Höflichkeit, die indessen
gut an ihrem Platze stand, als die andere, war der Beitr
ehrlichen Mistreß Blower, und erhielt eine besondere, äußerst
Verbeugung Miß Mowbray's zur Erwiederung.

Einem so sichtlich willkommenen Compliment hätte 9
Blower es überlassen sollen, wie Dr. Johnson gesagt haben
den Ruf ihrer Beredtsamkeit zu gründen; aber Niemand we
es rathsam ist, stehen zu bleiben. Sie bog ihr breites gut
ges, entzücktes Gesicht weit vor, und ihre Stimme so allge
wie einst ihr seliger Mann erhebend, wenn er bei einem (
seinen Schiffsgehülfen Befehle ertheilte, rief sie von dem
Theile des Tisches nach oben hinauf: „Warum Miß Clara,
oben so recht im Luftzuge der Eingangsthüre säße, nä
großen Shawl umthue, den sie bei der Vorstellung getrage
Gewiß fürchte sie, mit der Bouillon, den Butterbroden, oder
dem ähnlichen beschmutzt zu werden; — aber sie hätte hi
Shawls, welches sie wirklich für sich viel zu viel fände. —
es der Miß Mowbray gefällig sei, einen davon anzunehm
wären freilich nicht ächt, das müsse sie zugeben — aber sie w
sie eben so wärmen, als die ächtindischen, und es läge n
daran, wenn sie beschmutzt würden."

Unfähig, der Versuchung zu widerstehen, welche diese

.ihm gewährten, sagte Mowbray: „Sehr verbunden, Mistreß Blower, aber meine Schwester ist noch nicht von so hohem Range, daß er sie berechtigen könnte, ihre Freunde ihrer Shawls zu berauben."

Lady Penelope erröthete bis an die Augen, und sehr bitter war die Antwort, welche sich auf ihre Zunge drängte. Doch beherrschte sie sich, und so freundlich als möglich, aber mit besonderer Bedeutung, der Miß Mowbray zunickend, sagte sie nur: „Ach, so haben Sie mit Ihrem Bruder von unserm kleinen Handel an diesem Morgen gesprochen? — Tu me lo pagherai! — Ich warne Sie, hüten Sie sich, daß keines Ihrer Geheimnisse in meine Hände falle. — Dabei bleibt es."

Von welchen elenden Kleinigkeiten hängen zuweilen die wichtigsten Ereignisse unsers Lebens ab! Wenn Lady Penelope ihren ersten rachsüchtigen Unmuth ausbrechen ließ, würde höchst wahrscheinlich einer jener halb komischen, halb ernsten Wortwechsel zwischen ihr und Mowbray erfolgt sein, mit welchen Beide oft die Gesellschaft zu unterhalten pflegten. Aber viel ernster ist die aufgeschobene unterdrückte Rache zu fürchten, und die Ereignisse, welche unsere Erzählung nun zu berichten haben wird, müssen der Wirkung jener besonnenen Rachsucht zugeschrieben werden, welche Lady Penelope bei dieser unbedeutenden Gelegenheit erfüllte. Sie beschloß im Geheim, den Shawl, den sie sich wohlfeil anzueignen gehofft hatte, zurückzugeben; und eben so geheim nahm sie sich vor, an der Schwester, wie am Bruder, bittere Rache zu üben, um so mehr, da sie schon jetzt sich bewußt war, den Schlüssel zu irgend einem wichtigen Familiengeheimnisse zu besitzen, welches ihr zum Fundament dienen konnte, darauf ihre Batterien aufzurichten. Die alten Beleidigungen, der oft erneuete Streit des größeren Einflusses zwischen ihr und dem Laird vereinten sich mit ihrem Groll über Clara's eben heute so hervorstechendes Uebergewicht bei der

mit sich brachte, obgleich die Verspätungen und die Streitigkeiten, welche dabei vorfielen, weniger leicht zu ertragen waren, als am Morgen, wo die Aussicht auf die Freuden des Tages die augenblicklichen Unannehmlichkeiten überwog. Die Ungeduld einiger Personen war so groß, daß, obgleich der Abend rauh war, einige es vorzogen, zu Fuß fortzueilen, ehe sie das langsame Rückkehren des Wagens abwarteten, und viele kamen beim Nachhausegehen noch dankbar dahin überein, alles Ungemach, das ihnen ihr Eigenwille zuzog, ihrem Wirth und der Wirthin aufzubürden, die, ehe sie eine so große Gesellschaft eingeladen hätten, erst dafür Sorge tragen sollten, einen besseren und kürzeren Weg zwischen dem Gesundbrunnen und Shaw-Castle anzulegen. „Es wäre ja so leicht gewesen, den Weg bei dem Bucksteine auszubessern."

Und dies war denn aller Dank, der an Mowbray für ein Fest gezollt ward, das ihm so viel Geld und Mühe kostete, und von der edlen Gesellschaft des Gesundbrunnens seit langer Zeit ungeduldig herbei gesehnt worden war.

„Es war doch ein komisches, hübsches Schauspiel" sagte Mistreß Blower, die gute Seele. „Nur that es mir leid, daß es ein wenig langweilig war, auch fand wirklich eine furchtbare Verschwendung von Gaze und Mousseline statt."

Allein Doctor Quackleben hatte seine Geschäfte bei dieser Gelegenheit so gut wahrzunehmen verstanden, daß die gute Frau doch mit dem Ganzen sehr versöhnt ward, weil Husten, Rheumatismen und andere Krankheiten, welche man bei diesem Feste erhascht haben konnte, wahrscheinlich für den gelehrten Herrn, für dessen Wohl sie sich sehr interessirte, angenehme Aussichten eröffneten, und ihm eine reiche Ernte versprachen.

Mowbray, obgleich dem Bacchus nicht wenig ergeben, fand sich trotz des Zurückziehens des größeren Theils der Gesellschaft nicht aus dem Dienste des fröhlichen Gottes entlassen, so gern er *auch nun* eben heute dessen Orgien entsagt hätte. Denn weder Ge-

ung, noch Wortspiele, noch Scherze hatten die Macht, sein aufge=
regtes Gemüth zu beruhigen, da er höchst aufgebracht war, daß
ein Fest bei weitem nicht so glänzend schloß, als er sich versprochen
hatte. Die noch anwesenden Gäste, rüstige, lustige Brüder, ermat=
teten indessen in ihrem Jubel nicht, weil der Wirth weniger Theil
nahm, sondern fuhren fort, Flasche auf Flasche zu leeren, mit so
wenig Beachtung der ernsten Blicke Mowbray's, als hielten sie ihr
Zechgelag in Mowbray's Schenke, aber nicht in seinem Schlosse.

Um Mitternacht sah er sich erlöset und tappte mit unsicherem
Schritt nach seinem Zimmer, sich selbst und seine Gefährten ver=
wünschend, schnell sein Bette aufsuchend, und die rückkehrenden
Gäste allen Moorgründen und Sümpfen überlassend, die nur
zwischen Shaw=Castle und dem St. Ronans=Brunnen zu finden
sein mochten.

Dreiundzwanzigstes Kapitel.

Der Vorschlag.

Ja, ja, du möchtest wohl ein Nönnchen werden,
Die Braut des Himmels! Nicht — Was gilt die Wette,
Den Vorsatz bring' ich aus dem Köpfchen dir,
Denn sieh, ein Werber naht mit jeder Würde,
Die Frauen lieben, reichlich ausgeschmückt,
Voll Witz, so jung und schön, als reich und tapfer!

Die Nonne.

Der Morgen nach einer Schwelgerei pflegt gewöhnlich einiges
Nachdenken, selbst bei den geübtesten Schlemmern zu erwecken; so
fand auch der junge Laird von St. Ronans in der Wiedererinne=
rung des verflossenen Tages eben nichts Tröstliches, als daß die

Galopp davon eilen, wie Jemand, der es weiß, daß seine schleunige
Rückkunft von einem ungeduldigen Herrn erwartet wird.

Mowbray verweilte nachsinnend einige Minuten mit Entzücken
bei den zu erwartenden Folgen dieser Heirath. — Die Erhebung
seiner Schwester — und vor Allem die vielen Vortheile, die ihm
daraus erwachsen müßten, so nahe mit einem Manne verbunden zu
sein, von dem er gute Gründe hatte, ihn in gewisse Geheimnisse eingeweiht zu glauben, und der deßhalb um so fähiger war,
ihm den wahren materiellen Beistand bei seinen Spekulationen auf
der Rennbahn sowohl, als in dem Treiben der spielenden Welt zu
leisten — Er sandte also einen Diener zu Miß Mowbray, ihr
wissen zu lassen, daß er bei ihr frühstücken wolle.

„Ich vermuthe, John," sagte Clara, als ihr Bruder in das
Gemach trat, „du bist heute früh mit einem schwächern Getränk
zufrieden, als Jene, die in der letzten Nacht deine Becher füllten.
— Ihr habt ja bis zum ersten Hahnschrei gezecht."

„Ja," versetzte Mowbray, „die dürre Sandwüste, der alte
Mac Turk, auf den ein ganzes Oxhoft keinen Eindruck macht, der
machte mich gestern zum wilden Burschen, allein der Tag ist vorüber, und sie werden mich schwerlich wieder zu solchem Gelag verleiten. — Wie gefielen dir die Masken?"

„Sie wurden erträglich genug durchgeführt," versetzte Clara,
„wie solche Leute überhaupt, während ihres ganzen Lebens, die
Rollen der Lord's und Lady's darstellen.   Nämlich mit vielem
Geräusch und wenig Gehalt!"

„Ich sah nur Eine recht schöne Maske hier, und das war ein
Spanier," sagte ihr Bruder.

„O ich sah ihn auch," entgegnete Clara; „allein er behielt
seine Maske vor. — Ein alter Indianer oder Kaufmann — so
etwas war es, schien mir seinen Charakter besser durchzuführen. —
Der Spanier sprach gar nicht, schritt bloß stolz einher, und

klimperte, wie ich glaube, zum Vergnügen der Lady Binks auf seiner Guitarre."

„Dennoch ist der Spanier ein ganz artiger Bursche," entgeg= nete Mowbray.   Kannst du errathen, wer er ist?"

„In der That, nein, auch gebe ich mir gar nicht die Mühe es zu versuchen; denn sich in Muthmaßungen darüber verlieren, das wäre eben so schlimm, als die ganze Mummerei noch einmal mit anzusehen."

„Gut," entgegnete der Bruder. — „Eine Sache mußt du doch zugeben — Zettel ward schön gespielt, das kannst du nicht läugnen.

„Ja," antwortete Clara, „dieser Würdige verdiente wirklich seinen Eselskopf bis zum Ende des Spaßes zu tragen. — Allein was soll er hier?"

„Denke nur, er könnte vielleicht ein und dieselbe Person mit dem schönen Spanier sein," versetzte Mowbray.

„Dann war also ein Narr weniger hier, als ich glaubte," ent= gegnete Clara mit der größten Gleichgiltigkeit.

Der Bruder biß sich auf die Lippen.

„Clara," sagte er, „du bist ein vortreffliches Mädchen, und hübsch dazu, allein ich bitte dich, strebe nicht so sehr nach Witz und Sonderbarkeiten. — Nichts im Leben wird so schwer von Andern verziehen, als eine eigene den andern entgegengesetzte Mei= nung zu behaupten.   Jener Gentleman war der Graf Ethe= rington."

Diese Erklärung, so viel Nachdruck ihr der gebietende Ton der= selben verleihen sollte, schien Clara wenig zu rühren.

„Ich hoffe, er spielt den Pair besser, als den spanischen Rit= ter," entgegnete sie sorglos.

„Ja wohl," versetzte Mowbray.   „Er ist einer der schönsten Männer seiner Zeit, ein ganz vollkommener Weltmann — Er wird dir sehr gefallen, wenn du ihn in kleinern Kreisen siehst."

In dieser Klemme nahm er wieder seine Zuflucht zu Vor
lungen.

„Clara," sagte er, „ich bin, wie ich es schon wiederholen
gesagt habe, dein einziger Verwandter und Beschützer. — W
du wirkliche Gründe hast, daß du keinen Bewerber empfan
oder wenigstens eine höfliche Antwort auf das, was der Graf C
rington dir anbieten wollte, geben kannst, theile mir diese Gr
mit. Die Freiheit, die du so hoch stellst, hast du während u
Vaters Leben viel zu sehr genossen, mindestens in den letzten J
ren. — Hast du vielleicht damals irgend eine thörichte Verbind
geschlossen, die dich nun verhindert, die Bewerbung anzuneh
mit welcher Lord Etherington dich bedroht?"

„Bedroht? — dieser Ausdruck ist gut gewählt," sagte
Mowbray — „und nichts kann die Furchtbarkeit dieser Droh
übersteigen, als ihre Erfüllung selbst."

„Ich freue mich, daß dein Witz zurückkehrt," entgegnete
Bruder, „doch das ist keine Antwort auf meine Frage."

„Ist es denn so nothwendig," sagte Clara, „daß Jemand,
einen Widerwillen gegen das Heirathen hat, durchaus eine Ver
dung oder Verirrung zu bekennen haben muß, die ihm das H
then selbst oder die Quälerei einer solchen Bewerbung zur
macht? Viele junge Leute wollen als Junggesellen sterben, wa
kann ich mein Leben als alte Jungfer nicht im dreiundzwanzi
Jahre beginnen? — Sei ein zärtlicher Bruder — gestatte es

und nie sollen Neffen oder Nichten von einer unverheirath
Tante so gepflegt und gescholten, so gefüttert und gepufft wo
sein, als deine Kinder, wenn du welche hast, von der T
Clara."

„Und warum," rief Mowbray, „kann man nicht warten,
Alles dem Lord Etherington zu sagen, bis er dich mit sein
so schauderhaften Bewerbung heimsucht? Wer weiß, ob die
Grille, die er ahnen ließ, nicht vergangen ist. — Er weiß

selbst sagst, um Lady Binks sehr beschäftigt; und es fehlt Ihrer Herrlichkeit, zu dem Behufe ihn festzuhalten, weder an Geschicklichkeit noch Schönheit."

„Der Himmel verstärke Beide (auf rechtlichem Wege), wenn es dahin führt, ihr den Lord ganz zuzueignen," sagte Clara.

„Gut denn," fuhr ihr Bruder fort, „da die Dinge so stehen, sollt' ich meinen, wirst du wenig von Sr. Herrlichkeit beunruhigt werden — wenigstens nicht mehr, als daß es Veranlassung gibt, ihm einen höflichen Abschied zu ertheilen. — Nachdem er mit einem Manne, wie ich bin, diesen Gegenstand einmal berührt hat, kann er nicht gut abbrechen, ohne daß du ihm selbst eine Rechtfertigung darbietest."

„Wenn das Alles ist," rief Clara, „soll er, sobald sich nur eine Gelegenheit zeigt, eine Antwort erhalten, die ihm volle Freiheit gibt, um jede Tochter Eva's zu freien, Clara Mowbray ausgenommen. Glaube mir, ich bin so begierig, den Gefangenen in Freiheit zu setzen, daß ich jetzt, so sehr ich es vorher scheute, nach einer Gelegenheit schmachte, Se. Herrlichkeit zu sehen."

„Geduld! Geduld! — Aber laßt uns billig und recht handeln," rief ihr Bruder. „Du darfst ihn nicht eher ausschlagen, als er dich fordert."

„Ganz gewiß," sagte Clara: „aber ich will es so schlau einrichten, daß er die Frage überall unterlassen soll, ich will der Lady Binks ihren Bewunderer ganz frei heraus geben, ohne selbst nur eine Höflichkeit als Lösegeld anzunehmen.

„Immer schlimmer, Clara," antwortete ihr Bruder. „Du mußt dich erinnern, daß er mein Freund und Gast ist, und also in meinem Hause nicht beleidigt werden darf. Ueberlasse die Dinge sich selbst. — Ueberdieß, Clara, betrachte die Sache einen Augenblick — erfordert sie nicht einiges Nachdenken? — Das Anerbieten ist so glänzend — Stand — Vermögen — und was noch mehr ist, ein Vermögen, worüber du vollkommen berechtigt bist, nach Gefallen zu gebieten."

„Dieß überschreitet unsern geschlossenen Traktat," — sagte Clara. „Ich habe mehr nachgegeben, als ich eigentlich sollte, da ich einwilligte, den Lord auf dem Fuß eines Bewerbers überhaupt zu sehen, und nun nimmst du gar sein Begehren in Schutz — dieß ist ein Eingriff, Mowbray; und jetzt werde ich in meinen Eigensinn zurückfallen, und durchaus verweigern, ihn zu sehen."

„Thue, wie du willst," entgegnete Mowbray, es fühlend, daß nur dann, wenn er ihre schwesterliche Liebe in Anspruch nahm, es einigermaßen möglich war, sie zu Etwas gegen ihre Neigung zu vermögen. — „Thue, wie du willst, meine theure Clara; aber um's Himmels willen, trockne deine Augen."

„Und beherrsche dich selbst," sagte sie, nach einem Lächeln strebend, um ihm zu gehorchen. „Betrage dich, willst du sagen, wie die andern Leute der heutigen Welt; allein diese Stelle ist für dich verloren, du hast weder Prior noch Shakespeare gelesen."

„Dafür dank' ich dem Himmel!" rief Mowbray. „Ich habe Dinge genug, die mein Gehirn belasten, ohne es mit den vielen Bruchstücken von Versen zu beschweren, wie du und Lady Penelope. Komm, so ist's recht, tritt vor den Spiegel und ordne deinen Anzug."

Ein Frauenzimmer muß gewiß ganz niedergedrückt von Gram und Schmerz sein, wenn sie alle Sorge für ihre äußere Erscheinung verliert. Die Wahnsinnige in Bedlam trägt ihren Strohkranz mit einer gewissen Prätension; und wir haben eine Wittwe gesehen, die, obwohl sie wirklich durch den eben erlittenen Verlust sehr angegriffen war, ihre schwarzen Gewänder dennoch mit einer Art Grazie des Schmerzes angeordnet hatte, die fast an Koketterie grenzte. So besaß Clara Mowbray auch, trotz ihrer anscheinenden Nachlässigkeit, ihre kleinen Toilettenkünste, obgleich gar einfacher, schneller Art. Sie nahm ihren Reithut ab, und indem sie von ihrem Haare eine indische goldene Tresse loswand, ließ sie die Lockenfülle in lieblicher Unordnung um ihr wahrhaft schönes Gesicht herabfallen, und bis über die schlanke Taille niedersinken. Während ihr Bruder sie mit einem Gemische von Stolz, Liebe und Mitleiden betrachtete, ordnete sie die Locken mit einem breiten Kamme, ohne Beistand irgend einer Kammerfrau, und nestelte sie in dem kurzen Zeitraum von wenigen Minuten schnell zu dem Kopfputz der Statue einer griechischen Nymphe zusammen.

„Nun laß mich noch meinen besten Muff nehmen," sagte sie, „und dann komme Prinz oder Pair, er findet mich bereit, ihn zu empfangen."

„Pah! Deinen Muff — wer hat von solchen Dingen seit zwanzig Jahren reden hören — Muffe waren aus der Mode, ehe du geboren wurdest."

„Thut nichts, John," entgegnete seine Schwester. „Wenn eine Frau einen Muff trägt, besonders eine so entschiedene alte Jungfer, als ich, so ist es ein Zeichen, daß sie keine Absicht hat, den Leuten die Augen auszukratzen. Der Muff leistet also hier die Dienste einer Friedensflagge, und überhebt uns der Nothwendigkeit, die Handschuh anzuziehen, wie es der Wahlspruch unserer Vettern, der M'Intoshes, so vorsichtig empfiehlt."

„Sei es denn, wie du willst," sagte Mowbray; „denn du thust doch nichts Anderes, als was dir gefällt. — Allein, was ist dieß? — ein anderes Billet   Wir erhalten ja heute viele Anfragen."

„O möchte es der Himmel geben, daß Se. Herrlichkeit sich alle die Gefahren vernünftigerweise berechnet hätte, welche er auf diesem bezauberten Boden läuft, und daher beschlossen haben, dieß Abenteuer nicht zu wagen!" rief Miß Mowbray.

Ihr Bruder warf ihr einen unzufriedenen Blick zu, indem er das Siegel des Briefes erbrach, der mit dem Beisatz: „Alle

23*

und Geheimniß" an ihn adressirt war. Den Inhalt, der ihn nicht wenig befremdete, lesen wir im Anfang des folgenden Kapitels.

Vierundzwanzigstes Kapitel.

Geheime Nachrichten.

Erbrich den Brief!
Ich will den Kämpfer stellen,
Der dir den Inhalt fest verbürgt.

König Lear.

Das Billet, welches Mowbray in Gegenwart seiner Schwester erhielt und las, enthielt folgende Worte:

Sir!

„Clara Mowbray besitzt wenig Freunde — vielleicht keinen, als Sie selbst durch die Bande des Blutes, und den Schreiber dieser Zeilen, durch die Bande der zärtlichsten, aufrichtigsten und uneigennützigsten Anhänglichkeit, die je eine männliche Brust einer Frau weihte. Ich spreche mein innerstes Empfinden Ihnen so offen aus, weil, obwohl es unwahrscheinlich ist, daß ich jemals Ihre Schwester wieder sehen und sprechen werde, ich dringend wünsche, daß der Grund der innigen Theilnahme, welche mich bis zum letzten Athemzuge für Miß Mowbray erfüllen wird, klar und deutlich vor Ihren Augen liege.

Der Mann, welcher sich Lord Etherington nennt, hält sich, wie ich voraussehe, in der Nachbarschaft von Shaw-Castle in der Absicht auf, sich um Miß Mowbray's Hand zu bewerben, und

kann ich vermuthen, daß er seine Vorschläge in ein solches
stellen wird, welches nach der gewöhnlichen Ansicht der Men=
ste höchst wünschenswerth erscheinen lassen muß. Doch bevor
diesem Manne die Aufmunterung gönnen, welche seine Bewer=
zu verdienen scheint, haben Sie die Güte, sich zu erkundigen,
in Vermögen ihm gewiß ist, sein Rang ihm unbestreitbar ge=
t, und lassen Sie sich nicht zu leicht über diesen Punkt beruhi=
Es kann ein Mann sich mit einem Titel und Besitzthum brü=
an welche er kein weiteres Recht hat, als das ihm seine eigene
gier und unverschämte Anmaßung verschaffte, und wenn Mr.
bray, wie er es muß, sorglich für die Ehre seiner Familie
t, so kann eine Verbindung mit einem solchen Menschen ihm
, als Herabwürdigung verheißen. Ter Schreiber dieser Zei=
st bereit, für die Wahrheit ihres Inhaltes sich als Bürgen zu
."
Bei dem ersten Durchlesen dieses höchst befremdenden Schrei=
glaubte Mowbray, es der Bosheit irgend eines der Brunnen=
zurechnen zu müssen, da anonyme Briefe keine ungewöhnliche
icht für Leute von unbedeutendem Geiste sind, welche zu solchen
rauchten Hülfsmitteln greifen, die einen Betrug so geheim als
durchführen lassen, und gar wohl geeignet sind, Unglück und
irrung zu erregen. Aber bei genauerer Ueberlegung schien
iese Ansicht doch keinesweges genügend, und plötzlich aus sei=
Sinnen aufschreckend, fragte er nach dem Boten, der den Brief
racht habe. Der Bediente glaubte, er würde in dem untern
al sein, und schnell eilte Mowbray dahin. Doch nein — der
war nicht mehr da, aber Mowbray sah ihn noch von hinten,
r die Allee hinab ging. Er rief — keine Antwort erfolgte
: lief dem Burschen nach, der ein Bauer zu sein schien. Sich
lgt sehend, beschleunigte der Mann seine Schritte, und ver=
nd, sobald er die Allee hinab war, in einen der zahllosen Fuß=
. welche Wanderer dort hervorgebracht hatten, theils um Rasse

zu suchen, theils sich Bewegung zu machen, die in tausend verschiedenen Richtungen das waldige Gebüsch durchkreuzten, welches das Schloß umgab, und ihm wahrscheinlich den Beinamen Shaw ertheilt hatte, der im Schottischen eine solche Gattung von Wald bedeutet.

Durch des Mannes sichtliche Anstrengung, ihm auszuweichen, angereizt, von je an hartnäckig seine Entschlüsse durchsetzend, verfolgte ihn Mowbray eine tüchtige Strecke weit, bis er endlich fast ganz außer Athem kam; und da der Flüchtling ihm nun völlig aus den Augen war, so besann er sich endlich, daß seine eingegangenen Verpflichtungen gegen den Grafen von Etherington ihn zur Rückkehr nach dem Schlosse nöthigten.

Der junge Lord war in der That so kurze Zeit nachdem Mowbray sich entfernte, in Shaw=Castle erschienen, daß es höchst sonderbar war, daß sie sich nicht in der Allee trafen. Der Bediente, welcher ihn empfing, die augenblickliche Rückkehr seines Gebieters, der ohne Hut fortgeeilt war, erwartend, führte den Grafen ohne weitere Umstände in das Frühstückzimmer, wo Clara am Fenster sich so tief in ein Buch, oder vielmehr, während sie es in der Hand hielt, so ganz in ihre Gedanken verloren war, daß sie kaum ihr Haupt erhob, bis der Graf von Etherington näher tretend sagt „Miß Mowbray." Ein jähes Erheben und ein lauter Schrei verkündeten ihren tödtlichen Schreck, und stärker noch wiederholte sich dieser Ausbruch des Entsetzens, als er einen Schritt näher trete mit festerem Tone hinzufügte, „Clara!"

„Nicht näher — nicht näher," rief sie, „wenn ich Sie se und nicht vergehen soll!" Lord Etherington blieb unschli stehen, als sei er ungewiß, ob er sich ihr nähern oder zurück solle, während sie mit unglaublicher Schnelligkeit die dring sten Bitten hervorströmte, er möge sich entfernen, bald ih einen wirklichen Gegenstand anredend, bald, und zwar am h sten, ihn nur für ein täuschendes Phantom, ein Geschöpf eigenen Einbildungskraft ha'tend. „Ich wußte es," flüsterte sie, „ich wußte, was davon entstehen würde, wenn meine Gedanken auf diesen furchtbaren Punkt hingezwungen wurden. — Mein Bruder, sag' es mir — sprich zu mir, während meine Sinne mich noch nicht ganz verlassen haben — sage, beweise mir, daß jenes dort, was vor mir steht, nur ein leeres Schattenbild ist! — Aber nein, nein, es ist kein Schatten — es verharrt mit allen Zügen wahrhaft menschlicher Form dort vor meinen Augen!"

Mit fester, doch sanfter Stimme sagte der Graf: „Clara, sammeln und beruhigen Sie sich. Ich bin wirklich kein Schatten; ich bin ein schwer beleidigter Mann, der hier erscheint, Rechte zurück zu fordern, welche ihm ungerechter Weise vorenthalten worden sind. Jetzt steht mir die Macht sowohl, wie die Gerechtigkeit zu Gebot, und meine Ansprüche sollen sich Gehör verschaffen."

„Nie, niemals!" entgegnete Clara Mowbray. „Da ich auf das Aeußerste gebracht bin, so soll dieß Aeußerste meinen Muth erwecken. — Sie haben keine Rechte — keine — ich kenne Sie nicht, und ich biete Ihnen Trotz!"

„Reizen Sie mich nicht, Clara Mowbray!" entgegnete der Graf in einem Tone, mit einem Wesen — wie ganz verschieden von denen, welche die Gesellschaft zu entzücken pflegten. Jetzt war sein Ausdruck feierlich, tragisch, fast finster, wie der eines Richters, der ein Urtheil über einen Verbrecher fällt. „Wagen Sie nicht, mir zu trotzen!" wiederholte er, „ich bin die Stimme Ihres Geschicks, und in Ihrer Hand liegt es, seinen Spruch streng oder gütig zu lenken."

Mit zornsprühenden Augen, während namenlose Furcht ihre Lippen fieberisch erheben ließ, rief Clara: „Wagen Sie es so zu sprechen bei dem Bewußtsein, daß eben der Himmel sich über uns wölbt, bei dem Sie heilig gelobten, daß Sie mich nie ohne meine Einwilligung wieder sehen wollten?"

„Dieß Gelübde ward bedingungsweise geleistet. — Francis

Tyrrel, wie er sich selbst nennt, schwor ein Gleiches — hat er Sie nicht gesehen? — Mit durchdringendem Blicke betrachtete er sie. „Er hat! — Sie wagen nicht, es zu verläugnen! — Und soll ein Schwur, — der für ihn nur ein Spinnengewebe ist, für mich eine eiserne Kette sein?"

Mit sinkendem Muthe und gebeugtem Haupte entgegnete Clara: „Ach, ich sah ihn nur einen Augenblick!"

„Und war es nur der zwanzigste Theil eines Augenblickes — das kleinste Maaß der flüchtigen Zeit! — genug, Sie trafen sich — er sah Sie — Sie sprachen zu ihm — so müssen Sie auch mich sehen, auch mich hören! — Wo nicht, so will ich im Angesicht der Welt zuerst meine Rechte geltend machen, und wenn mir dieß gelungen ist, den elenden Nebenbuhler, der sie mir streitig zu machen wagt, aufsuchen und vernichten."

„So Etwas vermögen Sie auszusprechen?" rief Clara —. „Können Sie so die Bande des Blutes verhöhnen? — Besitzen Sie kein Herz?"

„Ich besitze es! Und wie das geschmeidigste Wachs soll es sich all' ihren Wünschen fügen, wenn Sie einwilligen, mir Gerechtigkeit widerfahren zu laffen; aber der härteste Stein, den die Natur je schuf, wird nicht unerweichbarer sein, wenn Sie einen nutzlosen Widerstand fortsetzen! Clara Mowbray, ich bin Ihr Schicksal!"

„Nicht also, stolzer Mann!" sagte Clara, sich erhebend. „Gott ertheilte keinem irdischen Geschöpf die Gewalt, ein ihm gleiches Wesen zu zerstören, es sei denn, daß seine heilige Allmacht es eben so wollte. — Mein Geschick ruht in dem Willen des Himmels, ohne welchen kein Sperling zu Boden sinkt. — Entfernen Sie sich! Ich bin stark im Glauben an den göttlichen Schutz!"

„Sprechen Sie dieß mit voller Aufrichtigkeit?" fragte der Graf. „Ueberlegen Sie zuvor, welche Aussicht sich Ihnen dar bietet. — In keinen zweifelhaften unsichern Verhältnissen stelle i mich Ihnen dar. — Nicht bloß den Namen einer Gattin — kein demüthig unbekanntes, sorgenvolles Loos, mit Furcht der Vergangenheit, mit bangem Zweifel der Zukunft gedenkend, biete ich Ihnen dar; und doch war eine Zeit, wo Sie einer solchen Bewerbung kein ungünstiges Ohr liehen! — Hochgestellt unter den Großen meines Landes, fordere ich Sie als meine Braut auf, den Glanz und den Reichthum zu theilen, welche mir zu Theil geworden sind. — Ihr Bruder ist mein Freund und begünstigt meine Bewerbung. — Aus dem Staube will ich Ihr edles Haus erheben, und seinen Stamm mit dem alten Glanze schmücken — Ihren Wünschen, ja selbst Ihren Launen sollen Sie in jeder Hinsicht folgen können. — Ja, ich will meine Selbstverläugnung so weit treiben, daß Sie, wenn Sie auf einer so strengen Bedingung bestehen sollten, Ihren eigenen Wohnort, Ihre eigene Einrichtung, ganz ohne die kleinste Zudringlichkeit von mir zu befürchten, besitzen sollen, bis die innigst ergebene Liebe, die unendlichsten Aufmerksamkeiten endlich vielleicht Ihr unerbittliches Herz erweichen. — Dieß Alles will ich für die Zukunft verbürgen — alles Vergangene fällt der Verschwiegenheit auf ewig anheim. — Aber mein, Clara Mowbray, mein müssen Sie sein!"

„Niemals, niemals!" rief sie mit steigender Heftigkeit. „Ich vermag nichts, als dieß Wort zu wiederholen, doch soll ihm alle Kraft eines Schwurs inwohnen! — Ihr Rang hat für mich keinen Werth — Ihr Vermögen verachte ich —! Weder die Gesetze Schottlands, noch die der Natur können meinem Bruder ein Recht ertheilen, meiner Neigung Zwang anzulegen. — Ich verabscheue Ihre Verrätherei, und verachte die Vortheile, welche Sie dadurch zu erlangen trachteten. — Wenn das Gesetz Ihnen meine Hand zuspricht, verleiht das Urtheil Ihnen nur die Hand einer Leiche!"

„Ach Clara!" entgegnete der Graf, „Sie sträuben sich nur unnütz flatternd in dem Netze; doch jetzt will ich Sie nicht weiter

drängen! — Eine andere Zusammenkunft muß ich noch aufsuchen!" —

Er wandte sich zur Thür, als Clara vorwärts stürzend ihn
beim Arme ergriff, und mit leisem eindringlichen Tone das Gebot
aussprach: „Du sollst nicht tödten!"

Seine Stimme sanfter mildernd, strebte er ihre Hand zu fassen
und erwiederte: „Fürchten Sie nichts Gewaltsames, als was Ihrer
eigenen Strenge entspringen könnte. — Francis hat nichts von
mir zu fürchten, wenn Sie nicht durchaus unbillig sind. — Gestehen Sie mir nur zu, was Sie keinem Freunde Ihres Bruders
verweigern können, die Erlaubniß, Sie von Zeit zu Zeit zu sehen
— hemmen Sie mindestens den ungestümen Ausbruch Ihres Widerwillens gegen mich, so will ich meinerseits den Lauf meiner gerechten und sonst nicht zu zügelnden Rache mäßigen."

Ihre Hand losmachend und sich zurückziehend, entgegnete sie:
„Es gibt einen Himmel über uns, und d o r t sollen unsere gegen-
se tigen Handlungen gerichtet werden! Sie mißbrauchen eine durch
den schändlichsten Verrath errungene Macht — Sie brechen ein
Herz, das Ihnen nie ein Unrecht zufügte — Sie streben nach der
Verbindung mit einer Unglücklichen, die nur mit ihrer Gruft ver-
bunden zu sein wünscht. — Ich kann es nicht hindern, wenn mein
Bruder Sie hierher bringt — wird dadurch blutige unnatürliche
Gewaltthat vermieden, so hat es mindestens eine gute Folge —.
Aber mit meiner Bewilligung kommen Sie nicht, und hätte ich die
Wahl, so wünschte ich lieber, meine Augen erblindeten für mein
ganzes Leben, als daß Sie sich je wieder öffnen sollten, um
Sie zu erblicken — meine Ohren füllten sich mit der kalten Erde
der Gruft, ehe sie wieder den Klang Ihrer Stimme vernehmen
möchten!"

Stolz lächelnd entgegnete der Graf: „Selbst dieß, Madam,
vermag ich ohne Groll zu hören. So sorglich und ängstlich Sie
auch streben, Ihre Gefälligkeit von jeder Anmuth und jeder Freund-

lichkeit zu entkleiden, erhalte ich doch, wenn ich Ihre Worte recht auslege, die Erlaubniß, Ihnen aufzuwarten?"

„Nicht richtig deuten Sie so diese Worte," erwiederte sie; „ich unterwerfe mich Ihrer Gegenwart nur als einem unvermeidlichen Uebel. Der Himmel ist mein Zeuge, daß ich, geschähe es nicht, um größeres entsetzlicheres Unglück zu vermeiden, gewiß selbst nicht darin nachgeben würde!"

„So mag denn Nachgiebigkeit das rechte Wort hier sein!" sagte der Graf; „und selbst für diese bloße Fügsamkeit will ich Ihnen so verbunden und dankbar sein, daß Alles, was Sie, wie ich vermuthe, nicht gern laut werden lassen möchten, das tiefste Geheimniß bleiben soll; eben so, wenn ich nicht schlechterdings zur Selbstvertheidigung gezwungen bin, können Sie darauf rechnen, daß ich in keiner Art etwas Gewaltsames unternehmen werde. — Ich erlöse Sie von meiner Gegenwart!" Mit diesen Worten verließ er das Gemach.

Fünfundzwanzigstes Kapitel.

Aufklärung.

> — — Mit deiner Erlaubniß, zartes Spiegel!
> Shakespeare.

In der Vorhalle zu Shaw-Castle traf der Graf von Etherington mit Mowbray zusammen, der von seiner fruchtlosen Jagd nach dem Ueberbringer des anonymen Briefes zurückkehrte, und nun so eben erfuhr, daß der Graf sich bei seiner Schwester befand. Eine Art von Verwirrung erfüllte Beide, als sie sich sahen, denn

Mowbray hatte den Inhalt jenes Briefes im frischen Andenken, und troß aller Kälte, die er zu behaupten gewußt, hatte der Graf nicht ohne einige Erschütterungen die Scene mit Clara überstanden. Mowbray fragte den Grafen, ob er seine Schwester gesehen habe, und lud ihn zugleich ein, mit ihm nach dem Wohnzimmer zurückzukehren; aber Se. Herrlichkeit erwiederten so gleichgiltig, als er es nur vermochte, daß er die Ehre gehabt habe, Miß Mowbray mehrere Minuten zu sprechen, und nicht noch weiter ihre Geduld mißbrauchen wollte.

„Ich hoffe, Sie haben einen Empfang gefunden, wie sie ihn sich wünschten? sagte Mowbray; „und Clara hat, wie es sich gebührt, während meiner Abwesenheit hier die Wirthin gemacht?"

„Miß Mowbray schien ein wenig erschreckt über meine plötzliche Erscheinung; der Bediente führte mich fast jäh zu ihr ein, und bei einem ersten Zusammensein in einer Lage, wie die unsrige, gibt es immer so manche Verlegenheiten, wenn kein Dritter dabei ist, einigermaßen die Pflicht eines Ceremonienmeisters auszuüben. — Nach den Blicken des Fräuleins zu urtheilen, vermuthe ich, daß Sie mein Geheimniß nicht ganz bewahrt haben. Auch ich fühlte mich etwas befangen, indem ich mich Miß Mowbray nahte — aber nun ist es vorüber; und da das Eis glücklich gebrochen ist, so hoffe ich mehr und mehr die Vortheile, welche mir die eben gemachte Bekanntschaft Ihrer Schwester gewährt, günstig zu benutzen."

„So möge es sein," sagte Mowbray, „doch da Sie die Absicht haben, das Schloß sogleich zu verlassen, so muß ich noch zuvor ein kleines Wörtchen mit Ew. Herrlichkeit sprechen, wozu dieser Ort eben nicht vorzüglich geeignet ist."

„Dagegen kann ich unmöglich eine Einwendung haben," entgegnete der Graf, und folgte ihm, von einem Schauder des bösen Bewußtseins durchbebt, etwa wie eine Kreuzspinne, wenn sie ihr trügerisches Netz bedroht sieht, in dem Mittelpunkt lauernd sitzt, jeden angreifbaren Ort ängstlich bewachend, ungewiß, welcher zuerst einer Vertheidigung bedürfen könnte. Dies ist ein Theil, und zwar nicht der unbedeutendste der heimlichen Qualen, die stets an dem Innern derjenigen nagen, welche, den rechtlichen Weg verlassend, ihre Pläne durch Betrug und Ränke auszuführen streben.

„Mylord," sagte Mowbray, als sie in ein kleines Zimmer traten, wo er seine Flinten, Fischergeräth und andere zu jeder Art von Jagd dienenden Dinge aufbewahrte, „Sie haben offen und rechtlich gegen mich Ihr Spiel durchgeführt, ja was noch mehr ist — ich bin sogar verpflichtet, es einzuräumen, daß Sie mir große Vortheile zugestanden haben. Ich bin deßhalb gebunden, keine Verunglimpfung des Charakters Ew. Herrlichkeit zu dulden, ohne sie Ihnen unmittelbar mitzutheilen. Hier diesen anonymen Brief empfing ich so eben. Vielleicht kennen Ew. Herrlichkeit die Hand, und sind so im Stande, den Schreiber zu entdecken."

Sobald der Graf das Blatt betrachtete, welches ihm Mowbray reichte, entgegnete er: „Wohl kenne ich diese Hand, und erlauben Sie mir hinzuzusetzen, es ist die einzige, welche es je hätte wagen mögen, mich zu verleumden. Ich hoffe, Mr. Mowbray, es ist durchaus unmöglich, daß Sie dieser schändlichen Beschuldigung einen Augenblick Glauben schenken können?"

„Daß ich dies Blatt Ew. Herrlichkeit übergab, ist der beste Beweis, wie ich es achte, Mylord, um so mehr, da ich zugleich nicht zweifle, es stehe ganz in Ew. Herrlichkeit Macht, diese Verleumdung durch die klarsten Gegenbeweise gänzlich zu vernichten."

„Ohne Frage vermag ich es, Mr. Mowbray," sagte der Graf; „denn außerdem, daß ich im vollen Besitz der Güter und des Titels meines Vaters, des letzten Grafen von Etherington bin, kann ich meines Vaters Ehekontrakt, meinen Taufschein und das Zeugniß der ganzen Umgegend aufbieten, meine Rechte zu beweisen. Alles dies soll im kürzesten Zeitraum hieher geschafft werden. Sie kön-

Feſtigkeit, als nach meiner Meinung den meiſten Menſchen bei dem Gedanken einer ſo höchſt widerwärtigen und gefährlichen Möglichkeit eigen ſein möchte."

„Ei nun, ich bin erſtlich nicht einmal ganz unwiderleglich überzeugt, daß dieſe Gefahr in der That ſtattfand," erwiederte der Graf; „denn wie ich Ihnen ſchon oft ſagte, ich konnte den Straßenräuber nur ſehr flüchtig in's Auge faſſen; und zweitens, ich bin ſicher, daß keine böſen Folgen daraus entſtanden ſind. Ich bin ein zu erfahrener Jäger, um mich über einen Sprung zu entſetzen, nachdem er gelungen iſt, wie man von dem Burſchen erzählt, der am Morgen in Ohnmacht ſank, als er den Abgrund betrachtete, über welchen er am Abend zuvor trunkenen Muthes wegſetzte. Der Mann, welcher dieſen Brief ſchrieb," ihn mit dem Finger berührend, „lebt und vermag mir zu drohen. Iſt ihm von meiner Hand ein Leid widerfahren, ſo war es, als er ſelbſt nach meinem Leben ſtrebte, eine That, von welcher ich das Zeichen mit in's Grab nehmen werde."

„Ich bin weit entfernt, Ew. Herrlichkeit Selbſtvertheidigung zu tadeln; aber es hätte ſich Alles doch höchſt unangenehm geſtalten können. — Darf ich fragen, was Sie mit dem unglücklichen jungen Manne, der doch höchſt wahrſcheinlich in der Nachbarſchaft iſt, zu thun gedenken?"

„Zuerſt muß ich ſeinen Zufluchtsort entdecken, und dann ſehen, was ſich am beſten ſowohl für des Armen Wohl, als für das meinige eignet. Es iſt überdem auch möglich, daß er Betrügern in die Hände fällt, die ihn ſeines Vermögens zu berauben ſuchen, welches, wie ich Ihnen verſichern kann, bedeutend genug iſt, dieſe Gattung Menſchen anzulocken, die, indem ſie ihm in Allem willfahren, ſeinen Untergang bezwecken. — Darf ich Sie bitten, ebenfalls recht achtſam zu ſein, und es mich wiſſen zu laſſen, wenn *Sie etwas Mehreres von ihm hören oder ſehen?"*

„Das soll ganz bestimmt geschehen, Mylord," entgegnete Mowbray; „doch der einzige Aufenthaltsort, den ich kenne, ist die alte Schenke zur Teufelsfalle, die er sich zum Wohnorte erwählt hatte. Jetzt ist er zwar dort nicht mehr zu finden, aber vielleicht mag das alte widerwärtige Geschöpf von Gastwirthin etwas von ihm wissen."

„Ich werde nicht unterlassen, mich dort zu erkundigen," sagte Lord Etherington, und freundlich nach diesen Worten Abschied nehmend, bestieg er sein Pferd und sprengte die Allee hinab.

„Ein kaltblütiger Bursche!" sagte Mowbray, indem er ihm nachsah. „Ein verflucht kaltblütiger Bursche, dieser mein künftiger Herr Schwager! — Brennt auf seines Vaters Sohn mit so wenig Gewissensbissen die Pistole ab, als wäre es ein schwarzer Hahn — was würde er nicht gegen mich wagen, wenn wir in Händel geriethen? — Gut, gut, auch ich verstehe es, das Aß in der Karte zu treffen, und das Licht mit der Pistole zu putzen; so also, wenn das Ding eine schlechte Wendung nähme, er hat es nicht mit einem Jack Raw*), sondern mit Jack Mowbray zu thun."

Während dieser Zeit kehrte der Graf von Etherington in möglichster Eile nach seinem Zimmer auf dem Gesundbrunnen zurück; hier begann er, eben nicht ganz vollkommen wohl mit den Ereignissen des Tags zufrieden, folgenden Brief an seinen Correspondenten, Agenten und Vertrauten, Hauptmann Jekyl, den wir glücklicherweise im Stande sind, unsern Lesern vorzulegen.

„Freund Heinrich!

„Man sagt, am leichtesten kann man den drohenden Einsturz eines Hauses daran erkennen, wenn es die Ratzen verlassen — den

---

*) Raw = unreif.

Fall eines Staates, wenn ihn seine Verbündeten aufgeben — den Untergang eines Mannes, wenn seine Freunde ihm untreu werden.

Ist dieß Wahrzeichen richtig, so könnte dein letzter Brief als eine böse Vorbedeutung meines nahen Falles angesehen werden. Ich dächte, du hättest dich tief genug mit mir eingelassen, und Antheil genug an meinem Thun gehabt, um einiges Vertrauen in mein Savoir faire — und so einen kleinen Glauben sowohl an meine Macht, als an die Art, wie ich sie zu gebrauchen verstehe, setzen zu können. Welch' ein verkehrter, böser Geist hat dir plötzlich all' das Zeug eingeflößt, welches du mir wahrscheinlich für Gewissenszweifel und Vorsichtsmaßregeln ausgeben willst, ich aber nur als Zeichen der Furcht und erlöschenden Freundschaft erkenne. „Du könntest dir keine Vorstellung von der Möglichkeit eines Duells zwischen so nahen Verwandten machen — die Geschichte schiene überhaupt sehr verwickelter, wunderlicher Art — niemals wäre überdem diese Angelegenheit dir ganz deutlich geworden — und endlich — wenn man von dir erwarte, daß du einen thätigen Antheil an der ganzen Sache nehmen solltest, müßtest du zuvor mit einem willkommenen, unbeschränkten Vertrauen beehrt werden, wie könntest du sonst den Nutzen gewähren, den ich von dir erwarte?" So lauten deine zierlichen Reden. Was nun deine Gewissensscrupel über die Händel mit nahen Verwandten anbetrifft, so ist der Punkt ohne vielen Nachtheil schon vorüber gegangen, und es ist gewiß nicht wahrscheinlich, daß sich etwas Aehnliches sobald wieder ereignen sollte — überdem, hast du sonst noch niemals von einem Streite zwischen Verwandten gehört? — Steht es ihnen nicht frei, wenn ein Fall eintritt, der solche Maßregeln erfordert, ebenfalls die Vorrechte eines Edelmanns in Anspruch zu nehmen? Woher weiß ich es denn so gewiß, daß der verwünschte Bursche wirklich mein Verwandter ist? — Man sagt, es muß ein gar kluges Kind sein, welches seinen eigenen Vater kennt, und Niemand kann erwarten, daß ich klug genug sein soll, mit Gewißheit

meines Vaters Sohn als solchen zu erkennen! — Das genüge dir
in Hinsicht der verwandtschaftlichen Bande! — Nun also zu dem
vollkommenen, unbeschränkten Vertrauen — Ei, Heinrich, das ist
gerade so, als ersuchte ich dich nach der Uhr zu sehen, um mir zu
sagen, was die Glocke sei, und du wolltest mir erwiedern, daß du
mich nicht ganz zuversichtlich davon benachrichtigen könntest, weil
du die Springfeder, das Gegengewicht, kurz das ganze Triebwerk
des kleinen Zeitmessers nicht untersucht hättest. — Wenn man
aber dies Alles im gehörigen Lichte betrachtet, so heißt es: Heinrich Jekyl, der so schlau ist, wie nur irgend ein Anderer sein kann,
denkt, sein Freund Lord Etherington sei jetzt ohne Rettung in seine
Hand gegeben, und des edlen Lords Geschichte sei ihm mindestens
so weit bekannt, daß er Se. Herrlichkeit zwingen könne, ihm das
Ganze mitzutheilen. Vielleicht schließt er auch eben nicht unvor-
sichtigerweise, daß der Besitz eines ganzen Geheimnisses ihm ruhm-
voller und wahrscheinlich einträglicher sein möchte, als eines halben,
und kurz — er ist entschlossen, das Spiel in seiner Hand so vortheilhaft als möglich für sich zu wenden. Sieh nun, mein ehrlicher Heinrich, ein Anderer würde sich die Mühe geben, dir vergangene Zeiten und Ereignisse zurückzurufen, und die ergebene
Bemerkung hinzufügen, daß wenn Heinrich Jekyl jetzt aufgefordert
würde, dem oben erwähnten edlen Lord einige Dienste zu leisten,
eben dieser Heinrich den Lohn schon im Voraus in seine Tasche
steckte. — Aber solche Folgerungen ziehe ich nicht, weil ich lieber
mit einem Freunde verbunden sein mag, der mir in der Aussicht
auf künftige Vortheile beisteht, als in Vergeltuug derer, die er
schon durch mich erhalten hatte. Der erste gleicht der Witterung
des Fuchses, die, wenn er auf das Aeußerste gebracht wird, sich
immer mehr verstärkt; der andere ist eine Art falscher Spur, die,
je länger man sie verfolgt, immer kälter wird, bis es endlich unmöglich ist, sie überhaupt noch zu entwirren. Ich will mich also
in die Umstände fügen, und dir die ganze, obwohl etwas lang-

24*

weilige Geſchichte mittheilen, hoffend, daß ich dich am Schluſſe auf
einen Standpunkt führen werde, wo alle deine zarten Sorgen
verſchwinden und du wieder aus freier Bruſt Athem ſchöpfen
kannſt.

„Folgendermaßen alſo hängt es zuſammen: — Francis, der
fünfte Graf von Etherington, mein ſehr hochgeehrter Vater, war,
was man einen ſehr ungewöhnlichen, etwas überſpannten Mann
zu nennen pflegt — nämlich er war weder ein ganzer Weiſer, noch
ein ganzer Narr — beſaß zu viel Verſtand, ſich in einen Brunnen
zu ſtürzen, und doch habe ich ihn in einigen wilden Ausbrüchen
der Wuth, die ihn zuweilen heimzuſuchen kamen, ziemlich bereit
geſehen, alle Andere hineinzuſchleudern. — Die Leute ſagten, ein
verſteckter Wahnſinn ſei mit im Spiele, — doch das iſt ein un-
heimlich Ding, und ich mag nicht länger dabei verweilen. — Dieſer etwas geſtörte Pair war aber in anderer Hinſicht ein vollendet
ſchöner Mann, mit einem zwar ſtolzen, aber ausgezeichnet einneh-
menden Weſen, wenn er dies anzunehmen für gut fand
kurz ein Mann, der viel Glück bei dem ſchönen Geſchlechte
machte.

„Lord Etherington, wie ich ihn dir hier geſchildert habe, ſchloß
auf ſeinen Reiſen in Frankreich ein Herzensbündniß — ja einige
haben ſogar behauptet, auch die Hände wären zuſammengefügt
worden — mit einer ſchönen Waiſe, Marie von Martigny. Dieſer
Vereinigung entſprang, ſo ſagt man (denn ich bin entſchloſſen,
nie die Gewißheit dieſes Punktes anzuerkennen), die ſo höchſt unbequeme Perſon, Francis Tyrrel, wie er ſich ſelbſt nennt, Francis
Martigny, wie ich ihn viel lieber heißen möchte, da der letzte
Name meinen Anſichten eben ſo entſpricht, wie der erſte mit ſeinen
Prätenſionen übereinſtimmt. Denn ich bin ein viel zu guter Sohn,
die Rechtmäßigkeit jener von meinem ſehr ehrenwerthen und höchſt
vortrefflichen Vater geſchloſſenen Ehe anzuerkennen, weil eben dieſer beſagte ehrenwerthe und vortreffliche Herr, bei ſeiner Rückkehr

ich England, im Angesicht der Kirche mit meiner sehr geliebten
und reich ausgestatteten Mutter, Anne Bulmer von Bulmer=Hall,
ich vermählte; aus welcher glücklichen Verbindung ich entsprang,
Valentin Bulmer, der eben so gesetzmäßige Erbe der vereinten
Besitzungen meiner Eltern, als der stolze Aufrechthalter ihrer alten
Titel und Würden.   Aber das edle und reiche Ehepaar, obwohl
es durch ein solches Liebespfand, als meine vortreffliche Person,
gesegnet ward, lebte gewaltig unglücklich zusammen, und noch
mehr wuchs ihre Uneinigkeit, als mein Vater, nach jenem unglück=
lichen ältern Tyrrel sendend, troß der Schicklichkeit darauf bestand,
daß er in seinem Hause wohnen und in jeder Hinsicht die Vortheile
jener Erziehung theilen solle, durch welche der wahrhafte Sohn in
so ungewöhnlichem Grade ausgebildet worden sei.

„Häufige, mannigfache Ehezwiste entsprangen zwischen dem
erehrten Pair und seiner Gattin aus dieser unziemlichen Ver=
einigung des Aechten und Unächten; und wir, die Gegenstände
des Streites, waren zuweilen eben so passend als anständig Zeu=
gen derselben.   Bei einer solchen Gelegenheit fand meine höchst zu
verehrende Mutter, die eine gar freimüthige Dame war, die Aus=
drücke ihres Standes unzulänglich, ihr kräftiges Empfinden aus=
zusprechen, und von der gemeinern Volkssprache zwei nachdrückliche
Worte entlehnend, wandte sie dieselben auf Marie von Martigny
und ihren Sohn, Francis Tyrrel, an.   Nie gerieth ein mit der
Grafenkrone geschmücktes Haupt in eine größere, ungezähmtere
Wuth, als mein höchst zu verehrender Herr Vater, und in der
wurigen Gluth seiner Gegenrede eignete er sich die ausdrucksvollen
Wortfügungen meiner Mutter ebenfalls an, sie zu benachrichtigen,
daß wenn es eine Meße und einen Bastard in seinem Hause gäbe,
ihr selbst und ihrer Brut diese Benennung gebühre.

„Selbst damals war ich schon schlau genug, um über alle Be=
griffe von diesem Ausspruche, der in einem Augenblicke ungezügelter
Erbitterung meinem Vater entwischte, erschüttert zu werden. Zwar

suchte er ihn sogleich wieder zu entkräften, sich wahrscheinlich
das übellautende Wort Bigamie erinnernd, wie meine Mutt
ihres Theils die Unannehmlichkeit überlegte, statt Gräfin v
Etherington so ein Ding von Mistreß Bulmer, die nicht Gatti
nicht Mädchen ist, zu werden. So fand zwischen Beiden eine A
von Versöhnung statt, die einige Zeit vorhielt. Aber tief blu
jene Rede meinem Gedächtniß eingeprägt; um so mehr, als, 1
ich einst über meinen Freund Francis Tyrrel die Rechte eines rech
mäßigen Sohnes und Lords von Oakendale in Kraft setzen wollt
der alte Cecil, meines Vaters vertrauter Diener, darüber so en
pört ward, daß er nicht umhin konnte, anzudeuten, wir möcht
vielleicht einst unser Verhältniß gegenseitig umtauschen. Die
beiden zufälligen Mittheilungen schienen mir der Schlüssel zu g
wissen langen Vorlesungen zu sein, mit welchen mein Vater un
Beide, und mich insbesondere zu ergötzen pflegte — über die gro
Wandelbarkeit der menschlichen Dinge — die Täuschung der bes
gegründetsten Hoffnungen und Erwartungen — die Nothwendi
keit, sich jede Art von Kenntnissen anzueignen, die, wenn ein so
cher Fall einträte, Rang und Vermögen ersetzen könnten; — al
ob irgend eine Kunst oder Wissenschaft für den Verlust einer Grafen
krone und zwölftausend Pfund jährlich Ersatz zu bieten vermöch
Alle diese Redensarten schienen meinem besorgten Geiste die Absich
zu haben, mich zu irgend einem unglücklichen Wechsel vorzuberei
ten; und als ich alt genug war, alle Nachforschungen anzustellen
die in meiner Macht lagen, ward ich immer mehr überzeugt, da
mein höchst zu verehrender Vater einige Gedanken hegte, Mari
von Martigny zu einer rechtmäßigen Gemahlin, und Francis z
einem ehelichen Erstgebornen bei seinem Tode, wenn nicht ga
schon bei seinem Leben zu erheben. Noch mehr ward mir die
Meinung gewiß, als eine kleine Geschichte, in welche ich mich mi
der Tochter meines Lehrers einließ, meines Vaters Wuth unbe
gränzter Weise auf mich herabrief, und meine Verbannung m

meinem Bruder nach Schottland mit einem höchst geringen Einkommen veranlaßte, ohne weitere Empfehlungen an irgend Jemand,
als an einen alten trocknen Profeſſor, mit dem ſtrengen Verbot,
mich des Namens Lord Oakendale zu bedienen, ſondern mich mit
dem Titel meines mütterlichen Großvaters, Valentin Bulmer, zu
begnügen, da die Benennung Francis Tyrrel ſchon einem Andern
ertheilt ſei.

„Bei dieſer Gelegenheit unterſtand ich mich, troß der Furcht,
die ich vor meinem Vater hatte, zu erwiedern, da ich meinem Titel
entſagen ſollte, ſo glaubte ich ein Recht zu haben, den Familien=
Namen zu führen, und mein Bruder möge den ſeiner Mutter annehmen. Ich wünſchte, du hätteſt den wüthenden Blick geſehen,
mit welchem mein Vater mich betrachtete, als ich ihm dieſen geiſt-
vollen Wink gab. „Du biſt   " ſagte er, und hielt inne, als
ſuche er den bitterſten Ausdruck, die Lücke zu füllen. — „Du biſt
deiner Mutter Kind, und ihr getreues Ebenbild." (Dies ſchien
ihm der ſtärkſte Vorwurf, den er ertheilen konnte). „Traze alſo
ihren Namen, und trage ihn mit Verſchwiegenheit und Geduld;
oder, hierauf gebe ich dir mein Wort, nie, in deinem ganzen Leben nie, ſollſt du einen andern führen!" Dies verſiegelte mir
kräftiglich den Mund. In Beziehung auf meine Liebeleien ließ
er ſich weitläuſig über die Thorheit und Strafbarkeit heimlicher
Heirathen aus, und warnte mich, daß in dem Lande, wohin er
uns ſende, die Schlinge des ehelichen Bandes ſich ſchlau unter
Blumen verberge, und man oft, wenn man es am wenigſten erwarte, ſich mit dieſem Halsſchmuck geziert fände. Er verſicherte
mir, er habe ganz beſondere Abſichten mit mir und Francis, unſere
künftigen Lebensverhältniſſe betreffend, und würde es demjenigen
von uns nie verzeihen, der durch ſolche übereilte Verbindung ſeine
Pläne zerſtören könnte.

„Dieſe leßte Ermahnung war die leidlichſte, da mein Nebenbuhler ſie mit mir *theilte*. So wurden wir denn nach Schottland

gesendet, wie zwei in einem Hundekarren zusammengekoppelte
Wachtelhunde, und — ich kann mindestens für den Einen gut sagen — mit fast gleich unfreundlichen Gesinnungen gegen einander.
Oft zwar habe ich wirklich Francis mit einem sonderbaren Ausdruck von Mitleiden und Sorge mich betrachten sehen; auch schien
er einige Male im Begriff, über unsere gegenseitige Lage eine
offene Erklärung veranlassen zu wollen; aber ich empfand nicht die
geringste Lust, sein Vertrauen aufzumuntern. Da wir indessen
durch die vorsichtige Maßregel unseres Vaters nicht Brüder, sondern Vettern genannt wurden, so vereinten endlich die Bande der
Gewohnheit uns als Gefährten, aber kaum als Freunde. Was
Francis empfand, weiß ich nicht; ich meines Theils lauerte auf
eine Gelegenheit, mein Verhältniß mit meinem Vater zu verbessern,
sei es auch auf Kosten meines Nebenbuhlers. Und als Fortuna
mir ein solches Mittel endlich darzubieten schien, verwickelte sie
uns Beide in das sonderbarste und verworrenste Labyrinth, das
diese launenhafte Göttin je erschuf, dem ich eben jetzt mich zu entreißen, sei es durch List oder Gewalt, mit aller Anstrengung strebe.
Selbst noch heute erstaune ich über das höchst wunderliche Zusammentreffen, welches eine so verwickelte und verworrene Begebenheit veranlaßte.

„Mein Vater war ein großer Jäger, und Francis, so wie ich
selbst, hingen ebenfalls dieser Neigung nur noch ausschweifender
und eifriger nach. Edinburg, welches im Frühjahre und Winter
ein recht lieblicher Ort ist, wird im Sommer unangenehm, im
Herbst der unerträglichste Aufenthalt, zu welchem arme Sterbliche
je verdammt wurden. Kein allgemeiner Vergnügungsort wird
geöffnet; kein irgend bedeutender Bewohner bleibt in der Stadt;
die, welche an die Stadt gebunden sind, verstecken sich in unzu-
gängliche Winkel, als schämten sie sich, auf der Straße gesehen zu
werden — die Edelleute eilen auf ihre Güter — die Bürger nach
den Seebädern — die Rechtsgelehrten nach dem Kreise ihrer Ge-

richtspflege — die Advokaten zu ihren Clienten — und alle Welt
auf die Moorhaiden, Haselhühner zu schießen. Wir, die wir ebenfalls die tiefste Scham empfanden, während dieser verödeten Jahreszeit in der Stadt zu bleiben, erhielten endlich mit einiger Schwierigkeit die Erlaubniß des Grafen, uns in irgend einem unbekannten
Winkel zu verstecken, um Vogelwildpret zu schießen, wenn wir
unter unserer allgemeinen Firma als englische Studenten von der
Universität zu Edinburg, ohne sonst etwas von unsern Verhältnissen zu verrathen, die Erlaubniß dazu erhalten könnten.

„Im ersten Jahre unserer Verbannung zogen wir in die Nachbarschaft des Hochlandes; doch da dort Hegereuter und ihres Gleichen unsere Jagdlust störten, siedelten wir uns im zweiten Jahre
in dem kleinen Dörfchen St. Ronans an, wo es damals weder
Gesundbrunnen, noch vornehme Leute, weder Kartentische noch
Plapperschwestern gab, die alte Plapperliese von Gastwirthin ausgenommen, bei welcher wir wohnten. Der Ort sagte uns ganz
vorzüglich zu; die alte Dame hatte Einfluß auf irgend eine Art
von Anwalt eines abwesenden Edelmanns, der uns die Erlaubniß
gab, die Jagd auf dessen Moorhaiden zu benutzen, welches ich mit
größestem Eifer, Francis aber gemäßigter betrieb. Er war immer
ernsterer, nachdenkender Gemüthsart, und zog oft einsame Spaziergänge in der wilden schönen Umgegend den Freuden der Jagd
vor. Ueberdem trieb er die Fischerei mit großem Eifer, dies schwer-
fälligste aller menschlichen Vergnügungen, und so waren wir viel
und oft getrennt. Mir war dies eher lieb, als leid — nicht daß
ich damals Francis gehaßt hätte; nicht daß mir seine Gesellschaft
sehr mißfallen konnte; blos weil es mir zuwider war, stets mit
Jemand zusammen zu sein, dessen Ansprüche einst den Meinigen
feindlich entgegen treten konnten. Auch war mir die Gleichgiltigkeit verdächtlich, die ihn immer mehr gegen die Freuden der Jagd
zu erfüllen schien; aber der junge Herr hatte einen viel besseren
Geschmack, als ich erwartete. — Wenn er den Haselhühnern auf

den Bergen nicht auflauerte, so hatte er einen Fasan in den Wäl=
dern erwischt.

„Clara Mowbray, die Tochter des Herrn des mehr roman=
tischen als einträglichen Besitzthums von St. Ronans, war da=
mals kaum sechzehn Jahre alt und die schönste, wildeste Nymphe
des Waldes, welche die Einbildungskraft sich erschaffen kann —
das einfachste Kind in allen Dingen, welche Bezug auf das Trei=
ben dieses Lebens hatten, doch scharfsinnig wie die feinste Nadel=
spitze in jedes Wissen eingedrungen, welches sie sich anzueignen
vermochte — Böses von Niemandem erwartend — und so leben=
dig heiteren Gemüths, daß sie Lust und Freude überall mit sich
brachte, wo sie nur erschien. Kein Zwang engte sie ein, und nur
ihren eigenen Neigungen war sie überlassen; denn ihren Vater,
einen mürrischen, grämlichen alten Mann, fesselte das Podagra an
seinen Armstuhl. Ihre Begleiterin, ein Mädchen von etwas ge=
ringerer Herkunft, die zu der größten Nachgiebigkeit gegen Miß
Mowbray's Grillen von jeher erzogen war, diente ihr freilich zur
Gesellschaft auf ihren wilden Streifereien durch die Gegend zu
Pferde und zu Fuß, doch ließ sie es sich nie einfallen, ihrem Willen
oder Vergnügen entgegen zu handeln.

„Die außerordentliche Einsamkeit dieser Umgebungen (zur da=
maligen Zeit nämlich) und die einfachen Sitten ihrer Bewohner
schienen diesen Streifzügen vollkommene Sicherheit zu versprechen.
Francis, der glückliche Hund, ward der Begleiter der Mädchen
durch folgenden Vorfall. In der Absicht, die Familie eines ihrer
vornehmsten Pächter zu überraschen, hatte Miß Mowbray sich mit
ihrer Gefährtin als Bauernmädchen gekleidet. Sie hatten ihren
Plan ganz zu ihrer Zufriedenheit ausgeführt, und kehrten nach
Sonnenuntergang nach Hause zurück, als ihnen ein Bauernbursche
begegnete — in seiner Art eine Gattung Heinrich Jekyls — der
von einigen Gläsern Whisky angefeuert, in ihrer Verkleidung den
edleren Ursprung der Mädchen nicht erkannte, und die Tochter von

hundert ritterlichen Ahnen so begrüßte, wie er etwa eine Melkerin der Schäflein behandelt haben würde. — Miß Mowbray machte Vorstellungen — ihre Gefährtin schrie ängstlich auf — und siehe, Vetter Francis mit seiner Vogelflinte auf der Schulter erschien, und brachte bald den ländlichen Anbeter zur Flucht.

„Dies war der Anfang einer Bekanntschaft, die gewaltige Fortschritte gemacht hatte, ehe ich sie entdeckte. — Es scheint, die schöne Clara fand es sicherer, in Gesellschaft den Wald zu durchziehen, als ganz einsam, und mein gefühlvoller gelehrter Verwandter ward ihr steter Begleiter. Wahrscheinlich ist es, daß in ihrem Alter manche Zeit verging, ehe ihre gegenseitigen Gefühle sich klar wurden; aber die innigste Vertraulichkeit hatte schon Beide verbunden, ehe ich Kunde von ihrer Liebschaft erhielt.

„Und jetzt, Heinrich, muß ich aufhören, und dir den Schluß in einem neuen Briefe senden. Das Merkzeichen, welches ich neuerlich über dem Ellbogen erhielt, zwickt mich noch immer in den Fingerspitzen, und du mußt mein Manuscript nicht zu scharf recensiren."

Sechsundzwanzigstes Kapitel.

Fortsetzung des Briefes.

> Muß ich es jetzt enthüllen,
> Der Thorheit tief verborgenes Gewebe?
> Shakspeare.

„Ich nehme die Feder wieder auf, dir mitzutheilen (doch ohne zu versuchen, dir mein höchstes Erstaunen dabei zu schildern), wie endlich von den Umständen gezwungen Francis mich zum Vertrau-

können. — Aber eben in diesem gewichtigen Augenblicke erhielt
ich einen Brief meines Vaters, der zufälligerweise längere Zeit in
unserer Wohnung zu Edinburg gelegen hatte, dann nach unserm
frühern Aufenthalt in den Hochlanden, und endlich über Edinburg
zurückkehrend, mich in Marchtown zu einer höchst kritischen Zeit
erreichte.

„Es war eine Antwort auf einen meiner Briefe, in welchem
ich, unter andern Materien, mit denen gewöhnlich gut gerathene
Söhne ihre Papa's erfreuen, dem meinigen mit den Beschreibungen
der Gegend, Berichten über meine Studien und desgleichen, auch,
um das Blatt pflichtmäßig anzufüllen, etwas über die Familie zu
St. Ronans sagte, in deren Nachbarschaft ich jene Zeilen schrieb.
Ich hatte keinen Begriff davon, welchen Eindruck dieser Name auf
meinen höchstzuverehrenden Vater hervorbringen konnte, bis dieser
Brief es mir anschaulich machte. Er forderte mich auf, mir die
Bekanntschaft des Herrn Mowbray so schnell und so genau zu er-
erwerben, als es sich nur thun lassen wollte; ja wäre es nöthig,
ihm aufrichtig unsere wahre Namen und Lebensverhältnisse zu entdecken. Wohlweislich überlegend, daß diese väterliche Erinnerung
vernachlässigt werden könnte, wenn sie nicht durch eindringliche
Gründe unterstützt würde, offenbarte mir Se. Herrlichkeit frei-
müthig das Geheimniß jenes Testamentes meines mütterlichen
Großonkels, Nettlewoods reiches Besitzthum betreffend, welches
mich zu meinem höchsten Erstaunen und großer Beunruhigung be-
lehrte, daß jene schönen herrlichen Güter dem ältesten Sohne und
Erben, Lord Etherington, anheim fielen, unter der Bedingung, daß
er mit einer Dame aus dem Hause Mowbray von St. Ronans
sich vermähle. — Barmherziger Himmel, wie erstarrte ich! —
So hatte ich also selbst alle Vorbereitungen getroffen, Francis mit
eben dem Mädchen zu verbinden, dessen Hand mir Reichthum und
Unabhängigkeit sichern konnte! — Und selbst dieser erste Verlust,
so groß er war, blieb nicht einmal das letzte daraus entstehende

Uebel. Von der Heirath selbst sprach mein Vater im Geschäftsstyl, aber von den Rettlewood'schen Gütern wie ein feuriger leidenschaftlicher Liebhaber. Er schien mit Entzücken bei jedem Morgen Acker derselben zu verweilen, und ließ sich höchst wohlgefällig über ihre an seine eigenen Besitzungen gränzende Lage aus, welche die Vereinigung beider Ländereien nicht nur wünschenswerth machte, sondern sie als eine recht eigentliche Bestimmung der Natur erkennen ließ. Obwohl er nun hinzufügte, die große Jugend der betheiligten Parteien hindere zwar, daß eine eheliche Verbindung sogleich Statt finde, so leuchtete es doch klar in die Augen, er würde im Herzen jeden kühnen Streich billigen, der den Zwischenraum verkürzen möchte, welcher sonst verstreichen müßte, ehe Oakendale und Rettlewood einen Eigenthümer erhielten.

„Dieß entschied nun den Schiffbruch aller meiner schönen Hoffnungen! Es war klar wie das Sonnenlicht, daß ein an sich unerhörtes Vergehen, eine heimliche Heirath, verzeihlich, ja höchst löblich in meines Vaters Augen werden könne, wenn sie seinen Sohn und Erben mit Miß Mowbray verband; und war meine Furcht gegründet, sah er sich wirklich im Besitz der Mittel, die Legitimität meines Bruders anerkennen zu lassen, nichts konnte ihn mehr dazu reizen, als die Gewißheit, daß eben dadurch Rettlewood und Oakendale in Eins vereinigt würden. So ward also eben das Ereigniß, welches ich herbeiführte, um meinen Nebenbuhler aus der Gunst meines Vaters zu verdrängen, höchst wahrscheinlich, wenn ich es nicht noch zu verhindern vermochte, ein kräftiger Sporn und Grund, daß der Graf die Rechte Franks den meinigen vorziehe.

„Ich eilte in mein Schlafzimmer, schloß die Thür, las den Brief meines Vaters, und überlas ihn wieder; und statt mich einem thörichten Zorne zu überlassen (beachte dieß, Heinrich, selbst nicht in der verzweiflungsvollsten Lage), überlegte ich mit dem äußersten

Scharfsinn, ob sich kein Gegenmittel ersinnen lasse. — Für den Augenblick die Heirath abzubrechen, das war gar leicht — eine kleine geheime Anzeige an Mr. Mowbray hätte das vollgiltig bewirkt. Aber dann konnte die Angelegenheit gar unter dem Schutze meines Vaters späterhin wieder in Gang gebracht werden; in jedem Falle war der Antheil, den ich an der Sache genommen hatte, ein fast unübersteigliches Hinderniß für mich, jetzt selbst als Bewerber aufzutreten. — Während ich diesen verworrenen Schwierigkeiten umsonst mich zu entziehen trachtete, fuhr es mir plötzlich durch meinen abenteuerlichen Sinn und mein erfindungsreiches Gehirn — wie, wenn du selbst den Bräutigam vorstelltest! — Erinnere dich, daß dieser seltsame Gedanke in einem sehr jungen Kopfe entsprang. — Zuerst verscheucht, kehrte er wieder — und noch einmal — und immer wieder — ward unter jeder verschiedenen Form betrachtet — ward mir vertrauter — klarer — und endlich als letzte Zuflucht erwählt. — Leicht war es, die Zusammenkunft mit Clara und dem Prediger festzusetzen, denn ich führte die ganze Correspondenz — die Aehnlichkeit meiner Gestalt in Größe und Verhältnissen mit Francis — die Verkleidung, welche wir anlegen sollten — das trübe Dunkel in der Kirche — die flüchtige Hast des Augenblicks — Alles sollte, hoffte ich, Clara abhalten, mich zu erkennen. Dem Prediger brauchte ich nur zu sagen, daß wenn ich auch bis jetzt nur eines Freundes erwähnt hätte, ich selbst der glückliche Mann sei. Mein erster Name war ebenfalls Francis, so gut wie der seinige, und ich hatte in meinem Umgange mit Clara sie so freundlich, so schmeichelnd zutraulich gegen mich gefunden, daß wenn sie nur einmal in meine Macht gegeben, und von Scham und tausend widersprechenden Gemüthsbewegungen befangen wäre, so glaubte ich, mit der Eitelkeit eines Amoureux de seize ans, mir zutrauen zu können, daß ich die schöne Dame mit dem Tausch auszusöhnen vermögen würde.

„Gewiß, in keines Wahnsinnigen Gehirn entspann sich je ein

abenteuerlicherer Gedanke, und was noch wunderbarer ist — doch das weißt du schon — er gelang in so fern, daß die eheliche Einsegnung über uns Beide in Gegenwart eines meiner Diener und ihrer gefälligen Begleiterin von dem Prediger ausgesprochen ward.

Wir stiegen in den Wagen und waren etwa eine Meile von der Kirche entfernt, als mein glücklicher oder unglücklicher Bruder den Wagen mit Gewalt anhielt. Durch welche Mittel er sich Kenntniß von meinen Plänen verschaffte, habe ich nie ergründen können. — Solmes hat sich mir zu treu in mannichfachen Dingen bewiesen, als daß ich ihn bei dieser gewichtigen Krisis beargwohnen sollte. Ich sprang aus dem Wagen, schickte die brüderliche Eintracht zu allen Teufeln, und zwischen Verzweiflung und Etwas, das fast der Scham glich, schwankend, hieb ich mit einem Hirschfänger, mit dem ich für den Nothfall versehen war, wild um mich her. Alles ward umsonst — ich ward zur Erde unter die Wagenräder geschleudert, und die sich scheuenden Rosse rissen ihn über mich hinweg.

Hier schließt meine Erzählung, denn meiner Sinne beraubt, vermochte ich nichts zu sehen und zu hören, bis ich endlich, viele Meilen von jenem Orte entfernt, mich auf dem Krankenbette unter Solmes Pflege wieder fand. Auf meine leidenschaftlichen Fragen ward mir die Antwort, daß Mr. Francis die junge Dame nach ihrer eigenen Wohnung zurückgesandt habe, und daß sie von dem erlittenen Schreck heftig erkrankt sei. Er versicherte mir, daß meine eigene Gesundheit noch immer in großer Gefahr wäre, und fügte hinzu, daß Tyrrel, der sich mit mir in einem Hause befinde, in der höchsten Angst darüber sei. Die bloße Erwähnung seines Namens erregte mich so, daß eine Krisis erfolgte, in welcher ich sehr viel Blut auswarf; und sonderbar genug erklärte der Arzt — ein ernster Mann mit einer Perücke — dieß als ein höchst wohlthätiges Ereigniß für mich. — Ich weiß, daß es mich ungemein erschreckt hatte, und der *einzige Grund* war, daß ich einen Besuch Mr. Francis

25*

so gelassen ertrug, wie er mich nicht gefunden haben würde,
die sonst gewohnte Fülle heißen Blutes meine Adern durchst
hätte. — Endlich, um von seiner verdammten Gegenwart und
Laut seiner höllisch ruhigen Stimme erlöst zu werden, willig
zögernd und unmuthig in die Uebereinkunft, daß wir ein en
Lebewohl uns gegenseitig und Beide vereint an Clara Mow
sagen sollten.   Ich suchte der letzteren Clausel auszuweichen
dem ich behauptete: Clara sei mein Weib, und ich hätte das
meine Ansprüche als ihr Gatte geltend zu machen.

„Dieß zog einen Strom höchst moralischer Vorwürfe un
Erklärung auf mich nieder   daß Clara die Verbindung mit
verabscheue, und ihr auf immer entsage, und daß, wo ein so
scheidender Irrthum in der Person Statt gefunden habe, die
liche Ceremonie allein in keinem christlichen Reiche als giltig
dend von den Gesetzen anerkannt werde.   Ich wundere mich,
mir das nicht gleich eingefallen war; aber meine Begriffe von
rathen waren hauptsächlich den Schauspielen und Romanen
lehnt, in denen solche Kunstgriffe, wie ich angewendet hatte,
oft zur Lösung des Knotens gebraucht werden, ohne daß man
Gesetzwidrigkeit erwähnt; überdem hatte ich vielleicht ein weni
rasch auf meine eigene Macht gerechnet, ein so junges Mäd
wie Clara, leicht zu überreden, einen andern hübschen Junge
die Stelle des ersten Liebhabers treten zu lassen.

„Solmes breitete sich noch weiter über diesen Punkt aus,
Frank mir durch seine Entfernung Erleichterung verschaffte.
erwähnte des Zornes meines Vaters, sollte dieß Ereigniß ihr
Ohren kommen — der Rache Mowbrays von St. Ronans, d
eben so stolze als rauhe Sinnesart wir kannten   der St
welche die Gesetze mir zuerkennen konnten, und Gott weiß, w
er mir sonst noch bange machte, worüber ich in spätern Ja
freilich nur gelacht haben würde. — Kurz, ich ging die Kapit

tion ein, gelobte ewige Entfernung, und verbannte mich, wie man
hier zu Lande sagt, hinfort aus Schottland.

„Und dennoch, Heinrich, höre und bewundere meine Klugheit!
— Alle Umstände sprachen bei dieser Verhandlung gegen mich. —
Ich war allein der angreifende Theil gewesen — ich ward verwundet und gleichsam ein Kriegsgefangener in meines Feindes Hand
— dennoch wußte ich so vorzüglich Mr. Martignys größern Frie-
denseifer zu benutzen, daß ich die Verhandlung mit einer eben so
höchst vortheilhaften Bedingung für mich, als sie ihm schädlich war,
abschloß. — Besagter Mr. Martigny nämlich verband sich, die
ganze Last des Unwillens meines Vaters allein zu tragen, und
unsere Trennung, die bestimmt dessen großen Zorn erregen mußte,
sollte ganz als sein Werk in des Grafen Augen erscheinen. Ich
blieb als ein zärtlicher, pflichtmäßiger Sohn fest dabei, daß ich in
keine Maßregel willigen würde, die mir des lieben Papa Unzufriedenheit zuziehen könnte. Dies war das sine qua non unserer
Verhandlung.

Voilà ce que c'est que d'avoir des talents!

Mr. Francis, glaube ich, hätte sich die Welt auf seine Schultern
gebürdet, um nur eine ewige Trennung zwischen seiner Turteltaube
und dem Falken, der so kühn auf sie niederschoß, zu bewirken.
Ich weiß nicht, was er meinem Vater schrieb; ich stellte ihm mit
gebührender Demuth den üblen Zustand meiner Gesundheit vor,
den ich einem Zufall Schuld gab, und fügte hinzu, da mein Bruder und Gefährte durch irgend eine mir unbekannte Veranlassung
von mir hinweggerufen sei, habe ich es nothwendig erachtet, nach
London zu gehen, um bessern ärztlichen Rath zu erhalten, und
harre jetzt nur auf die Erlaubniß Sr. Herrlichkeit, in das väterliche Haus zurückzukehren. Bald erfolgte die Genehmigung; ich
fand meinen Vater, wie ich es erwartet hatte, schäumend vor Wuth
über meinen Bruder, und nach einiger Zeit durfte ich mir sogar

schmeicheln, (wie konnte es auch anders sein, Heinrich?) daß, indem er immer genauer die Verdienste und Liebenswürdigkeit seines
anscheinenden Erben kennen lernte, er jeden Wunsch verlor, den er
v elleicht früherhin empfand, irgend Etwas in meinen weltlichen
Aussichten und Erwartungen zu ändern. Vielleicht schämte sich
der alte Pair ein wenig seines ehemaligen Betragens, und wagte
nicht, der Verbrüderung der Rechtgläubigen (denn er gehörte in
seinen letzten Lebensjahren zu den Frommen), die allerliebsten Thorheiten einzugestehen, deren er sich in seiner Jugend schuldig gemacht
hatte. Vielleicht hatte auch der Tod meiner höchstzuverehrenden
Mutter günstigen Einfluß für mich, da bei ihrem Leben meine Lage
viel unangenehmer war, — denn Niemand kann Alles ergründen,
was ein Mann zu thun vermag, um seinem Weibe zu trotzen —
kurz, er starb — ging ein zur Ruhe bei seinen höchstzuverehrenden
Vorältern, und ich ward ohne allen Widerstand der Höchstzuver-
ehrende an seiner Stelle.

„Wie ich meine neue Würde zu tragen verstehe, das weißt du,
Heinrich, und unsere lustigen Brüder am besten. Newmarket und
Tattersals mögen das Weitere darüber berichten. — Ich denke, ich
war so glücklich als die am höchsten gepriesenen Schooskinder For-
tunens, folglich will ich über diesen Gegenstand nichts weiter hinzufügen.

„Und nun, Heinrich, will ich mir deine Person in einer mo-
ralisirenden Stimmung vergegenwärtigen, nämlich, als ob die
Würfel schlecht gefallen wären — oder deine Doppelbüchse habe
versagt — oder eine gewisse Dame zeige ein verdrießliches Ange-
sichtchen — oder sonst irgend eine solche wichtige Ursache der Unzufriedenheit habe sich ereignet, und mir käme nun dein unmuthiger
Ernst zu gut. — Mitleidig würdest du sagen: „Mein theurer
Etherington, du bist ein kostbarer Narr! — Da bist du nun beschäftigt, eine an sich schon ziemlich skandalose Geschichte aufzuregen, die allen Theilnehmern nur Unglück bringen kann — eine

Geschichte, die vielleicht ewig schlummern würde, wenn du sie ruhen
ließest, die aber gewiß wie die Steinkohlen zur Flamme auflodert,
wenn du sie fortdauernd anschürst. Ich möchte Ew. Herrlichkeit
nur zwei Fragen vorlegen," setzest du hinzu — indem du mit deinem gewöhnlichen anmuthigen Anstande deinen Hemdkragen gerade
rückst, und mit der Hand über den zierlich geschlungenen Knoten
deiner Halsbinde herabstreichst, der einer ganz besondern Erwähnung in der Tietania*) verdient. — „Nur zwei Fragen
nämlich — Ob sie nicht das Vergangene bereuen — Ob Sie nicht
die Zukunft fürchten?" — Sehr verständliche Fragen, die du da
zu Tage förderst, mein guter Heinrich, denn sie fassen in kurzen
Sylben, die entflohene und die uns noch bevorstehende Zeit —
kurz, ein ganzes menschliches Leben in sich. Demunzeachtet will
ich versuchen, sie so gut es gehen will zu beantworten.

„Die Vergangenheit bereuen," sagtest du nicht so? Ja, Heinrich, ich glaube, ich bereue die Vergangenheit — nämlich nicht mit
der Reue, die der Prediger auf der Kanzel uns vorpinselt, die der
deinen gleicht, wenn du Kopfweh hast, sondern wie ich es bereuen
würde, ein schönes Spiel nach einer falschen Ansicht durchgeführt
zu haben. Ich hätte mit dem jungen Mädchen zuerst mein Heil
versuchen können Mr. Martignys Abwesenheit und meinen
eignen vertraulichen Umgang mit ihr besser benutzen, und so wo
möglich ihn in ihrer Neigung ausstechen sollen. Der Plan, den
ich befolgte, war, wenn er auch Kühnheit und Geschicklichkeit bewies, der eines Neulings von frühzeitigem Talente, der aber das
mögliche Spiel des Zufalls nicht zu berechnen verstand. So stehts
mit meiner Reue. — „Ob ich die Zukunft nicht fürchte?" —
Heinrich, ich will dir nicht gleich den Hals abschneiden, weil ich
die Frage von dir voraussetze, sondern dir nur ganz gelassen versichern, daß ich noch nie in meinem ganzen Leben irgend Etwas

---

*) Tietania von to tie, die Kunst die Schleifen zu binden.

gefürchtet habe. Ich glaube, ich ward ohne dies Gefühl geboren, mindestens ist es mir gänzlich fremd. Als ich jenes verfluchte Rad über meine Brust gehen, als ich die Pistolenkugel in meinen Arm eindringen fühlte, empfand ich keine stärkere Erschütterung, als bei dem Knall eines Champagnerkorks. Aber du sollst dennoch nicht glauben, daß ich Narr genug bin, mich der Qual, Mühe, Gefahr (die mir, der beträchtlichen Ausgaben nicht zu gedenken, höchst wahrscheinlich alle bevorstehen) auszusetzen, ohne daß irgend ein triftiger Grund dazu vorhanden sei. — Vernimm ihn also:

„Von verschiedenen Seiten sind mir Winke, Gerüchte, Besorgnisse mitgetheilt worden, daß dem Range und dem Platze, den ich in der Gesellschaft behaupte, ein Angriff bevorstehe, und das kann einzig nur auf diesen Menschen, den Martigny, Bezug haben, denn ich will ihn nicht mit seinem gestohlenen Namen Tyrrel benennen. Dies sehe ich nun als einen Bruch jenes zwischen uns getroffenen Uebereinkommens an, durch welches — nämlich der wahren Absicht des Inhalts nach — er es meinem höchstzuverehrenden Vater und mir überlassen sollte, unsere Angelegenheiten ohne seine Dazwischenkunft abzumachen, welches natürlich eine tugendhafte Entsagung seiner Rechte mit einbegriff, wenn der Schurke jemals deren besaß. Kann er erwarten, daß ich mein Weib, und was noch viel besser ist, des alten Scroggie Mowbray's herrliche Besitzung Nettlewood aufgebe, den Launen eines Burschen volle Genüge zu leisten, dem es einfällt, meine Titel und mein ganzes Eigenthum in Anspruch zu nehmen? — Nein, beim Teufel! Nein, er kann sich darauf verlassen, greift er mich in einem so wichtigen Punkte an, will ich es ihm in einem andern vergelten, der ihn eben so tief verwunden soll. — Nun, scheint es mir, droht mir eine zweite Ausgabe deiner ernsten Vorstellungen über Familien-Zwistigkeiten, unnatürlich blutigen Ereignissen, die jedem weltlichen Gesetz und Gefühl entgegen sind, welches du Alles höchst erbaulich mit den alten abgedroschenen Sprüchen über Brüder, die einträchtiglich bei einander

wohnen follen, ausftatten kannft. Ich will mich nicht mit der
Unterfuchung aufhalten, ob alle diefe zarten Beforgniffe das Wohl
und den Ruf des Grafen von Etherington berückfichtigen, oder ob
mein Freund Heinrich Jekyl nicht zagend bedenkt, in wie fern feine
Einmifchung in einer fo garftigen Gefchichte im Hauptquartiere
gut aufgenommen werden möchte; — ohne bei diefer Frage zu verweilen, will ich nur ganz offen und kurz fagen, daß du nicht mehr
als ich die Raferei einfehen kannft, die es wäre, die Dinge zu jenem
Aeußerften zu treiben. — Ich betheure dir, ich hege keine folche
Abficht, und nicht mit fo feindlichen Plänen rufe ich dich hieher.
— Wollte ich Martigny fordern, fo würde er mir doch nur ein
Duell verweigern, und die Art, folche Dinge mit geringerer Feierlichkeit auszumachen, ift doch fchon längft aus der Mode.

„Wahr ift's, bei unferer erften Zufammenkunft unternahm ich
wirklich das gefährliche Wageftück, wovon ich dir fagte — aber es
ging mir wie dir, wenn du etwas blos aus einer inftinktmäßigen
Bewegung, ohne über das Ungeheure deiner That nachzudenken,
eine Fafanenhenne, die in einiger Entfernung aufftieg, gefchoffen
hätteft (oder vielmehr nach ihr zu fchießen verfuchteft, denn darin,
glaube ich, bift du eben nicht fattelfeft). Die Wahrheit ift, ein
unheimliches Irrlicht fcheint böfen Einfluß auf unfer Haus auszuüben — ein wildes Feuer ftrömte glühend durch meines Vaters
Adern — in voller Kraft ift es in mich übergegangen, und hin
und wieder übt es unwiderftehliche Macht über uns. — Dort ftand
mein Feind, und hier in meiner Hand lag mein Piftol! — Das
war Alles, was ich damals zu denken vermochte. Aber in Zukunft
will ich beffer auf meiner Hut fein; um fo gewiffer, da ich von
ihm nie irgend eine Anreizung empfangen kann, im Gegentheil, ich
muß die Wahrheit bekennen, obgleich ich beim erften Bericht über
die Sache Luft hatte, die Gefchichte ein wenig zu bemänteln (wie
die Zeitungen, wenn fie eine Niederlage berichten), ich bin überzeugt, nie hätte er freiwillig auf mich gefeuert, und nur zufällig,

im Niederstürzen, ging seine Pistole los. Du kennst mich zu
um nicht gewiß zu sein, daß ich nie einen Gegner angreifen r
der mir keinen Widerstand entgegen setzt, und wäre er zel
mein Bruder.

„Was nun jene lange Rede über den Bruderhaß anbetri
Heinrich, ich hasse ihn nicht mehr als die Erstgebornen in A
ten gemeinhin von denen gehaßt werden, denen sie die Lehen
und so weiter entziehen. — Unter zwanzigen von uns Güt
sitzenden Leuten ist nicht Einer, den die jüngern Brüder nid
nugsam hassen, ihm die sanfte Grabesruhe zu wünschen, da
gewaltiger Stein des Anstoßes auf ihrem Lebenswege ist —
in so fern nur hasse ich Mr. Martigny. Uebrigens im Geg
kann ich ihn sogar gut leiden; wenn er nur sterben möchte,
ich meine freimüthige Beistimmung zu seiner Heiligsprechun
gleich ertheilen; nur während er lebt wünsche ich nicht, daß
Versuchungen des Ranges und der Reichthümer blos gestellt
diesen gewichtigen Hindernissen eines der Selbstverläugnur
weihten Lebenswandels, wodurch doch der Geruch der Hei
allein erworben werden kann.

„Du unterbrichst mich schon wieder mit deinen unbesche
Fragen — Wenn ich nicht den Vorsatz habe, in persönlichen
mit Martigny mich zu verwickeln, warum trete ich ihm über
in den Weg? — warum verbleibe ich nicht, dem zu Mare
abgeschlossenen Traktate treu, in England, ohne wieder na
Ronans zurück zu kehren, und meine jungfräuliche Braut i
spruch zu nehmen?"

„Sagte ich dir nicht, ich muß ihn dahin bringen, alle A
auf mein Vermögen und Rang aufzugeben? Sagte i
nicht, daß ich mein Weib und die durch die Heirath mit mir
mäßig gewonnenen Nettlewood'schen Besitzungen begehre? —
damit dir das ganze Geheimniß klar werde, obwohl Clar
hübsch ist, so hat sie dennoch so wenig Gewicht in den Augen

leidenschaftlosen Bräutigams, daß ich hoffe, einige Nachgiebigkeit
in Hinsicht meiner Rechte über sie wird das Mittel werden, mir
die für mich ungleich wichtigeren zu sichern.

„Läugnen will ich nicht, daß eine Abneigung, Aufsehen, vielleicht Tadel zu erregen, mich so langmüthig machte, meinen Vortheil nicht früher wahrzunehmen, als so kurze Zeit vor dem festge-
setzten Zeitraum, der mich als den anerkannten Gatten Miß Mowbray's zum Erben des alten Scrog Mowbray nach seinem Testamente macht. — Die Zeit war — sie ist — und erhasche ich sie
im Vorübereilen nicht beim flüchtigen Haar, so kehrt sie nie wieder
— Nettlewood ist verloren — und wird wirklich gesetzlich Oakendale und meine Titel in Anspruch genommen, so stehe ich in Gefahr, vollkommen zu Grunde gerichtet zu werden. Folglich muß
ich, was ich auch wage, handeln, und zwar nachdrücklich handeln.
— Dies ist im Allgemeinen der Plan meines Feldzuges, der sich
natürlich nach den Umständen richten und fügen muß. — Mowbray's Einwilligung, mich um seine Schwester zu bewerben, habe
ich erhalten — erkauft, sollte ich vielmehr sagen. Den Vortheil
habe ich auch bei Clara, daß wenn sie einwilligt, mir ihre Hand
zu geben, sie Ein= für Allemal alle unangenehmen Gerüchte und
Erinnerungen an ihr früheres Benehmen zum Schweigen bringt.
In diesem Falle ist mir der Besitz Nettlewoods gesichert, und gern
bin ich bereit, einen Kampf für mein väterliches Erbe zu wagen.
Auch glaube ich wirklich, sollte Alles sich so glücklich fügen, Mr.
Martigny würde viel zu zerknirschten Herzens sein, um noch großen
Widerstand zu versuchen; nein im Gegentheil, er würde das Heft
der Klinge nachwerfen, und wie ein ächt verzweifelnder Liebesritter
weithin über die See eilen, sich und seinen Schmerz in irgend
einer Wüste zu verbergen.

„Aber gesetzt den Fall, die Dame hat so schlechten Geschmack,
mich nicht zu wollen, so glaube ich immer noch, daß ihr Glück oder
ihre Gemüthsruhe dem Martigny so theuer sind, als Gibraltar

den Spaniern, und daß er sehr viel aufopfern wird, mich zur Entsagung meiner Ansprüche zu vermögen. Ich bedarf also eines Mannes, der als mein Anwalt mit dem Burschen unterhandelt; denn ich will nicht läugnen, daß meine alte Lust, ihm die Gurgel zu durchbohren, plötzlich wieder erwachen könnte, sollte ich persönlich etwas mit ihm zu schaffen haben. So komm denn ohne zu zögern zu meinem Beistand herbei. Komm, denn du weißt, daß ich eine Gefälligkeit nie unbelohnt lasse. Um noch deutlicher zu sein, du sollst die Mittel erhalten, eine gewisse unbequeme Verpfändung abzulösen, ohne den Stamm Isaschars deßhalb in Bewegung zu setzen, wenn du mir nur in dieser Angelegenheit treu zur Seite stehen willst. — Komm also ohne weitere Zögerung und Ausflüchte. Ich gebe dir mein Wort darauf, die Rolle des Dramas, welche ich dir zu ertheilen gedenke, soll weder gefährlich noch beleidigend für dich sein.

„Da vom Drama die Rede ist, wir hatten einen elenden Versuch solcher quasi theatralischen Vorstellung hier in Mowbray's morschem kahlgefreffenen Rittersitz. Zwei Dinge nur waren der Bemerkung werth. Das eine, daß ich selbst allen Muth, dessen ich mich sonst rühme, verlor, und richtig dem Kampfplatze den Rücken wandte, als es galt, der Miß Mowbray entgegen zu treten. Und deßhalb bitte ich dich, wohl zu bemerken, daß ich ein höchst bescheidener und zartfühlender Mann sein muß, statt daß ich dem Drawcansir und Daredevil gleiche, als welche du mich darstellen möchtest. Die andere Merkwürdigkeit ist noch zarterer Art, da sie das Benehmen einer schönen Frau betrifft, die entschlossen zu sein scheint, sich mir an den Kopf zu werfen. Es waltet doch ein wunderbarer Grad von Freimaurerei unter uns Leuten ob, und es ist erstaunlich, wie schnell wir uns auf einen gewissen Fuß bei vernachlässigten Gattinnen und unzufriedenen Töchtern zu setzen vermögen. Wenn du nicht bald kommst, wird eine der Belohnungen, *die ich dir biete*, dir gewiß vorenthalten werden. Kein Schulknabe verwahrt Pfefferkuchen für seinen Spielgefährten, ohne Lust zu haben, davon zu naschen; wenn du nun nicht bald kommst, deines Vortheils wahrzunehmen sage mindestens — ich war gewarnt. Ich meines Theils werde durch die Aussicht eines solchen Handels mehr in Verlegenheit gesetzt als erfreut, da ich einen andern ganz entgegengesetzter Natur im Schilde führe. Dies Räthsel löse ich dir beim Wiedersehen.

„Jetzt ist meine lange Erzählung beendet. Scheinen dir die Gründe meines Benehmens nicht hinlänglich aufgeklärt zu sein, so bedenke, in welches Labyrinth mich das Geschick verwickelte, und wie viel nothwendigerweise von der gebietenden Laune des Zufalls abhängt.

„Man kann sagen, daß ich gestern die Belagerung eröffnete, denn ich wagte es, vor Clara zu erscheinen. Mir ward eben kein schmeichelhafter Empfang — aber das hat nichts zu sagen, denn ich erwartete ihn auch nicht. Indem ich ihre Furcht erregte, gelang es mir, ihre Einwilligung zu erringen, daß ich als ihres Bruders Gast bei ihr erscheinen darf, und das ist kein unbedeutender Vortheil. Sie wird sich daran gewöhnen, mich zu sehen, und mit geringerer Bitterkeit des Streichs gedenken, den ich ihr einst spielte, indessen ich meinerseits ebenfalls durch die Macht der Gewohnheit Herr über gewisse befangene Gefühle zu werden denke, die mich fast zerknirschend ergriffen, wenn mein Blick sie traf. — Lebewohl! Gesundheit und Brüderschaft mit dir! —

Dein

Etherington.

Siebenundzwanzigstes Kapitel.

Die Antwort.

Gar wichtig ist die Bürde, die du trägst, o Post!
Salpeter, Schwefel ist's! — Laß nicht sie sich entzünden!
Altes Schauspiel.

„Mit eben so viel Erstaunen als Theilnahme haben mich deine beiden Briefe erfüllt, mein lieber Etherington; denn Alles, was mir früher von deinen schottischen Abenteuern bekannt war, reichte in keiner Art hin, mich auf einen so seltsam verworrenen Bericht vorzubereiten. Jenes unheilbringende Irrlicht, welches, wie du sagst, so trüben Einfluß auf deinen Vater ausübte, scheint das Geschick deines ganzen Hauses zu beherrschen, so wundersam über die Gränzen des Gewöhnlichen schweifend ist Alles, was du mir mittheilst. — Aber dessenungeachtet, Etherington, du warest mein Freund — du allein hieltest mich aufrecht, als ich das tiefste Verderben mir bereitet sah, und was du auch darüber denken magst, ich weihe dir meine Dienste vielmehr aus Dankbarkeit für das Vergangene, als daß mich die lockenden Hoffnungen der Zukunft dazu bestimmen. Schöne Redensarten sind eben nicht mein Fach, aber diesem Worte magst du vertrauen, so lange ich Heinrich Je-kyl bleibe. Du hast von mir Liebe verdient, Etherington, und sie soll dir werden.

„Vielleicht bist du mir noch theurer geworden, seit ich weiß, in welchen Verlegenheiten du dich befindest; denn, mein lieber Etherington, denn warst zuvor in der That zu sehr der Gegenstand des Neides, um ganz der unserer Neigung zu sein. Welch' ein Glückskind! so rief ein Jeder, der dich nannte. Ein hoher Rang, und Vermögen ihm Ehre zu machen — Unretchender

Glück, deine muthwilligen Eingriffe in dein Einkommen auszugleichen, und Klugheit, dies Glück zu unterstützen oder zu ersetzen,
wenn es ja etwa auf einen Augenblick dir flüchtig entschlüpfen
wollte. — Die Karten, welche fallen, wie du es wünschest — die
Würfel, die fast immer nach deinem Winke rollen — den Ball
des Billards, der mehr von deinem Blick, als von der Berührung
des Queues in den Sack gefördert wird — du schienst das Glück
an dich gefesselt zu haben, und ein Mann von geringerem Ehrge-
fühl hätte fast in den Verdacht kommen können, daß er seinen günstigen Stern durch einige wenige Kunst zu unterstützen vermöge.
— Jede Wette gewannest du, und sobald du Partei genommen
hattest, konnte man fast mit Bestimmtheit das siegende Pferd bezeichnen — denn stets war es das, welches dir den größten Vortheil gewährte. — Dir jedesmal stellte sich auf dem Anstand das
Wild — und dann gar die Weiber! — Mit deinem Gesicht, Gestalt, Benehmen, und mehr als dies Alles mit deiner Zunge, welch'
wilden Unfug hast du unter ihnen angerichtet! Gütiger Himmel! und dabei schwebte in dieser ganzen Zeit jenes alte drohende
Schwert an einem Pferdehaar über deinem Haupte? — Dein
Rang war zweifelhaft! — Unsicher dein Vermögen! — Und das
Glück, dir so treu in allen andern Dingen, es konnte sowohl wie
dein siegreicher Einfluß auf die Frauen dich verlassen, eben da du
eine Verbindung für das Leben schließen wolltest, die noch dazu
die Sorge für dein Vermögen erforderte! — Etherington, ich erstaune! — Jenen Mowbray'schen Handel hielt ich immer für eine
unbequeme Geschichte, so gut wie deine Zwistigkeiten mit jenem
Tyrrel oder Martigny, doch wie weit war ich entfernt, die Ver-
worrenheit jener beengenden Verhältnisse zu ahnen.

„Aber ich darf nicht weiter in Betrachtungen fortfahren, die,
wie sie auch meinem eignen staunenden Verstande eine Art Erleichterung gewähren, dir unmöglich sehr angenehm sein können. Es
sei dir genug, daß mir meine Verpflichtungen gegen dich leichter

tragen scheinen, seit mir die Aussicht ward, sie dir einigermaßen vergelten zu können; aber vermöchte ich auch mich selbst der ganzen Schuld zu entledigen, würde ich dir ewig gleich treu anhängen. Dein Freund ist's, der zu dir spricht, Etherington; und wenn er seinen Rath etwas sehr offenherzig darlegt, so bitte ich dich, nicht etwa vorauszusetzen, daß er sich durch dein Vertrauen zu einer beleidigenden Dreistigkeit berechtigt glaubt, sondern mich nur als einen Mann zu beurtheilen, der bei einer wichtigen Angelegenheit ganz offen schreibt, um auch die kleinste Mißdeutung zu vermeiden.

„Etherington, dein Benehmen widerspricht bis jetzt schlechterdings der Kaltblütigkeit und scharfen Beurtheilungskraft, welche du dir so besonders anzueignen verstehst, wenn du es rathsam findest, sie zu zeigen. Ich übergehe das Possenspiel deiner Heirath — es war ein Knabenstreich, der dir schwerlich, selbst wenn er vollkommen gelang, viel nutzen konnte; denn was hättest du wohl für eine Art von Weib errungen, willigte jene Clara Mowbray in den Tausch, den du ihr anmuthetest, und ging ohne Widerwillen von einem Bräutigam zu dem andern über? So arm ich bin, so weiß ich doch, daß weder Nettlewood, noch Oakendale mich hätten verlocken sollen, solch' ein — Geschöpf zu heirathen. Der Anstand verbietet mir jene Lücke zu füllen.

„Eben so wenig, mein lieber Etherington, kann ich die List billigen, welche du bei dem Prediger anwandtest, in dessen Augen du das arme Mädchen so tief herabwürdigtest, ihn zur Vollziehung der Ceremonie zu bewegen, und dadurch vielleicht ihrem Rufe einen unauslöschlichen Flecken einprägtest — dies war keine rühmliche Kriegslist. — Wie es jetzt steht, hat sie dir auch wenig genützt nur daß es in der That der jungen Dame schwer fallen möchte, die Richtigkeit dieser Beschuldigung zu beweisen — denn gelänge ihr *dies*, so ist die ganze Heirath entschieden ungültig. Der einzige *Vortheil*, den du daraus ziehen kannst, ist vielleicht, daß die Furcht,

diese höchst unangenehme Sache einem Gerichtshof vorgelegt zu
sehen, sie zu einer rechtmäßigeren, förmlicheren Verbindung zwingt;
und dies, denke ich, müßte dir bei deinen persönlichen Eigenschaften
und dem Beistande ihres Bruders höchst wahrscheinlich gelingen.
Alle Frauen sind nothwendigerweise die Sklavinnen ihres Rufes.
Ich habe einige gekannt, die ihrer Tugend entsagten, um den guten
Namen zu retten, der doch eigentlich nur der Nachhall derselben
sein kann. Ich kann es mir also nicht schwierig denken, Clara
Mowbray zu überreden, lieber eine Gräfin zu werden, als sich in
ganz Britannien zum Gegenstand der Aufmerksamkeit durch den
zwischen euch Beiden anhängig werdenden Prozeß zu machen, der
noch dazu leicht den größten Theil Eures beiderseitigen Lebens hindurch dauern könnte.

„Aber bei dem Gemüthszustand Miß Mowbray's kann es Zeit
erfordern, sie zu einem solchen Entschlusse zu vermögen; und ich
fürchte, deine Unternehmungen können leicht von deinem Nebenbuhler — ich will dich nicht beleidigen, indem ich ihn deinen Bruder nenne — durchkreuzt werden. Darin hoffe ich nun mit Vergnügen, dir in der That nützlich sein zu können, doch unter der
ganz besondern Bedingung, daß kein Gedanke einer fernern Ge-
waltthätigkeit zwischen euch Beiden stattfinde. Wie du jenes Zusammentreffen auch vor dir selbst beschönigen magst, es ist außer
allem Zweifel, daß das Publikum jedes Ereigniß, welches Folgen
haben könnte, als das schwärzeste Verbrechen ansehen, und das Gesetz es ebenfalls als solches streng bestrafen würde. Und was ich
auch von meiner Begierde, dir zu dienen, sagen möchte, ich würde
gewiß, kurz entschlossen, auf dieser Seite des Galgens noch mich
schnell umwenden — mein Nacken ist ohnedies schon ausgereckt
genug! —

„Doch ohne Scherz, Etherington, in dieser Angelegenheit mußt
du von gutem Rathe dich leiten lassen. Dein Haß gegen diesen

Menschen leuchtet mir aus jeder Zeile deines Briefes in die Augen, wenn du auch mit der größten Kälte schreibst; — selbst wenn du den Anschein der Heiterkeit dir aufzwingst, lese ich deutlich darin die Gefühle deiner Brust; und sie sind so geeignet, daß ein guter Mensch — nein, nur ein kluger Mensch — nein Jeder, der nur einigermaßen den Ruf eines rechtlichen Mannes bewahren will, der es wünscht, dem allgemeinen Fluche, vielleicht gar einem gewaltsamen Tode unter dem Beifallsklatschen der Menge, die sich der Strafe des Brudermörders freut, zu entgehen — daß ein solcher, sage ich, sie mit der größten Schnelligkeit aus seiner Brust zu reißen streben würde. Unter der Bedingung also, daß dieser unnatürliche Haß mit der äußersten Kraft deines so starken Geistes unterdrückt werde, und daß du alle Veranlassungen vermeidest, welche möglicher Weise eine ähnliche Katastrophe herbeiführen können, wie diejenige, der du zweimal nur kaum zu entrinnen vermochtest, werden meine Dienste, wenn sie der Annahme würdig sind, hier dargeboten. Ich fordere nicht von dir, diesen Menschen zu lieben, denn zu gut weiß ich, wie tiefe Wurzeln Vorurtheile in deinem Geiste schlagen. Ich begehre nur, daß du ihn vermeidest, und ihn, wenn du mit ihm zusammentriffst, als einen Gegenstand betrachtest, den schlechterdings deine persönliche Rache nicht treffen kann.

„Auf diese Bedingungen will ich sogleich zu dir nach deinem Gesundbrunnen eilen, und nur deine Antwort erwarten, mich in eine Postchaise zu werfen. Ich will diesen Martigny für dich aufspüren, und bin eitel genug, mir einzubilden, daß ich ihn dahin bringen werde, den Weg einzuschlagen, den euer beiderseitiges wahres Wohl so deutlich als den richtigen erfordert — nämlich abzureisen und uns von seiner Gegenwart zu befreien. Du mußt eine bedeutende Summe Geldes nicht ansehen, wenn sie etwa nöthig sein sollte — wir müssen ihm Flügel geben, daß er nur enteile, und ich muß dazu ganz unbedingt von dir bevollmächtigt werden. Ich kann mir nicht denken, daß du wirklich ernste Folgen von einem Prozeß mit ihm zu befürchten hättest. Dein Vater stieß jenen finstern Wink in einem Augenblick des Unmuths aus, wo er über seine Gattin wüthete und seinem Sohne zürnte; und ich zweifle kaum, daß seine Ausdrücke blos leere Zornesblitze waren, die der Augenblick gebar, obwohl sie, wie ich sehe, einen tiefen Eindruck auf dich gemacht haben. In jedem Falle erwähnte er des Vorzuges, den er seinem illegitimen Sohne ertheilen könnte, als einer Gunst, die zu gewähren oder vorzuenthalten, ganz von seiner Willkür abhinge, und er ist gestorben, ohne sie ihm zu verleihen. Die Familie scheint einmal bestimmt zu unrechtmäßigen Heirathen, und es mag irgend eine Ehe zur linken Hand benutzt worden sein, um die Bescheidenheit und das Gewissen jener französischen Dame schützend zu schirmen; aber nur die stärksten und klarsten Beweise können es mir glaublich machen, daß wirklich etwas einer gesetzmäßigen Verbindung Aehnliches stattgefunden habe.

„Ich wiederhole also, daß ich wenig Zweifel hege, daß die Ansprüche dieses Martigny, welcher Art sie auch sein mögen, leicht abzustnden, und England von ihm zu reinigen sein wird. Noch leichter wird dieß gelingen, wenn er die romantische Neigung für Miß Clara Mowbray hegt, die du mir schilderst. Es muß ihm bald einleuchtend zu machen sein, daß, sie möge nun Ew. Herrlichkeit Hand annehmen oder nicht, die Ruhe und der Friede ihres Geistes von seiner Entfernung aus jener Gegend abhängt. Verlaß dich darauf, ich werde den rechten Weg finden, ihn zu beschwichtigen, und sehr wenig thut es zur Sache, ob das Grab oder eine weite Entfernung dich von diesem Martigny trennt; nur mit dem Unterschiede, daß das Letzte auf ehrenvolle, sichere Weise zu bewerkstelligen ist, und jeder Versuch des Ersteren alle, die darin verwickelt wären, dem allgemeinen Abscheu, der strengsten gerechtesten Strafe Preis geben würde. Leiste mir daher das erbetene Ver-

26*

sprechen, und ich stehe dir bei als dein ächt dankbarer und treu ergebener

Heinrich Jekyl."

Mit rückkehrender Post empfing der Schreiber dieser warnend ermahnenden Zeilen folgende Antwort:

„Mein ächt dankbarer und treu ergebener Heinrich hat einen Ton angenommen, der mir ohne Ursache etwas überspannt zu sein scheint. Du argwöhnischer Hofmeister, habe ich nicht schon hundertmal wiederholt, daß ich aufrichtig jenes thörichte Zusammentreffen bereue, und fest entschlossen bin, mein wildes Gemüth zu beherrschen, und in Zukunft auf meiner Hut zu sein? — Was hast du nun nöthig, mir auf den Hals zu rücken mit deiner langen Vorstellung über allgemeinen Fluch, Strafe, Brudermord und so weiter? — Du verfährst mit deinen Gründen, wie ein Knabe mit dem ersten Hasen, den er erlegte, und den er nie für todt hält, bis er die zweite Ladung auf ihn abfeuerte. Was würdest du für einen außerordentlichen Rechtsgelehrten abgegeben haben! wie lang hättest du nicht die einfachste Angelegenheit ausgesponnen, bis der arme geplagte Richter fast Lust bekommen müßte, gegen das Recht zu erkennen, um sich nur an dir zu rächen. Wenn ich denn aber das, was ich schon zwanzigmal sagte, wiederholen muß, so wisse denn, daß ich keinen Gedanken daran habe, mit diesem Burschen so umzugehen, wie ich es mit einem andern thun würde. Fließt meines Vaters Blut in seinen Adern, so soll es die Haut retten, die seine Mutter ihm gab. Komm also ohne weiteres Prunken mit Bedingungen noch Gründen. Du bist in der That ein sonderbares Thier! — Man möchte denken, wenn man deinen Bericht da liest, du selbst hättest dir es ausgegrübelt, wie es dir zieme, als Vermittler aufzutreten, und welche Gründe im Verlauf der Verhandlung am vortheilhaftesten anzuführen sein möchten, um diesen Burschen aus dem Lande zu treiben. — Ei, das ist ja eben Alles schon in meinem letzten Briefe vollkommen angedeutet worden! Du bist lecker, als der leckste Zigeuner, denn du stiehlst meine eigenen Gedanken nicht nur, und entstellst sie, um sie für die Deinigen auszugeben, sondern du hast die Kühnheit, mit ihnen vor der Thüre ihres eigenen Baters zu betteln! Niemand kommt dir darin gleich, die Erfindungen Anderer zu stehlen, und auf deine eigene Manier umzuformen. Aber dennoch, Heinrich, ein Bischen Eigendünkel und Anmaßung ausgenommen, bist du der ehrlichste Bursche, auf den je ein Mann Bertrauen setzte — auch pfiffig genug, so nach deiner Weise, wenn auch nicht vollkommen das Genie, wofür du gern gelten möchtest. — Komm also ganz auf deine eigenen Bedingungen, und komm so geschwind, als du kannst. Auch erkenne ich das dir geleistete Versprechen darum für nicht weniger bindend, weil du großmüthigerweise seiner nicht erwähnst. —

Dein

Etherington."

„Noch eine einzige Klausel muß ich beifügen. — Erwähne gegen Niemand zu Harrowgate, weder meines Namens, noch deines Vorsatzes mich hier zu treffen, oder des Weges, den du zu nehmen denkst. Es ist überflüssig, dir über den Zweck deiner Reise Stillschweigen zu empfehlen. Ich weiß nicht, ob Allen, die geheime Maßregeln durchzuführen haben, solche Zweifel eigen sind, oder ob die Natur mir einen ungewöhnlichen Antheil sorgenvollen Argwohnes verlieh, ich kann den Gedanken nicht verbannen, daß ich von einem mir unerklärbar nahen Beobachter eng bewacht werde. Obwohl ich meinen Vorsatz, hieher zu reisen, allen Menschen verbarg, dich ausgenommen, den ich auch nicht einen Augenblick der Plauderei fähig halte, doch war er jenem Martigny bekannt, und er erschien hier früher als ich. Wiederum habe ich mit keiner Sylbe, mit keinem Winke zu irgend Jemand meine Absichten an

Clara verrathen, doch hatte das plappernde Volk hier schon ein Gerücht davon verbreitet, ehe ich dem Bruder noch meine Bewerbung vortragen konnte. Es ist freilich gewiß, in solchen Kreisen wird nur von und über's Heirathen geredet, und dieß Gespräch, das mich beunruhiget, da es mit meinen geheimen Plänen zusammentrifft, kann kein leeres Gerücht sein, das irgend eine Klatschschwester des Ortes sich erdachte; aber mir ist immer zu Muthe, wie dem armen Weibe in der Fabel, die sich von einem Auge bewacht fühlte, welches hinter der Tapete hervor lauschend sie stets verfolgte.

„Ich hätte dir in meinem letzten Briefe auch sagen sollen, daß ich bei einem Feste von dem alten Prediger wieder erkannt worden bin, der vor beinahe acht Jahren den ehelichen Segen über Clara und mich aussprach. Er bestand darauf, mich als Valentin Bulmer, wie man mich ehemals hier nannte, anzureden. Es sagte mir aber jetzt nicht zu, ihn zu meinem Vertrauten zu machen, und so stutzte ich ihn zurecht, wie es jenem alten Pinsel geziemt. Die Aufgabe war um so leichter zu lösen, da ich mit einem der zerstreutesten Leute, der je mit offenen Augen träumte, zu schaffen hatte. Ich glaube in der That, er ließe sich bereden, daß der ganze Handel nur ein trügerisches Traumgesicht war, und daß er mich nie zuvor wirklich gesehen habe. So ist also deine fromme Ermahnung, das betreffend, was ich ihm von den Liebenden einbildete, eigentlich wohl ganz überflüssig. Ueberdem, wenn das, was ich sagte, nicht ganz genau mit der Wahrheit übereinstimmte, wie ich selbst gewiß es für eine Uebertreibung halte, so war das, wie ich vermuthe, ganz allein des heiligen Franz von Martigny Fehler. Gewiß bin ich, Liebe und Gelegenheit standen ihm bereitwillig zur Seite.

„Da hast du eine Nachschrift, Heinrich, die länger ist, als der Brief; doch soll sie mit der gleichen Losung schließen: Komm, und das zwar so schnell, als möglich."

Achtundzwanzigstes Kapitel.

Der Schrecken.

> So wie am Baum das Laub erbebet,
> Wenn Wirbelwind es jäh erregt,
> Des Feldherrn Brust Entsetzen hebet,
> Wenn feige Flucht das Heer bewegt —

Alle diejenigen, welche über diese Angelegenheit nachdachten, hielten es längst für ausgemacht, daß der unruhige, hitzköpfige Nabob sich bald mit seiner Wirthin, der alten Mistreß Dods zanken und seines Aufenthaltes zu St. Ronans überdrüssig werden würde. Man setzte voraus, ein Mann, der gegen sich selbst so nachsichtig und so sehr neugierig, die Angelegenheiten Anderer betreffend, sei, könne in dem alten Ort zu St. Ronans nur eine sehr beschränkte Sphäre haben, seinen Geschmack oder Forschungsgeist zu befriedigen; und schon seit geraumer Zeit hatten die Müßiggänger am Gesundbrunnen Tag und Stunde seiner Entfernung festgesetzt. Aber immer noch erschien, wenn das Wetter es gestattete, der alte Touchwood mit seinem nußbraunen Gesichte unter ihnen, den Hals sorglich in ein ungeheuer großes indisches Tuch gehüllt, und seinen Stock mit goldenem Knopfe über die Schulter geschwungen; seine kurzen aber stämmigen Beine zeigten es deutlich, daß er ihn vielmehr wie den Stab eines Großwürdenträgers, als zur Stütze benutzte. Da stand er, trocken und kurz alle ihm vorgelegten Fragen beantwortend, machte, ohne im mindesten darauf zu achten, ob man sich davon beleidigt fühlte, ganz laut seine Bemerkungen über die anwesende Gesellschaft, und sobald die alte Brunnen-Priesterin sein Glas mit dem heilsamen Wasser gefüllt hatte, drehte er mit einem kurzen „guten Morgen" sich schnell auf seinem Absatz herum, um zurück zum Pfarrhause und seinem alten Freunde, Mr. Cargill, zu eilen, oder aber irgend ein Steckenpferd munter zu reiten, das mit seinen Nachbaren im alten Orte in Verbindung stand.

Eigentlich hatte der gute Herr es eingesehen, daß, nachdem er seine Verbesserungen in seiner Residenz so weit steigerte, als Mistreß Dods es nur irgend gestatten wollte, es klug gehandelt sein würde, davon abzustehen, seine Neuerungen noch weiter zu verbreiten, da einmal nicht jeder Stein sich dazu eignet, die letzte Politur zu erhalten. Er ließ sich nun zunächst angelegen sein, Mr. Cargill's Haus in Ordnung zu bringen, und ohne die Erlaubniß dieses ehrenwerthen Herrn zu erhalten oder zu begehren, brachte er eine so wunderbare Veränderung im Pfarrhause hervor, wie ein wohlthätiger Geist es nur vermocht hätte. Die Fußboden wurden zuweilen gekehrt — die Teppiche ausgestäubt — die Teller und Schüsseln waren reinlicher — in dem Theekasten konnte man Thee und Zucker, ja in der Vorrathskammer mancherlei Speisen finden. Die älteste Magd trug ein tüchtig gewirktes Kleid — die jüngere flocht ihre Haare auf dem Scheitel zusammen, und nun wanderte ein so dralles und nettes Mädchen in dem Hause umher, daß Manche von ihr sagten, sie sei zu hübsch, einem unverheiratheten Geistlichen zu dienen, und Andere meinten, sie sähen gar nicht ein, was solch' ein alter Narr, wie der Nabob, sich um des Mädchens Kleidung und Fußwerk zu bekümmern habe. Aber wenig Sorge machten solche böse Gerüchte dem guten Mr. Touchwood, selbst wenn er sie hätte hören können, was indessen noch dahin stand. Auch der Garten ward gesäubert und der Kirchenacker regelmäßig bestellt.

Der Talisman, der alle diese wünschenswerthen Verbesserungen bewirkte, bestand zum Theil in kleinen Geschenken und fortgesetzter Aufmerksamkeit. Die Freigebigkeit des sonderbaren alten Herrn *gab ihm volles Recht, gehörig zu schelten, wenn er etwas Unrechtes*

sah; die Dienstboten, welche in die allergleichgiltigste Faulheit versunken waren, fingen an, sich bei Mr. Touchwood's, aus strenger
Aufsicht und Belohnung gemischter, Methode wieder zu regen, und
der Geistliche, nur halb der Ursache dieser Verbesserungen sich bewußt, erntete den Vortheil der Bemühungen seines thätigen Freundes. Zuweilen hob er zwar wohl den Kopf auf, wenn er das
Klopfen und Hämmern der Arbeitsleute in der Nähe seines Stu-
dirzimmers hörte, und fragte, was der Lärm bedeute, der ihm hier
so lästig falle; doch, erwiederte man ihm, es geschehe auf Befehl
des Herrn Touchwood, so fuhr er, überzeugt, daß dann Alles gut
sei, ruhig in seiner Arbeit fort.

Aber selbst die Augiatische Aufgabe, das Pfarrhaus in Ordnung zu bringen, genügte der riesenhaften Thätigkeit Mr. Touchwood's nicht. Er strebte nach der Alleinherrschaft im alten Orte
St. Ronans, und wie viele Männer mit feurigem Geiste brachte er
es allerdings dahin, sich einen großen Theil der Gewalt anzueignen, welche er zu erringen trachtete. Nun erklärte er allen jenen
Aehnlichen, doch immer dauerndern nachtheiligen Dingen, welche
eine schottische Ortschaft aller Art verpesten, offenen Krieg. —
Der angeerbte Misthaufe, der seit achtzig Jahren sich vor den Fenstern der Hütte aufsammelte, ward hinter das Haus verlegt — der
zerbrochene Schubkarren oder unbrauchbar gewordene Wagen aus
dem Fußsteig geschafft — der alte Hut oder blaue Unterrock aus
dem Fenster genommen, das man damit verstopft hatte, um „den
eisigen Hauch des Winters" abzuhalten, und schönes durchsichtiges
Glas trat an die Stelle. Die Mittel, wodurch auch diese Verbesserungen bewirkt wurden, waren dieselben, welche im Pfarrhause
Wunder thaten — Geld und Ermahnungen. Wären diese letzteren allein ertheilt worden, so möchte man ihnen wohl wenig
Aufmerksamkeit gezollt haben — ja vielleicht hätten sie sogar zur
Widersetzlichkeit gereizt — aber wenn ein kleines Geschenk die an-
gerathene Verbesserung versüßte und unterstützte, drang der Rath

in der Zuhörer Herz und beseitigte gemeinhin alle ihre Einwendungen. Ueberdem herrschte eine große Meinung von dem Reichthum des Nabobs unter den Dorfbewohnern, und der Gedanke hatte
allgemein die Oberhand gewonnen, daß, wenn er auch weder Domestiken noch Equipage hielte, er das halbe Land umher sich kaufen könnte, sobald er nur Lust dazu habe. Große Postzüge,
Wagen und schöne Livreen erleichterten nur die Börsen, statt sie
schwerer zu füllen, und diejenigen, welche alles hierauf sich Bezie-
hende genau zu wissen behaupteten, sagten, daß der alte Turnpenny
und Mr. Bindloose obendrein auf Mr. Touchwood's bloßes Wort
mehr Geld zahlen würden, als wenn alle die vornehmen Herrschaf-
ten am Gesundbrunnen da unten zusammen dafür gutsagten. Eine
solche Meinung ebnete alles auf dem Wege eines Mannes, der nie
zum Geben oder Verleihen abgeneigt war; ja, daß er bei solchen
Verhandlungen keineswegs sorglos sein Interesse wahrnahm, sondern deutlich zeigte, er wisse vollkommen wohl den Werth dessen,
was er gab, zu schätzen, verringerte den Ruf seines Reichthums
durchaus nicht. Wenige also mochten sich den Launen eines wunderlichen alten Mannes widersetzen, der sowohl den Willen als die
Mittel besaß, diejenigen zu verbinden, welche geneigt waren, in
seine Grillen einzugehen; und so brachte es dieser sonderbare Fremde
im Laufe weniger Tage oder Wochen dahin, die Dorfbewohner
seinem Willen ergebener zu machen, als sie je sich gegen irgend
ein Individuum zeigten, seit ihre ehemaligen Gebieter den alten
Ort verließen. Selbst die Macht des freiherrlichen Verwalters,
obwohl der alte Micklewham dessen Amt bekleidete, war nur, im
Vergleich mit der freiwilligen Huldigung, welche die Einwohner
Mr. Touchwood zollten, als eine untergeordnete Gerichtsbarkeit
zu betrachten.

Es gab indessen auch Widerspenstige, welche sich gegen die
ihnen so aufgedrungene Autorität auflehnten, und mit der eigenthümlichen Hartnäckigkeit ihrer Landsleute sich weigerten, auf die

Worte des Fremden zu hören, ob sie zum Guten oder Bösen rathen möchten. Dieser Leute Dunghaufen ward nicht hinweg geschafft, noch die hindernden Klöße aus dem Fußpfad vor ihrem Hause entfernt. Und es geschahe, daß, indem Mr. Touchwood mit dem angestrengtesten Eifer alles Nachtheilbringende aus dem Dorfe zu verbannen strebte, er sehr nahe dabei war, das Schicksal vieler großen Reformatoren zu theilen — nämlich sein Leben durch eine jener Abscheulichkeiten zu verlieren, welche troß aller seiner Bemühungen noch immer obwalteten.

Eines Nachmittags, wo dem Nabob nach vollendetem Mittagsmahl die Zeit etwas schwerfällig den Sinn befing, und der Mond hell den herbstlichen Abend erleuchtete, erwählte er sein gewöhnliches Mittel, die Langeweile durch einen Gang nach der Pfarre zu vertreiben, weil er sicher war, daß, wenn er es nicht dahin bringen konnte, den Geistlichen in irgend einen gelehrten Streit zu verwickeln, er mindestens in der Einrichtung des Hauswesens irgend etwas zu tadeln oder anzuordnen finden würde.

Dem zu Folge hatte er die Gelegenheit wahrgenommen, der jüngsten Dienerin des Pfarrers die Nothwendigkeit, Schuhe und Strümpfe zu tragen, auseinander zu seßen, und da sein Rath von sechs Paar baumwollnen Strümpfen und zwei Paar starken ledernen Schuhen begleitet ward, sah er ihn nicht nur mit Achtung, sondern sogar mit Dank empfangen, und die freundliche Berührung ihres Kinns, welche die Vorlesung beschloß, als sie das Außenthor für Se. Gnaden aufschloß, ward mit Kichern und Erröthen erwiedert. Ja Girzy empfand Mr. Touchwood's Güte so sehr, daß sie, bemerkend, der Mond sei hinter die Wolken gegangen, sich sehr sorglich anbot, ihn mit einer Laterne bis zur Teufelsfalle zu begleiten, da ihm doch auf dem Wege irgend etwas Uebles zustoßen könnte. Aber des Reisenden unterwürfiger Geist verachtete es, solche Warnungen zu beachten, und nachdem er ihr kurz versicherte, er hätte die Straßen von Paris und Madrid ganze Nächte ohne solche Beihülfe durchwandert, schlug er muthig den Rückweg nach seiner Wohnung ein.

Doch ein Zufall traf ihn, der, wenn man die Polizei-Anstalten zu Paris und Madrid nicht fälschlich verleumdet, in jenen beiden glänzenden Hauptstädten sich eben so leicht hätte ereignen können, als in dem elenden alten Ort von St. Ronans. — Vor der Thüre Saunder Jaups, eines der etwas bedeutenderen Dorfbewohner, „der seine Äcker zinsfrei erhielt und sich den Henker um irgend Jemand bekümmerte," breitete sich gähnend ein übelriechender, schmutzerfüllter Schlund, im schottischen die Wassergrube genannt, mit andern Worten eine Cloake aus. Mr. Touchwood kannte sehr wohl die örtliche Lage dieses Schmutzbehältnisses; denn eben Saunders Jaup stand an der Spitze aller derjenigen, welche immer noch den Gewohnheiten ihrer Voreltern anhingen, und jene alten unreinlichen Gebräuche fortsetzten, welche unser Reisender an so manchem Punkte zu besiegen vermochte. Durch sein Geruchsorgan geführt, machte er also einen weiten Umweg, der Gefahr und Unannehmlichkeit auszuweichen, womit die zu große Nähe dieser lothigen Pfütze ihn bedrohte, und fiel auf diese Art, indem er die Charybdis zu vermeiden dachte, der Scylla anheim. Ohne Metapher, er gerieth so nah an das Ufer des kleinen Flusses, der hier zwischen dem Fuß- und Fahrweg lhinab strömte, daß er ausgleitete und etwa drei bis vier Fuß hoch in den Kanal des Flüßchens fiel. Man glaubte zwar, daß das Geräusch seines Falles, oder mindestens sein Hülferuf, in dem Hause Saunders Jaups hätte gehört werden müssen; aber der ehrliche Mann war, wie er späterhin versicherte, eben damals mit seinem Abendgottesdienst beschäftigt, eine Entschuldigung, welche für giltig angesehen zu werden pflegte, obwohl Saunders im Geheimen sich verlauten ließ, daß die Stadt vielleicht nur um so ruhiger gewesen sein würde, „wenn der alte, seine Nase in Alles mischende Bursche in dem Brand Ein- für Allemal zum Schweigen gebracht worden wäre."

Aber gütiger sorgte das Geschick für den armen Touchwood, dessen Schwächen, da sie aus den vortrefflichsten Eigenschaften entsprangen, gar wenig ein so böses Verhängniß verdient hätten. Ein vorübergehender, der ihn um Hülfe rufen hörte, nahte sich vorsichtig dem Ufer, von dem er herabgefallen war, und nachdem er sich sorgfältig, als die Dunkelheit es erlaubte, mit der örtlichen Lage bekannt gemacht hatte, gelang es ihm endlich, obwohl nicht ohne Anstrengung, ihm aus dem tiefen Bette des Waldbaches aufzuhelfen.

„Sind Sie ernstlich beschädigt?" fragte dieser gute Samariter den Gegenstand seiner Sorgfalt.

„Nein, nein — verdammt — nicht sehr!" entgegnete Touchwood höchst ärgerlich über seinen Unfall und dessen Veranlassung; denken Sie, daß ich, der ich auf dem Berge Athos war, dessen Abgrund tausend Fuß bis zur Meeresfläche beträgt, mir das Geringste aus einem Falle, wie dieser hier, mache?"

Doch wankte er sichtlich, indem er diese Worte sprach, und sein unendlicher Helfer ergriff vorsichtig seinen Arm, daß er nicht fallen möge, sagend:

„Ich fürchte, Sie haben sich mehr Schaden zugefügt, als Sie ahnten; erlauben Sie mir daher, Sie nach Ihrer Wohnung zu begleiten."

„Von ganzem Herzen!" entgegnete Touchwood; „denn wenn es auch eigentlich unmöglich ist, daß ich bei einer so erbärmlichen Kleinigkeit des Beistandes bedürfen könnte, so bin ich Ihnen, mein Freund, darum nicht weniger verbunden; ist also die Schenke zur Teufelsfalle Ihnen nicht zu sehr aus dem Wege, will ich bis dahin mich ihres Armes bedienen, und Ihnen noch dazu viel Dank dafür sagen."

„Sehr gern steht er ihnen zu Dienst, da ich in der That dort zur Nacht bleiben wollte," erwiederte der Fremde.

„Das freut mich sehr," rief Touchwood; „Sie sollen mein

Gaſt ſein, und ich will dafür ſorgen, daß man Sie geziemend be=
diene. Sie ſcheinen mir ein ſehr höflicher junger Menſch, und
Ihr Arm leiſtet mir wahrhaftig gute Dienſte — es iſt mein
Rheuma, das mich ſo mühſam auftreten läßt — dieſe Peſt, die
alle Diejenigen befällt, welche, an heißeres Clima gewöhnt, ſich
unter dieſen verdammten Nebeln anſiedeln."

„Stützen Sie ſich ſo feſt, und gehen Sie ſo langſam als Sie
Luſt haben," ſagte ſein gutmeinender Führer — „dieß iſt hier eine
holprige Straße."

„Ja, Sir; und weßhalb iſt ſie ſo holprig? Nur weil der alte
eſelköpfige Narr, Saunders Jaup, nicht zugeben will, daß man ſie
ebne. Da ſitzt der Kerl, Sir, und verhindert alle vernünftigen
Verbeſſerungen; und wenn man nicht in ſeinem hölliſchen ſtinken=
den Cloak verſinken und ſo ſich ſelbſt und Andern zum Abſcheu
auf's ganze Leben werden will, ſo geräth man, wie ich an dieſem
Abende, in Gefahr, ſich den Hals zu brechen."

„Ich fürchte, Sir, Sie haben doch das ſchlimmſte Theil ge=
troffen; Sie erinnern ſich wohl des Sprichworts Swifts: Je mehr
Schmutz, je geringer die Gefahr!"

„Aber warum ſoll denn überhaupt an irgend einem wohlge
ordneten Platze Gefahr oder Schmutz vorhanden ſein? Warum ſo
man in einem Flecken, wie dieſer hier, nicht im Stande ſein, au
zur Nachtzeit ſeinen Geſchäften nachzugehen, ohne der Naſe od
dem Nacken Nachtheil zu bringen? — Unſere ſchottiſchen Ma
ſtratsbehörden ſind gar nichts werth, Sir, gar nichts — ach w
man jetzt einen türkiſchen Kaſchi zur Stelle hätte, den Schuft
züchtigen — oder den Bürgermeiſter von Calcutta, ihn vor
Gericht zu ziehen — oder ſelbſt auch nur einen engliſchen Fried
richter, wie man ſie neuerlich der Kommiſſion einverleibte, ſie
den alle ſeine nachtheiligen Mißbräuche abſchaffen und ihn
obendrein zur Strafe ziehen. Aber da ſind wir — dieß
Schenke zur Teufelsfalle. — Holla — Hillva! — Jane

fon — Hausmädchen Suffie! — Bootsjunge! — Miſtreß Dods! Seid ihr Alle eingeſchlafen oder todt?   Ich bin faſt ermordet worden, und ihr laßt mich hier ſchreiend am Thore ſtehen!"

Jane Anderſon erſchien mit einem Lichte, und auch das Hausmädchen Suffie that ein Gleiches — aber kaum fiel ihr Blick auf das Paar, welches in dem Portal unter dem hin und her ſchwankenden ungeheuern Schilde ſtand, als Suffie laut aufſchrie, ihr Licht hinweg warf, obwohl es den vierten Theil eines Pfundes ausmachte und in einem neu lackirten Leuchter ſteckte, und ſchnell nach einer Seite entfloh, während Jane Anderſon ihr Geſchrei eben ſo laut wiederholend, das Licht, wie eine Bacchantin ihre Fackel, um den Kopf ſchwang, und in entgegengeſetzter Richtung enteilte.

„Ach — ich muß einen furchtbar blutigen Anblick gewähren!" ſagte Mr. Touchwood, indem er ſich gewichtiger auf ſeines Gehülfen Schulter ſinken ließ und ſein Geſicht abwiſchte, von dem die Tropfen hernieder rannen.   „Ich glaubte nicht, daß ich ſo ſehr beſchädigt wäre; aber jetzt fühlte ich erſt meine Schwäche. — Ich muß viel Blut verloren haben."

„Ich hoffe, Sie ſind dennoch im Irrthum," ſagte der Fremde; „aber hier dieſer Weg führt zur Küche, dort werden wir Licht finden, da es Niemand für gut hält, uns welches zu bringen."

Er führte den alten Herrn in die Küche, wo eine Lampe und ein helles Feuer brannte, bei deren Scheine ſie leicht entdecken konnten, daß jenes muthmaßliche Blut nur Waſſer aus dem Flüßchen, und zwar freilich eben nicht das reinſte war, obwohl der arme Leidende es etwas mehr abwärts noch viel ſchlimmer hätte treffen können, weil dort der Ueberfluß der mannhaft behaupteten Freiheitwehr Saunders Jaups ſich in den Bach ergoß.

Durch ſeines Freundes Verſicherungen, daß es ſich ſo und nicht anders verhalte, neu belebt, ermunterte ſich der alte Herr ein wenig, und ſein Gefährte, gern bereit, ihm jeden Dienſt zu leiſten, nahte ſich der Küchenthüre, ein Waſchbecken und Waſſer zu begeh-

ren. Eben als er diese öffnen wollte, hörte man Mistreß Dods
Stimme, indem sie die Treppe herabstieg, in einem zwar zürnenden, und so ihr keinesweges uneigenthümlichen Ton erschallen, doch
mischten sich zugleich einige bebende Laute des Entsetzens deutlich
genug darein.

„Müßige Faulenzerinnen — einfältige Schlampen   Ich
stehe dafür, keine von euch wird etwas Schlimmeres erblicken, als
euch selbst, ihr albernen Trinen!   Ein Geist, wahrhaftig?
Ich wette, es ist irgend solch' eine nichtsnutzige Art von Schuft
vom Gesundbrunnen her, der mit keinem ehrlichen Gesuch hier bei
euch sich einschließen will. — Ein Geist, wahrhaftig! — Haltet
das Licht in die Höhe, John Ostler! — Ich stehe dafür, der Geist
hat zwei Hände, und die Thür blieb der Mauserei geöffnet! —
Es ist Jemand in der Küche — geht mit der Laterne voran, John
Ostler!"

In diesem kritischen Augenblicke eröffnete der Fremde die Thür
der Küche, und erblickte Dame Dods, welche an der Spitze ihrer
Haustruppen anrückte.. Der Hausknecht und der bucklige Postillon, der eine die Stalllaterne und eine Heugabel tragend, der andere, ein Binsenlicht und einen Besen führend, bildeten die Vorhut; Mistreß Dods mit hoch geschwungener Feuerzange, laut
redend, war das Centrum, während die beiden Mädchen, Truppen
gleich, denen man nach ihrer kürzlich erlittenen Niederlage nicht
recht traut, ihr als deckende Hinterwacht folgten. Aber trotz dieser bewundernswürdigen Einrichtung hatte der Fremde kaum sein
Angesicht gezeigt, und Mistreß Dods ausgesprochen, als ein pani-
scher Schrecken die ganze Schlachtordnung ergriff. Die Vorhut
warf sich in der Verwirrung auf das Centrum zurück, und der
Hausknecht lief Mistreß Dods ganz über den Haufen, während sie,
entsetzt mit ihm ringend, sich an seinen Ohren und Haaren festzuhalten strebte, und Beide sich zu einem gellend brüllenden Chor
vereinten. Die beiden Mädchen ergriffen auf's Neue die Flucht,

und liefen davon, sich in ihre finstere Höhle, sonst auch ihre Schlaf-
kammer genannt, zu verbergen, während der bucklige Postillon
mit Windeseile in den Stall flog, und aus handwerksmäßigem
Instinkt in seinem äußersten Schrecken ein Pferd zu satteln begann.

Der Gast, der allen diesen Lärmen erregte, riß indeß den brüllenden Hausknecht von Mistreß Dods hinweg, und ihn mit einem
kräftigen Schlag auf die Schulter zur Seite stoßend, bemühte er
sich, die an der Erde liegende Gastwirthin aufzuheben und ihr
Muth einzusprechen, indem er zugleich fragte, „was in des Teufels Namen denn diese unsinnige Verwirrung veranlassen konnte?"

Die Matrone, mit fest zugekniffenen Augen, aber selbst in diesem furchtbaren Entsetzen noch immer zänkischer Laune, erwiederte:
„Und was in des Himmels Namen ist denn wohl Euer Grund,
daß Ihr hieher kommt, in einem anständigen Hause Schrecken zu
verbreiten, wo Ihr nichts als die größte Höflichkeit genossen
habt?"

„Und weßhalb erschrecken Sie vor mir, Mistreß Dods? oder
mit einem Worte, was soll all' diese unsinnige Furcht bedeuten?"

Ein wenig die Augen eröffnend, während er sprach, erwiederte
Mistreß Dods: „Seid Ihr nicht der Geist Francis Tyrrels?"

„Ohne Frage bin ich Francis Tyrrel, meine alte Freundin."

„Ich wußte es! ich erkannte ihn!" rief die ehrliche Frau, in
ihr Entsetzen zurückfallend. „Doch ich sollte denken, Ihr müßtet
Euch über Euch selbst schämen, daß Ihr als ein Geist nichts Besseres zu thun wißt, als eine arme Gastwirthin zu erschrecken."

„Auf mein Wort, ich bin kein Geist; nein, ein wahrhaft
lebender Mann."

„So wurdet Ihr also nicht ermordet?" fragte Mistreß Dods
noch immer mit ungewisser Stimme und nur halb die Augen öffnend, „seid Ihr wohl ganz gewiß, daß Ihr nicht ermordet
wurdet?"

„Nicht daß ich jemals Etwas davon erfahren hätte, liebe Frau," entgegnete Tyrrel.

„Aber ich werde jetzt ermordet werden," rief der alte Touchwood aus der Küche, wo er bis jetzt einen stummen Zuhörer dieser sonderbaren Scene abgab. „Ich werde ermordet werden, wenn Sie mir nicht sogleich etwas Wasser verschaffen."

„Komme schon, Sir, komme schon!" erwiederte Dame Dobs, welcher diese ihrer Handthierung eigenthümliche Redensart eben so geläufig war, als dem armen Franziskaner sein ,sogleich, sogleich, Sir!' Sich jetzt völlig erholend und einen festen Blick auf Tyrrel werfend, fuhr sie fort: „So wahr ich durch ehrliche Rechnungen mein Brod verdiene, ich glaube, Mr. Francis, Sie sind es dennoch selbst in Fleisch und Blut. Nun sehe mir Einer, ob ich nicht Recht hatte, den beiden einfältigen Dirnen einen tüchtigen Wischer zu geben, die mir Sie da zum Kobold und mich selbst zur Närrin machen wollten. — Ein Geist! — Nun gewiß, ich will euch begeistern! — Richteten sie die Gedanken immer so emsig auf ihre Arbeit wie auf ihre Thorheiten, würden sie nicht solche boshafte Streiche ausführen! — Geister! wer hörte je Etwas von Geistern in einem anständigen Hause? — Wer ein reines Gewissen hat, braucht keinen Kobold zu scheuen! Aber trotz alledem bin ich sehr glücklich, daß Mac Turk Sie nicht ermordet hat, Mr. Francis!"

„Hierher endlich, Mutter Dobs, wenn ich kein Unglück anrichten soll!" rief Touchwood, eine Schüssel vom Ständer nehmend, als wolle er sie der Gastwirthin an den Kopf werfen, ihre Aufmerksamkeit zu erwecken.

„Um des Himmels willen, werft sie nicht entzwei!" rief die beunruhigte Wirthin, wohl wissend, daß Touchwood's Ungeduld sich zuweilen auf Kosten ihres Geschirres Bahn machte, obwohl er es nachher freigebig ersetzte. „Mein Gott, Sir, sind Sie nicht bei Sinnen? — Sie wissen ja, es würde ein ganzes Service zerstören! — Um des Himmels willen, setzen Sie das chinesische Porcellan weg, und versuchen Sie sich meinetwegen an dem Fayance! — es wird eben so gut klimpern und klappern! — Aber Gott behüte uns! jetzt, da ich Sie näher betrachte, was kann Ihnen nur geschehen sein, in welches Ungemach sind Sie denn gerathen? — Warten Sie nur, bis ich Wasser und ein Handtuch hole!"

Jetzt überstieg die Theilnahme, welches ihres Gastes jämmerliches Aussehen erregte, selbst die Neugierde Mistreß Dods, nach dem bisherigen Ergehen ihres frühern Bekannten zu forschen, und sie weihte alle ihre Aufmerksamkeit ausschließend dem Mr. Touchwood, während sie ihm unter mancherlei Ausrufungen bei seinen Abwaschungen und Reinigung der Kleider dienstfertig beistand. Die beiden flüchtigen Dienerinnen hatten sich nun auch wieder in der Küche eingefunden, und bestrebten sich durch eifrige Bemühungen um Mr. Touchwood ein heimliches Lachen zu unterdrücken, welches die Erinnerung an das Entsetzen ihrer Gebieterin oft wieder erregt. Endlich wurden durch Waschen und Abwischen die Spuren des Schmutzes glücklich verdrängt, und der Veteran räumte allmählig, doch immer noch etwas zögernd ein, daß es besser wäre, mehr erschreckt und beschmutzt, als wirklich beschädigt zu sein.

Tyrrel betrachtete ihn indessen mit großer Verwunderung, denn es schien ihm, als ob diese Züge, je mehr sie aus der verhüllenden Maske des Moders hervortraten, einem alten Freunde zugehörten. Nachdem die Operation beendet war, konnte er es sich nicht versagen, Mr. Touchwood zu fragen, ob er nicht das Vergnügen habe, einen Freund vor sich zu sehen, dem er in Smyrna für einige freundliche Dienste in Geldangelegenheiten verpflichtet worden sei?

„Nicht der Mühe werth davon zu sprechen, Sir — gar nicht der Mühe werth!" entgegnete Touchwood. „Aber ich freue mich Sie zu sehen — recht sehr freue ich mich. — Ja hier bin ich nun auch, und Sie werden mich noch als eben den gutmüthigen Narren finden, der ich in Smyrna war — niemals darauf sehend, wie ich.

das Geld wieder bekomme — und dennoch stets es ausleihend. Es war einmal meine Prädestination, wie die Türken sagen. — Ich gehe jetzt hinauf mich umzukleiden. Sie speisen mit mir zu Abend, wenn ich wiederkehre. — Mistreß Dods wird uns Etwas zubereiten; geschmortes Federwildpret wird das Beste sein, mit Champignons, denke ich; und dann machen Sie uns eine Bowle Glühwein, um mir die Erinnerung an die verwünschte Cloake des alten Presbyterianers aus dem Sinne zu bringen."

Mit diesen Worten begab sich der Reisende nach seinem Zimmer im obern Stockwerk, und Tyrrel, ein Licht ergreifend, wollte ein Gleiches thun. Er sagte:

„Vermuthlich bewohnt Mr. Touchwood das blaue Zimmer, Mistreß Dods; ich setze voraus, daß ich ja wohl das gelbe einnehmen kann?"

„Setzen Sie gar nichts darüber voraus, Mr. Francie Tirl, bis Sie mir klar und deutlich auseinander gesetzt haben, wo Sie diese ganze Zeit her gewesen sind, und ob Sie ermordet wurden oder nicht?"

„Ich dächte, über das Letzte könnte Ihnen kein Zweifel bleiben, Mistreß Dods?"

„Wohl wahr. Auch hege ich in einem Sinne wohl keinen, und doch erregt es mir Schauder, wenn ich Sie anblicke, da ich seit so vielen Tagen und Wochen glaubte, Sie moderten irgendwo im Staube! — Und nun sehe ich Sie da frisch und gesund vor mir stehen, und wie ein anderer Mensch nach einer Schlafstube verlangen."

„Fast sollte man denken, meine gute Freundin," sagte Tyrrel, „daß Sie mich ungern lebendig wiederkehren sehen."

Mistreß Dods, die eine besondere Geschicklichkeit darin besaß, das, was sie ihre gerechten Beschwerden nannte, weitläuftig auseinander zu setzen, erwiederte: „Davon ist hier nicht die Rede; aber ein wunderliches Ding bleibt es dennoch, daß ein anständiger

Mann, wie Sie, Mr. Tyrrel, sein Quartier verläßt, ohne ein Wort
davon zu erwähnen, und mich in all' die Plagen stürzt, Ihren
todten Körper aufzusuchen, ja fast meine Geschäfte dem Herrn
Bindloose wegzunehmen, blos weil er die Hexenstreiche von Ihres
Gleichen besser als ich zu beurtheilen versteht. — Und dann haben sie da unten am Gesundbrunnen eine Bekanntmachung an-
geschlagen, die Sie, Mr. Francie, als einen der größten ungehan-
genen Schelme schildert; und wer glauben Sie denn, wird Sie
in einem ehrlichen Hause aufnehmen, wenn Ihnen solch' ein Titel
gebührt?"

"Ueberlassen Sie mir das nur ganz ruhig, Mistreß Dods. —
Ich verspreche Ihnen, jene Geschichte soll ganz zu Ihrer Zufriedenheit ausgeglichen werden. Auch denke ich, wir kennen uns lange genug,
daß Sie mein einfaches Wort zum Bürgen annehmen können, daß
ich des Schutzes Ihres Daches auf eine einzige Nacht nicht unwerth
sein kann; und ich begehre ihn nicht länger, bevor mein Ruf vollkommen gereinigt ist. Eben dieser Vorsatz führte mich hauptsächlich wieder hieher zurück."

"Führte Sie wieder hieher zurück?" fragte Mistreß Dods.
"Ich gestehe es, Mr. Tyrrel, Sie setzen mich wieder in Furcht!
Doch ich denke," setzte sie, sich zum Scherz zwingend, hinzu, "wären Sie ein Geist, so würden Sie, da wir so alte Bekannte sind,
es nicht wünschen, mir meinen Erwerb zu verderben, sondern Sie
würden sich hübsch anständig da nach dem alten Schlosse oder meinetwegen auch nach der Kirche begeben. Gar furchtbare Dinge
sind ohnehin in jener Kirche und auf dem Kirchhofe geschehen.
Ich würde es nicht lieben, den Weg dahin zu wählen, Mr.
Francis!"

"Ich stimme ganz mit Ihnen überein, Mistreß!" entgegnete
Tyrrel mit einem Seufzen; "auch gleiche ich in der That den
Geistern, von denen Sie sprechen; denn wie sie, und mit eben so
geringem Nutzen, schreite ich über den Schauplatz meines vergange-

nen Glückes dahin. Doch ich spreche in Räthseln, Mistreß Dods
— die eigentliche einfache Wahrheit ist, daß mir damals, als ich
Ihr Haus verließ, ein böser Zufall begegnete, dessen Folgen
mich in einiger Entfernung von St. Ronans bis auf den heutigen
Tag festhielten."

„Ei, Sir, und Sie ersparten sich die Mühe, mir ein kleines
Zettelchen zu schreiben, oder eine kurze Botschaft zu senden? —
Sie hätten es sich doch denken können, daß die Leute sich genug
um Sie quälen würden, ohne noch einmal der unternommenen
Reise zu gedenken, und des Geldes, die Leute zu miethen, Ihren
Körper aufzusuchen."

„Ich werde gern alle vernünftige Auslagen berichtigen, die
mein Verschwinden verursacht haben kann," entgegnete Tyrrel,
„und ich betheure Ihnen ein= für allemal, daß mein ruhiges Verweilen zu Marchtown, theils aus Krankheit, theils aus dringend
nothwendigen und besondern Geschäften herrührte."

„Zu Marchtown?" rief Mißreß Dods aus. „Hat man je
etwas Aehnliches gehört? — Und wo steckten Sie denn in Marchtown? wenn man so kühn sein darf, darnach zu fragen."

„Im schwarzen Stier."

„Ah, bei dem alten Tam Lawries, ein sehr anständiger Mann,
der Tames. — Auch ein stilles Haus von gutem Rufe — keins
von Euern lumpigen Windmachereien — ich freue mich, Nachbar,
daß Ihr solch' ein gutes Quartier erwählet; denn nachgerade fange
ich an zu denken, Ihr seid nur ein Bischen verdreht — Ihr seht
zwar aus, als könntet Ihr kein Kind betrüben, doch bin ich gut
dafür, Ihr steht Euern Mann. Aber jetzt geht nur immerhin da
in die Wohnstube, denn es scheint mir, mehr werde ich Euch doch
nicht abpressen, und Ihr steht mir hier gerade im Wege, da ich
das Abendbrod anrichten soll."

Tyrrel, zufrieden, dem Examen zu entgehen, welchem die
Neugierde der Gastwirthin ihn ohne Umstände unterworfen hatte,

trat in die Wohnstube, wo sich so eben Mr. Touchwood neu gekleidet und bei sehr guter Laune einfand.

„Da kömmt unser Abendbrod!" rief der alte Herr aus. —
„Setzen Sie sich, und lassen Sie uns sehen, was Mistreß Dods
uns bereitet hat. — Ich erkläre, Mistreß, Ihr Glühwein ist ganz
vortrefflich; aber er ist immer so, seit ich Sie lehrte, die Gewürze
in dem rechten Verhältnisse hinein zu thun."

„Ich freue mich, Sir, daß Ihnen der Glühwein schmeckt —
aber ich denke, ich verstand ihn zu bereiten, noch ehe ich Ew. Gnaden sah. — Mr. Tyrrel kann das bezeugen, denn mehr als eine
Bowle habe ich für ihn und den jungen Burschen, den Valentin
Bulmer, ehemals angefertigt."

Diese übel angebrachte Bemerkung entlockte Tyrrel einen tiefen
Seufzer; aber der Reisende, seinen eignen Gedanken allein folgend,
schien seine Bewegung nicht zu bemerken. Er fuhr fort:

„Sie sind eine sehr eingebildete alte Frau! Wie zum Teufel
möchten Sie wohl die passende Mischung der Gewürze so gut kennen, als Jemand, der in dem Lande war, wo sie wachsen. Ich
habe den Sonnenstrahl die Muskatennuß und Gewürznelke reifen
sehen, und hier kann er kaum mit einer Erbsenschote fertig werden,
beim Jupiter! Ach Tyrrel, welche lustige Nächte verlebten wir zu
Smyrna! Seht, ich denke, der Schinken und der gute Wein
schmeckt stets da am besten, wo die Leute sie als sündliche Genüsse
betrachten. Was gilt's, mancher Moslem ist wohl derselben
Meinung eben jenes Verbot ihres Propheten verleiht dem
Schinken einen Wohlgeschmack und dem cyprischen Rebensaft süßen
Duft. — Erinnern Sie sich des alten Cogia Haffein mit seinem
grünen Turban? — Ich spielte ihm einmal den lustigen Streich,
ein Nößel Branntwein in seinen Scherbet zu thun. Nun sehen
Sie, der alte Bursche hütete sich sorgfältig, die kleinste Ahnung
davon zu verrathen, bis er die Flasche gänzlich ausgeleert hatte,
und dann streichelte er ernsthaft seinen langen weißen Bart und

sagte: „Ullah Kerim!" das heißt nämlich, Mistreß Dods, „der Himmel ist barmherzig!" Herr Tyrrel versteht den Sinn jenes Aus-
drucks. Ullah Kerim! rief er, nachdem er vier Maaß Brannt-
wein=Punsch getrunken hatte. Ullah Kerim! sagte der heuch-
lerische alte Spitzbube, als hätte er die rühmlichste That voll-
bracht."

Und weßhalb sollte er denn das nicht?" fragte Mistreß
Dods. „Weßhalb sollte ein Mann nicht einen Segensspruch
nach seinem starken Punsch aussprechen? Ich meine, das wäre
viel besser, als wenn man lärmt, flucht und schwört, gerade als
ob die Leute nicht dankbar für die körperlichen Stärkungen sein
sollten."

„Recht und gut gesagt, Mistreß Dods, das ist einer echten
Gastwirthin sehr richtiger Grundsatz, und wäre der Mistreß Quick-
ley in eigener Person würdig. Hier dieß Glas auf Ihr Wohl!
Ich bitte Sie, mir freundlich Bescheid zu thun, ehe Sie das Zimmer verlassen."

„Nein, heute Abend will ich Niemand mehr Bescheid thun, Mr.
Touchwood; denn von all' dem Schrecken und Entsetzen von vorher und dem kleinen Kostschlückchen, das ich von dem Glühwein
versuchte, ist mir der Kopf schon hinreichend beschwert. Mr.
Tyrrel, die gelbe Stube steht für Sie in Bereitschaft, wenn es
Ihnen gefällig sein wird; aber meine Herren, da morgen Sonntag
ist, kann ich die Trinen, die Mägde, nicht länger aus dem Bette
lassen, auf Sie zu warten, denn sie würden es sonst zur Entschuldigung nehmen, um am Tage des Herrn bis acht Uhr liegen zu
bleiben. Wenn also Ihr Glühwein aus ist, so werden Sie mich
sehr verbinden, wenn Sie Ihre Nachtlichter anzünden, die gegosse-
nen Kerzen auslöschen, und sich selbst in Ihre Schlafstuben leuchten wollen; denn anständige Leute, wie Sie Beide, müssen ein
hübsch ordentliches Beispiel geben. — Damit wünsche ich Ihnen
eine gute Nacht."

„Meiner Treu," sagte Touchwood, als sie sich entfernt hatte,
„unsere Dame wird so widerspenstig, als ein Pascha mit drei Roß=
schweifen. — Wir haben indessen ihre gnädige Erlaubniß erhalten,
unsere Bowle zu leeren; also dieß Glas wieder auf Ihre Gesund=
heit, Mr. Tyrrel, es soll Ihnen ein herzliches Willkommen im
Vaterlande zurufen."

„Ich danke, Mr. Touchwood, und weihe Ihnen gleiche Wünsche,
die sich, wie ich aufrichtig hoffe, einer bei weitem größeren Wahr=
scheinlichkeit der Erfüllung schmeicheln können. — Sie unterstützten
mich, Sir, als die Niederträchtigkeit eines Bevollmächtigten, gewiß
auf Veranlassung eines eben so thätigen als wachsamen Feindes,
mich auf einige Zeit in Geldverlegenheit setzte. — Um mich min=
destens des zahlbaren Theils meiner Verpflichtungen zu entledigen,
machte ich Rimessen an das Haus, womit Sie in Handelsverbin=
dung standen. Aber man schickte die Papiere zurück, weil Sie, wie
man angab, Smyrna verlassen hätten."

„Sehr wahr — ganz richtig! — Smyrna habe ich verlassen
und bin hier in Schottland.   Was die Wechsel anbetrifft, davon
sprechen wir ein Andermal — bin Ihnen ja ohnehin Etwas schul=
dig, daß Sie mich aus dem Kanal herauszogen!"

„Deßhalb werde ich Ihnen keinen Abzug machen," entgegnete
Tyrrel trüb lächelnd, „und ich bitte Sie, mich nicht falsch zu ver=
stehen.   Die Verlegenheiten, in welchen Sie mich zu Smyrna
sahen, waren ganz vorübergehend. — Ich bin vollkommen willig
und fähig meine Schuld abzutragen und erlauben Sie mir hinzu=
zusetzen, daß ich es eben so sehr wünsche."

„Zu einer andern Zeit — ein anderes Mal — wir haben
noch Zeit genug dazu, Mr. Tyrrel — überdem zu Smyrna, da
sprachen Sie von einem Prozeß — die Justiz verzehrt gern
das Geld, Mr. Tyrrel — kein Advokat leidet, daß zu viel in der
Börse bleibt."

„Ich bin vollkommen zu den Kosten meines Prozesses eingerichtet.“

„Aber haben Sie tüchtigen Rath gefunden? — Haben Sie
wirklich guten Rath erhalten? — Beantworten Sie mir die
Frage nur.“

„Ich habe mich mit meinen Rechtsfreunden berathen,“ entgegnete Tyrrel, innerlich unzufrieden, zu sehen, daß sein Freund
die frühere Großmuth zum Vorwande benußte, tiefer in seine Angelegenheiten zu dringen, als er es geziemend oder höflich fand.

„Mit Ihren rechtsgelehrten Advokaten, mein guter Junge? —
Ei, Sie sollten sich viel lieber mit irgend einem greiften Manne,
der Welt und Menschen kennt, berathen; — so Einem, der zweimal so lange lebte, als Sie, und vielleicht sich sogar nach einem
jungen Burschen umsieht, dem er ein wenig Gutes erzeigen kann
— Einem, der bereit sein möchte, Ihnen weiter zu helfen, als ich
es jetzt vorauszusehen vermag —; denn sehen Sie, von Ihren
Rechtsgelehrten da erhalten Sie nur akkurat Ihres Geldes Werth
zurück, nicht einmal so viel, wie der Bäcker in den Kauf gibt, drei-
zehn für's Dutzend.“

„Ich glaube, ich brauchte den Freund, welchen Sie eben schilderten, nicht sehr fern zu suchen,“ entgegnete Tyrrel, der nicht den
Schein annehmen konnte, als verstände er des alten Herrn Absicht
nicht, „wenn ich mich in der Nähe Mr. Peregrines Touchwood befinde; die Wahrheit ist aber, daß meine Angelegenheiten jetzt so
eng mit denen anderer Personen verwebt sind, deren Geheimnisse
zu enthüllen ich kein Recht habe, daß ich mich des Vortheils begeben muß, Sie oder irgend einen andern Freund zu Rathe zu ziehen.
Sehr möglich ist's, daß ich mich bald gezwungen sehe, dieser Zurückhaltung zu entsagen, um mich vor der ganzen Welt zu
rechtfertigen. Gewiß werde ich, wann dieser Zeitpunkt erscheint,
nicht verfehlen, mich ganz zuerst vertraulich mit Ihnen zu berathen,“

„Das ist recht — vertraulich — das ist das wahre Wort ·Niemand hat es je bereut, der mich zum Vertrauten erwählte. — Ueberlegen Sie nur, was der Pascha alles hätte bewirken können, wenn er meinem Rathe gefolgt, und durch die Landenge von Suez hervorgebrochen wäre! — Türken und Christen, Männer von allen Gegenden und Sprachen pflegten den Rath des alten Touchwood einzuholen, sei es über den Bau einer Moschee bis zu dem richtigen Stand der Agio hin. — Doch nun kommt; gute Nacht — gute Nacht!"

Damit zündete er sein Nachtlicht an, und eine der Kerzen, die auf dem Tische standen, auslöschend, winkte er Tyrrel zu, ebenfalls die ihm von Mistreß Dods übertragene Pflicht mit gleicher Pünktlichkeit zu erfüllen, worauf sich Beide mit sehr verschiedenen Meinungen von einander nach ihren Gemächern begaben.

„Ein lästiger, fragsüchtiger, alter Mann!" dachte Tyrrel. Ich erinnere mich, daß er kaum der Bastonade zu Smyrna entging, weil er dem türkischen Kadi seinen Rath aufdringen wollte — und doch geben ihm die großen Verbindlichkeiten, die ich ihm schuldig bin, eine Art von Recht, mich zu langweilen. — Gut, ich muß seiner kecken Zudringlichkeit, so gut ich es vermag, ausweichen."

„Ein scheuer Vogel, dieser Frank Tyrrel," dachte der Reisende; — „ein echter Schlaukopf! — Aber es thut nichts, ich will ihn ausspüren, wollte er mir auch in die Kreuz und Quer springen, wie der listige Fuchs. — Ich bin entschlossen, seine Angelegenheiten zu den Meinigen zu machen, und wenn ich ihn nicht durchbringen kann, so weiß ich nicht, wem es gelingen sollte."

Mit diesem menschenfreundlichen Entschlusse warf sich Mr. Touchwood in's Bette, welches glücklicherweise sich genau in dem rechten Verhältniß senkrecht neigte, und bereitete sich voll hoher Selbstzufriedenheit zum sanften Schlummer.

Neunundzwanzigstes Kapitel.

Vermittlung.

Und nun von hinnen!
Erwied'rung soll uns jetzt nicht stören.
Wir bieten viel — Drum überlegt es wohl!
Heinrich IV.

Tyrrel hatte den Vorsatz gefaßt, früh aufzustehen und zu frühstücken, um Mr. Touchwood zu vermeiden, da er eine Angelegenheit abzumachen hatte, bei welcher die Einmischung dieses dienstfertigen Mannes leicht etwas lästig sein konnte. Er wußte, daß sein Ruf auf dem Gesundbrunnen auf das Alleröffentlichste angegriffen worden war, und ebenso öffentliche Genugthuung war er entschlossen zu fordern, vollkommen überzeugt, daß, welche wichtige Angelegenheit ihn auch nach Schottland führen mochte, sie doch nothwendig der Rechtfertigung seiner Ehre nachsehen müsse.

Er war demnach entschlossen, nach dem Gesundbrunnen herab zu gehen, wenn die Gesellschaft zum Frühstück versammelt sei, und ergriff so eben seinen Hut, als Mistreß Dods eintrat, und meldend, „daß ein Herr nach ihm forsche," einen sehr modischen jungen Mann einführte, der einen militärischen Ueberrock, reich mit seidenen Schnüren und Pelzwerk besetzt, und eine Reisemütze trug; eine Kleidung, die jetzt zu allgemein ist, um ausgezeichnet zu sein, doch damals nur von den Genies erster Klasse getragen wurde. Der Fremde hatte weder eine schöne, noch offene Physiognomie, aber sein Aeußeres zeigte große Anmaßung und jene kaltblütige leichte Art von Ueberlegenheit, welche die feine Lebensart ertheilt. Er schien Tyrrel einen Augenblick prüfend zu messen, und da sein Aeußeres vielleicht dem sehr unähnlich war, welches er nach dem Lokal der Schenke zur Teufelsfalle erwartete, so stimmte er die hohe Miene ein wenig herab, mit welcher er in das Zimmer trat,

und kündigte sich mit Höflichkeit (indem er Tyrrel seine Karte dar-
reichte) als Hauptmann Jekyl von der Garde an, hinzusetzend, „er
vermuthe, daß er mit Mr. Martigny spreche?"

Sich ernst aufrichtend, erwiederte Tyrrel: „Mit Mr. Francis
Tyrrel, Sir. Meiner Mutter Familienname war Martigny —
ich habe ihn niemals geführt."

„Ich bin hier nicht erschienen, über diesen Punkt zu streiten,
Mr. Tyrrel, obwohl ich nicht berechtigt bin, etwas einzuräumen,
welches die Nachrichten, die mein Freund eingezogen hat, ihn bezweifeln lassen."

„Ihr Freund ist, wie ich vermuthe, Sir Bingo Binks.
Ich habe den unangenehmen Handel zwischen uns keinesweg
vergessen."

„Ich habe nicht die Ehre, mit Sir Bingo Binks in Verbindung zu stehen. Ich komme als Abgesandter des Grafen von
Etherington."

Tyrrel schwieg einen Augenblick und sagte dann: „Ich begreife nicht, was der Mann, der sich selbst Graf von Etherington
nennt, mir durch eine Mittelsperson, wie Sie, Hauptmann Jekyl,
zu sagen hat. — Ich sollte glauben, daß in Hinsicht unserer unglücklichen Verwandtschaft in den Verhältnissen, in welchen wir uns
gegenseitig befinden, die Rechtsgelehrten schicklichere Vermittler
zwischen uns wären."

„Sir, Sie mißverstehen meinen Auftrag. Ich bin nicht der
Ueberbringer einer feindseligen Botschaft Lord Etherington's.
Ich kenne das zwischen Ihnen bestehende Verhältniß, welches eine
solche Absicht im stärksten Widerspruch gegen die Vernunft und die
Grundgesetze der Natur stellt, und ich gebe Ihnen mein Wort, lie-
ber wollte ich das Leben verlieren, als in einen so widernatürlichen
Handel verwickelt sein. Ich möchte, wo möglich, Vermittler zwi-
schen Ihnen Beiden werden."

Bis dahin waren die Herren stehen geblieben; jetzt bot Mr.

„Das freilich that ich nicht — ich hielt die Sache für ein Geheimniß von zu zarter Art, welches ein Jeder von Ihnen gleich gern zu verbergen wünschen würde."

„Darf ich Sie denn bitten, mir zu sagen, wie es möglich war, mein Außenbleiben bei der Zusammenkunft mit Sir Bingo Binks auf andere Art zu rechtfertigen?"

„Es war nichts weiter erforderlich, Sir, als auf mein Wort als Edelmann und Mann von Ehre, als welchen die ganze Welt mich kennt, zu versichern, daß Sie eben damals in einem Duell mit einem meiner Freunde verwundet wurden, wenn auch die Vorsicht mir gebiete, die dabei obwaltenden Umstände der Vergessenheit zu übergeben. Ich denke, kein Mensch wird es sich einfallen lassen, mein Wort zu bezweifeln, oder sich nicht mit einer einfachen Versicherung zu begnügen. — Sollte demungeachtet irgend Jemand schwerer zu befriedigen scheinen, so werde ich Gelegenheit finden, ihn zufrieden zu stellen. Indessen ist Ihre Achtserklärung auf die ehrenvollste Weise zurückgenommen worden; und Sir Bingo, in Hinsicht, daß er die erste Veranlassung jener ehrenrührigen Gerüchte ist, wünscht sehr die weitern Folgen ihres damaligen Streites zu vermeiden, und hofft, Alles wird von allen Seiten nun vergeben und vergessen werden.'

„Auf mein Wort, Hauptmann Jekyl, Sie zwingen mich, es anzuerkennen, daß ich Ihnen wirklich verpflichtet bin. Sie haben einen Knoten durchgehauen, der mir aufzulösen schwer genug gefallen wäre; denn ich bekenne aufrichtig, daß, obwohl ich entschlossen war, nicht den mir aufgebürdeten Schimpf zu dulden, es mir äußerst schwer gefallen sein würde, mich selbst zu rechtfertigen, ohne Umstände zu erwähnen, die, wäre es auch aus Achtung für das Andenken unsers Vaters, in ewiger Vergessenheit begraben sein sollten. Ich hoffe, Ihr Freund empfindet keine dauernden bösen Folgen von seiner Wunde.

Se. Herrlichkeit ist fast ganz wieder hergestellt."

„Auch erwarte ich, er ließ mir die Gerechtigkeit widerfahren, einzugestehen, daß mindestens mein Wille durchaus schuldlos an seiner Verwundung war."

„Sowohl hierin, als in jeder andern Sache, läßt er Ihnen volle Gerechtigkeit widerfahren, bereut den eigenen Ungestüm, und ist sehr entschlossen, in Zukunft dagegen auf der Hut zu sein."

„So weit ist also Alles ganz gut!" sagte Tyrrel; „darf ich nun noch einmal fragen, was Sie mir im Namen Ihres Freundes mitzutheilen haben? — Käme die Botschaft von irgend einem An= dern, als von ihm, den ich so durchgängig falsch und hinterlistig fand, so würde Ihre Billigkeit und Offenheit mich zu der Hoffnung verleiten, daß dieser unnatürliche Streit einigermaßen durch Ihre Vermittlung beigelegt werden könnte."

So beginne ich denn unter günstigeren Aussichten, als ich zu hoffen wagte, mich meines Auftrags zu entledigen. — Sie sind, wenn der Ruf Ihnen nicht Unrecht thut, im Begriff, Mr. Tyrrel, einen Prozeß anzufangen, dessen Zweck ist, Ihren Bruder seines Vermögens und seines Ranges zu berauben."

„So ist die Sache nicht richtig dargestellt, Hauptmann Jekyl. Wenn ich einen Prozeß gewinne, so geschieht es, um meine eigenen Rechte wahrzunehmen."

„Dennoch bezweckt er indessen dasselbe!" sagte der Vermittler. „Ich bin nicht dazu berufen, über die Richtigkeit Ihrer Ansprüche zu entscheiden, aber Sie werden mindestens zugeben, daß sie erst neuerlich aufgestellt worden sind. Die letzte Gräfin von Etherington starb in dem Besitz — in dem offenen unangefochtenen Besitz ihres Ranges und Titels."

„Wenn sie keine gerechte Ansprüche darauf hatte, Sir," ent= gegnete Tyrrel, „so ward ihr, die so lange jener Würden genoß, mehr, als ihr gebührte; und jene gekränkte Dame, deren Rechte hintangesetzt wurden, sah sich um so mehr bevortheilt. — Aber diesen Punkt können wir Beide nicht ausmachen — das muß an einem andern Orte versucht werden."

„Sir, die unwiderleglichsten Beweise werden erforderlich sein, Rechte zu verdrängen, welche in der allgemeinen Meinung so fest stehen, als die des jetzigen Besitzers der Würden des Grafen von Etherington."

Ein Papier aus seinem Taschenbuche nehmend und es dem Hauptmann überreichend, sagte Tyrrel: „Ich habe nicht die Absicht, Sie aufzufordern, der Sache Ihres Freundes untreu zu werden, aber ich glaube, diese Liste der Dokumente, die ich besitze, kann Ihren Glauben an die Rechtmäßigkeit derselben etwas erschüttern."

Vor sich murmelnd las Hauptmann Jekyl: „Ein Zeugniß Sr. Ehrwürden Zadock Kemps, Kaplan der brittischen Gesandtschaft in Paris, über das durch ihn voll= zogene Ehebündniß zwischen Marie de Belleroche, Gräfin von Martigny, und dem hochzuverehrenden John, Lord von Oakendale. — Briefe zwischen John Graf von Etherington und seiner Gemahlin, unter dem Titel Frau von Martigny. — Taufschein — Er= klärung des Grafen von Etherington auf seinem Sterbebette. — Das ist Alles sehr gut — aber darf ich Sie fragen, Mr. Tyrrel, ob Sie gesonnen sind, es mit ihrem Bruder auf das Aeußerste kommen zu lassen?"

„Er vergaß, daß er ein Bruder ist! — Er hob die Hand, mein Leben zu rauben."

„Auch Sie vergossen sein Blut — vergossen es zweimal. Die Welt wird nicht fragen, welcher Bruder die Beleidigung begann, sondern welcher die schwerste Wunde gab oder empfing."

„Die Wunde, die mir Ihr Freund ertheilte, wird bluten, so lange die Kraft der Erinnerung mir bleibt."

„Ich verstehe Sie, Sir; Sie zielen auf die Geschichte mit Miß Mowbray."

„Ueber diesen Gegenstand verschonen Sie mich, Sir," sagte Tyrrel. „Bis hieher habe ich meine heiligsten Rechte — Rechte, welche meinen Rang in der Gesellschaft, mein Vermögen, die Ehre meiner Mutter in sich schließen, mit einer Art von Fassung vertheidigt; doch jene Saite berühren Sie nicht weiter, wenn Sie nicht einen Wahnsinnigen vor sich sehen wollen. — War es Ihnen möglich, Sir, nur den flüchtigsten Umriß jener gräßlichen Unthat gehört zu haben, und sich einzubilden, daß ich je über die kaltblütige, unmenschliche List, welche dieser Ihr Freund sich gegen zwei Unglückliche erlaubte, nachdenken kann, ohne —" er sprang auf und ging ungestüm auf und nieder. „Seit der böse Feind selbst der heiligen Unschuld Glück zerstörte, gab es nie ähnlichen Verrath! — Nie wurden solche Träume des Glücks zertrümmert — nie so unausweichbares Elend zwei Unglücklichen bereitet, welche den Wahnsinn hatten, einem Buben volles Vertrauen zu schenken! — Wäre Leidenschaft im Spiele gewesen, so konnte ein Mensch die That verüben — aber dies war das würdige Thun eines besonnenen, kalten, berechnenden Teufels, der von den niedrigsten und habsüchtigsten Beweggründen geleitet ward, zu denen sich, wie ich fest glaube, der frühzeitig eingewurzelte Haß gegen den gesellte, dessen Ansprüche den seinigen entgegentreten könnten."

„Ich bedauere, Sie so heftig aufgeregt zu sehen," entgegnete Hauptmann Jekyl mit Gelassenheit. — „Ich glaube gewiß, Lord Etherington handelte aus ganz andern Beweggründen, als die Sie ihm zuschreiben; und wollen Sie mir nur Ihr Ohr leihen, so läßt sich vielleicht noch Etwas auffinden, welches diese unglücklichen Streitigkeiten beseitigen könnte."

„Sir," entgegnete Tyrrel, seinen Platz wieder nehmend, „ich will Ihnen mit eben der Fassung zuhören, die ich beweisen würde, wenn die Sonde des Arztes die eiternde Wunde untersucht. Aber wenn Sie das innere Leben berühren, den eigentlichen Nerv erbeben lassen, so können Sie nicht erwarten, daß ich es ohne Zucken dulde!"

28*

Hauptmann Jekyl, der während der ganzen Unterredung den Vortheil der bewundernswürdigsten Fassung zu bewahren wußte, entgegnete: „Ich will mich bestreben, die Operation so schleunig als möglich zu beenden. Ich muß also den Schluß folgern, daß Miß Mowbray's Ehre und Frieden Ihnen theuer sind?"

„Wer wagt es, ihre Ehre anzuklagen?" rief Tyrrel mit Feuer. Doch sich mäßigend, fügte er ruhiger und mit tiefem Gefühl hinzu: „Sie ist mir so theuer, Sir, wie meiner Augen Licht."

„Eben so hohen Werth legt mein Freund darauf, und hat deßhalb den Entschluß gefaßt, ihr die allervollkommenste Gerechtigkeit widerfahren zu laffen."

„Er kann ihr auf keine andere Art Gerechtigkeit widerfahren laffen, als wenn er sich aus ihrer Nachbarschaft entfernt, und aufhört an sie zu denken, von ihr zu reden, ja selbst zu träumen!"

„Lord Etherington ist anderer Meinung. Er glaubt, daß wenn Miß Mowbray irgend eine Beleidigung von ihm empfangen hat, welches zuzugeben ich mich natürlich nicht berechtigt fühle, so wird sie am besten durch sein Anerbieten, seinen Rang, Titel und Vermögen mit ihr zu theilen, ausgeglichen werden."

„Sein Titel, Rang und Vermögen sind eben so lügenhaft, als er selbst!" rief Tyrrel heftig.   „Clara Mowbray heirathen? — Niemals, nie! —"

„Sie werden sich erinnern, daß das Vermögen meines Freundes nicht blos allein von dem Prozeß abhängt, womit Sie, Mr. Tyrrel, ihn jetzt bedrohen. — Rauben Sie ihm, wenn Sie es vermögen, die Oakendalischen Besitzungen, so bleibt ihm immer noch ein reiches Erbe von mütterlicher Seite; und was seine Heirath mit Clara Mowbray anbetrifft, so weiß er ja, daß wenn die junge Dame nicht etwa wünschen sollte, daß die Ceremonie wiederholt würde, worin er aber gern bereit wäre, seine Meinung der ihrigen zu unterwerfen, weiter nichts nöthig ist, als daß sie gegenseitig nur

das, was zwischen ihnen vorgegangen ist, öffentlich zu erklären
brauchen."

„Ein Betrug war es, Sir; ein schändlicher, niederträchtiger
Betrug! dessen sich der allergemeinste Elende in Newgate schämen
würde. — Schändlicher Verrath eines an meiner Stelle sich ein-
schleichenden Buben!"

„Davon, Mr. Tyrrel, ist mir durchaus noch kein Beweis aufgestoßen. Des Predigers Trauschein ist deutlich und klar — Francis Tyrrel ward durch den heiligen Segen der Kirche mit Clara
Mowbray verbunden. — So lautet sein Inhalt — hier ist eine
Abschrift davon; — nein, hören Sie mich noch einen Augenblick,
Sir, wenn Sie die Güte haben wollen. — Sie sagen, eine Täu-
schung fand hier statt — ich zweifle nicht, Sie sprechen nur das
aus, was Sie selbst glauben und Miß Mowbray Ihnen sagte. —
Sie ward überrascht — einigermaaßen mit Gewalt von dem ihr
eben angetrauten Gatten getrennt — beschämt, mit ihrem frühern
Geliebten zusammen zu treffen, dem sie ohne Zweifel so manchen
Schwur der Liebe weihte, ohne daß vielleicht einer davon ächter
Art war — ist es da wohl ein Wunder, daß sie keine andere Sprache
wagte, als sie sich des Beistandes ihres Verlobten beraubt sah, und
viel lieber jedes Unrecht, wozu die eigne Unbeständigkeit sie verleitete, dem abwesenden Liebhaber aufbürdete? — In einer so be-
denklichen Klemme wird eine Frau lieber die unwahrscheinlichste Entschuldigung erwählen, ehe sie sich selbst strafbar bekennt."

Erbleichend rief Tyrrel mit leidenschaftlich bebender Stimme:
„Kein Scherz in dieser Sache, wenn ich bitten darf!"

„Ich bin durchaus ernsthaft, Sir! Es gibt in England keinen
Gerichtshof, welcher der Dame eignes Zeugniß — Alles, was sie
zu bieten hat, und zwar noch dazu in ihrer eignen Sache — gelten
ließe wider eine Folgenreihe deutlicher, umständlicher Beweise, die
es klar vor Augen legen, daß sie aus eigner, freier Willkühr sich
mit dem Edelmanne verband, der jetzt ihre Hand in Anspruch nimmt.

— Verzeihen Sie, Sir — ich sehe, Sie sind heftig bewegt — ich habe nicht die Absicht, Ihnen das Recht abzustreiten, das Ihnen am glaubwürdigsten Erscheinende für Wahrheit zu halten — ich nehme mir nur die Freiheit, Ihnen den Eindruck zu schildern, welchen die Thatsachen wahrscheinlich auf gleichgiltige Personen hervorbringen könnten.

Scheinbar eine Fassung zeigend, die er indessen zu empfinden weit entfernt war, sagte Tyrrel: „Ihr Freund denkt vielleicht durch solche Scheingründe seine Niederträchtigkeit zu verbergen; aber es kann ihm nichts helfen — dem Himmel ist die Wahrheit bekannt ich kenne sie — und außerdem gibt es noch einen unparteiischen Zeugen hienieden, der es klar beweisen kann, daß Miß Mowbray der allerschändlichsten Täuschung zur Beute ward.“

„Sie meinen ihre Cousine — ich glaube, sie heißt Hanah Irwin. — Sie sehen, ich bin vollkommen von der ganzen Lage der Sache unterrichtet! — Wo wird man aber Hanah Irwin auffinden?“

„Sie wird ohne Zweifel zur rechten Zeit erscheinen, den zu Boden zu schmettern, welcher sich einbildet, die einzige Zeugin seines Verraths — die einzige, welche die Wahrheit dieses verworrenen Geheimnisses zu enthüllen vermöchte — lebe entweder nicht mehr, oder könne ihm mindestens zum Verderben seiner Pläne nicht entgegen gestellt werden. Sir, diese Ihre kleine oberflächliche Bemerkung hat mir nur zu deutlich erklärt, weßhalb Ihr Freund, oder um ihn mit seinem rechten Namen zu bezeichnen, Mr. Valentin Bulmer, nicht früher seine hinterlistigen Ränke in Bewegung setzte, und sie gerade eben jetzt beginnt. Er glaubt sicher zu sein, daß Hanah Irwin nicht in Britannien, oder im Stande ist, vor Gericht gebracht zu werden er könnte sich sehr im Irrthum befinden.“

„Mein Freund scheint des Erfolgs seiner Sache sehr gewiß zu sein,“ entgegnete Jekyl; „aber der Lady wegen will er nur sehr ungern einen Prozeß anhängig machen, wobei so mancher Umstand eine peinliche, gefahrbringende Bloßstellung erfordert."

„Gefahrbringende, wirklich! — Dank sei es dem Verräther, der eine so furchtbare Mine anlegte, und sich nun anstellt, als fürchte er sie zu entzünden! O wie sehr werde ich gezwungen, die verwandtschaftlichen Bande zu verfluchen, die meine Hand in Fesseln legen! Ich wollte den niedrigsten, elendesten Platz in der Gesellschaft einnehmen, würde mir dafür eine Stunde zur Rache an diesem beispiellosen Heuchler! — Nur Eins ist gewiß, Sir — kein lebendes Opfer wird Ihrem Freunde werden. Seine Verfolgungen werden Clara Mowbray tödten, und das Maaß seiner Verbrechen füllt der Mord einer der süßesten — ich würde zum Weibe werden, wenn ich diesen Gegenstand weiter berührte!"

„Mein Freund, da Sie diesen Namen ihm am liebsten zu ertheilen scheinen, wünscht eben so sehr als Sie selbst, der Lady Gefühle zu schonen, und hat in dieser Absicht, ohne des Vergangenen zu erwähnen, ihrem Bruder den Vorschlag einer Verbindung gethan, der ganz den Beifall Mr. Mowbray's hat."

Aufschreckend rief Tyrrel: „Ha! und die Lady?"

„Die Lady hat sich in so fern günstig bewiesen, einzuwilligen, daß Lord Etherington Shaw-Castle besuchen soll."

„Erzwungen muß ihre Einwilligung sein!" rief Tyrrel aus.

„So viel ich hörte," sagte Jekyl, „ward sie freiwillig ertheilt; wenn nicht vielleicht der Wunsch, jene so unangenehmen Begebenheiten zu verhehlen, wie es mir ziemlich natürlich erscheinen will, sie veranlassen mögen, sie in ewiges Stillschweigen durch Annahme der Hand Lord Etheringtons zu versenken. — Ich sehe, mein Herr, daß ich Ihnen Kummer mache, und bedaure es innig. — Ich habe freilich kein Recht, Sie zu einer großmüthigen Aufopferung aufzufordern; aber sollte Miß Mowbray diese Gesinnungen hegen, wäre es wohl zu viel von Ihnen erwartet, daß Sie die Ehre dieser Dame schonen, nicht Ihre frühern Ansprüche geltend machen, und längst vergangener herabwürdigender Dinge erwähnen werden?"

Feierlich entgegnete Tyrrel: „Hauptmann Jekyl, ich habe keine Ansprüche. Sie viel ich jemals deren haben mochte, jene verrätherische Handlung, durch welche Ihr Freund leider nur zu gelingend mich zu verdrängen suchte, hat sie alle vernichtet. Spräche das Gesetz Clara Mowbray auch mit seiner ganzen Kraft von jener vorgeblichen Heirath frei, immer würde mit mir — mindestens von allen Sterblichen mit mir — jenes Hinderniß ewig stattfinden, daß der eheliche Segen über sie und den Menschen ausgesprochen ward, den ich meinen Bruder nennen muß." — Er stockte bei dem Worte Bruder, als ob er nur mit tödtlichem Schmerz es hervorzubringen vermöchte, und fuhr dann fort: „Nein, Sir, keine persönlichen Rücksichten leiten mich in dieser Angelegenheit. — Schon lange entsagte ich ihnen. — Aber ich will nicht zugeben, daß Clara Mowbray die Gattin eines Buben werde — ich will für sie wachen mit so fleckenlosen Absichten wie ihr Schutzengel. Ich war die Ursache aller ihrer Leiden — meine Ueberredungen verleiteten sie zuerst von dem Pfade der Pflicht — unter allen lebenden Menschen bin eben ich verbunden, sie vor dem höchsten Elend zu bewahren — vor dem Hauche der Schuld, welcher als Gattin jenes Menschen auch sie beflecken wird. — Nie werde ich glauben, daß sie es wünschen könnte — daß bei gesunder Vernunft und ruhiger Besonnenheit sie dahin zu bringen wäre, einem so strafbaren Vorschlage das Ohr zu leihen. — Aber ach — ihr Geist besitzt nicht mehr die feste Stärke, deren er sich einst rühmen konnte; und nur zu wohl versteht es Ihr Freund, die Triebfedern jeder Leidenschaft in Bewegung zu setzen, welche sie beunruhigen und erschüttern kann. Drohungen, sie dem öffentlichen Hohne bloßzustellen, könnten vielleicht ihre Einwilligung zu dieser so unpassenden Verbindung erpressen, wenn sie nicht etwa gar zu einem Selbstmorde getrieben wird, welches nach meiner Meinung das wahrscheinlichste Ende sein möchte.

Kräftig will ich daher eintreten, wo sie zu schwach ist. — Ihr Freund, Sir, soll mindestens seine Vorschläge ihres schön vergoldeten Rahmens entkleiden. Ich werde Herrn Mowbray von St. Ronans die Falschheit seiner Ansprüche auf Rang und Vermögen darthun: und ich glaube, er wird seine Schwester gegen die Verfolgungen eines ruinirten Verschwenders zu schützen wissen, wenn ihn auch die Aussicht, mit einem Pair in Verbindung zu treten, verblenden möchte."

„Noch ist Ihr Prozeß doch nicht gewonnen, Sir," entgegnete Jekyl, „und sollte dieser Fall eintreten, bleibt Ihrem Bruder noch immer hinreichendes Vermögen, eine vortheilhaftere Heirath einzugehen, als, außer den Nettlewood'schen Besitzungen, auf welche diese Verbindung ihm ein Recht gibt, Miß Mowbray sein würde. Doch ich kehre zu dem Wunsche, wo möglich einen Vergleich zwischen Ihnen zu vermitteln, zurück. — Sie erklären sich also bereit, Mr. Tyrrel, jeder persönlichen Rücksicht in dieser Angelegenheit zu entsagen, und nur für Miß Mowbray's Glück und Sicherheit zu wachen?"

„Dieß ist, bei meiner Ehre! der einzige Grund meines Dazwischentretens. — Alles, was ich mein nennen könnte, wollte ich freudig dahingeben, ihr eine Stunde des Friedens zu verschaffen denn Glück kann ihr nie wieder werden."

„Sie gründen Ihre Besorgnisse der drohenden Leiden Miß Mowbray's auf den Charakter meines Freundes. Sie geben ihm lockere, leichtsinnige Grundsätze Schuld, und weil er Sie in einer jugendlichen Intrigue täuschte, so schließen Sie, daß jetzt im vernünftigeren, gesetzteren Alter das Glück jener Dame, welches Ihnen so sehr werth ist, ihm nicht anvertraut werden dürfte?"

„Es mag dazu wohl noch andere Gründe geben!" sagte Tyrrel schnell. „Doch Sie mögen immerhin diejenigen, welche Sie nannten, als hinreichend annehmen, Ihnen mein Dazwischentreten zu verbürgen."

„Wie denn also, wenn ich eben hier die Mittel zu einer Ueber=
einkunft fände? Lord Etherington verlangt nicht hier als ein
leidenschaftlicher Liebhaber aufzutreten. Er liebt das Leben in der
großen Welt und hegt keinen Wunsch ihm zu entsagen. Miß Mow=
bray's Gesundheit ist sehr zart — ihre Gemüthsstimmung sehr ver=
änderlich und reizbar — so würde sie höchst wahrscheinlich stets die
Zurückgezogenheit für sich erwählen. — Setzen Sie den Fall —
ich will ihn bloß einmal als möglich darstellen — daß durch den
gegenseitigen Vortheil für zwei Personen in solcher Lage eine Hei=
rath nöthig würde — dem einen Theil eine reiche Besitzung zu
sichern — den andern gegen alle Unannehmlichkeiten einer öffent=
lichen Bloßstellung zu beschirmen — so möchten doch beide Zwecke
ganz allein durch die bloße Förmlichkeit der kirchlichen Einsegnung
zu erreichen sein. Man könnte im Voraus eine Scheidungsakte
aufsetzen, welche der Lady nicht nur ein geziemendes Einkommen
sicherte, sondern eine förmliche Entsagung ihres Gemahles aller
weitern Ansprüche auf sie enthielte. Solche Dinge geschehen zu
jeder Jahreszeit, und wenn auch nicht gerade am Hochzeittage, doch
ehe der Honigmonat vorüber ist. So würde der Lady Reichthum
und volle Freiheit werden, und gesetzt, Ihre Ansprüche sind gültig,
so können sie selbst den Rang ja bestimmen, der ihr bleiben soll."

Eine lange Pause erfolgte, während welcher ein wechselnder
Ausdruck Tyrrels Gesichtszüge belebte, den Jekyl sorglich beobach=
tete, ohne ihn zur Antwort zu drängen. Endlich entgegnete er:

„In Ihrem Vorschlage, Hauptmann Jekyl, liegt so Manches,
worin einzugehen ich mich versucht fühlen könnte, da er einen schick=
lichen Ausweg, jenen gordischen Knoten zu lösen, darzubieten scheint,
und zugleich einen Vertrag enthält, durch welchen Miß Mowbray's
künftige Ruhe einigermaaßen gesichert wäre. Aber ich würde eher
einer eingefangenen Natter trauen, als Ihrem Freunde, wenn ich
ihn nicht mit den stärksten Banden des eignen Interesses gefesselt
sähe. Ueberdem bin ich gewiß, jene unglückliche Lady würde es nie

überleben, mit ihm in dieser Art von Verbindung zu stehen, wäre
es auch nur den Augenblick lang, der sie zusammen vor dem Altare
vereinte. Ueberdem gibt es noch andere Einwürfe —"

Sich selbst unterbrechend, schwieg er einen Augenblick, und
fuhr in einem ruhigen Tone mit Selbstbeherrschung fort: „Sie
glauben vielleicht selbst jetzt noch, daß eigensüchtige Absichten mich
in dieser Angelegenheit leiten; wahrscheinlich auch halten Sie sich
berechtigt, denselben Argwohn gegen mich zu nähren, mit welchem
ich, wie ich es offen bekenne, jeden Vorschlag Ihres Freundes aufnehme. — Ich kann es nicht ändern. Ich kann blos diese nachtheiligen Empfindungen mit einer durchaus rechtlichen und offnen
Handlungsweise vereinen; und in ihrem Geiste also eröffne i ch
I h n e n meinen Vorschlag. — Ihr Freund hängt am Range, Vermögen und weltlicher Größe mindestens eben so sehr, als sie das
Streben eines jeden Weltmannes sind. — Sie werden dies zugeben,
denn ich will Sie nicht beleidigen, indem ich stärkere Farben auftrage."

„Ich kenne wenig Leute," erwiederte Hauptmann Jekyl, „welchen die Vorzüge nicht wünschenswerth erscheinen, und ich bekenne
frei, daß mein Freund darin keinen besondern Grad philosophischer
Gleichgiltigkeit zur Schau trägt."

„So mag es denn so sein!" sagte Tyrrel. „Auch beweiset in
der That schon Ihr eben ausgesprochener Vorschlag, daß seine vorgeblichen Ansprüche auf die Hand der jungen Dame ganz oder fast
ganz auf geldgeizigen Gründen beruhen, da Sie der Meinung sind,
daß er einwilligen würde, sich schon an dem Hochzeittage wieder von
ihr zu trennen, wenn ihm nur die Nettlewood'sche Besitzung gesichert sei."

„Mein Vorschlag geschah ohne Zustimmung meines Freundes,"
entgegnete Jekyl; „aber es wäre nutzlos, es zu läugnen, daß ihr
bloßer Inhalt meine Meinung allerdings ausspricht, daß Lord
Etherington keine leidenschaftliche Liebe empfindet."

„Nun denn, Sir," fuhr Tyrrel fort, „so bedenken Sie wohl, und lassen Sie es auch Ihren Freund in Erwägung ziehen, daß sein Vermögen und Rang jetzt ganz von meiner Willkühr und Gefallen abhängt — daß wenn ich die Ansprüche geltend mache, welche jene Schriften Ihnen darlegten, er von dem Range eines Grafen zu dem eines geringen Bürgers herabsinkt, der auch in Hinsicht des Vermögens gar Vielen weichen muß — ein Schade, den nicht einmal der Besitz von Nettlewood zu ersetzen vermöchte, selbst wenn er dazu gelangen könnte, welches doch nur durch einen Prozeß zu erreichen sein möchte, dessen Erfolg eben so unsicher, als seine Veranlassung an sich entehrend ist."

„Gut, Sir, Ihre Schlußfolge ist mir vollkommen deutlich" — erwiederte Jekyl. „Welches ist nun Ihr Vorschlag?"

„Daß ich alle meine Ansprüche an jene Würden und Güter aufgeben will — daß ich Valentin Bulmer in dem Besitze seines unrechtmäßig sich angeeigneten Titels und ihm schlecht gebührenden Reichthums lassen will — daß ich mich bei der größten Strafe verpflichten will, ihn nie in dem Besitz der Grafenwürde von Etherington und den dazu gehörigen Gütern zu stören — unter der Bedingung, daß er der Frau, deren Seelenfrieden er für immer zerstörte, gestattet, ihr trauriges Dasein in stiller Einsamkeit zu tragen, ohne von seinen Bewerbungen, oder irgend einem Anspruche, der sich auf sein unsäglich hinterlistiges Betragen gründet, gestört zu werden — kurz, daß er aufhöre, fernerhin Clara Mowaray zu martern, sei es nun durch seine Gegenwart, Gespräche, Briefe oder durch Einmischung eines Dritten, und folglich hinfort vollkommen todt für sie sei."

Dieß ist ein sehr sonderbares Anerbieten. Darf ich fragen, ob ich es als Ernst annehmen soll?"

„Ihre Frage erstaunt und beleidigt mich nicht. Ich empfinde andern Menschen gleich, und will mir nicht den Schein geben, das, *was alle Menschen wünschen* — ein gewisses Ansehen und die Achtung der Welt — gering zu schätzen. Ich bin kein romanhafter Thor, der den Werth des Opfers, welches ich darbringe, herabwürdigt. Ich gebe einen Rang auf, welcher um so höher stehen sollte und muß, weil die Ehre einer hochgeliebten Mutter (er erröthete bei diesen Worten) damit eng verbunden ist, — weil, indem ich meinen Rechten entsage, ich den Befehlen eines sterbenden Vaters ungehorsam bin, welcher wünschte, daß ich eben dadurch der Welt die Reue kund thun möchte, die ihn vielleicht um so schneller in's Grab stürzte, — ja, deren Bekanntmachung er als eine Art Buße seiner Fehltritte ansah. Von einem ehrenvollen Platze in der Gesellschaft steige ich freiwillig herab, um ein namenloser Verbannter zu werden; denn bin ich ganz sicher, daß Clara Mowbray's Frieden gesichert ist, vermag Britannien mich nicht länger zu halten. — Ich unternehme dies Alles also nicht in einem schnellen Ausbruch leidenschaftlicher Empfindungen, sondern mit vollem Bewußtsein, Kenntniß und hoher Werthschätzung alles dessen, was ich aufgebe; — aber ich bringe dies Opfer, bringe es willig dar, ehe ich die Ursache des fernern Unglücks eines Wesens bin, auf welches ich ohnehin des Elends so viel — zu viel häufte.

Trotz seiner Anstrengungen versagte ihm bei diesen Worten die Stimme fast ganz, und ein schwerer Tropfen, der ihm heiß in's Auge trat, zwang ihn einen Augenblick lang an das Fenster zu treten. Doch sogleich sich zum Hauptmann wieder wendend, sagte er:

„Ich schäme mich dieses kindischen Benehmens nicht, Sir; erregt es auch Ihren Spott, so lassen Sie es mindestens für meine Aufrichtigkeit bürgen!"

Ehrerbietig entgegnete Jekyl — denn trotz einer langen in modischen Thorheiten verbrachten Zeit war sein Herz nicht durchaus verhärtet „Ich bin sehr weit entfernt, dem Spotte Raum zu geben; gewiß sehr weit entfernt davon. Auf einen so sonderbaren Vorschlag, als den Ihrigen, können Sie von mir keine Antwort

erwarten — das ausgenommen, daß, wie ich glaube, die eigentliche
Würde der Pairschaft unablöslich ist, und nicht nach Willkühr ab=
gelegt und angenommen werden kann. Sind Sie wirklich Graf
von Etherington, so sehe ich nicht ein, in wie fern Ihre Entsagung
jenes Titels meinem Freunde nützlich sein kann?"

"Ihnen, Sir, möchte es nicht nützlich sein," entgegnete Tyrrel
ernst, "weil Sie es vielleicht verachten würden, sich ein Recht oder
einen Titel anzumaßen, der ihnen nicht gesetzlich gebührte. Aber
Ihr Freund wird von solchen Gewissenszweifeln nicht heimgesucht
werden. Wenn er nur den Grafen vor der Welt spielen kann, so
hat er es schon bewiesen, daß seine Ehre und Gewissen vollkommen
beruhigt sind."

"Dürfte ich eine Abschrift der Liste jener Dokumente mir erbit=
ten, um sie dem, der mich sandte, vorzulegen?"

"Das Papier steht zu Ihren Diensten; es ist selbst nur eine
Abschrift. — Aber fast will es mir scheinen," fügte Tyrrel mit
leichtem Spott im Ausdruck hinzu, "Hauptmann Jekyl ist nicht ganz
genau in das Geheimniß seines Freundes eingeweiht. — Er kann
aber sich davon überzeugt halten, daß sein Freund den Inhalt jenes
Blattes sehr wohl kennt, und genaue Abschrift von allen Doku=
menten besitzt, auf welche es sich bezieht."

Aergerlich sagte Jekyl: "Ich halte es kaum für möglich!"

"Nicht nur möglich, sondern gewiß!" entgegnete Tyrrel. "Kurz
vor seinem Tode sandte mir mein Vater mit einem tief erschüttern=
den Bekenntniß seines Unrechts diese Liste jener Papiere, und be=
nachrichtigte mich, daß er meinem Bruder ein gleiches Bekenntniß
abgelegt habe. Ich zweifle keinen Augenblick an der Wahrheit
dieser Versicherung, obwohl Mr. Bulmer es für gut gehalten haben
mag, dieses Umstandes gegen Sie nicht zu erwähnen. Noch eine
Sache unter vielen bewährt überdem zugleich den Gehalt seines
Charakters, und den Widerwillen, mit welchem ihn meine Rückkehr
nach England erfüllte. Durch einen schurkischen Bevollmächtigten

der mir bei Lebzeiten meines Vaters die gewöhnlichen Rimessen zahlte, ließ er mir das zur Rückkehr aus der Levante nöthige Geld vorenthalten, und ich sahe mich genöthigt, es dort von einem Freunde zu borgen."

„In der That, es ist das erste Mal, daß ich etwas von diesen Papieren höre. Darf ich fragen, wo und in wessen Gesellschaft sich die Originale befinden?"

„Ich war in der Levante während der letzten Krankheit meines Vaters; deßhalb wurden diese Papiere bei einem achtbaren Handlungshause niedergelegt, mit welchem er in Verbindung stand. Ein Couvert unter meiner Adresse schließt sie ein, und dies liegt in einer zweiten Umhüllung, welches die Firma des Handelshauses trägt."

„Sie werden es selbst einsehen," entgegnete Hauptmann Jekyl, „daß ich kaum irgend einen Entschluß über den außerordentlichen Vorschlag, den Sie mir gemacht haben, zu fassen vermag, bis ich die Dokumente selbst zu untersuchen Gelegenheit hatte, auf welche die Rechte, denen zu entsagen Sie sich erbieten, sich gründen sollen."

„Diese Gelegenheit soll Ihnen werden; ich will sie mir durch die Post senden lassen. Es ist nur ein kleines Packet."

„So ist für den Augenblick weiter nichts zu erörtern," sagte der Hauptmann: „Gesetzt den Fall, diese Beweise wären ganz unwiderleglicher Gattung, so würde ich unbedingt meinem Freunde Etherington rathen, so wichtige Ansprüche, als die Ihrigen, selbst mit Aufopferung seiner Heiraths=Pläne, zum Schweigen zu bringen — wenn Sie nämlich die Absicht haben, Ihrem Vorschlage treu zu bleiben?" —

„Ich pflege nicht so leicht meinen Sinn zu ändern — und noch viel weniger mein Wort zurück zu nehmen," entgegnete Tyrrel mit einigem Stolz.

Aufstehend und sich beurlaubend, sagte Jekyl: „Wir trennen uns als Freunde, wie ich hoffe?"

„Als Feinde gewiß nicht, Hauptmann Jekyl. Ich bekenne gern, daß ich Ihnen Dank schuldig bin, meine alberne Geschichte dort auf dem Gesundbrunnen entwirrt zu haben. — Nichts würde mir eben jetzt unangenehmer sein, als einen so unbedeutenden Streit auf das Aeußerste treiben zu müssen."

„So werden Sie dort unten unter uns erscheinen?" fragte Jekyl.

„Gewiß werde ich nicht den Anschein anzunehmen wünschen, als wollte ich mich verbergen; leicht könnte dieser Umstand wider mich benützt werden. Mein Gegner wird sich jedes Vortheils zu bedienen wissen. — Mir bleibt nur ein Pfad, Hauptmann Jekyl, der, den Wahrheit und Ehre mir zeigen."

Hauptmann Jekyl verneigte sich und verließ das Zimmer. Sobald er entfernt war, schloß Tyrrel die Thür ab, und ein Bild aus seinem Busen ziehend, betrachtete er es mit einem gemischten Gefühl der Zärtlichkeit und Betrübniß, bis Thränen seinen Augen entfielen.

Es war das Gemälde Clara Mowbray's, so wie er sie in den Tagen ihrer Jugendliebe kannte, und es selbst verfertigte, da seine Neigung zur Malerei sich frühzeitig entwickelt hatte. Noch jetzt konnte man in dem schönen Gesicht des mehr gereiften Originals die reizenden Züge des blühenden Mädchens wieder finden. Doch was war aus der Rosengluth geworden, welche ihre Wangen färbte? was aus dem schlauen, doch unterdrückten Muthwillen, der in den Augen lauschte? — was aus der fröhlichen Heiterkeit, welche jedem Zuge den Ausdruck einer Euphrosyne ertheilte? — Ach schon lange waren sie entflohen! — Die schwere Hand des Grames sank auf sie herab — der Rosenstrahl der Jugend erlosch — der Blick *des einst von unschuldiger Freude glänzenden Auges* ward jetzt

bald von schlecht verhehltem Kummer getrübt, bald von einem un=
ruhigen Spottgeist stechend aufgeregt.

„Welch' eine Zerstörung! welch' eine Zerstörung!" rief Tyrrel;
„und das Alles das Werk eines Elenden. — Kann ich die letzte
Hand an das Entsetzliche legen, und ihr wirklicher Mörder wer=
den? Ich kann es nicht! — Ich vermag es nicht! — Ich will
den einmal gefaßten Entschluß kräftig durchführen. Alles will
ich opfern Rang — Stand — Vermögen — meinen Ruf!

Ja selbst die Rache — die Rache selbst, das letzte Gut, das
mir geblieben war — die Rache selbst will ich aufopfern, ihr den
Frieden zu sichern, welcher ihr jetzt noch werden kann."

Mit diesem Entschlusse setzte er sich nieder, von dem Handels=
hause, wo jene Dokumente und andere Papiere von Wichtigkeit
für ihn aufbewahrt wurden, ihre Uebersendung durch die Post zu
begehren.

Ehrgeiz und all' jenes lebendige Gefühl des Werthes persön=
licher Vorzüge in der Gesellschaft, welche einem tiefen Gemüth und
feurigen Geiste eigen zu sein pflegen, waren auch Tyrrel eigen=
thümlich. Mit zitternder Hand und feuchtem Auge, doch mit fest
entschlossenem Herzen siegelte er den Brief; ein Schritt zu der
Entsagung seines Ranges und Vermögens zu Gunsten seines Tod=
feindes, welches Alles, obwohl es ihm durch das Recht der Erbfolge
gebührte, so lange zweifelhaft zwischen ihnen schwebte.

———

Dreißigstes Kapitel.

Aufdringlichkeit.

Bei meiner Treu, ich will mit dir die Straße gehen.
Ich bin von Wespenart! — ich könnte stechen!
Maaß für Maaß.

Der Herbst war schon weit vorgerückt. Stark ruhte der Thau auf dem langen Grase, wo der Sonnenstrahl ihn traf; wo aber Schatten obwaltete, da ward er zum Reif, der unter Jekyl's Fußtritten knirschte, als jener durch den Wald von St. Ronans schritt. Von selbst löseten sich die Blätter der Eschen ab und fielen, ohne vom Hauche des Windes bewegt zu werden, auf den Fußpfad nieder. Schwer hing immer noch der Nebel an den Höhen, und die Ruinen des alten Schlosses St. Ronans waren ganz in Dünste gehüllt, wenn nicht hin und wieder ein Sonnenstrahl mit den Nebeln kämpfend, tief genug sich Bahn brach, einen hervorspringen-Thurm an den Ecken der alten Festung sichtbar zu machen, welcher, lange Zeit ein Lieblingssitz der Raben, gemeinhin der Krähenthurm genannt ward. Sonst waren die näheren Umgebungen licht und heiter, und das Rothkehlchen bot alle seine Kräfte auf, die Abwesenheit der andern Sänger zu ersetzen. Das schöne herbstliche Laub, manches freundlich offene Plätzchen und jeden kleinen Abhang bedeckend, prangte mit all' den mannigfachen rothbraunen und goldgesprenkelten Tinten, in die häufig die hellrothen Eschblätter sich mischten, während hier und da eine hohe alte Tanne mit den dunkeln breiten Zweigen die andern Bäume überschattete, und sich, stolz auf die Dauer ihres finstern Gewandes, trotzend über die mehr in die Augen fallende, aber vergängliche Herrlichkeit ihrer Umgebungen zu erheben schien.

So ist der Anblick, der, so oft er prosaisch oder poetisch ge-

schildert ward, dennoch selten seines Eindrucks auf Ohr oder Auge
verfehlt, und der uns Wandernde stets mit Gedanken erfüllt, die
mit dem hinschwindenden Schmucke des Jahres übereinstimmen.
Wenige nur werden dieser Empfindung nicht fähig sein; und auch
Jekyl, obwohl er in einer diesen Gefühlen wenig zusagenden Lebensart gebildet war, mäßigte seinen Schritt, die ungewöhnliche Schönheit der Landschaft zu bewundern.

Vielleicht empfand er auch eben nicht allzu große Eile, zu dem
Grafen von Etherington zurück zu kehren, für welchen sein Dienst-
eifer, seitdem er Tyrrel gesprochen hatte, merklich abgekühlt war.
Es war ganz klar, der Graf hatte seinem Freunde nicht das volle
verheißene Vertrauen geschenkt; er theilte ihm nichts von dem Dasein jener wichtigen Beweis=Dokumente mit, auf welchen jetzt der
ganze Erfolg seiner Vermittelung zu beruhen schien, und in so fern
hatte er ihn also hintergangen. Doch, als er jenen ausführlichen
Brief Lord Etherington's aus seiner Tasche nahm und überlas,
fühlte er deutlicher, als bei der ersten Ansicht, wie sehr der jetzige
Besitzer jenes Titels die Ansprüche seines Bruders fürchtete, und er
konnte einiges Mitleiden gegen die natürlichen Empfindungen nicht
unterdrücken, welche ihn im ersten Augenblicke ein wenig scheu machten, selbst seinem vertrautesten Freunde die schlimmste Seite der
Sache zu enthüllen. Endlich gedachte er noch, daß Lord Etherington
bis zu einem sehr ungewöhnlichen Grade sein Wohlthäter gewesen war; daß er ihm thätigen Beistand zu weihen gelobte, ihn
von den Schwierigkeiten zu befreien, welche jetzt ihn bedrängten;
daß ihm als seinem Vertrauten die geheimsten Angelegenheiten seines Lebens offen vor Augen lägen, und daß in der That nur ein sehr
erheblicher Grund es rechtfertigen könnte, wenn er eben jetzt sich
von ihm trennen wollte. — Doch aber konnte er nicht umhin, zu
wünschen, daß seine Verpflichtungen leichterer Art, seines Freundes
Sache besser begründet, oder der Freund selbst des Beistandes würdiger sein möchte.

29*

„Ein schöner Morgen, Sir, in solchem verdammten neblichten
Klima, als das hier zu Lande herrschende!" sprach eine Stimme
dicht an Jekyl's Ohr, ihn so aus seinen Betrachtungen aufschreckend. Als er sich halb umwendete, erblickte er dicht bei sich
unsern ehrlichen Freund Touchwood, den Hals in sein großes indisches Tuch gehüllt, gewaltige Ueberzieh-Schuhe eines Podagristen
an den Füßen, die Zopf-Perrücke sehr wohl gepudert, und seinen
goldknöpfigen Stock, wie den eines Unteroffiziers, aufrecht in der
Hand. Ein verächtlich messender Blick schien Jekyl nach seinen
modischen Ansichten zu berechtigen, den alten Herrn in die Classe
ehrwürdiger Spießbürger zu setzen, und sich so gegen ihn zu benehmen, wie ein Gardeoffizier Sr. Majestät sich befugt glaubt,
jede der verschiedenen unmodischen Gattungen menschlicher Wesen
zu behandeln. Eine oberflächliche Art von zurückziehender Verbeugung, und ein sehr kaltes: „Ihnen, Sir, gebührt der Vortheil,
voran zu gehen," welches, als geschehe es ohne sein Wissen, von
seinen Lippen herab fiel, sollte des Alten Zuvorkommenheit zurück-
weisen und seinen Ehrgeiz unterdrücken, sich mit Vornehmeren auf
gleichen Fuß zu stellen. Aber Mr. Touchwood war taub für die
beabsichtigte Abfertigung; er hatte zu lange weit und breit in der
Welt sich umhergetrieben, und war viel zu überzeugt von seinen
eigenen Verdiensten, als daß er leicht eine Abweisung ertragen, oder
seine Bescheidenheit ihm gestattet hätte, einen einmal gefaßten
Vorsatz abzuändern. Er entgegnete:

„Einen Vortheil vor Ihnen, Sir? Ich habe zu lange in der
Welt gelebt, um nicht alle Vortheile, die mir gebühren, aufrecht zu
halten, und mir deren, so viel es sich nur thun lassen will, zu erringen — auch erkenne ich es allerdings als einen Vortheil, Sie
eingeholt zu haben, und werde mir das Vergnügen machen, Sie
nach dem Gesundbrunnen zu begleiten."

„Ich würde nur Ihre werthvolleren Betrachtungen unterbrechen," entgegnete der Andere; „überdem bin ich ein bescheidener

junger Mensch, der sich keiner bessern Gesellschaft, als seiner eigenen würdig findet — und was noch mehr ist, ich gehe langsam,
sehr langsam. — Ich wünsche Ihnen einen guten Morgen, Mr.
A — A —, ich glaube, mein elendes Gedächtniß hat mich Ihren
Namen vergessen lassen."

„Meinen Namen? — Ei, da müßte Ihr Gedächtniß ja dem
Spürhunde Pat Murtoughs gleichen, der den Hasen laufen läßt,
ehe er ihn gefaßt hatte. Sie hörten meinen Namen in Ihrem
ganzen Leben noch nicht. Touchwood heiße ich. Nun, wie gefällt
er Ihnen, jetzt, da Sie ihn kennen?"

„Ich bin in der That kein Kenner von gewöhnlichen Namen,"
entgegnete Jekyl, „und es ist mir vollkommen gleich, ob Sie
Touchwood oder Touchstone heißen. Lassen Sie sich nicht durch
mich in Ihrem Wege aufhalten. — Sie werden das Frühstück am
Gesundbrunnen schon sehr vorgerückt finden, und doch hat Ihr
Spaziergang wahrscheinlich Eßlust erweckt."

„Was mir," sagte Touchwood, „bei der Mahlzeit gute Dienste
leisten soll, das verspreche ich Ihnen. — Meinen Kaffee trinke ich
stets, sobald meine Füße in meinen Babuschen stecken — das ist
im ganzen Morgenland so Sitte. Niemals verlasse ich mich, um
zu frühstücken, auf ihre verbrühte Milch und Wasser da unten am
Brunnen, das versichere ich Ihnen; und was das langsame Gehen
anbetrifft — ich habe ohnehin eine kleine Ahnung von Podagra
empfunden."

„Haben Sie wirklich?" fragte Jekyl: „ich bedauere sehr, denn
wenn Sie keine Lust zum Frühstücken haben, so empfinde ich sie;
— folglich, Mr. Touchstone, ich wünsche Ihnen einen guten
Morgen."

Aber obwohl der junge Offizier im doppelten Geschwindschritt vorwärts eilte, so blieb sein beharrlicher Begleiter dicht an
seiner Seite, eine Rüstigkeit zeigend, die man seinem Aeußern und
seinen Jahren nicht hätte zutrauen sollen, indem er fortdauernd

dabei sprach, als wolle er beweisen, daß seine Lungen nicht im allermindesten von dieser ungewöhnlich schnellen Bewegung angestrengt würden.

„Nein, mein junger Herr, wenn Sie einen rüstigen, muntern Schritt vorziehen, ich bin auch dabei, und möge die Gicht zum Teufel fahren. Sie sind ein glücklicher Bursche, der die Jugend für sich hat; aber dennoch, so weit als vom alten Ort nach dem Gesundbrunnen, glaube ich, werde ich trotzdem mit Ihnen Schritt halten — Hacken und Zeh gleich kräftig rühren — ja eine Meile weit will ich es selbst Barclay gleich thun.“

„Auf mein Wort, Sie sind ein lustiger alter Herr,“ sagte Jekyl, seinen Schritt mäßigend, „und sollen wir denn einmal zusammen wandern, obwohl ich eben keine Nothwendigkeit davon einsehe, so muß ich wahrlich die Segel vor Ihnen einziehen.“

Damit, als ob ihm ein anderes Mittel, sich von ihm zu befreien, eingefallen wäre, zog er eine elfenbeinerne Büchse mit Cigarren hervor, zündete eine mit seinem Feuerzeuge an und sagte, während er vorwärts schreitend so viel er vermochte von dem Tabaksduft in seines Gefährten Gesicht blies, in gebrochenem Deutsch: „Vergeben Sie, mein Herr — ich bin erzogen in kaiserlicher Dienst — muß rauchen eine kleine wenig.“

„Rauchen Sie immer fort,“ entgegnete Touchwood, ebenfalls deutsch, und brachte einen ungeheuren Meerschaumkopf zum Vorschein, der, an einer Kette um seinen Nacken befestigt, in der Busentasche seines Rockes versteckt war; „habe auch mein Pfeifchen — sehen Sie den lieben Topf!“ — Und damit erwiederte er den Rauch seines Gefährten, wenn nicht sein Feuer, im vollen Gehalt, ja mit reichlichen Zinsen.

„Der Teufel hole den Plauderer!“ dachte Jekyl bei sich. „Er ist zu alt und fett, um nach der Art des Professor Jackson behandelt zu werden, und bei meinem Leben, ich weiß nicht, was man mit ihm machen soll. — Ich muß ihm die entschiedenste Kälte zeigen, sonst wird er mich ewig plagen."

Diesem Vorsatz gemäß, schritt er, seine Cigarre dampfend, anscheinend eben so in sich versunken vorwärts, als Mr. Cargill selbst, ohne Touchwood die kleinste Aufmerksamkeit zu gönnen, der demungeachtet zu sprechen fortfuhr, als habe er es mit dem aufmerksamsten Zuhörer in Schottland zu thun, es sei nun der Lieblingsneffe eines alten querköpfigen, reichen Junggesellen, oder der Adjutant irgend eines betagten, verrostetten Haudegens von General, der Anekdoten aus dem amerikanischen Kriege erzählt. Er fuhr fort:

„Und so, Sir, kann ich es überall mit einem Jeden aufnehmen, denn ich habe mir das Reisen auf alle Art versucht, von der Karavane bis zu dem Wagen eines Frachtfuhrmanns herab, aber die gute Gesellschaft bleibt überall immer das Beste, und ich schätze mich sehr glücklich, daß ich einen Gentleman angetroffen habe, der mir so gut zusagt, als Sie. — Diese ernste ausdauernde Aufmerksamkeit erinnert mich an Elfi Bey — Sie mochten mit ihm englisch reden, oder irgend etwas, wovon er auch das Wenigste verstand — Sie hätten den Aristoteles dem Elfi vorlesen können, keine Muskel hätte er bewegt geben Sie ihm nur seine Pfeife, so würde er auf seinem Kissen dasitzen, als begriffe er jedes Wort, was Sie sagten."

Mit einer kleinen anmuthigen Bewegung warf jetzt Hauptmann Jekyl die Ueberbleibsel seiner Cigarre weg, und begann eine Opernarie zu pfeifen.

„Sehen Sie, und nun dies wieder! — Das ist ganz genau wie der Marquis, ein anderer meiner sehr werthen Freunde, der auch die ganze Zeit pfeift, wenn Sie mit ihm reden. — Er sagte, er habe es in der Zeit des Terrorismus sich angewöhnt, wo ein Mann gern pfiff, um zu zeigen, daß seine Gurgel noch ganz blieb. — Und da wir einmal von vornehmen Leuten reden, was denken

Sie wohl von der Geschichte zwischen Lord Etherington und seinem Bruder oder Vetter, wie einige Leute ihn nennen!"

Bei dieser Frage fuhr Jekyl augenscheinlich zusammen, ein Grad von Erschütterung, welcher, wenn seine modischen Freunde Zeugen davon gewesen wären, auf ewig alle seine Ansprüche, zu ihrer ersten Klasse zu gehören, vernichtet haben würde.

„Welch' eine Geschichte?" fragte er, sobald er der kleinsten Sammlung wieder mächtig war.

„Ei, Sie wissen die Neuigkeit gewiß schon. Francis Tyrrel, den neuerlich die ganze Gesellschaft für eine Memme erklärte, hat sich als ein so tapferer Bursche, als nur Einer von uns sein kann, ausgewiesen; denn statt fortgelaufen zu sein, um sich nicht die Gurgel von Sir Bingo abschneiden zu lassen, war er nur damals mit dem tapfern Versuch beschäftigt, seinen ältern oder gesetzmäßigeren Bruder, oder Vetter, oder sonst irgend einen nahen Verwandten, umzubringen."

„Ich vermuthe, Sie sind im Irrthum, Sir!" antwortete Jekyl, so schnell er konnte seinen Geschwindschritt wieder beginnend.

„Man sagte mir," fuhr Touchwood fort, „ein gewisser Jekyl wäre damals Sekundant beider Duellanten gewesen — ein dazu passender Patron, Sir; — einer von den schönen Herren, denen wir Sold zahlen, daß sie dem Pflaster in der Bondstraße den Staub abtreten und auf einen dickbesohlten Schuh und gewalkte Strümpfe so stolz herabsehen, als ob der damit Bekleidete nicht auch zu ihren Zahlmeistern gehörte. Demungeachtet glaube ich, daß der Oberbefehlshaber ihm wahrscheinlich den Laufpaß ertheilen möchte, wenn er diese Geschichte erfährt."

„Sir!" rief Jekyl stolz auffahrend — doch gedenkend, wie thöricht es sei, über ein Original, wie sein Begleiter, sich zu ärgern, fuhr er gelassener fort: „Sie sind im Irrthum — der Hauptmann Jekyl weiß nichts von der Angelegenheit, auf welche

Sie sich beziehen — Sie sprechen von einem Ihnen völlig unbekannten Mann — Hauptmann Jekyl ist — (er stockte hier vielleicht schon durch den bloßen Gedanken gekränkt, sich vor einem solchen Menschen gegen einen solchen Vorwurf zu vertheidigen).

„Ja, ja," sagte der Reisende, die Lücke auf seine Art ausfüllend, „es ist freilich wahr, er ist nicht werth, daß wir von ihm reden — aber dennoch glaube ich, er weiß doch so viel von der Geschichte, als Sie und ich!"

„Sir, dieß ist entweder ein großes Mißverständniß, oder eine absichtliche Unverschämtheit. Wie albern und aufdringlich Sie mir auch erscheinen mögen, kann ich Ihnen doch nicht gestatten, nichtachtend des Namens des Hauptmanns Jekyl zu erwähnen. — Ich bin Hauptmann Jekyl, Sir!"

„Sehr möglich! — Sehr möglich!" erwiederte Touchwood mit der empörendsten Gleichgültigkeit: „Ich habe schon vorher so Etwas davon geahnet!"

„Dann, Sir, mögen Sie auch leicht ahnen, was wahrscheinlich folgen kann, wenn ein Edelmann sich selbst ungerecht und ohne Beweise anklagen hört!" rief Hauptmann Jekyl, höchst erstaunt, die Ankündigung seines Namens und Ranges so oberflächlich aufgenommen zu sehen. — Ich möchte Ihnen nicht rathen, Sir, zu kühn auf das Vorrecht zu pochen, das Ihnen Ihr Alter und Ihre Unwichtigkeit gibt."

„Ich wage nie mehr, Hauptmann Jekyl, als es mir so eben gerade nothwendig scheint," entgegnete Touchwood mit großer Fassung. „Wie Sie es richtig sagen, bin ich zu alt für solch' ein höchst albernes Treiben als ein solches Klingenspiel, welches keine Nation, so viel ich weiß, ausübt, als unsere einfältigen Europäer — also von Ihrem Spieße da, dessen Griff Sie mit so viel Würde berühren, von dem kann hier durchaus nicht die Rede sein. Sehen Sie, junger Herr, ich verlebte 45 Jahre meines Lebens unter Leuten, die ein Menschenleben nicht einmal in gleichem Werthe mit dem Knopfe ihres Rockkragens schätzen — in solchen Fällen muß man sich selbst zu schützen lernen, so gut es gehen will; wer mich daher zu berühren wagt, mag auch sich selbst die Folgen zuschreiben. Ich führe stets ein paar kleine Bullenbeißer mit mir, die Alter und Jugend in's Gleiche bringen."

Damit zeigte er ein paar schöne, reich beschlagene Pistolen von der vollendetsten Arbeit.

„Versuchen Sie es, mich ohne meine Schutzwehr zu erhaschen;" fuhr er fort, den Rock über die Pistolen zuknöpfend, bedeutend die verborgene Seitentasche zeigend, welche mit Schlauheit, sie zu verhüllen, erfunden war. Dann setzte er freundlicher mit vertraulichem Ton hinzu: „Ich sehe, Sie wissen nicht, was Sie aus mir machen sollen; aber die Wahrheit zu gestehen, ein Jeder, der sich in diese St. Ronans'schen Händel mischt, geräth etwas aus dem gewohnten Gleise — wird zuweilen ein Bischen überspannt — kurz, die Wahrheit zu sagen, etwas toll oder doch ungefähr so. Nun, ich maße mir nicht an, klüger zu sein, als andere Leute."

„Sir," erwiederte Jekyl, „Ihr ganzes Benehmen, wie Ihre Worte dazu, sind so durchaus beispielloser Art, daß ich Ihre Meinung klar und unumwunden erbitten muß. — Haben Sie die Absicht, mich zu beleidigen, oder nicht?"

„Ich denke nicht an Beleidigung, junger Mann — hege nichts als offene, ehrliche Absichten. — Ich wünschte nur Ihnen mitzutheilen, was die Welt sagen würde, nichts, gar nichts weiter!"

Hastig rief jetzt Jekyl: „Sir, die Welt mag sich Lügen erzählen, welche sie will; ich war dennoch bei jenem Zusammentreffen Etheringtons und Mr. Tyrrels nicht gegenwärtig. — Ich war einige hundert Meilen davon entfernt."

„Also doch," sagte Touchwood, „fand wirklich ein solches Zusammentreffen statt — das war eben die Sache, die ich zu wissen wünschte."

Zu spät jetzt bemerkend, daß er in dem Bestreben, sich selbst zu rechtfertigen, seinen Freund bloßgestellt habe, sagte Jekyl: „Sir, ich hoffe, Sie werden aus einem übereilten Ausdrucke, dessen ich mich zu meiner Rechtfertigung bediente, nichts folgern wollen. — Ich hatte blos die Absicht, zu sagen, daß wenn eine solche Begebenheit, wie die, von der Sie reden, sich ereignet hätte, ich nichts davon wüßte."

„Sorgen Sie nicht — sorgen Sie nicht — ich werde von dem, was ich erfahren habe, keinen schlechten Gebrauch machen. Ja, wenn Sie auch·jetzt Ihre Worte noch mit den besten Fischbrühen (und das sind die Burgeß'schen Saucen) würzen wollten, es wäre überflüssig, ich habe schon durch Sie alle Nachrichten erhalten, die mir nöthig waren."

„Sie sind unbeschreiblich hartnäckig, Sir!" erwiederte Jekyl.

„O ein Felsen, eine Art von Kieselstein, was das anbetrifft. Was ich weiß, das weiß ich nun, aber ich werde es nicht schlecht anwenden. — Hören Sie, Hauptmann — ich hege keine bösen Absichten gegen Ihren Freund vielleicht gar das Gegentheil aber er ist auf sehr schlechtem Weg; so pfiffig er sich dünkt, hat er die Rechnung doch ohne den Wirth gemacht; Ihnen sage ich das, weil ich Sie (ohne Ihrer modischen Zierlichkeit zu nahe zu treten) wie Hamlet sagt, für ziemlich ehrlich halte; aber selbst, wären Sie es auch nicht, Noth kennt kein Gebot; man wird in einer Wüste auch einen Beduinen gern zum Führer wählen, wenn man ihm in angebauter Gegend auch nicht einen Spargel anvertraute. So denke ich wohl daran, Ihnen einiges Vertrauen zu schenken, — doch wie viel eigentlich, darüber bin ich noch nicht mit mir einig."

„Auf mein Wort, Sir, ich fühle mich sowohl durch Ihre Absicht, als durch Ihr Zögern sehr geschmeichelt," entgegnete Jekyl. Es gefiel Ihnen nur noch so eben zu sagen, daß ein Jeder,

der mit dieser Angelegenheit zu schaffen habe, etwas wunderlich sein müsse!"

„Ja, ja; so etwas gestört — ein bischen toll, oder ungefähr so. — Das sagte ich, und will es beweisen!"

„Ich würde mich freuen, den Beweis davon zu hören! Doch hoffe ich, Sie nehmen sich selbst nicht aus?"

„O in keiner Art!" entgegnete Touchwood. „Ich bin einer der tollsten alten Bursche, welche dem Tollhause entrannen oder überhaupt frei umher laufen. Aber ich sehe schon, Hauptmann, auch Sie verstehen es, verfängliche Fragen vorzulegen. Sie möchten gern wissen, wie viel oder wenig ich von all' den Geheimnissen erfahren habe. Gut, das kann sich späterhin vielleicht ausweisen. — Hören Sie indessen meine Beweise. — Des alten Scroggie Mowbray Narrheit war, daß er den Klang des Namens Mowbray lieber hörte, als den von Scroggie; die Tollheit des Sohnes, daß er ihn nicht so gern mochte. Der alte Graf von Etherington war nicht bei vollen Sinnen, als er im Geheim eine Französin heirathete, und verteufelt toll, als er öffentlich mit einer Engländerin sich obenein vermählte. Was nun die hier versammelten Leute anbetrifft, da hat Mowbray von St. Ronans einen Sparren zu viel, wenn er seine Schwester Jemand geben will, ohne genau zu wissen, wem. — Sie ist eine Thörin, ihn nicht zu nehmen, weil sie eben weiß, wer er ist und was zwischen ihnen vorging, und Ihr Freund ist der tollste von Allen, daß er, schon so schwerer Strafe schuldig, sie noch immer verfolgt. Sie, Hauptmann, und ich, wir sind obenein toll bloß zum allgemeinen Besten, wenn wir uns in dieses Gemengsel von Narrheit und Wahnsinn einmischen!"

„In der That, Sir, Alles, was Sie mir da sagen, bleibt mir durchaus ein Räthsel!"

Kopfnickend sagte Touchwood: „O Räthsel kann man auflösen; haben Sie den Wunsch, das meinige zu verstehen, so bitte ich, bemerken Sie wohl, daß ich in dieser unserer ersten Unterredung mich bemühte, die frais de la conversation zu machen, wie der Franzose sagt. Wünschen Sie eine neue Unterhaltung, so können Sie in der Schenke zur Teufelsfalle an jedem Ihnen gefälligen Tage vor Sonnabend Punkt vier Uhr erscheinen, wo Sie keines Ihrer halb verhungerten, lang gestreckten Knochengerippe finden werden, die Sie an der table t'hôte Geflügel nennen, sondern zarte¹, junge Küchlein   ich schaffte der Mistreß Dods die Brut von dem alten Ben Vandewash, dem holländischen Mäkler — mit Reis und Pilzen ganz fein geschmort. — Können Sie ohne eine silberne Gabel essen, und bringen guten Appetit mit, sollen Sie herzlich willkommen sein — und damit ist's gut. — Jetzt wünsche ich Ihnen einen guten Morgen, mein guter Herr Offizier, denn bei alledem bleibt ein Gardehauptmann doch immer nur ein Offizier."

Ehe Jekyl ein Wort erwiedern konnte, bog der alte Herr in einen Seitenpfad ein, der nach der Heilquelle führte, und sich hier von dem Wege nach dem Hotel trennte.

Ungewiß, mit wem er eine so befremdende Unterhaltung gepflogen hatte, blickte Jekyl ihm stumm nach, bis seine Aufmerksamkeit von einem kleinen Jungen erregt ward, der aus dem Gesträuch hervorbrach, die so eben abgeschnittene Gerte in Händen haltend; wahrscheinlich hatte er gegen die bestehenden Verbote gesündigt, denn er schien auf dem Sprunge zu stehen, sich sogleich wieder in das Gebüsch zu verstecken, wenn irgend Jemand in der Nähe wäre, der ihn zur Strafe ziehen möchte. Leicht konnte der Hauptmann ihn für einen jener hoffnungsvollen kleinen Taugenichtse erkennen, welche auf öffentlichen Plätzen sich einen unstäten Erwerb anzeigen suchen, und bald Schuhe putzend, bald Aufträge besorgend, der Stallknechte und Kutscher Arbeit im Stalle verrichtend, Thüren öffnend und so weiter, etwa den zehnten Theil ihrer Zeit anwenden, während sie den Rest spielend, in der Sonne schlafend zubringen, oder gar sich im Voraus üben, das Handwerk der Räuber und

teſt, erinnern mich deine kühn ſein ſollenden Blicke immer an eine
Fahne, welche nur bis auf die halbe Höhe des Maſtes aufgewunden
ward, und Trübſinn und Niedergeſchlagenheit ſtatt Sieg und trotzen-
der Kühnheit verkündet."

„Ich halte jetzt bloß das Spiel Ew. Herrlichkeit in Händen,"
erwiederte Jekyl, „und ich will nur herzlich wünſchen, daß Niemand
mir in die Karten zu ſehen vermöge!"

„Was willſt du damit ſagen?"

„Nichts weiter, als daß ich bei meiner Rückkehr durch den Wald
von einem alten Plagegeiſt, einem ſogenannten Nabob überfallen
ward, der ſich Touchwood nennt."

„Ich habe einen ſolchen Menſchenſchlag hier geſehen!" ſagte
Lord Etherington. „Was gibt's mit ihm?"

„Nichts weiter, als daß er bei weitem mehr von Ihren Angelegenheiten zu wiſſen ſcheint, als Sie wünſchen oder vermuthen
möchten. Er witterte den wahren Verlauf Ihres Zuſammentreffens
mit Tyrrel, und was das Schlimmſte iſt — ich muß durchaus die
Wahrheit eingeſtehen — er brachte es richtig ſo weit, mich dahin
zu verleiten, ſeinen Argwohn einigermaßen zu beſtätigen."

Erbleichend rief Lord Etherington: „Ha! Warſt du toll? Das
iſt gerade die rechte Zunge, um die Geſchichte zur Fabel des ganzen
Landes zu machen! Hall, du ſtürzeſt mich in's Verderben!"

„Das hoffe ich nicht!" ſagte Jekyl. „Zum Himmel hoffe ich,
ich that es nicht! Was er weiß, iſt nur oberflächlich — nur daß
es Händel zwiſchen Euch gab. — Sieh' deßhalb nicht ſo beſtürzt
aus, ſonſt will ich zurückeilen, dem Kerl den Hals abzuſchneiden,
uns ſeine Verſchwiegenheit zu ſichern."

„Verdammte Plauderei!" rief der Graf. „Wie konnteſt du
dich überhaupt nur mit ihm einlaſſen?"

„Ich kann es ſelbſt nicht erklären," ſagte Jekyl. „Er hat eine
Art ſich allmählich einzudrängen, die zehnfach die der zäheſten Doc-
toren übertrifft — ſitzt feſt, wie das Erz im Felſen — durchaus

eine neue Auflage von dem **Alten Mann vom Meere,** der
nach der Sage der unermüdlichste Späher gewesen sein soll."

„Konntest du ihm nicht, wie einer Taube, den Hals umdrehen,
und ihn dort liegen lassen?" fragte Lord Etherington.

„Dann hätte ich zum Lohne meiner Mühe ein Loth Blei in
meinem Körper davon getragen. — Nein, nein, wir haben ohnehin
Straßenräuberei-Werk genug bei dieser Geschichte. — Ich gebe dir
mein Wort, der alte Kerl war so bewaffnet, als sei er sehr wohl
gesonnen, die Leute in den Sand zu strecken

„Gut, gut! — Aber Martigny oder Tyrrel, wie du ihn nennst
was sagte er?"

Nun, dieser Tyrrel oder Martigny, wie Ew. Herrlichkeit ihn
nennen, will in keiner Art den Vorschlägen Ew. Herrlichkeit Gehör
geben. Er will nicht zugeben, daß die Glückseligkeit Miß Mow=
bray's in die Gewalt Ew. Herrlichkeit gegeben sei; ja, seine Zu=
stimmung ward auch selbst dadurch nicht im mindesten mehr gewon=
nen, als ich der augenblicklichen Trennung erwähnte, welche sogleich
der Bekanntmachung oder Wiederholung der kirchlichen Ceremonie
folgen könnte."

„Und aus welchen Gründen schlägt er ein so angemessenes
Uebereinkommen aus? Denkt er noch immer selbst daran, das Mäd=
chen zu heirathen?"

„Ich glaube, er denkt, der vorliegende Fall mache dieß ganz
unmöglich!" entgegnete sein Vertrauter.

„Was? will er den Hund beim Troge spielen? — Weder selbst
essen, noch essen lassen? — Er soll sich sehr getäuscht finden. Sie
hat mich, seit ich dich gesehen habe, Jekyl, wie einen Hund behan=
delt; also beim Jupiter, Sie soll mein sein, daß ich ihren Stolz
brechen kann, und ihn in's innerste Leben durch den tödtlichen
Schmerz, Zeuge davon zu sein, verwunde."

„Halt, halt noch zuvor!" rief Jekyl, „vielleicht habe ich Etwas
von ihm zu berichten, welches eine bessere Uebereinkunft veranlassen

könnte, als Alles, was durch die feinste Quälerei zu erlangen sein
möchte. Er ist bereit, das, was er Miß Mowbray's Frieden nennt,
für den Preis der Entsagung seiner Ansprüche auf Ihres Baters
Rang und Vermögen zu erkaufen; und er überraschte mich sehr,
Mylord, indem er mir ein Verzeichniß der Dokumente zeigte, welche,
wie ich fürchte, ihm das Gelingen seines Prozesses mehr als wahr=
scheinlich machen, wenn solche Beweise wirklich vorhanden sind!"
Lord Etherington nahm das dargebotene Papier, und schien es
sehr aufmerksam zu überlesen, während Jekyl fortfuhr: „Er wird
an den Bewahrer dieser Dokumente schreiben, ihre Uebersendung
hieher zu fordern."

„Wir wollen ihren Gehalt prüfen, wenn sie anlangen," erwie=
derte Lord Etherington. „Sie kommen mit der Post, wie ich ver=
muthe?"

„Ja, und man kann sie sogar sehr bald erwarten!" erwiederte
Jekyl.

„Gut   er bleibt immer, mindestens von einer Seite, mein
Bruder!" sagte der Graf. „Ich würde es daher gar nicht wünschen,
ihn der Strafe untergeschobener Dokumente anheim fallen zu sehen,
welches, wie ich vermuthe, das Ende seiner so prahlend ausgeprie=
senen Beweise sein wird. — Wohl möchte ich diese berühmten Pa=
piere sehen!" —

„Aber Mylord, Tyrrel behauptet, daß Sie dieselben gesehen
haben; daß mindestens Abschriften davon entnommen wurden,
welche sich sogar in Ihrem Gewahrsam befinden. — So lautet seine
Versicherung."

Lord Etherington entgegnete: „Er lügt, wenn er behauptet,
daß mir das Dasein dieser Papiere bekannt ist. Die ganze Ge=
schichte betrachte ich als bloße Windbeutelei. — Trug — eitel
leerer Schaum — oder Etwas, was noch gehaltloser ist, — so
wird sie sich ausweisen, wenn die Papiere erscheinen, wenn sie noch
überhaupt zu Tage kommen. Das Ganze ist von Anfang bis zu

Ende nichts als eine Beutelschneiderei, und ich wundere mich über dich, Jekyl, daß du nach Sillabub so lüstern warest, daß du solche zu Schaum geschlagene Sahne, als er dir da auftischte, herunter schlucken mochtest. — Nein — nein — zu gut kenne ich die Vortheile, die ich besitze, und werde sie so zu benutzen wissen, daß ihr Herzblut fließen soll. Was die Papiere anbetrifft, da entsinne ich mich wohl, daß mein Bevollmächtigter davon sprach, man habe ihm die Abschriften einiger Manuscripte eingereicht, aber noch waren die Originale nicht erschienen; und ich wette, was man will, daß sie sich niemals zeigen werden. — Nichts als Erdichtungen. — Wüßte ich es anders, würde ich es dir nicht mittheilen?"

„Gewiß, ich hoffe, Mylord würden nicht anstehen," erwiederte Jekyl; „denn ich sehe keine Möglichkeit sonst, in dieser Sache nützlich zu sein, wenn mir nicht die Ehre wird, das Vertrauen Mylord's ganz zu besitzen."

„Wohl besitzest du es ganz, ganz, mein Freund!" rief Etherington, ihm die Hand schüttelnd. „Da ich nun aber deine jetzige Vermittelung als einen fehlgeschlagenen Versuch betrachten muß, so bleibt mir nichts übrig, als irgend eine andere Art zu ersinnen, diesen überlästigen Burschen zur Ruhe zu bringen."

Noch einmal und mit größerm Nachdrucke sagte Jekyl: „Keine Gewaltthat, Mylord!"

„Keine, durchaus keine! beim Himmel! Wie, du argwöhnischer Mensch, verlangst du einen Eid, deine Gewissenszweifel zu dämpfen? — Nein, im Gegentheil, meine Schuld soll es gewiß nicht sein, wenn wir nicht in anständige Verhältnisse kommen."

„Es würde für Euren beiderseitigen Ruf bei weitem das Bessere sein, wenn sich das bewerkstelligen ließe," entgegnete Jekyl, „und ist es dir Ernst mit dem Wunsche, so will ich Tyrrel darauf vorzubereiten suchen. Er kommt heute nach dem Gesundbrunnen oder in's Hotel, und es würde höchst lächerlich sein, dort eine Scene zu machen!"

30*

„Wahr, ganz wahr, mein theurer Jekyl, geh', such' ihn auf, und mache es ihm begreiflich, wie thöricht es sein würde, unsere Familien-Zwistigkeiten zum Vergnügen der Andern zum Besten zu geben. — Sie sollen sehen, daß zwei Bären einander begegnen können, ohne sich anzufallen. Geh, geh voran — ich werde dir sogleich folgen — geh, und vergiß nicht, daß du mein volles, alleiniges Zutrauen besitzest. — Geh, du halb Auzer, zagender Narr!" fuhr er fort, so wie Jekyl das Zimmer verlassen hatte, „der du eben Verstand genug besitzest, dich gewiß in's Verderben zu stürzen, indem du Hals über Kopf Dinge unternimmst, denen du nicht gewachsen bist. — Aber er hat einen guten Ruf in der Welt — ist tapfer — und gehört zu denen, deren ehrende Theil= nahme eine zweifelhafte Sache im günstigen Lichte erscheinen läßt. Ueberdem ist er mein Geschöpf. — Ich habe für ihn gut gesagt und bezahlt, und es wäre thörichter Uebermuth, ihn nicht zu mei= nem Zwecke zu benutzen. — Was aber das Vertrauen anbetrifft — davon, mein ehrlicher Hall, ist nicht weiter die Rede — als was ganz unausweichbar nöthig ist. Bedarf ich eines Vertrauten, hier kommt Einer, der um die Hälfte brauchbarer ist. — Gewissens= zweifel kennt Solmes nicht — er wird mir stets geldwerthen Eifer und Verschwiegenheit für Geld gewähren!"

Der Kammerdiener Sr. Herrlichkeit betrat so eben das Zim= mer; ein ernster Mann von höflichem, bescheidenem Aeußern, schon über das Mittelalter weg, von blasser Gesichtsfarbe, mit einem finstern, tiefsinnigen Auge, leise auftretend und wenig Worte machend, aber mit der ausschließendsten Aufmerksamkeit allen Pflichten seines Amtes nachkommend.

„Solmes!" begann der Graf, und brach dann kurz ab.

„Mylord!" — eine Pause erfolgte; noch einmal sagte der Lord „Solmes!" sein Diener erwiederte: „Ew. Herrlichkeit!" und wieder schwiegen Beide, bis endlich der Graf, als falle ihm jetzt erst das Rechte ein, fortfuhr: „Ach, ich erinnere mich, was ich Euch fragen wollte — es betraf die Einrichtung des hiesigen Postcourses. Ich vermuthe, er ist eben nicht sehr regelmäßig?"

„Regelmäßig genug, Mylord; nämlich den hiesigen Ort anbetreffend. — Die Leute im alten Ort aber bekommen ihre Briefe nicht so ordentlich."

„Weßhalb nicht, Solmes?"

„Das alte Weib, welches dort die kleine Schenke hat, ist in gar üblem Einverständniß mit der hiesigen Postmeisterin. — Die Eine will die Briefe nicht holen lassen, die Andere sie nicht hinauf senden; so werden sie denn oft verloren, verworfen, oder nach dem Generalpostamt zurück gesandt."

„Ich wünschte wohl, dieß möchte bei einem Packet, welches ich in wenigen Tagen erwarte, sich nicht ereignen. — Es sollte eigentlich schon hier sein, oder mindestens Anfangs der Woche eintreffen. Es kömmt von dem umständlichen Esel, dem Quäker Trueman, der mir immer unter meinem Tauf= und Familiennamen, Francis Tyrrel, schreibt. Es ist sehr möglich, daß er auch die Gasthäuser verwechselt, und es würde mir sehr unangenehm sein, wenn es in Mr. Martigny's Hände fiele. — Ich vermuthe, Ihr wißt, daß er hier in der Nachbarschaft ist, Solmes? — Achtet auf die Sicherheit des Packets, Solmes. — Ohne Aufsehen — Ihr versteht mich. Es möchten die Leute sich sonst die wunderliche Grille machen, als forsche ich nach Briefen, die nicht mein wären."

„Ich habe Alles vollkommen wohl verstanden, Mylord," sagte Solmes, der, obwohl er ganz genau die eigentliche Meinung des ihm gewordenen Auftrags verstand, nicht den kleinsten Wechsel in seinen bleichen Zügen zeigte."

„Hier diese Banknote mag das Porto berichtigen," sagte der Graf, einen Bankzettel von beträchtlichem Werthe dem Diener darreichend. „Ihr mögt das Uebrige für gelegentliche Auslagen behalten."

Auch dieß ward ganz wohl verstanden, und Solmes, zu sein

und vorsichtig, auch nur den Blick eines Vertrauten anzunehmen oder Dank zu äußern, machte bloß eine bejahende Verbeugung, legte die Banknote in sein Taschentuch, und versicherte Se. Herrlichkeit, daß seine Befehle pünktlich befolgt werden sollten.

„Das ist der wahre Anwalt, der mir mein Geld verbürgt, und dessen eben mein Plan bedarf?" — rief frohlockend Lord Etherington. „Er will mir kein Vertrauen abpressen, fordert keine weitläufige Erklärungen, zieht nicht rauh die Hülle hinweg, mit welcher eine feine Kriegslist zart überschleiert wird — jede Ausflucht wird für baares Geld angenommen, vorausgesetzt nur, daß der triftigste Entschuldigungsgrund, das baare Geld selbst, nicht fehlt. — Aber ich will dennoch keinem mich ganz vertrauen, und wie es einem weisen General ziemt, eile ich selbst hinaus, in Person die Recognoscirung zu übernehmen."

Mit diesem Entschlusse ergriff Lord Etherington seinen Ueberrock und Mütze, und sein Gemach verlassend, schlug er den Weg nach dem Laden des Buchhändlers ein, der zugleich als Lesebibliothek und Postamt diente; da er recht in der Mitte der Parade-Allee lag, wie man den breiten grünen Rasenweg nannte, der vom Hotel nach der Quelle führte, so war er so recht eigentlich zum Sammelplatz aller Neuigkeits-Jäger und Müssiggänger jeder Klasse geeignet.

Wie gewöhnlich erregte des Grafen Erscheinung eine gewisse Bewegung auf der öffentlichen Promenade; aber veranlaßte es nun die Einflüsterung des eigenen bangen Gewissens, oder gab es in der That einen Grund dazu, er konnte den Gedanken nicht unterdrücken, daß man ihn kälter aufnehme, als sonst. Sein feiner Anstand und seine schöne Gestalt verfehlten zwar allerdings ihres sonst gewohnten Eindruckes nicht, und Alle, die er anredete, empfingen seine Aufmerksamkeit als eine ihnen ertheilte Ehre; aber Niemand erbot sich, wie es sonst der Fall war, sich an ihn zu schließen, *oder forderte ihn auf, Theil an dem eigenen Kreise zu nehmen.*

Er schien mehr wie ein Gegenstand der Bobachtung und Aufmerksamkeit, als wie ein Mitglied der Gesellschaft selbst, betrachtet zu
werden; diesem fast Verlegenheit erregenden verstohlenen Anstarren
sich zu entziehen, begab er sich in die kleine Niederlage der Neuigkeiten literarischen und andern Inhalts.

Unbemerkt war er eingetreten, eben als Lady Penelope die
Vorlesung einiger Verse beendete, und sie mit aller Lebendigkeit
einer femme savante auslegte, welche sich im Besitz einer Sache
weiß, die Niemand je von andern wiederholen hören wird.

„Eine Abschrift — nein, gewiß nicht!" Diese Brocken drangen von der Gruppe, deren Mittelpunkt die Lady bildete, zum
Ohre Lord Etherington's. — „Es ist ein Ehrenpunkt — ich
muß den armen Mr. Chatterley nicht verrathen; — überdem,
Se. Herrlichkeit ist mein Freund, und wie Sie wissen, eine hohe
Standesperson — da kann man doch unmöglich! — Sie haben
also das Buch nicht, Mr. Pott? — Sie haben Statius nicht
erhalten? Niemals haben Sie doch Etwas, das man zu sehen
wünschte."

„Ich bedaure sehr, Mylady — mir sind jetzt alle Exemplare
davon ausgegangen — doch erwarte ich einige in meiner nächsten
monatlichen Zusendung."

„Gütiger Himmel, Mr. Pott, das ist Ihre nie ausbleibende
Antwort;" rief Lady Penelope. „Ich glaube, fragte ich Sie
nach der neuesten Ausgabe des Koran, Sie würden erwiedern, die
nächste monatliche Sendung müsse Sie Ihnen bringen!"

„Ich kann es in der That nicht behaupten, Mylady," erwiederte Mr. Pott; „ich habe das Werk noch nicht angezeigt gesehen,
aber ich zweifle nicht, wenn es dem Publikum gefallen kann, so
werden Exemplare davon in der nächsten monatlichen Sendung
vorhanden sein."

„Mr. Pott's Ergänzungen lachen uns immer erst in der zu-
künftigen Zeit!" rief Mr. Chatterley, der so eben in die Thür trat.

„Ah, Mr. Chatterley, sind Sie da!" rief Lady Penelope. „Ich klage Sie als Schuld meines Todes an. — Ich kann schlech= terdings diese Thebaide nicht auffinden, wo Polynices und sein Bruder — "

„Still, Mylady! — Still um des Himmels willen!" rief der dichterische Geistliche, auf Lord Etherington blickend. Lady Penelope verstand den Wink und schwieg; aber sie hatte genug gesagt, um des Reisenden Touchwood Aufmerksamkeit zu wecken, der sein Haupt von den Zeitungen, die er so eben las, erhebend, ohne an irgend Jemand insbesondere seine Worte zu richten, gleich= sam die Geographie Lady Penelopens verhöhnend ausrief:

„Polynices? — Eine Wortverdrehung —! Solch einen Ort gibt es gar nicht in der Thebais! — die Thebais liegt in Aegyp= ten — die Mumien kommen daher. — Ich war in den Kata= komben — wahrlich höchst sonderbare Höhlen — die Eingebornen wollten uns steinigen — recht nachdrücklich bedachten sie uns mit Kieseln, ich gebe Ihnen mein Wort darauf —; meine Janitscharen zerstörten zur Wiedervergeltung ein ganzes Dorf."

Während er so fortfuhr, beschäftigte sich Lord Etherington, als achte er auf das Alles nicht, die Briefe, welche auf dem Ka= mine aufgestellt waren, durchzusehen, und dabei eine ziemlich schläfrige Unterhaltung mit Mistreß Pott zu führen, deren Per= son und Benehmen sich gar nicht uneben zu ihrer Bestimmung paßte, denn sie sah recht gut aus und war ungemein artig und geziert.

„Hier sind eine große Menge Briefe, Mistreß, welche keinen Besitzer zu finden scheinen?" fragte Se. Herrlichkeit.

„Eine bedeutende Anzahl davon, Mylord; gewiß es ist eine arge Plackerei, denn wir sind gezwungen, sie dem Postamte zurück zu senden, und uns wird das Postgeld abgezogen, wenn einer ver= loren geht; und wie kann man sie wohl alle stets im Auge be= halten!"

„Gibt es keine Liebesbriefe darunter, Mistreß Pott?" fragte
Se. Herrlichkeit, die Stimme senkend.

„O nicht doch, Mylord, wie sollte ich das wissen?" antwortete
Mistreß Pott, ebenfalls mit leiserem Tone.

„O Jedermann kann einen Liebesbrief erkennen," fuhr Se.
Herrlichkeit fort, „wer nur je einen empfangen hat — man erräth
sie, ohne sie zu öffnen — sie sind immer nur übereilt zusammen
gefaltet, aber sehr sorglich gesiegelt — die Adresse zeigt eine Art
von zitternder Bewegung, welche den Zustand des Schreibers verräth — dieser hier — " indem er mit der Spitze seiner Reitgerte
einen Brief auf dem Kamin berührte — das muß ein Liebesbrief sein."

„Ha ha ha," kicherte Mistreß Pott. „Ich bitte um Verzeihung, Mylord, daß ich lache — aber — ha ha ha — das ist
ein Brief von einem gewissen Bindloose, dem Bankofficianten, an
das alte Weib, die Luckie Dods, wie man sie nennt, in der Schenke
im alten Orte."

„Seien Sie überzeugt, daß Ihre Nachbarin diesen Herrn Bindloose nicht zu ihrem Geliebten angenommen hat — wenn nicht
etwa dem Bankier ein Schlagfluß die Hand unsicher machte. Warum befördern Sie aber den Brief nicht zu ihr? Sie sind recht
grausam, ihn hier zurück zu halten."

„Ich sollte ihn befördern?" antwortete Mistreß Pott; „die
tückische alte reisende Aleschenkerin mag lange warten, ehe ich ihn
zu ihr befördere. — Sie will die Briefe nicht einlösen, welche ihr
durch die königliche Post zukommen, und weiß sich immer einen
Verkehr mit dem alten Frachtfuhrmanne zu machen, als ob es kein
Postamt in der Nachbarschaft gäbe. Aber der Prokurator wird
ihr nächstens auf den Leib fahren!"

„O, Sie sind zu grausam — Sie sollten ihr wirklich den
Liebesbrief senden; bedenken Sie, je älter die arme Seele ist, je
weniger Zeit hat sie zu verlieren."

Aber auf diesem Punkte verstand Mistreß Pott keinen Scherz. Sehr wohl war ihr der eingewurzelte Haß der Matrone gegen sie bekannt, und sie betrachtete ihn wie ein in Dienst stehender Ge= schäftsmann die entgegenwirkenden Anstrengungen eines Radikalen. Sie antwortete daher etwas mürrisch: „Diejenigen, welche Briefe auslöseten, sollten sie erhalten; und nie würde Luckie Dods, noch einer ihrer Gäste, das kleinste Federgekritzel aus dem Postamt von St. Ronans bekommen, wenn sie nicht hier erschienen, es abzuholen und zu bezahlen."

Möglich, daß diese Erklärung die eigentliche Quintessenz von dem enthielt, was Lord Etherington durch sein vorübergehendes Plaudern mit Mistreß Pott zu erfahren beabsichtigte; denn als sie, diesen unangenehmen Gegenstand fallen lassend, ihn in einem süß= lich zierlichen Tone aufforderte, seine Kunst noch einmal durch Aus= wahl eines andern Liebesbriefes zu bewähren, erwiederte er nur leichthin; „dazu müsse er ihr erst einen schreiben;" und seine ver= trauliche Stellung bei ihrem kleinen Throne verlassend, schlenderte er die enge Bude hindurch, beugte sich leicht vor Lady Penelope, als er vorbei ging, und trat wieder auf die Parade, wo ihm ein Anblick ward, der wohl einen sich minder streng beherrschenden Mann zum Erbleichen gezwungen haben würde.

Kaum hatte er den Laden verlassen, als die kleine Miß Diggs fast athemlos in der lebhaftesten Aufregung der ungeduldigsten Neugierde hereinstürzte.

„Um's Himmels willen, Mylady, weßhalb verweilen Sie hier? — So eben ist Mr. Tyrrel an dem andern Ende der Pa= rade erschienen, und Lord Etherington geht von hier hinab. Sie müssen sich einander begegnen. O Himmel, kommen Sie, kommen Sie doch und sehen Sie dieß Zusammentreffen. — Ob sie mit einander reden werden, darauf bin ich neugierig. — Ich hoffe, fechten werden sie doch nicht! — O bitte, kommen Sie, Mylady!"

„Ich sehe schon, ich muß mit Ihnen gehen," sagte Lady Pe=
nelope; „es ist ganz sonderbar, mein liebes Kind, wie neugierig
Sie über Alles sind, was andere Leute betrifft. — Ich bin ge=
spannt, was Ihre Mama dazu sagen wird!"

„O, um Mama, darum kümmern Sie sich nicht — Niemand
kümmert sich um sie — Papa nicht und Niemand sonst. — Kom=
men Sie, theuerste Lady Pen, sonst laufe ich allein weg. — Mr.
Chatterley, machen Sie, daß sie kommt."

„Ich muß schon kommen, scheint es mir," sagte Lady Pene=
lope, „sonst werde ich eine schöne Rechenschaft vor Ihnen abzule=
gen haben."

Aber trotz der ertheilten Weisung, ja sogar vergessend, daß
vornehme Leute nie in zu großer Hast erscheinen sollen, trippelte
Lady Penelope mit all' ihren Satelliten, welche sie so schnell um
sich zu versammeln vermochte, mit ungewöhnlicher Eile die Parade
hinunter, wahrscheinlich aus Theilnahme an Miß Diggs Neugierde,
da Ihre Herrlichkeit erklärte, daß sie selbst keine empfände.

Unser Freund, der Reisende, hatte ebenfalls Miß Diggs Nach=
richten vernommen; und kurz eine Beschreibung der großen Pyra=
mide abbrechend, zu welcher die Erwähnung der Thebais ihn
natürlich leitete, eilte er ebenfalls auf die Parade, und der schönen
Unheil=Verkündigerin Worte wiederholend: „Hoffe, sie werden doch
nicht fechten!" stürmte er so rasch vorwärts, als seine rüstigen
Füße ihn zu tragen vermochten. Wenn nun selbst der Ernst des
Reisenden und die Zierlichkeit Lady Penelopens zur ungewohnten
Eile, durch die Begierde das Zusammentreffen Tyrrels und Lord
Etheringtons zu sehen, vermocht wurden, kann man leicht voraus=
sehen, daß der übrige Theil der Gesellschaft noch weniger seine
Neugierde zu zähmen verstand, und daß folglich Alles zu jenem
Schauspiele sich drängte mit der regen Lebendigkeit modischer Leute,
die zu einer berühmten Auktion eilen.

„Obwohl nun in der That dieß Zusammentreffen all' denjeni=

gen, welche furchtbare Folgen erwarteten, wenig Vergnügen gewährte, so blieb es dennoch höchst anziehend für die Zuschauer,
welche gewohnt sind, die Sprache der unterdrückten Leidenschaften
in eben der Anstrengung zu lesen, womit man sie oft verräth, wenn
man sie am meisten zu verbergen wünscht.

Sobald Tyrrel in die Allee trat, folgten ihm verschiedene
Müssiggänger nach, deren Zahl sich bald so sehr vergrößerte, daß
er sich mit Unmuth und Mißvergnügen in dem Mittelpunkte eines
Gewühles sah, welches alle seine Bewegungen bewachte. Sir Bingo
und Hauptmann Mac Turk waren die ersten, welche sich durch-
drängten und ihn mit aller Höflichkeit, die ihnen nur zu Gebote
stand, anredeten.

Seine rechte Hand zur kameradschaftlichen Versöhnung ohne
Handschuh ihm bietend, murmelte Sir Bingo: „Ihr Diener, Sir,
Diener. Bedauere, daß irgend etwas sich zwischen uns
ereignete. Bedauere recht sehr, auf mein Wort!"

„Es bedarf keines weitern Wortes, Sir!" entgegnete Tyrrel.
Alles ist vergessen!"

„Sehr schön also — ganz und durchaus höflich — hoffe oft
mit Ihnen zusammen zu treffen, Sir!" — Und damit schwieg
der Ritter.

Indessen fuhr der wortreichere Hauptmann fort: „Ja, bei
Gott, es war ein entsetzliches Mißverständniß. Ich könnte mir
gleich das Federmesser durch die Finger ziehen, daß sie ein solches
Wort niederschrieben. — Bei meiner Seele, ich habe so lange daran ausgekratzt, bis ich ein Loch in das Papier kratzte. — O daß
ich es erleben muß, so unhöflich gegen einen Mann verfahren zu
sein, der in einer Ehrensache verwundet ward. Aber mein Lieber,
Sie hätten schreiben sollen; denn wie zum Teufel konnten wir wohl
ahnen, daß Sie so reichlich mit Händeln versehen waren, daß Sie
zwei an einem Tage auszugleichen hatten."

„Ich ward auf eine unerwartete — zufällige Art verwundet,

Hauptmann Mac Turk. Ich schrieb nicht, weil einige Umstände dieser Angelegenheit Geheimhaltung erforderten; aber ich war fest entschlossen, sobald ich mich nur erholt hätte, meinen Ruf in Ihrer guten Meinung wieder herzustellen."

„Ah, das haben Sie ganz vollkommen gethan!" erwiederte der Hauptmann mit schlauem Winke; „denn Hauptmann Jekyl, der ein gar artiger junger Mensch ist, hat uns Ihr ehrenvolles Benehmen vollkommen klar gemacht. Es sind recht nette Jungen, diese Garde-Offiziere, obwohl sie zuweilen gar zu sehr die zierlichen Leute spielen und sich mehr dünken, als sie so eigentlich im Vergleich mit uns in der Linie Dienenden nöthig haben möchten.

Aber er machte uns mit allem Erforderlichen bekannt — und wenn er auch mit keinem Worte eines gewissen vornehmen Lords, seines Straßenräubers, seiner Verwundung und was sonst noch erwähnte, so ward es uns Allen doch sehr leicht, Alles in gehöriges Einverständniß zu bringen. — Ja wenn das Gesetz nicht Ihnen Recht ertheilen will, und böse Reden zwischen Ihnen sich ereigneten, warum sollten zwei Edelleute sich nicht selbst Recht schaffen? Was Ihre Verwandtschaft anbetrifft, warum sollten Verwandte sich unter einander nicht wie Männer von Ehre betragen? — Nun freilich, sagen Einige, Sie wären Eines Vaters Söhne, und das ist doch ein bischen zu nahe Verwandtschaft! Ich dachte selbst einmal daran, meinen Onkel Dougal zu fordern, denn es steht nirgends die eigentliche Scheidelinie fest. — Aber ich überlegte dann doch, es müßte im Ganzen eben so wenig ein Zweikampf, als eine Heirath im verbotenen Grade stattfinden. Cousins germains Bah — da ist Alles in Ordnung — schieß nur zu, Flanigan! = Doch da schreitet eben Mylord gerade auf uns zu, stolz wie ein Hirsch erster Größe, und die ganze Heerde folgt ihm nach."

Tyrrel trat einige Schritte vor seinen zudringlichen Begleitern voraus. Ein jäher Farbenwechsel zeigte sich auf seinem Gesichte, als ob Jemand sich zwinge, irgend einem Wurme oder Thiere zu

nes Benehmens sehr für sich eingenommen zurück lassend. Zwar
drangen wohl einige geringschätzende, schmähende, halb unverständ-
liche Laute aus der Halsbinde Sir Bingo's, aber man achtete nicht
sehr darauf; denn es war der Aufmerksamkeit der schlaublickenden
vornehmen Welt auf dem Gesundbrunnen keineswegs entgangen,
daß die Gefühle des Baronets gerade das Gegenspiel derjenigen
waren, welche Lady Binks an den Tag legte, und daß, wenn er
auch vielleicht sich schämte, irgend eine beunruhigende Empfindung
der Eifersucht zu verrathen, oder vielleicht gar unfähig war, sie
zu fühlen, seine Laune seit einiger Zeit höchst erbittert war; ein
Umstand, welchen indessen seine schöne Hälfte sehr wenig zu berück-
sichtigen schien.

Im vollen Triumphe über seine wohlgelungene List schritt der
Lord Etherington mit seinem Vertrauten vorwärts. Er sagte:

„Du siehst, Jekyl, daß ich mit jedem Manne in England um-
zuspringen weiß! — Es war eine tüchtige Uebereilung von dir,
daß du den Menschen aus dem Dunkel ziehen mußtest, womit ihn
der Zufall so glücklich umgeben hatte. — Du hättest eben so gut
damals gleich die Geschichte unsers Zweikampfes erzählen können,
denn Jedermann kann sie errathen, wenn er Umstände, Zeit und
Ort vergleicht. Aber zermartere dein Gehirn nicht, dich zu rechtfertigen. Du hast es gesehen, wie ich mein natürliches Uederge-
wicht über ihn zu behaupten wußte — in dem vollen gebührenden
Stolze der Legitimität prangte — ihn zum Verstummen brachte
Angesichts der versammelten Menge. Durch seinen Agenten erfährt
Mowbray dies Alles, und es macht ihn nur noch begieriger auf
unsere Verbindung. — Ich weiß, er ist eifersüchtig über meine
Liebeleien mit einer gewissen Dame — der arme Verdrängte!
nichts macht die Leute aufmerksamer auf den Werth eines guten
Glückes, als die Aussicht, es sich entrissen zu sehen.“

„Ich wünsche von Herzen, Sie wollten alle Gedanken an Miß

Mowbray aufgeben, und Tyrrels Anerbieten annehmen, wenn er die Mittel besitzt, es giltig zu machen," sagte Jekyl.

„Ja, wenn — wenn. — Aber fast bin ich sicher, daß er die Rechte nicht besitzt, die er zu haben vorgibt, und daß seine Papiere nur eitel Trug sind. Warum richtest du dein Auge so fest auf mich, als wolltest du irgend ein wunderbares Geheimniß ergründen?"

„Ich wünschte mich im Klaren über Ihr wahrhaftiges bona fide in Hinsicht dieser Dokumente zu finden."

„Aber du argwöhnischer Thor," rief Etherington, „was Teufel willst du, daß ich dir bekennen soll? — Kann ich, wie die Rechtsgelehrten sagen, das Gegentheil beweisen? Und ist es nicht sehr möglich, daß solche Dinge wirklich existiren, obwohl ich nie etwas davon hörte, noch sah. — Das weiß ich nur, daß von allen Menschen am meisten mein Vortheil es erfordert, das Dasein dieser Dokumente abzuläugnen, und ich will sie auch gewiß deßhalb nicht anerkennen, ehe ich durch den Augenschein dazu gezwungen werde; und auch selbst dann nicht, bis ich mich von ihrer vollkommenen Glaubwürdigkeit selbst überzeugte."

„Ich kann Sie nicht tadeln, Mylord, in diesem Punkte nicht leichtgläubig zu sein, aber ich bleibe immer dabei, daß wenn Sie Ihre Grafenkrone und Ihr schönes Erbe retten können, so würde ich in Ihrer Stelle Nettlewood zum Teufel fahren lassen."

„Ja, wie du dein väterliches Erbe zum Teufel fahren ließest, Jekyl; aber du trugst Sorge, es mindestens selbst zu verschleudern. Was würdest du für eine solche Gelegenheit, dein Glück durch eine Heirath glänzend herzustellen, wohl geben? — Bekenne die Wahrheit."

„In meiner jetzigen Lage könnte sie mich vielleicht reizen; aber wäre sie noch, was sie einst war, so würde ich ein Vermögen verachten, welches durch eine Weiberschürze erworben werden müßte, besonders wenn die Besitzerin des Rittersitzes ein kränklich grillenhaftes Mädchen wäre, die mich so haßte, wie diese Miß Mowbray den schlechten Geschmack hat, Sie zu hassen!"

„Hm — kränklich? — Nein, nein, sie ist nicht kränklich. Ihr Körper ist so gesund, als irgend einer — und auf mein Wort, ich finde, ihre Blässe macht sie noch anziehender. Als ich sie zuletzt sah, schien es mir, sie könne mit der schönsten Statue Canova's um den Preis ringen."

„Ja, wenn auch, sie ist Ihnen doch gleichgültig — Sie lieben sie nicht!" sagte Jekyl.

„Sie ist weit entfernt, mir gleichgültig zu sein," erwiederte der Graf. „Täglich gewinnt sie mehr Anziehendes für mich denn ihre Abneigung eben reizt mich an. Ueberdem hat sie die Keckheit, mir öffentlich vor ihrem Bruder und vor aller Welt Trotz und Verachtung zu zeigen. — Ich empfinde eine Art von liebendem Haß — eine gewisse haffende Liebe für sie; kurz, über sie nachdenken, das ist eben so viel, als ein Räthsel auflösen wollen; es verleitet uns zu eben solchen Mißgriffen und sinnlosem Geschwätz. Habe ich je die Gelegenheit dazu, soll sie mir schwer all das grillenhafte, alberne Wesen bezahlen."

„Welches grillenhafte Wesen?" fragte Jekyl.

„Ja, der Teufel mag es schildern, ich nicht! — Aber zum Beispiel — da ihr Bruder darauf besteht, daß sie, wenn ich nach Shaw-Castle komme, mich annimmt, oder vielmehr, daß sie erscheint, sollte ich sagen, möchte man behaupten, sie martere ihre Einbildungskraft, immer neue Arten zu erfinden, ihre Nichtachtung und ihren Widerwillen gegen mich an den Tag zu legen. Statt sich so zu kleiden, wie eine jede Dame es in einer solchen Lage thun sollte, wählt sie irgend eine fantastische, altmodische oder nachläßige Art des Anzuges, welcher sie, wenn nicht lächerlich, doch mindestens höchst sonderbar erscheinen läßt — solche dreifach gewundene Florstreifen von verschiedener Farbe auf dem Kopfe — Stücke von alter Tapisserie-Arbeit, glaube ich, statt eines Shawls — ganz bis

besohlte Schuhe — grob gegerbte lederne Handschuh — Gott sei
uns gnädig, Hall, der bloße Anblick ihres Aufzuges würde ein
ganzes Zimmer voll Putzmacherinnen rein toll machen. — Dann
geberdet sie sich so seltsam — verbeugt sich so linkisch, setzt die Füße
so einwärts — hält die Arme so eckig, — könnten die Grazien auf
sie herabsehen, es würde sie zur ewigen Flucht bewegen."

„Und Sie könnten wünschen, diese linkische, geschmacklose, un-
gebildete Person zur Gräfin Etheringthon zu erheben; Sie, dessen
scharfen Blick die Toiletten der halben Stadt mühsam zu befriedigen streben?" fragte Jekyl.

„Es ist Alles eine bloße List, Hall! ein angenommener Charakter, mich los zu werden, mich abzuschrecken, mich zu täuschen.
— Aber mit mir wird man so leicht nicht fertig. — Der Bruder
geräth ganz in Verzweiflung — er kaut an den Nägeln, winkt,
lacht, und macht Zeichen, die sie stets absichtlich falsch versteht.
Ich hoffe, wenn ich fort bin, schlägt er sie; es wäre doch eine Art
von Trost für mich, könnte ich dessen nur gewiß sein."

„Ein recht großmüthiger Wunsch, wahrhaftig, welcher in der
That der Dame einen kleinen Vorschmack von dem geben könnte,
was ihrer nach der Hochzeit harren möchte!" rief Jekyl. „Aber,"
setzte er hinzu, „können Sie, der Sie so gewandt jedes weibliche
Wesen zu behandeln verstehen, nicht irgend einen Weg finden, sie
zu einer Unterhaltung zu bringen?

„Unterhaltung?" rief der Graf. „O seit sie die Erschütterung meines ersten Anblicks überstanden hat, scheint sie mein Dasein einer gänzlichen Nichtachtung zu weihen; und um mich ganz
in den Grund zu vernichten, hat sie sich gerade einen Strickstrumpf
zur Beschäftigung erwählt. — Von welcher verwünschten, vor der
Sündfluth lebenden alten Schachtel, die zur Zeit der Erfindung
der Spinn- und Webemaschinen längst todt war, sie diese Kunst
erlernte, mag der Himmel allein wissen. Aber da sitzt sie, die Arbeit fest auf ihr Knie gebannt — nicht jenes zierliche, längliche,

31*

seidene Gespinnst, mit welchem Jeanette zu Amiens kokettirte, während Tristram Shandy ihre Fortschritte beobachtete, nein, ein
ungeheurer Sack von wollenem Garn für irgend einen plattfüßigen
alten Armen bestimmt, der Hacken wie ein Elephant hat. — Aber
doch sitzt sie da, die Maschen emsig zählend, und weigert sich zu
reden, zu hören, ja selbst nur aufzublicken, unter dem Vorwande,
daß es ihre Berechnungen störe.

„In der That eine zierliche Beschäftigung, und ich bewundere,
daß es ihr nicht gelingt, den edlen Bewerber vollkommen von seiner
Thorheit zu heilen," sagte Jekyl.

„Verderben über sie! — nein — sie soll nicht mit mir spielen!
Oft bricht plötzlich aus der angenommenen Hülle dieser plumpen
Dummheit ein Strahl so höhnischen Frohlockens, wenn sie recht
gewiß zu sein glaubt, daß es ihr gelang, ihren Bruder zu täuschen
und mich zu peinigen, daß ich meiner Treu, Hall, nicht sagen könnte,
ob ich, wenn es in meine Macht gegeben wäre, sie küssen oder mit
Fäusten schlagen möchte!"

„So bist du entschlossen, diese seltsame Geschichte noch weiter
durchzuführen?" fragte Jekyl.

„Kühn und keck durchzuführen, mein Jungchen! — Clara und
Nettlewood ist das Losungswort! Ueberdem reizt und ärgert mich
auch da dieser ihr Herr Bruder — er thut nicht halb das für mich,
was er könnte — was er eigentlich zu thun schuldig wäre. Er
will in Ehrenpunkten recht kitzlich thun; fürwahr, dieser zu Grunde
gerichtete Pferderenner, der meine zweitausend Pfund hinunter-
schluckte, wie ein Wachtelhund ein Stück Butter. — Ich sehe es
deutlich, er möchte sich noch nicht bestimmt die Hände binden, hegt
so einigen Argwohn wie du, Hall, ob es mit einem Rechte auf
meines Vaters Würden und Güter seine volle Richtigkeit habe,
als ob mit dem Besitze von Nettlewood allein ich nicht eine viel
zu gute Partie für seine Bettelfamilie wäre! — Er denkt meiner
Treu, er will diesen halb gahr gebackenen schottischen Kuchen nach

feiner Art modeln — er müsse unstät, schwankend, vorsichtig den Erfolg abwarten, und meine Verschlossenheit auszuforschen suchen, er, dieser hafermehlfressende Lump! — Ich habe große Lust, während dem Laufe dieser meiner Begebenheiten hier ein Beispiel an ihm zu statuiren."

„Ei, auch die Rache wäre hart und grausam," sagte Jekyl. „Doch gebe ich dir den Bruder preis; er ist ein hinterlistiger Narr, der allerdings eine Weisung verdient. Nur für die Schwester möchte ich gern vorbitten."

„Wir wollen sehen!" entgegnete der Graf, schneller hinzusetzend: „Ich gestehe dir ein, Hall, ihr grillenhafter Eigensinn ist so unterhaltend, daß ich zuweilen aus bloßem Widerspruchsgeiste glaube, daß ich sie beinahe liebe; mindestens, wollte sie nur die alten Rechnungen ruhen lassen, und mir den einen unglücklichen Streich vergessen, sollte es wahrhaftig ihre eigene Schuld sein, wenn ich sie nicht zu einer glücklichen Frau machte."

Zweiunddreißigstes Kapitel.

Ein Sterbebette.

Sie naht! — ja, marternd naht sie in der Abschiedsstunde
Die tief verborg'ne That — die wohlverhüllte Schuld!
Den heil'gen Priester ruft, daß dieß Gespenst er banne! —
Alte Komödie.

Die allgemeine Erwartung der Gesellschaft war durch die friedliche Beendigung des Zusammentreffens des Grafen von Etherington mit Tyrrel, dem man mit so ängstlicher Besorgniß ent-

gegen fah, getäufcht worden. Man hatte einige furchtbare Auf-
tritte vermuthet, ftatt welcher jetzt die Streitenden einer mürrifchen
Reutralität fich zu ergeben, und den Krieg allein der Führung ihrer
Rechtsanwalte zu überlaffen Willens fchienen. — Man hatte allgemein angenommen, daß die Sache nun aus dem Forum Bello-
nens zu dem der Themis übergegangen fei, und wenn auch beide
Parteien Bewohner der Gegend blieben, und fich zuweilen auf dem
Spaziergange oder an der Wirthstafel trafen, trugen fie Sorge,
auf eine ernfte entfernte Verbeugung ihre ganze gegenfeitige Beachtung ihrer Gegenwart einzufchränken.

In wenigen Tagen hörte auch die verfammelte fchöne Welt
auf, Theil an einem fo kalt geführten Zwifte zu nehmen; und wenn
man überall noch daran dachte, fo war es bloß, fich darüber zu
wundern, daß die beiden Entzweiten dabei verharrten, auf dem
Gefundbrunnen zu verweilen, und durch ihr ungefelliges Benehmen
einen zum Vergnügen und zur Gefundheit verfammelten Verein
unangenehm zu ftören.

Aber wie der Lefer es leicht vermuthen kann, die beiden Brüder hatten die dringendften Urfachen, einer in des andern Nähe zu
bleiben — Lord Etherington, feinen Plan, Miß Mowbray betreffend, durchzuführen, Tyrrel, eben diefe Abficht wo möglich zu
hintertreiben, und Beide, um die Antwort des Londoner Hand-
lungshaufes zu erwarten, bei welchem der letztverftorbene Graf die
Papiere niedergelegt hatte.

Jekyl, welcher darnach ftrebte, feinem Freunde den ihm mög-
lichften Beiftand zu leiften, ftattete indeffen einen Befuch im alten
Orte an Touchwood ab, hoffend, ihn eben fo mittheilend zu finden,
als er fich damals bei Gelegenheit des Streites der beiden Brüder
bewies, und fo vermittelft feiner gewandten Gefchicklichkeit zu er-
forfchen, woher der alte Herr die Nachrichten über die Angelegenheiten des edlen Haufes von Etherington gezogen habe. Aber das
Vertrauen, welches er fich von dem alten Reifenden zu erwarten

befugt glaubte, ward ihm nicht. Ferdinand Mendez Pinto, wie
ihn der Graf spottend nannte, hatte entweder seine Meinung ge-
ändert, oder war eben nicht in mittheilender Laune. Der einzige
der Erwähnung würdige Beweis seines Zutrauens war, daß er dem
jungen Offizier ein vorzügliches Recept, Putzpulver zuzubereiten,
mittheilte.

Jekyl ward also gezwungen zu glauben, daß Touchwood, der,
wie es schien, sein Lebenlang sich gar viel um anderer Leute Angelegenheiten bekümmerte, die Nachrichten, welche er über Lord Etherington besaß, aus einer jener finstern verborgenen Quellen schöpfte,
durch welche wichtige Geheimnisse so oft zum Erstaunen und unangenehmer Ueberraschung der darin Verwickelten sich in's Publikum
verbreiten. Er überredete sich um so leichter davon, da Touchwood
keineswegs zu zart in der Wahl seiner Gesellschaft war, sondern
man ihn eben so gern sich mit dem Diener wie mit dem Herrn,
mit der Zofe wie mit der Dame selbst unterhalten sah. Derjenige,
welcher sich zu dieser Gesellschaft erniedrigen will, der ihre Plauderei liebt, und weder abgeneigt ist, für die Befriedigung seiner
Neugierde einigermaßen erkenntlich zu sein, noch zu gewissenhaft
die genaueste Wahrheit von dem Bericht zu heischen, wird stets
eine Menge geheimer Anekdoten erfahren. Da nun Hauptmann
Jekyl an sich selbst erfahren hatte, wie schlau Touchwood durch
Kreuz- und Querfragen von ihm das Eingeständniß des feindlichen
Zusammentreffens beider Brüder erpreßte, schloß er um so mehr,
daß ähnliche Mittel Touchwood zum Mitwisser jener Geheimnisse
machten. Diese Ansicht theilte er nach seinem Besuche bei dem
Nabob dem Grafen mit, äußernd, er glaube, der Fremde sei nicht
sehr zu fürchten, da er die, Gott weiß, wie? erlauschten Geheimnisse nur unzusammenhängend, verworren und unvollständig besitze,
so daß er nicht einmal ganz bestimmt zu wissen scheine, ob die
beiden Streitenden Brüder oder Vettern wären, ja mit den eigent-

lichen Gründen, worauf ihr Prozeß beruhe, vollkommen unbekannt sei.

Den Tag nach dieser erhaltenen Versicherung, Touchwood betreffend, trat Lord Etherington wie gewöhnlich in den Laden des
Buchhändlers, empfing seine Briefschaften, und sah mit hoch klopfen-
dem Herzen, als sein Auge den Sims des Kamins überflog, neben
den noch stets vorhandenen Briefen nach dem alten Orte die zierliche Mistreß Pott mit höchst verächtlicher Miene ein bedeutend
starkes Packet hinlegen, welches die Adresse trug: „An Mr. Mr.
Francis Tyrrel, Esquire ꝛc. Er wandte die Augen ab, als fürchte
er, daß selbst nur ein Blick auf dieß wichtige Packet irgend einen
Argwohn seines Vorsatzes erwecken möchte, oder den großen Antheil verrathen könnte, welchen er an diesen, von Mistreß Pott so
verächtlich behandelten Papieren nahm. In diesem Augenblicke
öffnete sich die Ladenthür, und Lady Penelope mit ihrem ewigen
Anhängsel, der kleinen Miß Disggs, trat ein.

„Haben sie Mr. Mowbray gesehen? — War Mr. Mowbray
von St. Ronans diesen Morgen hier? — Haben Sie irgend
etwas von Mr. Mowbray gehört, Mistreß Pott?" Diese
Fragen ließ die gelehrte Dame so schnell auf einander folgen, daß
es kaum möglich war, die immer wiederholten Verneinungen ein-
zuschieben.

„Mr. Mowbray sei nicht hier — würde diesen Morgen nicht
erscheinen — so eben habe sein Bedienter Briefe und Zeitungen
geholt und es gesagt."

„Mein Gott, wie unglücklich sich das trifft!" rief Lady Penelope tief seufzend, in der Stellung völliger Verzweiflung auf ein
Sopha niedersinkend, so daß sowohl Mr. Pott, als seine Gattin
augenblicklich zu ihrem Beistand herbeieilten; der erste eine kleine
Flasche mit Riechsalz entkorkte, denn er war so gut Apotheker, als
Buchhändler und Postoffiziant, die andere ein Glas Wasser her-
beiholend. Eine starke Versuchung ließ zuckend Lord Ethering-

tons Fingerspitzen erheben. — Nur zwei Schritte, so konnte er
das unbewachte Packet erreichen, auf dessen Inhalt allein, nach
aller Wahrscheinlichkeit, die Ansprüche seines Nebenbuhlers in Rang
und Vermögen sich gründeten; und war es in der allgemeinen Verwirrung unmöglich, sich dessen unbemerkt zu bemächtigen? —
Aber nein, nein, nein! — Zu große Gefahr drohte dem Unternehmen, um es zu wagen! — und schnell von einem Aeußersten zu
dem andern übergehend, schien es ihm, als müsse er schon Verdacht
erregen, wenn er Lady Penelope ihre studirte Betrübniß und Angst
an den Tag legen sehe, ohne scheinbar jenen Antheil dabei zu zeigen, welchen ihr Rang mindestens zu erfordern schien. Von dieser
Furcht gespornt, eilte er, so viel Besorgniß zu heucheln, so emsig
sich zum Beistand Ihrer Herrlichkeit zu erbieten, daß er sich nun
sogleich viel mehr, als es seine Absicht war, verwickelt fand.
Lady Penelope fühlte sich Sr. Herrlichkeit unendlich verbunden.
In der That, ihre Seelenstärke pflegte sonst nicht so leicht einem
äußern Anlasse zu erliegen; aber es habe sich etwas so Sonderbares so Seltsames, so höchst Melancholisches ereignet, daß sie
gestehn müsse, es habe sie ganz übernommen — um so mehr, da
sie immer besser ihre eigenen Leiden zu ertragen vermocht habe, als
sie sich bei dem Anblick der Schmerzen Anderer aufrecht zu halten
vermöge.

„Ob er von einigem Nutzen sein könnte?" fragte Lord Etherington „Sie hätte Mr. Mowbray von St. Ronans zu sprechen
begehrt sein Diener stehe Ihrer Herrlichkeit zu Befehl; wenn sie
ihn her'eiholen zu lassen wünsche."

„Onein, nein, nein!" sagte Lady Penelope: „Ich darf behaupten Mylord, Sie selbst werden noch viel besser, als Mr.
Mowbry hier nützlich sein — vorausgesetzt nämlich, daß Sie auch
ein Friedensrichter sind."

Ser erstaunt wiederholte Lord Etherington: „Ein Friedensrichter? — Ich gehöre ohne alle Frage zur Commiſſion, aber nicht gerade für irgend eine der ſchottiſchen Grafſchaften."

„O das ſchadet nichts!" rief Lady Penelope: „Wollen Sie ſich nur einen kleinen Weg mit mir hinweg bemühen, ſo will ich Ihnen erklären, wie Sie eben jetzt eines der barmherzigſten, gütigſten, großmüthigſten Werke der Welt vollführen können."

Lord Etheringtons Freude an gütigen, großmüthigen, barmherzigen Werken war gar nicht ſo außerordentlich, daß er ſich nicht auf irgend eine Art beſonnen haben ſollte, der Forderung Lady Penelopens auszuweichen, als er durch die Glasthür blickend in der Ferne ſeinen Kammerdiener Solmes bemerkte, der ſich dem Poſtamt nahte.

Ich hörte einſt von einem Schafdiebe erzählen, der ſeinen Hund ſo ſchlau abzurichten verſtand, daß er ihn zuweilen ſelbſt auf Raub ausſandte, und es ſogar dahin gebracht hatte, dem armen Thiere die Vorſicht eigen zu machen, daß er bei ſolchem Geſchäft den eignen Herrn nicht zu kennen ſchien, wenn ſie ſich zufällig trafen. Wahrſcheinlich hegte Lord Etherington gleiche Grundſätze, denn kaum hatte er ſeinen Beauftragten wahrgenommen, als er die Nothwendigkeit einzuſehen ſchien, das Feld für deſſen Ränke frei zu laſſen.

„Mein Diener," ſagte er ſo gleichgiltig, als er vermochte, „wird meine Briefe holen. — Ich muß jetzt Lady Penelope begleiten." Und ſogleich ſeine Dienſte als Friedensrichter, oder in welcher Art ſie ſolche begehren könnte, anbietend, reichte er ſchnell der Dame ſeinen Arm, und kaum Ihrer Herrlichkeit Zeit gönnend, ſich von ihrer Erſchöpfung zu erholen, führte er ſie raſch aus dem Laden; ja ihr mageres, runzliches Geſicht emſig flüſternd zu ſeinem Ohre gebeugt, ihre gelben und ſcharlachrothen Federn ich über ſeine Naſe kreuzend, ihr hochachtbarer Arm in den ſeinigen geklammert, trotzte er dem Kichern und Spott aller jüngeren Frauen, welchen ſie auf der Parade begegneten. Nur ein bedeutender

Blick ward zwischen ihm und Solmes gewechselt, als sie in einiger
Entfernung an einander vorüber gingen; dann verließ der Graf
mit Lady Penelope den öffentlichen Spaziergang, seine Füße willig
ihrer Leitung folgend, während ihr Bestreben, ihm das seiner har-
rende Geschäft zu erklären, ihm allerdings die Ohren betäubte,
doch sein Geist so ganz abwesend war, daß er, durchaus unwissend
und gleichgiltig wohin, vorwärts schritt, ausschließend nur mit
dem Gedanken an Mistreß Potts aufgesammelte Briefe und ihrem
wahrscheinlichen Geschicke beschäftigt.

Endlich rief Lord Etherington es sich mit ernster Anstrengung
zurück, daß seine Zerstreuung höchst seltsam, ja, wie sein Gewissen
ihm sagte, Argwohn erregend in den Augen seiner Begleiterin erscheinen müsse; sich also dem nothwendig gewordenen Zwange unter-
werfend, legte er jetzt zuerst einige Neugierde an den Tag, wohin
ihr Weg sie eigentlich führe. Es fügte sich aber, daß von allen
Fragen er eben gerade diese hier nicht hätte machen müssen, wenn
er den wortreichen Mittheilungen Ihrer Herrlichkeit die kleinste
Aufmerksamkeit geweiht hätte, die alle diesen Gegenstand betroffen
hatten.

„Jetzt," entgegnete Lady Penelope, „jetzt, mein theurer Lord,
muß ich in der That glauben, Ihr Herren der Schöpfung haltet
uns arme einfältige Frauen für die eitelsten der erschaffenen Wesen.
Ich sagte Ihnen, wie schwer es mir wird, von meinen kleinen
Wohlthaten zu sprechen, und nun wollen Sie, ich soll die ganze
Geschichte noch einmal wiederholen. Aber ich hoffe dennoch, Ew.
Herrlichkeit erstaunen nicht über die Handlungsweise, die ich in
dieser traurigen Geschichte für eine Pflicht erachtete — vielleicht
habe ich der Sprache meines Herzens, das sich leicht hintergehen
läßt, ein zu williges Ohr geliehen!"

Achtsam lauernd, irgend ein erklärendes Wort zu erlauschen,
doch zugleich fürchtend, durch eine zu bestimmte Frage zu verrathen,
daß die pathetische vorherige Erzählung gänzlich seinem unauf-

merksamen Ohre verloren ging, konnte der Lord jetzt nur erwiedern, Lady Penelope vermöge nie zu irren, wenn sie den Geboten ihres Herzens und ihrem eigenen Urtheile folge.

Aber das Compliment war für den verwöhnten Gaumen Lady Penelopens nicht stark genug gewürzt, und so ein wahrer unersättlicher Vielfraß im Lobe, suchte sie selbst mit dem großen Suppenlöffel nachzuhelfen: „Mein Urtheil? — Wie kommt es, daß die Männer uns so wenig kennen, um zu glauben, wir könnten es über uns gewinnen, das Recht da abzuwägen, wo das Gefühl im Spiel ist! — Das heißt fast zu viel von uns armen Opfern unserer Empfindungen verlangen. So müssen Sie mich wirklich entschuldigen, wenn ich die Irrthümer dieses strafbaren, aber unglücklichen Wesens bei dem Anblick ihres Elendes vergesse. — Nicht daß ich wünschte, hier meine kleine Freundin Miß Diggs oder Ihre Herrlichkeit möchten glauben, ich verringerte die Abscheulichkeit ihres Vergehens, indem ich die arme, elende Sünderin bedaure. — O nein; Walpole drückt es so herrlich aus, was man bei solchen Gelegenheiten empfinden muß.

> Noch nie war ihre holde Brust
> Empfindungslos für bittres Leid,
> Sich still der eig'nen Kraft bewußt,
> Dem fremden Schmerz sie Thränen weiht!“

Verdammteste aller kostbarthuenden Zieraffen!“ dachte Se. Herrlichkeit, „wann wirst du in all' diesem Geschwätz nur eine Sylbe äußern, die Sinn oder Bedeutung verräth!“

„Aber Lady Penelope fuhr fort: „Wenn Sie wüßten, Mylord, wie sehr ich bei dieser Gelegenheit meine beschränkten Mittel beklage! Aber eine Kleinigkeit brachte ich zusammen von den guten Leuten am Gesundbrunnen. Ich forderte den selbstsüchtigen Menschen, den Winterblossom, auf, mit mir hinzugehen, ihren Jammer zu betrachten, und das herzlose Geschöpf erwiederte, *er fürchte die Ansteckung!* — Ansteckung von einem Kind — Kind-

tterinnenfieber! — Ich sollte vielleicht das Wort nicht ausspre=
en: aber die Wissenschaft gehört keinem Geschlecht an — über=
:m habe ich mich mit Essig à quatre voleurs versehen, und
:he immer nur bis an die Thürschwelle."

Welche Fehler auch Etherington besaß, so mangelte ihm min=
:stens die Barmherzigkeit nicht, welche im Almosengeben besteht.
:r sagte also, seine Börse ziehend:

„Ich bedauere, daß Ew. Herrlichkeit sich nicht an mich
andte."

„Verzeihen Sie, Mylord, wir erbitten nur die Beiträge unse=
:r Freunde, und Ew. Herrlichkeit sind so fortdauernd um Lady
:links beschäftigt, daß wir nur selten die Freude haben, Sie in
:einem sogenannten kleinen Zirkel zu sehen."

Ohne weiter etwas zu erwiedern, bot der Graf einige Guineen
:r und setzte hinzu, „es müsse vor Allem das arme Weib ärzt=
:chen Beistand haben."

„Das sagte ich eben auch!" entgegnete Lady Penelope, „ich
:rderte den rohen Menschen, den Quackleben, dazu auf, der mir
:ch wahrlich einige Dankbarkeit schuldig ist; aber das geldgeizige
:ngeheuer antwortete, wer ihn bezahlen würde? — Er wird täg=
:ch unerträglicher, da er jetzt ziemlich sicher zu sein glaubt, jene
:tte, pausbackige Wittwe zu heirathen. — Er konnte doch wahr=
:aftig nicht verlangen, daß ich — noch über meinen Antheil —
:nd überdem, Mylord, gibt es nicht ein Gesetz, daß jedes Kirch=
:iel, oder die Grafschaft, oder eine solche Behörde den ärztlichen
:esuch der armen Kranken bezahlen muß?"

„Wir wollen schon Mittel finden, ihr des Doktors Beistand
:t verschaffen," sagte Lord Etherington, „und ich glaube, ich
:äte am besten, nach dem Brunnen zurück zu kehren und den
:oktor hieher zu der Kranken zu senden. Ich fürchte, ich werde
:r wenig der Armen bei einem Wochenbettfieber nützen."

„Kindbetterinnenfieber, Mylord!" verbesserte Lady Penelope.

„Wohl denn also, Kindbetterinnenfieber!" Was kann ich ihr
dabei helfen?"

„O Mylord, Sie haben vergessen daß diese Anna Heggie,
von welcher ich Ihnen erzählte, hieher kam, ein Kind auf dem
Arme — ein anderes — kurz im Begriff, zum zweiten Mal Mutter zu werden — und sich in der elenden Hütte ansiedelte, von der
ich Ihnen sagte. — Es meinten allerdings einige Leute, der Prediger hätte sie nach ihrem eigenen Kirchspiel senden sollen; aber er
ist ein seltsamer, sehr geduldiger, schläfriger Mann, der in seinen
kirchlichen Pflichten eben nicht allzuthätig ist. Kurz, sie ließ sich
hier nieder, auch hatte sie so ein eigenes Benehmen, das sie über
die ganz gewöhnlichen Armen etwas zu erheben schien, Mylord;
— gar nicht solch' ein widriges Geschöpf, dem sie sechs Pence
reichen, den Kopf gern dabei abwärts wendend — nein, es schien,
als habe sie einst bessere Tage gesehen — ein Wesen, das, wie
Shakspeare sagt, Bedeutendes uns mittheilen könnte — obwohl
ich in der That nie ganz ihre Geschichte kennen lernte — nur daß
ich heute, als ich nach ihrem Befinden fragte, und mein Mädchen
hineinsandte, ihr eine Kleinigkeit zu bringen, die kaum der Erwähnung werth ist, entdeckte, daß Etwas ihre Seele drücke, welches
mit der Familie Mowbray von St. Ronans zusammenhängt. —
Auch sagte meine Kammerfrau, das arme Weib läge im Sterben
und fordere ungestüm Mowbray, oder irgend eine Magistratsperson
zu sehen, die ihr Bekenntniß empfangen möge, deshalb habe ich
Sie bemüht, mich zu begleiten, damit wir, wo möglich, von dem
armen Geschöpfe erfahren mögen, was sie zu sagen haben mag. —
Ich hoffe, es ist von keinem Mord die Rede. — Ich hoffe, es ist
nicht, obwohl der junge St. Ronans immer ein sonderbarer, wilder, kecker, leichtsinniger Mensch war — agherro insigne*), wie

---

*) Agherro insigne, ausgezeichneter Bösling.

der Italiener sagt. — Aber hier ist die Hütte — ich bitte, Mylord, treten Sie ein."

Die Erwähnung der St. Ronan'schen Familie und eines sie
betreffenden Geheimnisses, verscheuchte den Vorsatz, den Lord Etherington zu fassen begann, Lady Penelope der Ausübung ihrer
barmherzigen Werke ohne seinen Beistand zu überlassen. Er betrat jetzt mit gleich neugierigem Antheil, wie die Lady, die elende
Hütte, wo die Unglückliche wohnte. Nicht sehr ward ihr trauriger
Zustand durch die prahlend zur Schau getragene Güte Lady Penelopens gemindert; vor und nach ihrer Entbindung hatte sie sich
hier aufgehalten, nur von einer alten Frau gepflegt, deren jämmerliches Einkommen der Prediger Etwas vermehrt hatte, damit
sie einigermaßen im Stande sei, der Kranken beizustehen.

Lady Penelope hob den Drücker auf und trat ein, nachdem sie
einen Augenblick zwischen der Furcht der Ansteckung und ihrer
Neugierde schwankte, irgend etwas zu erfahren, das, wußte sie auch
noch nicht, in welcher Art, vielleicht die Ehre oder das Vermögen
der Mowbray's bedrohen könnte. Bald aber siegte der letzte
Wunsch, sie trat ein, Lord Etherington folgte. Wie so manche
andere Trostertheilende in den Hütten der Armen begann die Lady
jetzt, die murrende Alte über Mangel an Reinlichkeit und Ordnung
zu schelten — tadelte die für die Kranke bereitete Nahrung und
forschte besonders nach dem Weine, welchen sie zu Kraftsuppen gesendet habe. Die Alte war aber keineswegs so von Lady Penelopens Hoheit oder Güte verblendet, daß sie ihre Vorwürfe geduld-
dig ertragen hätte. „Die, welche sich ihr Brod mit einem Arme
erwerben müssen," sagte sie, denn ihr hing der eine gelähmt herab,
„hätten mehr zu thun, als die Stuben auszufegen; wenn Ihre
Herrlichkeit ihr eigenes müßig gehendes Mädchen mit dem Besen
herschicken wollte, so könne sie sich das Haus so rein fegen lassen,
als es ihr beliebte, und dasselbe würde sich sehr gut bei der Bewe-

gung befinden, und doch am Schluß der Woche mindestens Etwas gethan haben."

„Hören Sie, was das alte Weib sagt, Mylord?" fragte Lady Penelope. „Wahrhaftig die Armen sind recht undankbare Geschöpfe. — Aber der Wein, Frau — der Wein?"

„Der Wein! — Es war kaum ein halbes Rösel voll, schlechtes, dünnes, unkräftiges Zeug zu Suppen. — Sie können darauf schwören, der Wein ward ausgetrunken — wir warfen ihn nicht weg — aber soll er uns jemals Gutes thun, so muß man ihn klar genießen, ohne Ihren Zucker und das andere Geschmiere einzumischen — ich wollte wahrhaftig, ich hätte den schlechten Geschmack nie gekostet. — Wenn der Büttel mir nicht einen Tropfen Gewürzbranntwein gegeben hätte, konnte ich am Ende an dem Getränk Ew. Herrlichkeit sterben, denn —"

Lord Etherington unterbrach die murrende Alte, indem er ihr einiges Silbergeld in die Hand steckte, sie zugleich ersuchend, still zu schweigen. Die alte Here wiegte die Silberkronen in der Hand und murmelte für sich, während sie nach dem Kamin zurück kroch

„Das ist doch noch etwas — ist doch was — nicht so wie andere Leute, die im Hause aus- und einlaufen, Befehle ertheilen, als ob sie die Herrschaft und noch darüber wären, und dann nichts weiter, als einen armseligen Schilling alle Sonnabend geben."

Damit setzte sie sich an ihr Spinnrad nieder, ergriff ihre pechschwarze geschnitzte Pfeife, aus welcher sie solche Wolken Dampf des gemeinsten stinkendsten Tabaks blies, daß sie gewiß das Haus von Lady Penelope befreit hätte, wäre deren Vorsatz, das Bekenntniß der Kranken zu vernehmen, nicht unerschütterlich gewesen. Miß Diggs hustete, räusperte sich und lief endlich aus der Hütte, erklärend, sie vermöge in solchem Rauche nicht zu athmen, gelte es auch die Bekenntnisse von zwanzig Frauen mit anzuhören; überdem sei sie ja sicher, Alles von Lady Penelope zu erfahren, wenn es der Mühe lohne, es zu wiederholen.

Lord Etherington stand jetzt neben dem elenden Lager, auf welchem die arme Kranke ruhte, die in ihren wahrscheinlich letzten Augenblicken von dem jämmerlichen Geschrei ihres ältern Kindes gestört ward, was sie nur durch leises Jammern beantwortete, so gut sie es vermochte, ihre Blicke von dem endlos Weinenden auf das unglückliche Würmchen wendend, das sie zuletzt geboren. Es lag auf der andern Seite ihres elenden Lagers, seine fröstelnden Glieder kaum mit einem Hemdchen bedeckt, während die kleinen Züge schon geschwollen und aufgedunsen waren, und seine kaum noch geöffneten Augen verkündeten, daß es schon anscheinend unempfindlich für die Leiden sei, denen es wahrscheinlich bald entrückt werden sollte.

„Ihr seid sehr krank, arme Frau," sagte Lord Etherington. „Man sagte mir, Ihr wünschtet eine Gerichtsperson zu sprechen."

„Herrn Mowbray von St. Ronans wünschte ich zu sehen. — John Mowbray von St. Ronans — die Lady versprach ihn mir zu senden."

„Ich bin nicht Mowbray von St. Ronans," entgegnete Lord Etherington; „aber ich bin ein Friedensrichter und ein Mitglied der Gesetzgebung. — Ich bin überdem ein genauer Freund Mr. Mowbray's; kann ich Euch in einer dieser Eigenschaften nützlich sein?"

Lange schwieg die Arme, und begann endlich mit unsicherer Stimme, sich anstrengend, ihre verfinsterten Augen zu öffnen: „Ist Mylady Penelope Penfeather hier?"

„Ihro Herrlichkeit sind gegenwärtig, und können Eure Worte verstehen," sagte Lord Etherington.

„Meine Lage ist um so schlimmer," erwiederte die, wie es schien, sterbende Frau, „wenn ich mein Geheimniß einem Manne

St. Ronans-Brunnen.   32

anvertrauen muß, von dem ich nichts weiß, und einer Frau, von der ich nur weiß, daß sie keine Schonung kennt."

„Wer, ich — ich keine Schonung kennen!" rief Lady Penelope; doch auf ein Zeichen Lord Etherington's strebte sie sich zurückzuhalten. Auch die Kranke, deren Geist sehr befangen war, schien die Unterbrechung wenig zu achten. Trotz ihres Zustandes aber sprach sie mit deutlicher, nachdrücklicher Stimme weiter; alle ihre Bewegungen verriethen das Fieber, welches sie durchglühte, und Ton und Sprache waren weit über ihre elenden Umgebungen erhaben. Sie sagte:

„Ich bin nicht das gemeine Geschöpf, welches ich zu sein scheine, mindestens ward ich als solches nicht geboren. Ich wollte, ich w ä r e solch' eine niedrige Creatur! — Ich wollte, ich gehörte zu den armen elenden der gemeinsten Klasse — eine verhungerte Landläuferin — eine Mutter ohne Gatten! — Unwissenheit und Fühllosigkeit würden mein Loos mich tragen lehren, wie das ausgestoßene Thier, welches geduldig auf der Gemeinweide stirbt, wo es halb verhungert sein Leben dürftig fristete. Aber ich — ich — zu einer bessern Bestimmung geboren und erzogen, — dies Andenken ist mir nicht erloschen. Jene Erinnerungen eben machen meine jetzige Lage — meine Schande — meine Armuth — meine elende Herabwürdigung — den Anblick meiner sterbenden Kinder — die Gewißheit meines schnell herannahenden Todes — sie machen Alles dies mir zum Vorgefühl der Hölle!"

Selbst Lady Penelopens Selbstzufriedenheit und Ziererei wurden durch diesen furchtbaren Eingang überwältigt. Sie schluchzte, schauderte und empfand mindestens einmal in ihrem Leben wirklich die Nothwendigkeit, nicht blos zur Schau das Schnupftuch zum trocknen ihrer Augen zu gebrauchen. Auch Lord Etherington war bewegt. Er sagte:

„Meine gute Frau, was die Milderung Eures persönlichen Mangels zur Erleichterung Eures Kummers beitragen kann, das soll gewiß geschehen; und auch für Eure armen Kinder will ich Sorge tragen lassen."

„Möge Gott Sie segnen!" rief die arme Frau mit einem Blicke auf die elenden Geschöpfe an ihrer Seite; „und mögen Sie," fuhr sie nach einer augenblicklichen Pause fort, „den Segen des Himmels verdienen, denn umsonst wird er denen verliehen, die seiner unwürdig sind."

Vielleicht empfand Lord Etherington einen Gewissensbiß, denn er sagte ziemlich schnell: „Ich bitte Euch, gute Frau, wenn Ihr mir als einer Gerichtsperson wirklich Etwas anzuvertrauen habt, so fahrt fort — es ist hohe Zeit, daß Eure Lage einigermaßen verbessert werde, und ich will sogleich dafür Sorge tragen."

„Wartet noch einen Augenblick," entgegnete sie. „Laßt mich mein Gewissen entlasten, bevor ich hinübergehe; denn kein irdischer Beistand vermag es, mein Dasein hienieden noch zu verlängern. Ich war von gutem Stande, um so tiefer meine jetzige Erniedrigung; — gut erzogen, um so größer meine Schuld. — Arm war ich freilich, aber ich fühlte die Leiden der Armuth nicht. Ich erinnerte mich nur daran, wenn meine Eitelkeit unnütze und kostbare Befriedigungen begehrte, denn wirklichen Mangel kannte ich nicht. Ich war die Gefährtin einer jungen Dame von höherm Range, obwohl sie mir verwandt war; des liebenswürdigsten, gütigsten Wesens, die mich als Schwester behandelte, und Alles, was sie nur besaß, mit mir theilen wollte! — Kaum glaube ich, daß ich es vermag, mit meiner Erzählung fortzufahren. — Es raubt mir den Athem, wenn ich bedenke, wie ich ihrer schwesterlichen Liebe lohnte! — Ich war älter als Clara. — Ich hätte ihre Lektüre leiten, ihr Urtheil befestigen sollen; aber meine eigene Neigung zog mich zu Werken, die, wenn auch in heiteres Gewand gehüllt, dennoch die Einbildungskraft verrätherisch erwecken. Wir lasen diese thörichten Schriften zusammen, bis wir uns selbst mit einer

Romanenwelt umgaben, und unsern Sinn zu Abenteuern aller Art geeignet hatten. Rein wie die der Engel war Clara's Einbildungskraft! — Die meinige — doch es ist unnütz, darüber Etwas zu sagen. Der stets wachsame höllische Feind führte im gefährlichsten Augenblicke den Versucher herbei!"

Sie hielt ein, als würde es ihr zu schwer, sich weiter zu erklären, und Lord Etherington, sich scheinbar mit großem Antheil zur Lady Penelope wendend, fragte: „Ob es wohl Ihrer Herrlichkeit ganz angenehm sein würde, noch länger eine Ohrenzeugin des Bekenntnisses der Unglücklichen zu sein? — es schiene fast, als würde es Dinge berühren — Dinge, welche vielleicht eben nicht ganz gern von Ihrer Herrlichkeit vernommen werden möchten."

„Ich faßte so eben diese Ansicht, Mylord, und wollte, die Wahrheit zu gestehen, Ew. Herrlichkeit vorschlagen, sich zu entfernen und mich mit der armen Frau allein zu lassen. Mein Geschlecht wird sie zum offenern Bekenntniß nach Ew. Herrlichkeit Entfernung bewegen."

„Wohl wahr, Madam; aber ich ward hier als Gerichtsperson begehrt!"

„Still!" rief Lady Penelope, „sie spricht."

„Man sagt, jede gefallene Frau wird die Sklavin ihres Verführers; aber ich hatte meine Freiheit keinem Manne, nein, einem Teufel hatte ich sie verkauft. — Er vermochte mich, seine rasenden Plane gegen meine Freundin, meine Beschützerin zu unterstützen — und ach, er fand in mir ein nur zu williges Werkzeug, aus schändlichem Neide allein die Tugend zu zerstören, welcher ich entsagt hatte. Hören Sie nicht mehr auf mich. — Gehen Sie, überlassen Sie mich meinem Geschicke; ich bin das verabscheuungswürdigste Geschöpf auf dieser Erde — mir selbst am meisten verabscheuungswürdig, da selbst jetzt in meiner bereuenden Qual das Gewissen mir heimlich zuflüstert, daß, wäre ich wieder, was ich einst war, noch einmal würde ich gewiß die Lasterbahn durcheilen, ja wohl noch schlechter handeln. O Himmel, steh' mir bei, den abscheulichen Gedanken zu vernichten!"

Sie schloß die Augen, faltete die abgezehrten Hände und hielt sie aufwärts in der Stellung einer inbrünstig Betenden, aber bald trennten sich die erstarrenden Hände, und sanken kraftlos auf das ärmliche Lager zurück; auch die Augen blieben geschlossen, und keine Spur des Lebens zeigte sich in ihren Zügen. Schwach schrie Lady Penelope auf, verhüllte ihre Augen, und eilte von dem Bette hinweg, während Lord Etherington, den Blick von mannigfach verworrenen Gefühlen verfinstert, noch immer auf das arme Weib starrte, als wolle er begierig spähen, ob wirklich der Lebensfunke ganz in ihr erloschen sei. Ihre mürrische alte Pflegerin eilte nach dem Lager, in einer zerbrochenen Flasche etwas stärkenden Spiritus herbei bringend. Mit trotzigem Grimme rief sie:

„Habt Ihr noch nicht vollkommen den Werth Eures Almosens entrichtet erhalten? Ihr wollt wahrhaftig, selbst mit unserm Leben sollen wir Euch für Eure Schillinge und Sechs-Pence, Eure Groschen und Zweipfennigstücke bezahlen. — Daran denkt Ihr nicht, daß Ihr das arme Weib schwatzen laßt, bis ihr die Sinne vergehen, und nun stehen sie da, als hätten sie nie vorher eine Ohnmächtige gesehen! — Laßt sie mich hier nur mit dem Trank erlaben — viel Reden macht durstig, wißt Ihr ja. — Gehen Sie nur aus meinem Hause, Mylady, wenn Sie wirklich eine Lady sind; Ihres Gleichen können ohnehin da wenig nützen, wo der Tod mit im Spiele ist."

Halb empört, doch noch viel mehr durch das Benehmen der alten Here in Furcht gesetzt, nahm jetzt Lady Penelope gern Lord Etherington's erneutes Anerbieten, sie aus der Hütte zu führen, an. Er entfernte sich aber nicht, ohne eine neue Gabe der Alten zu ertheilen, welche sie mit weinendem, segnendem Danke empfing.

„Der Allmächtige leite Ihren Weg durch die Unruhen der lasterhaften Welt — und der Teufel blase um so mehr Wind in

Eure Segel," setzte sie hinzu in ihrem natürlichen Tone, als die Gäste sich von ihrer elenden Schwelle entfernten. „Das ist so ein Schlag leichtsinniger, aufgeblasener Narren, die nicht einmal ein armes Weib in Ruhe wollen sterben lassen."

Das Geständniß dieses armen Geschöpfes," sagte Lord Etherington zur Lady Penelope, „scheint sich auf Dinge zu beziehen, mit denen die Gesetze nichts zu schaffen haben, und in welche wir, da sie den Frieden einer achtbaren Familie, den Ruf einer jungen Dame betreffen können, wohl nicht tiefer eindringen sollten."

„Darin bin ich anderer Meinung, ganz anderer Meinung, als Ew. Herrlichkeit. — Ich vermuthe, Sie ahnen, von wem hier die Rede ist?"

„In der That, Ew. Herrlichkeit trauen meinem Scharfsinn zu viel zu."

„Nannte Sie nicht einen Taufnamen? Ew. Herrlichkeit sind heute außerordentlich befangen."

„Einen Taufnamen? Nicht, daß ich es hörte. — Und doch, ja, sie sprach Etwas von einer Catharine, glaube ich."

„Catharine? — nein, Mylord, sie sagte Clara; — ein ziemlich seltener Name in dieser Gegend, der, wie ich glaube, einer jungen Dame gehört, von welcher Ew. Herrlichkeit Etwas wissen sollten, wenn nicht etwa Ihre süßen Abendunterhaltungen mit Lady Binks die Morgen-Besuche zu Shaw-Castle aus Ihrer Erinnerung verwischen. Sie sind ein kühner Herr, Mylord. Ich würde Ihnen rathen, Mistreß Blower auch noch zu einem Gegenstand Ihrer Aufmerksamkeit zu machen, dann werden Sie ein Fräulein, eine Frau und eine Wittwe auf Ihrer Liste haben."

„Bei meiner Ehre, Ew. Herrlichkeit sind zu strenge. Sie umringen sich jeden Abend mit Allem, was unter den hier versammelten Leuten munter und vollkommen ist, und dann verspotten Sie *ein armes ausgeschlossenes Ungethüm, welches sich Ihrem Zauber-*

kreise nicht zu nahen wagt, und sich also anderweitig einige Unterhaltung sucht."

„Ah, Mylord, ich sehe Sie vollkommen durch! — Es wäre
schlimm, wenn Ew. Herrlichkeit nicht die Gewalt hätten, sich jedem
Kreise, dem sie sich zu nahen wünschten, höchst willkommen zu
machen."

„Darf ich dieß so deuten, daß mir Verzeihung werden wird,
wenn ich mich diesen Abend in Ew. Herrlichkeit Kreis ein-
dränge?"

„Es gibt keine Gesellschaft, die Lord Etherington zu besuchen
wünschte, wo er nicht hochwillkommen sein würde."

„So will ich mir denn am heutigen Abend sowohl dieß Vorrecht als meine Verzeihung erbitten. Doch nun," fuhr er fort,
als sei es ihm jetzt gelungen, auf vertraulicheren Fuß mit Ihrer
Herrlichkeit zu kommen, „was denken Sie wohl in der That von
dieser unklaren Geschichte?"

„O ich muß durchaus glauben, daß sie Miß Mowbray betrifft.
Sie war immer ein ganz wunderliches Geschöpf! — Es lag
Etwas in ihrem Wesen, das ich nie dulden mochte — eine Art von
Unverschämtheit — das ist vielleicht ein sehr vorlautes Wort, aber
es ward im Vertrauen gesprochen, so daß ich, obwohl ich eine
Art Umgang mit ihr pflog, da sie die verwaisete Tochter eines
guten Hauses war, und ich wirklich nichts bestimmt Schlechtes von
ihr wußte, mich doch zuweilen ganz empört über sie fühlte."

„Ew. Herrlichkeit werden es aber doch vielleicht nicht passend
finden, diese Geschichte öffentlich bekannt werden zu lassen, mindestens bis Ihnen die genaue Wahrheit derselben gewiß ist?" fragte
der Graf mit einschmeichelndem, gewinnendem Tone.

„Verlassen Sie sich darauf, das wäre ja das Allerschlimmste!
Ganz und gar wäre sie verloren. — Sie hörten, das Weib
sagte, sie habe Clara in's Verderben gestürzt — und Sie wissen,
sie mußte von Clara Mowbray reden, weil sie so ängstlich sich

sehnte, ihr Bekenntniß dem Bruder Clara's, St. Ronans, selbst
abzulegen.

„Sehr wahr. Ich dachte daran nicht!" entgegnete der Lord,
„doch wäre es immer sehr hart für das arme Mädchen, wenn diese
Sache bekannt werden sollte."

„O nie soll ein Wort davon aus meinem Munde verlauten!"
rief Lady Penelope. „Nicht einmal dem Winde möchte ich die
kleinste Sylbe davon anvertrauen. Aber umgehen kann ich mit
Miß Mowbray nicht so wie sonst — ich habe einen gewissen Platz
in der Gesellschaft zu behaupten — ich sehe mich unausweichbar
gezwungen, nur einen gewählten Kreis um mich zu versammeln,
— es ist eine Pflicht, die ich der öffentlichen Meinung schuldig
bin, selbst wenn meine eigene Neigung mich nicht schon dazu bestimmte."

„Ganz gewiß, Mylady," erwiederte Lord Etherington, „doch
bedenken Sie, daß an einem Orte, wo Aller Augen nothwendiger
Weise Ew. Herrlichkeit Benehmen beobachten, die kleinste Vernach-
läßigung von Ihrer Seite gegen Miß Mowbray — und wir haben eigentlich noch bis jetzt durchaus keine Gewißheit, daß irgend
etwas wirklich Tadelnswerthes vorfiel — sie in den Augen der
hiesigen Gesellschaft und in dem allgemeinen Urtheil der Welt
gänzlich zu Grunde richten würde."

„Mylord," entgegnete Lady Penelope, „was die Wahrheit
dieser Geschichte anbetrifft, da habe ich einige geheime Gründe, die
befremdende Erzählung gläubig als wahr anzuerkennen; denn mir
gab ein sehr würdiger, aber sehr sonderbarer Mann, nämlich der
Prediger des Kirchspiels hier, (Ew. Herrlichkeit wissen, wie ich
Originalität anbete) schon einen geheimnißvollen Wink davon, der
mich ahnen ließ, daß Miß Clara sich Etwas vorzuwerfen habe —
Etwas, das — Ew. Herrlichkeit müssen mich entschuldigen, wenn
ich nicht ganz offen darüber sprechen kann — O nein! — Ich

fürchte, ich fürchte, es ist Alles nur zu wahr. — Sie kennen Mr. Cargill, wie ich vermuthe, Mylord?"

„Ja, nein! Ich glaube, ich habe ihn gesehen. — Wie aber wäre die Dame dazu gekommen, den Prediger zu ihrem Beichtvater zu machen? — man hat ja in dieser Kirche keine Ohrenbeichte? Ich vermuthe, es muß hier der Plan einer Heirath stattgefunden haben — lassen Sie uns hoffen, daß sie wirklich vollzogen ward — vielleicht war es in der That der Fall. — Sagte er — Cargill — den Prediger meine ich — sagte er irgend Etwas davon?"

„Kein Wort — kein einziges Wort! — O ich sehe Ihre Absicht ein, Mylord; Sie möchten gern dem Dinge einen guten Anstrich geben:

> Und Heirath wird's genannt! Durch dieses Namens Glanz
> Verschleiert man die Schuld, und heiligt selbst die Schande!

So weit die Königin Dido. — Wie dem Geistlichen dies Geheimniß kund ward, kann ich nicht sagen — er ist ein sehr verschlossener Mann. — Aber ich weiß gewiß, er will es nicht zugeben, daß Miß Mowbray mit irgend Jemand sich verheirathe, ohne alle Frage, weil es ihm bekannt ist, daß sie eben dadurch einer rechtlichen Familie auf gewisse Art Schande bringen würde — und in der That, Mylord, ich theile diese Meinung sehr."

„Vielleicht weiß Herr Cargill, daß das Fräulein schon im Geheim verheirathet ist," sagte der Graf. „Mir scheint dies der natürlichste Schluß, wenn Ew. Herrlichkeit mir erlauben wollen, von Ihrer Meinung abzuweichen."

Aber Lady Penelope schien entschlossen, diese Ansicht der Sache nicht aufzufassen. Sie entgegnete:

„Nein, nein; ich sage Ihnen, sie kann nicht verheirathet sein; denn wäre sie es, wie könnte die arme Elende von ihr sagen, sie sei in's Verderben gestürzt? — Sie wissen, es ist doch ein Unterschied zwischen einer Heirath und dem Verderben!"

Man sagt, daß einige Leute beide Worte von gleicher Bedeutung gefunden haben, Lady Penelope," entgegnete der Graf.

"Ah, Mylord, Sie lassen Ihren Witz spielen! Aber dennoch, wenn man in dem gewöhnlichen Sinne des Verderbens einer Frau erwähnt, so meint man gerade das Gegentheil einer Heirath — es ist mir unmöglich, Mylord, über einen solchen Gegenstand mich weitläuftiger auszusprechen."

"Ich unterwerfe mich dem richtigen Urtheil Eurer Herrlichkeit," sagte Lord Etherington. "Nur bitte ich Sie, einige Vorsicht bei dieser Angelegenheit zu beobachten. — Ich will die genauesten Erkundigungen über jene Frau einziehen, und Sie mit dem Erfolg bekannt machen; ich hoffe daher, Ew. Herrlichkeit werden aus Rücksicht für das achtungswerthe Haus von St. Ronans sich nicht zu sehr beeilen, irgend etwas Nachtheiliges für Miß Mowbray errathen zu lassen."

Sich anspruchsvoll in die Brust werfend, sagte die Lady: "Ich, Mylord, bin wohl schwerlich gewohnt, bösen Leumund zu verbreiten, obwohl ich zugleich bekennen muß, daß die Mowbray's wenig Recht haben, meinen Schutz in Anspruch zu nehmen. Gewiß, ich war die Erste, welche diesen Heilquell hier in Ruf brachte, der ein Gegenstand von so großer Bedeutung für ihre Besitzung geworden ist; und dennoch erhebt sich Mr. Mowbray stets gegen mich, Mylord; arbeitet mir auf jede mögliche Art entgegen, und muntert die schlechterzogenen Leute, die ihm anhängen, zu einem höchst sonderbaren Benehmen gegen mich auf. Damals, bei der Erbauung des Belvedere, wollte er es nicht zugeben, daß es aus der allgemeinen Brunnenkasse bezahlt würde, weil ich den Arbeitsleuten den Plan und die Befehle ertheilt hatte — dann wieder die Einrichtung des Theezimmers — die Stunde, wo der Tanz beginnen sollte — die Subscription auf Mr. Rymours neue Erzählungen aus der Ritterzeit — kurz, ich fühle mich zu keiner Rücksicht gegen Mr. Mowbray von St. Ronans verpflichtet."

„Aber die arme junge Dame?" fragte Lord Etherington.

„O, die arme junge Dame. — Ich bin Ihnen gut dafür, die
arme junge Dame kann eben so anmaßend sein, als eine reiche
junge Dame! — In einer Geschichte, Lord Etherington, hat sie
mich empörend behandelt. — Es betraf nur eine Kleinigkeit, einen
Shawl. — Niemand kann weniger an Putz denken, als ich, Mylord! — Gott sei Dank, auf ganz andere Dinge richten sich meine
Gedanken. — Aber in solchen Kleinigkeiten eben kann man Nichtachtung und Unfreundlichkeit beweisen; und von Beiden ward mir
ein reiches Maaß durch Fräulein Clara, ohne der außerordentlichen Unverschämtheit des Bruders bei eben diesem Gegenstande
zu gedenken."

„Jetzt bleibt mir nur ein Mittel übrig," dachte der Graf, als
man sich dem Brunnenhause nahete, „nämlich die Furcht dieser
verdammten, rachsüchtigen, zieräffigen, wilden Katze aufzuregen!"

Und laut fuhr er fort: „Ew. Herrlichkeit wissen, welche große
Nachtheile in ganz kürzlich erlebten Fällen entstanden, wo man den
Ruf einiger bedeutenden Damen zu verunglimpfen suchte — die
Vorrechte der Theetische wurden unzulänglich befunden, die schönen
Tadlerinnen gegen die Folgen einer zu freimüthigen Mißbilligung
des Charakters ihrer Freundin zu schützen. — Also bitte ich Sie,
vergessen Sie nicht, daß wir noch sehr wenig von diesem Gegen-
stande wissen."

Lady Penelope liebte das Geld, und fürchtete die Prozesse; dieser Wink also, dem die ihr wohlbekannte Zärtlichkeit Mowbray's
für seine Schwester Nachdruck gab, da sie sein reizbares, rachsüchti-
ges Gemüth kannte, brachte sie in einem Augenblicke der Stimmung sehr nahe, in welche Lord Etherington sie zu versetzen
wünschte. — Sie betheuerte, Niemand könne zarter den Ruf der
Unglücklichen zu schonen wünschen, als eben sie, selbst wenn ihre
Schuld ganz klar bewiesen wäre — versprach die höchste Vorsicht
wegen des Bekenntnisses der Armen, und hoffte, Se. Herrlichkeit

würden sich recht früh an ihrem Theetische einfinden, da sie sehr wünsche, ihn mit einigen ihrer Schützlinge bekannt zu machen, welche, wie sie es überzeugt sei, Se. Herrlichkeit seines Raths und der Unterstützung würdig finden würde. Und jetzt an der Thür ihres Gemaches angelangt, entließ Ihro Herrlichkeit den Grafen mit dem allerhuldreichsten Lächeln.

Dreiunddreißigstes Kapitel.

Täuschungen.

Wohin der Wind Euch treibt, da liegt das Land!
Ihr Bursche, auf, die Fahrt jetzt kühn begonnen!
Die Segelleine los! und achtet's nicht,
Wenn stürmisch auch das Wetter Euch umbrauset!
Der Sturm.

„Finster wird es um mich, wie beim herannahenden Sturm," dachte Lord Etherington, als er mit langsamen Schritten, in einandergeschlungenen Armen, den weißen Hut tief in die Augen gedrückt, den kurzen Zwischenraum, der sein Gemach von den Zimmern Lady Penelopens trennte, durchschritt. Bei einem Elegant der älteren Schule, einem der Congrew'schen witzigen Weltmänner in der Stadt, hätte man dies „Etwas aus seiner Rolle fallen" nennen können; aber die jetzigen Weltleute schmälern ihren Ruhm nicht, wenn sie selbst alle ernste, biedermännische Feierlichkeit Mr. Stephens zur Schau tragen. So hatte also Lord Etherington volle Freiheit, sich seinem Nachdenken zu überlassen, ohne deßhalb Aufmerksamkeit zu erregen. Er fuhr fort: — „Jetzt habe ich freilich diesem alten vornehmen Essigtopfe den Mund verschlossen,

aber die freſſende Säure ihres Gemüthes wird bald meinen Talisman auflöſen — und was bleibt dann zu thun übrig?"

Aufblickend erſah er jetzt ſeinen vertrauten Diener Solmes,
der ehrerbietig den Hut berührend, indem er bei ihm vorbeiging,
ſagte: „Ew. Herrlichkeit Briefe ſind in Ihrer geheimen Schreib=
Chatoulle.

So einfach dieſe Worte waren, und ſo gleichgiltig ſie ausge-
ſprochen wurden, erregte dennoch ihr Inhalt Lord Etheringtons
Herzklopfen ſo allgewaltig, 'als ob ſein Geſchick von dieſen Lauten
abhinge. — Er ließ indeſſen keinen weitern Antheil blicken, als
daß er Solmes gebot, ſich bereit zu halten, wenn er klingeln würde.
Mit dieſen Worten trat er in ſein Gemach und verriegelte die
Thür, ehe er ſelbſt nur einen Blick auf den Tiſch zu werfen wagte,
wo die Brief=Chatoulle ſtand. —

Lord Etherington beſaß, wie es gewöhnlich der Fall zu ſein
pflegt, einen Schlüſſel zu ſeiner Brief=Chatoulle, während der andere ſeinem vertrauten Diener übergeben war, ſo daß, von einem
Patentſchloſſe geſchützt, ſeine Briefſchaften jeder Gefahr neugierigen
Beſchauens entgingen — eine Vorſicht, die von den Bewohnern
der Wirthshäuſer und Miethswohnungen nicht immer zu verachten iſt. —

„Mit Ihrer Erlaubniß, Mr. Bramah!" ſagte der Graf, als
er den Schlüſſel einſteckte, ſeiner eigenen Erſchütterung ſpottend,
wie er über die eines Dritten geſcherzt haben würde. Der Deckel
war aufgeworfen und zeigte das Packet, deſſen Ueberſchrift und
Anblick kurz zuvor im Poſtamte ſeine ganze Aufmerkſamkeit erregte. Damals hätte er viel gegeben, die Gelegenheit in ſeiner
Macht zu haben, die ſich jetzt ihm darbot; aber ſo Mancher zagt
im Augenblick der Vollziehung des Verbrechens, obwohl er es ohne
Gewiſſensbiſſe in einiger Entfernung betrachtete.   Lord Etheringtons erſte Bewegung war es, das Packet in die Flammen zu
ſchleudern; und ſchon hielt ſeine Hand, mehr als halb dazu ge-

sein mütterliches Erbe fast ganz aufgezehrt hatte, und daß der Besitz von Nettlewood, den er vor fünf Minuten nur noch mit der
Begierde eines reichen Mannes, der sein Einkommen zu vermehren
wünscht, nachsuchte, jetzt errungen werden müßte, wenn er nicht als
ein sehr armer und in gar verworrener Lage befangener Verschwender erscheinen wollte.   Aber um neue Hindernisse diesem Plane
in den Weg zu legen, hatte das Schicksal die Büßende zurückge-
führt, welche, wie er große Ursache zu glauben hatte, in dieser Gegend erschienen war, Clara Mowbray Gerechtigkeit widerfahren zu
lassen, und die höchst wahrscheinlich die ganze Heirathsgeschichte in
ihrem eigenthümlichen Lichte erscheinen lassen würde. — Diese indessen konnte man wohl bald entfernen; auch mochte es vielleicht
gelingen, durch Vermittlung ihres Bruders, wenn man sie in Furcht
setzte, Miß Mowbray zu einer Verbindung mit ihm zu zwingen,
während er noch den Titel des Grafen von Etherington behauptete. Wenn es also möglich war, durch Intrigue oder Anstrengung
aller Kräfte diesen Punkt zu erreichen, so beschloß er fest, diesen
Erfolg sich zu sichern; auch hatte die Betrachtung nicht geringen
Einfluß, daß er, wenn der Sieg sein ward, über seinen glückliche-
ren Nebenbuhler einen Triumph davontrug, der hinreichte, die
Ruhe des ganzen künftigen Lebens Tyrrels auf ewig zu verbittern.

In wenig Minuten hatte seine schnelle, erfindungsreiche Einbildungskraft einen Plan entworfen, sich des einzigen Vortheils
fest zu versichern, welcher sich ihm noch darzubieten schien, und
wohl wissend, daß er keine Zeit zu verlieren habe, begann er augenblicklich die Ausführung desselben.

Die Klingel rief Solmes in das Zimmer seines Gebieters, wo
ihm der Graf so kaltblütig, als hoffe er seinen erfahrenen Diener
durch seine Behauptung zu täuschen, sagte: „Ihr habt mir da ein
Packet gebracht, welches an irgend Jemand im alten Orte gerichtet
ist — sorgt, daß es ihm zugeschickt werde — wartet, ich will es
zuvor wieder zusiegeln."

Demnach siegelte er die Briefschaften wieder ein (den Brief ausgenommen, welchen er verbrannt hatte) und reichte das Packet dem Diener, die Weisung hinzufügend: „Ich wünschte, Ihr möchtet in Zukunft nicht solche Versehen Euch zu Schulden kommen laßen!"

„Ich bitte Ew. Herrlichkeit um Verzeihung — ich werde in Zukunft mich beßer vorsehen — glaubte, es sei die Adreße Ew. Herrlichkeit!"

So lautete Solmes Antwort, der viel zu verschlagen war, nur mit einem Blicke sein Einverständniß anzudeuten, viel weniger also es sich beigehen ließ, den Grafen zu erinnern, daß sein eigener Befehl das Mißverständniß veranlaßt hatte, über welches er sich beschwerte.

„Solmes," fuhr der Graf fort, „Ihr braucht Eures Versehens im Postamt nicht zu erwähnen; es würde nur ein albernes Geschwätz an diesem Orte des Müssigganges veranlaßen — aber sorgt dafür, daß jener Gentleman seinen Brief erhält. — Und Solmes, ich sehe dort Mr. Mowbray vorüber gehen — bittet ihn, um fünf Uhr bei mir zu speisen. Ich habe Kopfweh und kann den Lärm der Wilden da unten an der Wirthstafel nicht ertragen.

Und — laßt mich einen Augenblick überlegen ja, meine Empfehlung der Lady Penelope Penfeather ich werde heute Abend gewiß die Ehre haben, ihr an ihrem Theetische aufzuwarten, wie es mir ihre gütige Einladung gestattet — schreibet eine eigene Karte deßhalb an sie und tragt sie selbst hin. Besorgt ein Mittagsmahl für zwei Personen und seht zu, daß Ihr von dem Burgunder-Weine etwas anschafft." Schon wollte sich der Diener entfernen, als der Lord hinzusetzte: „Wartet einen Augenblick! Ich habe noch ein wichtigeres Geschäft, als ich bis jetzt erwähnte.

Solmes, Ihr seid verteufelt schlecht mit dem Weibe, der Irwin, verfahren!"

„Ich, Mylord?" fragte Solmes.

„Ja, ja, Ihr, Sir! — Saget Ihr mir nicht, sie sei mit einem Eurer Freunde nach Westindien gegangen, und zahlte ich ihnen nicht einige hundert Pfund zum Reisegelde?"

„Ja, Mylord," entgegnete der Diener.

„So, nun aber beweiset es sich: Nein, Mylord!" rief Lord Etherington; „denn sie hat den Rückweg hieher gefunden im elendesten Zustande — halb verhungert — und ohne Zweifel willig für einigen Lebensunterhalt allerlei zu thun oder auszusagen. Wie geht dies zu?"

„Lidulph muß ihr das Geld gestohlen und sie im Stich gelassen haben, Mylord," entgegnete Solmes so ruhig, als ob er von der allergewöhnlichsten Sache gesprochen hatte. „Aber mir ist das ganze Wesen dieses Weibes so bekannt, und ich bin so ganz mit ihrer Geschichte vertraut, daß ich sie in vierundzwanzig Stunden aus dem Lande schaffen und sie nach einem Orte bringen will, von wo sie nie zurückkehren soll, vorausgesetzt, daß Ew. Herrlichkeit mich so lange entbehren können."

„Macht Euch unmittelbar daran. — Doch das kann ich Euch noch sagen, Ihr werdet die Frau in sehr reumüthiger Laune und noch überdem sehr krank finden."

„Ich bin meiner Sache gewiß, denn mit Ew. Herrlichkeit Erlaubniß, ich sollte meinen, wenn der Tod und ihr guter Engel sich des rechten Armes dieses Weibes bemächtigten, so können der Engel und ich uns schon mit dem Linken behelfen, um sie hinweg zu führen, wohin es uns beliebt."

„Hinweg und fort also!" sagte Etherington. „Doch, Solmes seid freundlich mit ihr, helft all' ihrem Mangel ab.   Ich habe ihr schon Leid genug zugefügt — obwohl die Natur und der Teufel eigentlich das Werk schon halb gethan mir zuführten."

Mit der Versicherung, daß man in den nächsten vierundzwanzig Stunden seiner Dienste nicht bedürfen würde, ward Solmes endlich zur Ausrichtung seiner mannigfachen Aufträge entlassen.

„Gut!" sagte der Graf, als sein Beauftragter sich entfernte.
„Die eine Springfeder wäre in Bewegung gesetzt, und sorgsam ge=
ölt, wird sie die ganze Maschine regsam erhalten. — Und hier
kommt Heinrich Jekyl zur glücklichen Stunde   ich höre sein
Pfeifen schon auf der Treppe ertönen.   Der Bursche besitzt einen
albernen, fröhlich leichten Sinn, den ich ihm beneide, obwohl ich
ihn zugleich verachte; aber jetzt ist Jekyl mir willkommen, denn ich
bedarf seiner."

Eintretend rief der Gardehauptmann: „Ich freue mich, Ethe=
rington, daß ich einen deiner Leute für zwei Personen in deinem
Wohnzimmer decken sehe. — Schon fürchtete ich, du würdest wie=
der zu diesen verdammten Tölpeln heute hinabgehen."

„Du bist aber nicht bestimmt, eins jener Couverte einzuneh=
men, Hall!" erwiederte Lord Etherington.

„Nicht?" — Nun so hoffe ich doch die dritte, wenn nicht die
zweite Rolle zu erhalten."

„Weder die erste, zweite, noch dritte, Hauptmann. — Die
Wahrheit ist, ich bedarf des Alleinseins mit Mr. Mowbray von
St. Ronans und muß dich noch außerdem um die große Gefällig=
keit ersuchen, zu dem Menschen, dem Martigny, dich noch einmal
hinzubemühen. Es ist hohe Zeit, daß er seine Papiere vorzeige,
wenn er deren hat — wovon ich Ein= für Allemal nichts glaube!
— Es blieb ihm vollkommen Zeit, Antwort aus London zu er=
halten, und ich denke, lange genug habe ich eine wichtige Angele=
genheit seiner bloßen Versicherung wegen aufgeschoben."

„Ich kann deine Ungeduld nicht tadeln," sagte Jekyl, „und
will augenblicklich den Auftrag ausrichten. Da du meinem Rathe
folgend, bis jetzt wartetest, bin ich verpflichtet, deine Ungewißheit
schleunig zu beenden.   Aber ich muß zugleich eingestehen, besitzt
der Mensch nicht die Papiere, mit welchen er so kühn prahlt, so
steht ihm wenigstens eine so kecke Stirn zu Gebot, daß die ganze
Advokaten=Schaar sich damit ausrüsten könnte."

„Du wirst bald im Stande sein, darüber zu urtheilen," entgegnete Lord Etherington. „Doch nun, hinweg mit dir! — Was betrachtest du mich so besorgt?"

„Ich weiß es nicht — aber es ergreift mich eine wunderliche Ahnung bei diesem Alleinsein mit Mowbray. Du solltest ihn schonen, Etherington —! Er steht dir nicht gleich. Ihm mangelt sowohl Selbstbeherrschung als richtiger Ueberblick."

„Sag' ihm das selbst, Jekyl, und sein stolzer schottischer Magen wird sich sogleich dagegen empören; ja er wird dir mit einer Kugel deine Fürsorge lohnen. Trotz der Lektion, die ich ihm gab, hält er sich für den ersten Hahn im Korbe, dieser sich brüstende Tölpel. Und was meinst du dazu? — Er hat die Unverschämtheit, über meine Aufmerksamkeiten für Lady Binks als sehr unpassend mit meiner Bewerbung um seine Schwester zu zürnen. Ja, Hall — dieser linkische, schottische Laird, der es kaum versteht, einem Milchmädchen, oder höchstens einer lumpigen Kammerzofe den Hof zu machen, hat die Frechheit, sich zu meinem Nebenbuhler aufzuwerfen."

„Ja dann, St. Ronans, gute Nacht! — Das wird ihm ein trauriges Mittagsmahl werden. An diesem Lachen erkenne ich es, Etherington, du hast böse Absichten. — Ich habe große Lust, ihm einen Wink davon zu geben."

„Ich wünsche, daß du es thust! Es würde ganz zu meinem Vortheil ausschlagen."

„Bietest du mir Trotz? — Wohl, wenn ich ihm begegne, werde ich ihn warnen."

Die Freunde trennten sich, und nicht lange nachher begegnete Jekyl Mowbray'n auf einem der öffentlichen Spaziergänge. Der Hauptmann sagte:

„Sie speisen heute mit Etherington? — Vergeben Sie mir, Mr. Mowbray, wenn ich Ihnen sage, hüten Sie sich!"

„Wovor soll ich mich hüten, Hauptmann Jekyl?" fragte Mow-

bray, „Wenn ich mit einem Ihrer Freunde und einem Manne von
Ehre speise?"

„Unbedingt gebühren beide Benennungen dem Lord Ethering=
ton, doch er liebt das Spiel, Mr. Mowbray, und ist den meisten
Leuten darin überlegen."

Ich danke Ihnen für Ihren Wink, Hauptmann Jekyl — ich
bin freilich nur ein roher Schotte, doch einige Dinge sind mir den=
noch nicht entgangen. Unter Edelleuten wird stets vollkommen
rechtliches Spiel vorausgesetzt. Dies einmal fest angenommen, bin
ich eitel genug, zu glauben, keiner weiteren Warnung über diesen
Gegenstand zu bedürfen, selbst nicht einmal der des Hauptmann's
Jekyl, obwohl seine Erfahrung freilich die meinige bei weitem über=
treffen muß."

Kalt sich verbeugend, entgegnete Jekyl: „In dem Falle, Sir,
habe ich nichts mehr hinzuzusetzen, als, ich hoffe, es fand keine Be=
leidigung statt." Innerlich fuhr er fort, als sie sich trennten:
„Eingebildeter Narr! Wie richtig hat ihn Etherington beurtheilt,
und welch' ein Esel war ich, mich darein zu mischen! Ich hoffe,
Etherington wird ihm auch die letzte Feder ausrupfen!"

„Er setzte seinen Weg zu Tyrrel fort, während Mowbray sich
nach den Zimmern des Grafen verfügte, vollkommen zu dem glück=
lichen Gelingen des Vorsatzes des letzteren geeignet, der mit feiner
Menschenkenntniß ihn beurtheilte, als er Jekyl gestattete, ihm seine
gut gemeinte Warnung zu ertheilen. Von einem anerkannt modisch
geltenden Manne so entschieden seinem Gegner untergeordnet zu
werden — als ein Gegenstand des Mitleidens sich betrachtet, und
einer kindischen Warnung bloßgestellt zu sehen, erregte bittere
Galle in seinem stolzen Geiste, der, jemehr er sich in den Künsten,
welche sie alle übten, untergeordnet fühlte, um so mehr sich an=
strengte, mindestens äußerlich den Schein einer gewissen Gleichheit
zu behaupten.

Seit jener ersten merkwürdigen Piquet=Partie hatte Mowbray

nie wieder sein Glück gegen Lord Etherington als nur um geringen
Satz versucht; aber sein großer Dünkel erregte in ihm den Glauben, daß er jetzt vollkommen sein Spiel verstände, und wie es den
Spielern von Profession zu gehen pflegt, hatte er hin und wieder
ein Lüstchen empfunden, wo möglich seine Revanche zu nehmen. —
Auch wünschte er sehnlich, dem Lord Etherington nichts mehr schuldig zu sein, weil das bittere Gefühl einer pecuniären Verpflichtung
ihn hinderte, sich ganz deutlich über des Lords Liebeleien mit Lady
Binks auszusprechen, die er in Hinsicht der Bewerbungen des Grafen um Clara Mowbray mit Recht als eine Beleidigung ihrer Familie betrachtete. — Von allen diesen hemmenden Verpflichtungen
konnte ihn ein einziger Abend befreien, und Mowbray war eben in
einem schmeichelnd wachen Traume über diesen Gegenstand befangen, als ihn Jekyl unterbrach.   Seine unzeitige Warnung erregte also nur einen Widerspruchs-Geist und den Entschluß, dem
Rathgeber zu beweisen, wie wenig er im Stande sei, von seinen
Talenten zu urtheilen; in dieser Stimmung schien also sein gänz-
liches Verderben, welches die Folge dieses Nachmittags war, weit
davon entfernt, der vorgesetzte Plan oder nur die freiwillige That
Lord Etheringtons zu sein.

Im Gegentheil, das Opfer selbst schlug zuerst das Spiel vor
hohes Spiel — verdoppelten Satz; während Lord Etherington
im Gegentheil oft anbot, ihn zu mäßigen oder ganz aufzuhö-
ren; aber stets geschah es mit einem solchen Anstrich von Ueberlegenheit, daß Mowbray dadurch nur noch mehr aufgereizt, größere
und verzweifeltere Wagnisse unternahm; und da zuletzt in Betracht
seiner Lage Mowbray in unerschwingliche Schuldenlast sich gestürzt
hatte, warf der Graf die Karten hin, erklärend, er würde zu spät
bei dem Thee Lady Penelopens erscheinen, bei welchem er unbedingt seine Gegenwart versprochen habe.

„So wollen Sie mir keine Revanche geben?" fragte Mowbray, die Karten ergreifend und mit trotzendem Unmuthe aufstehend.

„Jetzt nicht, Mowbray. — Wir spielten schon zu lange — Sie haben zu viel verloren — mehr vielleicht als Sie mit Gemächlichkeit zahlen können."

Mowbray knirschte mit den Zähnen trotz seines festen Entschlusses, mindestens im Aeußern einen Anschein von Ruhe zu behaupten.

„Sie wissen, Sie können sich vollkommen Zeit zur Bezahlung nehmen; ein Wechsel wird mir von Ihnen eben so willkommen sein als Geld."

„Nein bei Gott," rief Mowbray, „zum Zweitenmale soll man mich nicht so fassen — es wäre besser, ich hätte mich dem Teufel verkauft, als Eurer Herrlichkeit. Nie war ich seitdem mein eigener Herr!"

„Das sind eben keine sehr freundlichen Ausdrücke, Mowbray; Sie wollten spielen, und die spielen wollen, müssen es zuweilen erwarten, auch zu verlieren —"

„Und die, welche gewinnen, erwarten, bezahlt zu werden!" rief Mowbray ihn unterbrechend. „Ich weiß das so gut, Mylord, als Sie, und Sie sollen bezahlt werden — ich will Sie bezahlen ich will Sie bei Gott bezahlen! — Hegen Sie den kleinsten Zweifel, daß ich Sie bezahlen will, Mylord?"

„Sie sehen aus, als gedächten Sie mich in gar scharfer Münzsorte zu bezahlen, und ich sollte meinen, in den Verhältnissen, worin wir uns gegen einander befinden, möchte sich dies kaum passen."

„Bei meiner Seele, Mylord," sagte Mowbray, „ich kann nicht mit Gewißheit sagen, was eigentlich für Verhältnisse zwischen uns obwalten, Sie geben sich das Ansehen, sich um meine Schwester zu bewerben, und trotz Ihrer Besuche und der sich Ihnen zu Shaw=Castle darbietenden Gelegenheiten sehe ich nicht, daß diese Angelegenheit Fortschritte macht — wie das Wiegenpferd eines Kindes regt sie sich, ohne von der Stelle zu kommen. Vielleicht werden

Sie, ich bin so ganz in den Staub getreten, daß ich mich nicht
darein zu mischen wagen werde; aber Sie werden es ganz anders
finden.   Ew. Herrlichkeit mögen sich einen Harem anlegen,
wenn Ihnen danach gelüstet, aber meine Schwester soll nicht dazu
gehören."

„Sie sind ärgerlich, und folglich ungerecht! Sie wissen sehr
gut, nur Ihrer Schwester Schuld ist jeder Aufschub. Ich bin sehr
bereit — höchst begierig, sie Lady Etherington zu nennen
nichts als ihre unglücklichen Vorurtheile gegen mich hindern
eine Verbindung, die so viele Ursachen mir wünschenswerth
machen."

„Gut," entgegnete Mowbray, „das soll meine Sorge sein.
Ich kenne keine Ursache, welche sie anführen kann, eine so ehrenvolle
Verbindung für ihr Haus auszuschlagen, welche das Haupt dieses
Hauses, ich selbst, billige. In 24 Stunden soll die Sache in
Ordnung sein."

„Es würde mir die aufrichtigste Freude machen," rief Lord
Etherington, „und bald sollen Sie es einsehen, wie aufrichtig ich
Ihre Verwandtschaft wünsche. Was die Kleinigkeit anbetrifft, die
Sie verloren haben   "

„Es ist keine Kleinigkeit für mich, Mylord — es richtet mich
zu Grunde — aber es soll bezahlt werden — und erlauben mir
Ew. Herrlichkeit noch hinzuzusetzen, Sie können Ihrem Glück mehr
Dank dafür sagen, als Ihrem guten Spiel."

„Wenn es Ihnen gefällig ist, sprechen wir jetzt nicht weiter
darüber. Morgen ist wieder ein neuer Tag! — Und wollen Sie
mir einen guten Rath erlauben, so sein sie nicht zu rauh gegen
Ihre Schwester. Etwas Festigkeit ist selten übel angebracht bei
jungen Damen, doch zu große Strenge —"

„Ich will Ew. Herrlichkeit bitten, mich mit Ihrem Rathe über
diesen Gegenstand zu verschonen. Wie werthvoll er in jeder andern

Hinsicht sein mag, kann ich doch, hoffe ich, mit meiner Schwester auf meine eigene Weise reden."

Da Sie so reizbar heute sind, Mowbray, vermuthe ich, Sie werden den Theetisch Ihrer Herrlichkeit wohl schwerlich mit Ihrer Gegenwart beehren, obwohl ich glaube, daß es die letzte Vereinigung in diesem Jahre se'n wird?"

"Und weßhalb wollten Sie das voraussetzen, Mylord?" fragte Mowbray, dessen Verlust ihn zum hartnäckigsten Widerspruch bei jedem neuen Thema aufreizte. "Weßhalb sollte ich nicht meine Ehrfurcht der Lady Penelope oder sonst irgend einer vornehmen Putzdocke bezeigen? Ich habe freilich keinen Titel, doch ich glaube, daß meine Familie —"

"Sie berechtigt, Kanonikus des Domkapitels zu Straßburg zu werden, ohne allen Zweifel; — aber Sie scheinen mir eben nicht in ächt christlicher Stimmung, um in den geistlichen Stand zu treten. Alles, was ich sagen wollte, war, daß Sie und Lady Pen nicht in so gutem Einverständniß zu sein pflegten."

"Aber sie sandte mir eine Karte zu ihrem Abschiedsfest," entgegnete Mowbray, "und so bin ich entschlossen, zu erscheinen. Habe ich dort eine halbe Stunde zugebracht, werde ich sogleich nach Shaw-Castle reiten, und morgen sollen Sie Nachricht von meiner eiligen Ausrichtung Ihrer Freiwerberei erhalten."

nie wieder fein **Glück** gegen **Lord Etherington** als nur um g

Saß verfucht; aber fein großer Dünkel erregte in ihm den

ben, daß er jetzt vollkommen fein Spiel verftände, und wie

Spielern von Profeffion zu gehen pflegt, hatte er hin und

ein Lüftchen empfunden, wo möglich feine Revanche zu nehm

Auch wünfchte er fehnlich, dem Lord Etherington nichts mehr

dig zu fein, weil das bittere Gefühl einer pecuniären Verpfl

ihn hinderte, fich ganz deutlich über des Lords Liebeleien mi

Binks auszufprechen, die er in Hinficht der Bewerbungen de

fen um Clara Mowbray mit Recht als eine Beleidigung ih

milie betrachtete. — Von allen diefen hemmenden Verpflich

konnte ihn ein einziger Abend befreien, und Mowbray war

einem fchmeichelnd wachen Traume über diefen Gegenftand

gen, als ihn Jekyl unterbrach.   Seine unzeitige Warn

regte alfo nur einen Widerfpruchs=Geift und den Entfchluf

Rathgeber zu beweifen, wie wenig er im Stande fei, von

Talenten zu urtheilen; in diefer Stimmung fchien alfo fein

liches Verderben, welches die Folge diefes Nachmittags wa

davon entfernt, der vorgefetzte Plan oder nur die freiwillig

Lord Etheringtons zu fein.

Im Gegentheil, das Opfer felbft fchlug zuerft das S

hohes Spiel   verdoppelten Satz; während Lord Et

ton im Gegentheil oft anbot, ihn zu mäßigen oder ganz a

ren; aber ftets gefchah es mit einem folchen Anftrich von

legenheit, daß Mowbray dadurch nur noch mehr aufgereizt,

und verzweifeltere Wagniffe unternahm; und da zuletzt in

feiner Lage Mowbray in unerfchwingliche Schuldenlaft fich

hatte, warf der Graf die Karten hin, erklärend, er würde

bei dem Thee Lady Penelopens erfcheinen, bei welchem e

dingt feine Gegenwart verfprochen habe.

„So wollen Sie mir keine Revanche geben?“ fragte

bray, die Karten ergreifend und mit trotzendem Unmuthe m

„Jetzt nicht, Mowbray. — Wir spielten schon zu lange — Sie haben zu viel verloren — mehr vielleicht als Sie mit Gemächlichkeit zahlen können."

Mowbray knirschte mit den Zähnen trotz seines festen Entschlusses, mindestens im Aeußern einen Anschein von Ruhe zu behaupten.

„Sie wissen, Sie können sich vollkommen Zeit zur Bezahlung nehmen; ein Wechsel wird mir von Ihnen eben so willkommen sein als Geld."

„Nein bei Gott," rief Mowbray, „zum Zweitenmale soll man mich nicht so fassen — es wäre besser, ich hätte mich dem Teufel verkauft, als Eurer Herrlichkeit. Nie war ich seitdem mein eigener Herr!"

„Das sind eben keine sehr freundlichen Ausdrücke, Mowbray; Sie wollten spielen, und die spielen wollen, müssen es zuweilen erwarten, auch zu verlieren —"

„Und die, welche gewinnen, erwarten, bezahlt zu werden!" rief Mowbray ihn unterbrechend. „Ich weiß das so gut, Mylord, als Sie, und Sie sollen bezahlt werden — ich will Sie bezahlen ich will Sie bei Gott bezahlen! — Hegen Sie den kleinsten Zweifel, daß ich Sie bezahlen will, Mylord?"

„Sie sehen aus, als gedächten Sie mich in gar scharfer Münzsorte zu bezahlen, und ich sollte meinen, in den Verhältnissen, worin wir uns gegen einander befinden, möchte sich dies kaum passen."

„Bei meiner Seele, Mylord," sagte Mowbray, „ich kann nicht mit Gewißheit sagen, was eigentlich für Verhältnisse zwischen uns obwalten, Sie geben sich das Ansehen, sich um meine Schwester zu bewerben, und trotz Ihrer Besuche und der sich Ihnen zu Shaw=Castle darbietenden Gelegenheiten sehe ich nicht, daß diese Angelegenheit Fortschritte macht — wie das Wiegenpferd eines Kindes regt sie sich, ohne von der Stelle zu kommen. Vielleicht denken

Sie, ich bin so ganz in den Staub getreten, daß ich mich nicht
darein zu mischen wagen werde; aber Sie werden es ganz anders
finden.   Ew. Herrlichkeit mögen sich einen Harem anlegen,
wenn Ihnen danach gelüstet, aber meine Schwester soll nicht dazu
gehören."

„Sie sind ärgerlich, und folglich ungerecht! Sie wissen sehr
gut, nur Ihrer Schwester Schuld ist jeder Aufschub. Ich bin sehr
bereit — höchst begierig, sie Lady Etherington zu nennen
nichts als ihre unglücklichen Vorurtheile gegen mich hindern
eine Verbindung, die so viele Ursachen mir wünschenswerth
machen."

„Gut," entgegnete Mowbray, „das soll meine Sorge sein.
Ich kenne keine Ursache, welche sie anführen kann, eine so ehrenvolle
Verbindung für ihr Haus auszuschlagen, welche das Haupt dieses
Hauses, ich selbst, billige. In 24 Stunden soll die Sache in
Ordnung sein."

„Es würde mir die aufrichtigste Freude machen," rief Lord
Etherington, „und bald sollen Sie es einsehen, wie aufrichtig ich
Ihre Verwandtschaft wünsche. Was die Kleinigkeit anbetrifft, die
Sie verloren haben — "

„Es ist keine Kleinigkeit für mich, Mylord — es richtet mich
zu Grunde — aber es soll bezahlt werden — und erlauben mir
Ew. Herrlichkeit noch hinzuzusetzen, Sie können Ihrem Glück mehr
Dank dafür sagen, als Ihrem guten Spiel."

„Wenn es Ihnen gefällig ist, sprechen wir jetzt nicht weiter
darüber. Morgen ist wieder ein neuer Tag! — Und wollen Sie
mir einen guten Rath erlauben, so sein sie nicht zu rauh gegen
Ihre Schwester. Etwas Festigkeit ist selten übel angebracht bei
jungen Damen, doch zu große Strenge —"

„Ich will Ew. Herrlichkeit bitten, mich mit Ihrem Rathe über
diesen Gegenstand zu verschonen. Wie werthvoll er in jeder andern

Hinsicht sein mag, kann ich doch, hoffe ich, mit meiner Schwester auf meine eigene Weise reden."

„Da Sie so reizbar heute sind, Mowbray, vermuthe ich, Sie werden den Theetisch Ihrer Herrlichkeit wohl schwerlich mit Ihrer Gegenwart beehren, obwohl ich glaube, daß es die letzte Vereinigung in diesem Jahre se'n wird?"

„Und weßhalb wollten Sie das voraussetzen, Mylord?" fragte Mowbray, dessen Verluft ihn zum hartnäckigsten Widerspruch bei jedem neuen Thema aufreizte. „Weßhalb sollte ich nicht meine Ehrfurcht der Lady Penelope oder sonst irgend einer vornehmen Putzdocke bezeigen? — Ich habe freilich keinen Titel, doch ich glaube, daß meine Familie —"

„Sie berechtigt, Kanonikus des Domkapitels zu Straßburg zu werden, ohne allen Zweifel; — aber Sie scheinen mir eben nicht in ächt christlicher Stimmung, um in den geistlichen Stand zu treten. Alles, was ich sagen wollte, war, daß Sie und Lady Pen nicht in so gutem Einverständniß zu sein pflegten."

„Aber sie sandte mir eine Karte zu ihrem Abschiedsfest," entgegnete Mowbray, „und so bin ich entschlossen, zu erscheinen. Habe ich dort eine halbe Stunde zugebracht, werde ich sogleich nach Shaw-Castle reiten, und morgen sollen Sie Nachricht von meiner eiligen Ausrichtung Ihrer Freiwerberei erhalten."

Vierunddreißigstes Kapitel.

Eine Theegesellschaft.

Den Vorhang laßt herab! Die Sopha's rückt heran,
Umringt die Urne hier. Mit siedendem Gezisch
Seht, dampfend braust der Strom und füllt die bunten Becher,
Die uns erquicken, aber nicht berauschen können
So laßt den friedevollen Abend uns begrüßen.

Cowper.

Die Annäherung der kalten, regnichten Jahreszeit hatte jetzt
die Brunnengesellschaft hinreichend gelichtet, so daß Lady Penelope,
um sich die erforderliche Fülle der Theegäste zu sichern, sich genöthigt sah, einige gnädige Blicke auch denen zu gönnen, welche
sie sonst ihrer Gesellschaft nicht würdig zu achten schien. Selbst
der Doctor und Mistreß Blower wurden mit huldreichem Lächeln
empfangen — denn ihre Heirath war jetzt in Richtigkeit gebracht,
und dies Ereigniß konnte höchst wahrscheinlich den Ruf des Heilquells bei wohlhabenden Wittwen und Männern, die mehr Schlauheit als Praxis besaßen, in ein vortheilhaftes Licht stellen. Sie
traten also ein; der Doctor auf süßlich galante Weise alle Rechte
eines beglückten, erhörten Anbeters zur Schau tragend, fast mit
eben der Grazie, womit ein kalekutischer Truthahn seine Huldigung
der Erkornen an den Tag legt. Auch der alte Touchwood war
der Einladung Ihrer Herrlichkeit nachgekommen, hauptsächlich wie
man glauben mochte, aus seiner Neigung zu rastloser Unstätigkeit,
die es ihn selten über sich gewinnen ließ, selbst von denen Orten
entfernt zu bleiben, für welche er doch gemeinhin großen Widerwillen zeigte. Auch Mr. Winterblossom war gegenwärtig, der
durch einen Schwarm galanter Schmeicheleien an Lady Penelope
sich eine der ersten Tassen Thee zu sichern strebte. Auch Lady

Binks mit der gewöhnlichen Verdrießlichkeit auf ihrem schönen Gesicht, über ihren Gatten wie immer empört, und gar nicht geneigt,
Lord Etheringtons Abwesenheit zu billigen, wenn ihr daran lag,
Sir Bingo's Eifersucht zu erregen. Dies war, wie sie entdeckt
hatte, die nachdrücklichste Art, den Baronet zu martern, und sie ergötzte sich daran mit der wilden Freude eines Lohnkutschers, der
eine wunde Stelle erspähte, wo sein armer Klepper den Peitschen-
hieb schärfer fühlt. Auch der übrige Theil der Gesellschaft war
wie gewöhnlich versammelt. Selbst Mac Turk war gegenwärtig,
obwohl er es eine ungemeine Verschwendung des heißen Wassers
nannte, wenn man es zu irgend einer andern Mischung als zur
Bereitung des Punsches gebrauchte. Er hatte sich in der letzten
Zeit viel mit dem Reisenden unterhalten, nicht etwa weil in ihren
Meinungen oder Handlungen die kleinste Uebereinstimmung obwaltete, sondern vielmehr, weil zwischen ihnen eben der Grad von
Unterschied stattfand, der fortdauernden Stoff zum Streit und
Wortgefecht gab. Auch währte es diesmal nicht lange, bevor sie
auf eine ergiebige Quelle zum Disputiren stießen.

Seine Stimme fast über die Gränze des geziemenden Tones
geselliger Unterhaltung erhebend, sagte Touchwood: „Sprechen
Sie mir nie von all ihren points d'honneur! Lauter Firlefanz!
— Nichts als Haarseilschlingen, um die Schnepfen darin zu fangen Kluge Leute wissen sie dennoch zu sprengen."

„Auf mein Wort, Sir," sagte der Hauptmann, „ich selbst erstaune Sie anzuhören, — denn, sehen Sie, Sir, die Ehre eines
jeden Mannes ist der eigentliche Athem, den seine Nasenlöcher einhauchen. — Gott soll mich verdammen!"

„So laßt die Leute durch den Mund Athem holen, in's Teufels Namen!" entgegnete der Polemiker. „Ich sage Ihnen, Herr,
daß außerdem, daß es das Gesetz und das Evangelium verbieten,
auch an sich das Duelliren ein alberner, gänzlich unsinniger Gebrauch ist. Ein ehrlicher Wilder selbst hat zu viel gesunde Ver-

daß Lord Etheringtons Besuche in Shaw-Castle den Zweck hätten, sich dort eine Braut zu erwerben, habe gar gereizte Worte zwischen ihnen schon früher veranlaßt.

Schnell weiß ein weiblicher Sinn die Mittel zu erspähen, ein wahres oder eingebildetes Unrecht zu rächen. Unmuthig auf die schönen Lippen beißend und in ihrem Sinne die wirksamste Rache überlegend, warf ihr das Geschick den jungen St. Ronans in den Weg. Sie blickte ihn an, und bestrebte sich mit einem freundlichen Nicken und angenehmen Lächeln, welches ihn sonst sogleich an ihre Seite gezogen hatte, seine Aufmerksamkeit zu erregen. Da sie aber nur einen entfernten Bückling und zerstreuten Blick zur Erwiederung erhielt, beobachtete sie ihn schärfer, und ward durch seinen unstäten Blick, den Wechsel seiner Farbe und unruhigen Schritt zu dem Glauben verleitet, daß er zu viel getrunken habe. Dennoch verrieth der Ausdruck seines Auges weniger einen berauschten, als einen verstörten, verzweifelten Menschen, dessen Seelenkräfte durch finstere, quälende Betrachtungen befangen sind, die ihn die Gegenwart vergessen lassen.

„Haben Sie bemerkt, wie übel Mr. Mowbray aussieht?" fragte sie in einem sehr verständlichen Flüstern. „Ich hoffe, er hörte doch nicht, was Lady Penelope so eben von seiner Familie sagte?"

„Wenn er es nicht von Ihnen erfährt, Mylady," entgegnete Touchwood, der bei Mowbray's Eintritt seine Unterredung mit Mac Turk abbrach, dann, denke ich, ist wenig Aussicht, daß er es von Jemand Anders erfahre."

„Wovon war die Rede?" fragte Mowbray mit scharfem Tone, diese Worte an Chatterley und Winterblossom richtend, doch der Eine bebte demüthig zurück, versichernd, er habe nicht genau auf die Unterhaltung der Damen geachtet, und Winterblossom entschlüpfte der Klemme mit ruhiger, vorsichtiger Höflichkeit erwiedernd: — „Ich gab in der That nicht genau auf das hier Vor-

gehende Acht — ich unterhandelte eben mit Mistreß Jones über
eine kleine nachträgliche Zugabe von Zucker in meinen Kaffee.
Es war in der That ein so schwieriges diplomatisches Unternehmen,"
setzte er mit gesenkter Stimme hinzu, „daß ich den Gedanken fasse,
Ihro Herrlichkeit berechnen die westindischen Produkte nach Granen
und eines Pfennigs Werth."

Wenn diese Bemerkung die Absicht hatte, Mowbray ein Lächeln
zu entlocken, so war sie weit davon entfernt, ihren Zweck zu erreichen. Mit mehr als gewöhnlicher Steifheit in seinem Wesen,
das nie ganz frei von großem Eigendünkel war, schritt er vorwärts, und sagte zu Lady Binks: „Darf ich Ew. Herrlichkeit
ersuchen, mir zu sagen, welche meine Familie betreffende Angelegenheit so glücklich war, die Aufmerksamkeit der Gesellschaft zu
erregen?"

„Ich war nur eine Zuhörerin, Mr. Mowbray," entgegnete
Lady Binks, mit sichtbarer Freude die steigende Wuth des Jüng-
lings in seinen Zügen lesend. „Da ich nicht die Herrscherin dieses
Abends bin, so fühle ich mich durchaus nicht geneigt, für den Gang
der Unterhaltung verantwortlich zu sein."

Mowbray, keineswegs in der Laune einen Scherz zu ertragen,
aber doch fürchtend, sich in einer so öffentlichen Gesellschaft durch
weitere Fragen bloß zu geben, warf einen grimmigen Blick auf
Lady Penelope, die so eben in ein sehr emsiges Gespräch mit Lord
Etherington verwickelt war — trat ihnen einige Schritte näher

dann aber, als fasse er einen andern Entschluß, drehte er sich
auf dem Absatz um und verließ das Zimmer. Wenige Augenblicke
später, während spöttische Winke und Blicke in der Gesellschaft gewechselt wurden, schob ein Aufwärter ein Stückchen Papier in
Mistreß Jones Hand, welche, nachdem sie schnell den Inhalt über-
flogen hatte, bereit schien, das Gemach zu verlassen."

„Jones! — Jones!" rief Lady Penelope erstaunt und unmuthig aus.

„Ich hole nur den Schlüssel zum Theekasten, Ew. Herrlichkeit, ich werde augenblicklich zurückkehren."

Wieder rief ihre Gebieterin; „Jones, Jones — hier ist —" Thee genug, wollte sie hinzusetzen, aber Lord Etherington war so sehr in ihrer Nähe, daß sie sich schämte, die Rede zu vollenden, und, nur noch allein auf die schnelle Fassungskraft der Jones rechnend, hoffte, sie würde es für unmöglich erklären, den ihr fehlenden Schlüssel zu finden.

Jones trippelte indessen eilig zu einer Art von Wirthschaftszimmer, dessen locum tenens (Besitzerin) sie für diesen Abend war, um schneller Alles herbeischaffen zu können, was an dem sogenannten Abend der Lady Penelope erforderlich sein konnte. Hier fand sie Mr. Mowbray, den sie augenblicklich mit einer Redefluth überschüttete: „Ja; nun Mr. Mowbray, ich sage es, Sie bringen mich noch um meinen Platz! Sie sind ein schöner Herr! — Ich schwöre es, Sie sind Schuld daran! — Was können Sie mir zu sagen haben, womit Sie nicht noch eine Stunde warten konnten?"

Wahrscheinlich in einem andern Tone, als den sie erwartete, erwiederte Mowbray: „Ich wünschte zu wissen, Jones, was Ihre Gebieterin eben über meine Familie sagte?"

„Pah, war das Alles? Was soll sie denn gesagt haben? Unsinn! — Wer kümmert sich um ihre Reden? — Ich gewiß nimmermehr um eine einzige!"

„Nein, dennoch meine theure Jones, ich bringe darauf es zu wissen. — Ich muß es wissen, und ich will es wissen."

„Ei, Mr. Mowbray, warum sollte ich wohl Unglück anrichten? — So wahr ich lebe, ich höre Jemand kommen! Und findet man mich hier mit Ihnen redend — wahrhaftig — wahrlich, es kömmt Jemand!" —

„Mag der Teufel kommen, wenn er will!" rief Mowbray. „Wir aber, mein schönes Kind, trennen uns nicht, bis Sie mir sagen, was ich zu wissen wünsche!"

„Gerechter Himmel, Sir, Sie erschrecken mich! — Aber das ganze Zimmer hörte es ja so gut als ich. — Von Miß Mowbray war die Rede — daß Mylady nun wohl ihre Gesellschaft vermeiden müsse, denn sie wäre — sie wäre —

„Weil meine Schwester wäre was?" — rief Mowbray wild, sie beim Arme ergreifend.

„Mein Himmel, Sir, Sie bringen mich zum Entsetzen!" schrie Jones weinend. „In jedem Falle, ich war es nicht, die es sagte es war Lady Penelope."

„Und was war es, das dieß alte natterzüngige, tolle Weib von Clara Mowbray zu sagen wagte? — Sprecht es sogleich offen und deutlich aus, oder beim Himmel, ich will Euch zum Sprechen bringen!"

„Halt, Sir — um Gotteswillen, Sir, Sie werden mir den Arm zerbrechen!" schrie die erschrockene Zofe. „Ich bin gewiß, ich weiß nichts Böses von Miß Mowbray; nur Mylady sprach so von ihr, als sei sie eben nichts besseres als — sie es sein müßte. Himmel, Sir, da ist ein Horcher an der Thüre!" Und mit schnellem Sprung sich seiner sie festhaltenden Faust entreißend, flog sie eilig in das Gesellschaftszimmer zurück.

An den Boden gewurzelt von dem, was er gehört hatte, stand Mowbray, eben so unwissend, welches der Grund einer so gräßlichen Verleumdung sein konnte, als schwankend, wie er am besten sie zu unterdrücken vermöge. Um seine Verwirrung noch zu vergrößern, entdeckte er, daß Mistreß Jones sich mit Recht belauscht geglaubt hatte, denn als er sich der Thüre des Zimmer nahte, trat ihm Mr. Touchwood entgegen.

Finster fragte Mowbray: „Was führt Sie hierher, Sir?"

„Nun, nur gemach!" entgegnete der Reisende. „Ei, weßhalb kommen Sie denn hierher, wenn einmal so gefragt werden soll, Squire? Aber sehen Sie, Lady Penelope zittert für ihren Suchong-Thee, da ging ich denn hieher, um Ihrer Herrlichkeit die

34*

Mühe zu ersparen, in Person Mistreß Jones aufzusuchen, welches, dächte ich, noch eine schlimmere Störung als die meinige gewesen wäre, Mr. Mowbray."

„Pah, Sir, Sie schwatzen Unsinn! — Das Theezimmer ist so höllisch heiß, daß ich hier einen Augenblick Luft schöpfen wollte, als das junge Frauenzimmer herein trat."

„Und nun wollen Sie weglaufen, weil der alte Mann erscheint! Hören Sie, Sir, ich bin mehr Ihr Freund, als Sie es sich einb.lden!"

„Sir, Sie sind sehr aufdringlich — ich bedarf nichts, das Sie mir geben könnten!"

„Das ist vollkommen falsch — denn ich kann Sie mit demjenigen unterstützen, was die jungen Leute am nöthigsten haben Geld und Weisheit."

„Sie werden wohl thun, beide zu bewahren, bis man ihrer begehrt."

„Ei, das werde ich schon thun, aber ich habe nun einmal so eine Art von Vorliebe für Ihre Familie gefaßt, und man will von ihr behaupten, daß ihr sowohl Geld als guter Rath schon seit zwei, wenn nicht drei Generationen mangelt."

Aergerlich rief Mowbray: „Sie sind zu alt Sir, sowohl den Narren zu spielen als Narrenlohn zu empfangen."

„Wahrscheinlich möchte dieser Lohn mit dem eines Gaffenbuben übereinstimmen — mehr Püffe als halbe Pfennige. Nun mindestens bin ich auch nicht jung genug, um mit Knaben über Unarten zu rechten. Ich will Sie überzeugen, Mr. Mowbray, daß ich etwas mehr von Ihren Angelegenheiten weiß, als Sie mir zutrauen mögen."

„Es kann sein, doch Sie würden mich mehr verbinden, wenn Sie sich um die Ihrigen bekümmerten."

„Sehr wahrscheinlich! Indeßen Ihr Verlust gegen Lord

Etherington an diesem Abend ist weder eine Kleinigkeit, noch ein Geheimniß für mich."

„Mr. Touchwood, ich wünsche zu wissen, von wem Sie diese Nachricht erhielten?"

Das ist von sehr geringer Bedeutung im Vergleich mit ihrer Wahrheit oder Falschheit, Mr. Mowbray."

„Aber für mich ist es von der höchsten Wichtigkeit, Sir. Mit einem Worte, erhielten Sie diese Nachricht mittel= oder un= mittelbar vom Lord Etherington? — Beantworten Sie mir diese einzige Frage, dann werde ich besser wissen, was ich davon zu den= ken habe."

„Bei meiner Ehre," sagte Touchwood: „weder von noch durch Lord Etherington erhielt ich diese Nachricht. Ich sagte Ihnen das Alles, um Ihnen Genüge zu thun, und erwarte dagegen, daß Sie mich geduldig anhören."

„Erlauben Sie mir, Sir, nur noch eine Frage. Ich glaubte zu hören, es wurde irgend etwas Beschimpfendes für meine Schwe= ster gesprochen, eben als ich das Theezimmer betrat?"

Zögernd entgegnete Touchwood: „Hm hm — ja — es thut mir leid, daß Ihre Ohren Ihnen so gute Dienste leisteten — es wurde Etwas leicht ihrer erwähnt, Etwas, das sich sehr bald aufklären läßt, wage ich zu behaupten — und nun, Mr. Mowbray, lassen Sie mich ein ernstes Wort mit Ihnen sprechen!"

„Und nun, Mr. Touchwood, haben wir uns nichts weiter zu sagen. — Guten Abend!"

Stürmisch enteilte er dem alten Manne, der ihn umsonst zu= rück zu halten versuchte, und zu dem Stalle stürzend, forderte er sein Pferd. Es war schon gesattelt und man erwartete nur seine Befehle; aber selbst der kurze Zeitraum, ehe man es aus dem Stalle führte, brachte schon Mowbray's Ungeduld auf das Aeußerste. Nicht weniger reizte ihn die immer dringender ertönende Stimme

Touchwood's, welcher bald klagend, bald ergrimmt ihm nachfolgend in seinen Ermahnungen und Vorstellungen fortfuhr.

„Mr. Mowbray, Sie werden es bereuen. — Eignet sich eine solche Nacht zum Reiten? — Poß Sternchen, Sir, wenn Sie nur fünf Minuten lang Geduld haben wollten!"

Nicht laute, aber kräftige Flüche, die er für sich murmelte, waren die einzigen Antworten Mowbray's, bis sein Pferd gebracht wurde, wo er, ohne Jenem weiter Rede zu stehen, sich in den Sattel schwang. Das arme Roß mußte die Zögerung büßen, die es nicht veranlaßt hatte. Scharf gab ihm Mowbray die Sporen, sobald er im Sattel war — das edle Thier schnaubte und bäumte sich und flog mit Hirscheseile über Stock und Stein den nächsten Weg — und wir wissen, wie rauh er war — nach Shaw-Castle. Es gibt einen gewissen Instinkt, welcher die Pferde die Stimmung ihrer Reiter errathen, und sie wild und ungestüm oder schläfrig und träge mit ihnen übereinstimmen läßt; so schien auch dießmal Mowbray's edles Roß, ohne daß es der Sporn noch einmal berührte, die innere Gährung seines Gebieters zu theilen. Der Stallknecht lauschte den immer mehr verhallenden Hufklängen, bis sie ganz in dem fernen Walde verklangen. Er murmelte für sich:

„Wenn St. Ronans in dieser Nacht wirklich Shaw-Castle erreicht, ohne den Hals zu brechen, muß ihm der Teufel die Stange halten."

„Gott sei uns barmherzig," rief der Reisende, „er reitet ja wie ein Araber in der Wüste! Aber da treffen die Beduinen auch weder Bäume, noch Klippen, Bäche, Waldströme, noch Fahrwasser. Gut, ich muß mich nur selbst an die Arbeit machen, sonst wird eine üblere Geschichte daraus, übler, als selbst ich wieder in Ordnung bringen könnte. — Hört, Stallknecht, gebt mir sogleich Eure besten Pferde, nach Shaw-Castle zu fahren."

Erstaunt fragte der Mann: „Nach Shaw-Castle, Sir?"

„Ja, Ihr wißt doch den Ort zu finden?"

„Das wohl, doch in der That sehr wenig Gesellschaft geht da-
n, ausgenommen bei dem großen Balle, so daß wir fast Zeit ge-
abt hätten, den Weg dahin zu vergessen. — Aber so eben war ja
t. Ronans hier, Sir?"

„Ei, was hindert das? Er reitet voran, um das Abend-
sen bereit halten zu lassen. — Also spannt ohne Zeitverlust an."

„Wie Sie befehlen, Sir!" entgegnete der Bursche und eilte,
n Postillon herbeizurufen.

Fünfunddreißigstes Kapitel.

Streit.

> Sedet post equitem atra cura.
> Durch Moor und Heid' in wilder Haß
> Braus't hin der zornentglühte Gast,
> Dem Sturme scheint er gleich!
> Doch hinter ihm im düstern Schleier,
> Wie Wittwen bei der Leichenfeier,
> Sitzt Sorge — todtenbleich!

Ein Glück war es in jener Nacht für Mowbray, daß er sich
umer die besten Pferde hielt, und daß eben jenes, welches er da-
als ritt, so sicher und klug, als muthig und feurig war. Denn
.ejenigen, welche am folgenden Tage die Spuren seines Hufes auf
em wilden bahnlosen Pfade bemerkten, den das Thier in vollem
alopp von seinem wüthenden Gebieter dahin gelenkt durcheilte,
nnten leicht einsehen, daß an mehr als zwölf Stellen Pferd und
eiter wenig Zoll vom Untergang entfernt waren. Ein Zweig
nes knorrigen, verkrüppelten Eichbaumes, der sich quer über den
Beg erstreckte, schien insbesondere dem Reiter eine fast Vernichtung

bringende Hemmung des Weges gedroht zu haben. Der Schlag, den er dem Kopfe desselben versetzte, war zwar einigermaßen von dem sehr hohen Hute aufgefangen worden, doch war die Gewalt dieser Erschütterung mächtig genug, den Ast in Splitter zu zertrümmern. Glücklicherweise war er herabgebrochen, aber selbst noch in diesem Zustande erregte es allgemeines Erstaunen, daß ein so furchtbares Zusammentreffen keine üblern Folgen gehabt hatte. Mowbray selbst hatte dies Ereigniß gar nicht bemerkt.

Kaum sich bewußt, daß er ungewöhnlich schnell geritten war, kaum es empfindend, daß er eiliger dahin stürmte, als er je den flüchtigen Hunden im gestrecktesten Galopp folgte, sprang Mowbray an der Stallthür vom Pferde, warf dem Diener den Zügel zu, der staunend über den Zustand des Lieblingspferdes die Hände zum Himmel erhob, doch vermuthend, sein Gebieter sei berauscht, sich weislich jeder Bemerkung enthielt.

Sobald der unglückliche Jüngling jener heftigen Bewegung Einhalt that, durch welche er Raum und Zeit so viel als möglich vernichten zu wollen schien, um den Ort zu erreichen, wo er sich jetzt befand, so war ihm, als möchte er die Welt darum geben, wenn er Meere und Wüsten zwischen sich und seinem väterlichen Hause und jener einzigen Schwester zaubern könnte, mit welcher er jetzt eine entscheidende Zusammenkunft haben wollte. —

„Aber Zeit und Ort sind da!" sagte er, mit glühender Angst die Lippen zusammenpressend. Diese Erklärung muß entscheidend sein, welches Uebel auch daraus entstehe, auf ewig soll diese peinigende Ungewißheit sich enden."

Er trat in's Schloß und ergriff das Licht des alten Dieners, der bei dem Geräusch des Hufschlages das Thor geöffnet hatte, ihn zu empfangen.

„Ist meine Schwester in ihrem Wohnzimmer?" fragte er; aber so dumpf klang seine Stimme, daß der alte Mann statt aller Antwort die Gegenfrage that: „Sind Ew. Gnaden auch wohl?"

„Ganz wohl, Patrick! — Nie in meinem Leben noch befand ich mich besser!“ — Und dem Alten den Rücken zuwendend, als wolle er es vermeiden, daß er den Ausdruck seiner Züge mit seinen Worten vergliche, setzte er seinen Weg nach dem Zimmer seiner Schwester fort. Der Laut seiner Schritte schreckte Clara aus ihren, vielleicht sehr finsteren Träumen auf; und schon hatte sie ihre Lampe heller leuchten lassen, ihr Feuer neu angeschürt, eh' er in's Gemach trat, so langsam nahte er sich.

„Du bist ein gutes Kind, Bruder,“ sagte sie, „daß du so zeitig zurückkehrst; auch habe ich einige gute Nachrichten zu deiner Belohnung bereit. Dein Diener hat deinen Trimmer wieder gebracht. — Er lag bei dem todten Hasen, dem er bis nach Drumlyford nachjagte — der Schäfer hatte ihn in Verwahrung genommen, bis Jemand nach ihm fragen würde.“

„Ich wollte von ganzem Herzen, er hätte ihn aufgehangen!“ entgegnete Mowbray.

„Wie? Deinen Trimmer aufgehangen? — Deinen Liebling, der das ganze Land durchstrichen ist? — Und noch diesen Morgen weintest du fast, weil du ihn vermißtest, und hattest Lust, Groß und Klein deßhalb umzubringen.“

„Je mehr ich irgend ein lebendes Wesen liebe, je mehr Ursache habe ich, es todt und zur Ruhe zu wünschen,“ sagte Mowbray; „denn, weder ich noch irgend Jemand, der mir lieb ist, wird je mehr glücklich sein!“

„Mit diesen Schreckschüssen erregst du mein Entsetzen nicht mehr, John,“ antwortete Clara zitternd, obwohl sie sich bemühte, unbefangen zu erscheinen. „Du hast mich schon zu häufig daran gewöhnt.“

„Das ist sehr gut für dich. So wirst du in's Verderben stürzen, ohne darüber zu erstaunen!“

„Um so besser!“ sagte Clara. — „Uns drohte:

So lange schon der Armuth Bild,
Daß keine Furcht mein Herz erfüllt.

Das rufe ich mit dem ehrlichen Robert Burns aus!" —

„Zum Teufel mit Burns und seinem Gewäsch!" rief Mow=
bray mit dem Ungestüm eines Menschen, der entschlossen ist, über
jedes Ding in der Welt sich zu ärgern, nur nicht über sich selbst,
der doch die eigentliche Quelle alles Elendes war.

„Und weßhalb wünschest du den armen Burns zum Teufel?"
fragte Clara gelassen. „Es ist doch nicht sein Fehler, wenn du
nicht heute der Gewinnende warest, denn das ist doch, wie ich ver=
muthe, die Ursache all' dieses Ungestüm's!"

„Ob es nicht einen Jeden um seine Geduld bringen müßte,
anzuhören, wie sie die Reimereien eines plumpen Bauers anführt,
wenn ein Mann von dem Untergange eines alten Hauses spricht!
Euer Pflüger da, vermuthe ich, wenn er auch einen Grad ärmer
geworden ist, als er es geboren war, würde höchstens sein Mittags=
essen oder die gewohnte Portion Ale entbehren. Seine Gefährten
aber würden rufen: „der arme Bursche," und würden ihn aus
ihrem Kessel essen, aus ihrem Kruge ohne Zaudern mittrinken las=
sen, bis sich der seinige wieder füllte. Aber der arme Edelmann
— der herabgesunkene vornehme Mann — der herabgewürdigte
Mann von Familie — der in den Staub getretene, machtlos ge=
wordene, sonst so bedeutende Mann! — den muß man beklagen,
der nicht blos Speise und Trank verliert, nein, dem Ehre, Ruf,
Rang, ja selbst der Name geraubt wird!"

„Du sprichst mit dieser Heftigkeit, um mich in Schreck zu
jagen. Aber, mein guter Freund John, ich kenne dich und deine
Absichten, und ich habe meinen Geist gegen alle Fälle, die sich er=
eignen können, gewaffnet. Ich will dir noch mehr sagen. — Ich
habe auf diesem schwankenden Gipfel des Ranges und der feinen
Lebensart, wenn man unsere Lage so nennen kann, mich so lange
aufrecht gehalten, bis mir der Kopf von der Unsicherheit dieser

meiner Höhe ganz schwindlich ward, und ich empfinde die sonderbare Begierde, mich davon hinab zu stürzen, wie man erzählt, daß
sie der Teufel zuweilen in dem Gehirn der Menschen erweckt, die
auf dem Gipfel der Thurmspitzen stehen — mindestens wünschte
ich, der Sturz wäre schon vollendet."

„So sei zufrieden, wenn dich das befriedigen kann. — Der
Sturz ist vollendet und wir sind — wir sind, was man schon in
Schottland — adelige Bettler — zu nennen pflegt — Geschöpfe,
denen unsere Vettern im ersten, zweiten, dritten, vierten, fünften
Grade, wenn es ihnen gefällig ist, einen Platz am Nebentische,
oder einen Sitz im Wagen bei der Kammerfrau der Lady ertheilen
werden, wenn uns das Rückwärtsfahren nämlich nicht krank
macht."

„Das mögen sie Denen bieten, die es annehmen," sagte Clara:
„Ich bin entschlossen, mein eigen erworbenes Brod zu essen. Ich
kann zwanzig Dinge unternehmen, und ich bin gewiß, das eine
oder das andere wird mir all' das Bischen Geld verschaffen, dessen
ich bedarf. Schon seit verschiedenen Monaten habe ich es versucht,
Jones, von wie wenigem ich leben kann, und du würdest lachen,
wenn ich dir sagte, wie gering meine Berechnung ausfällt."

„Es ist ein Unterschied, Clara, zwischen phantastischen Versuchen und wahrer Armuth — das Eine ist ein Maskenscherz, den
wir beenden, sobald es uns gefällig ist; das Andere ist lebensläng-
liches Elend!"

„Mir scheint es, Bruder, es würde dir besser geziemen, mir
ein Beispiel zu geben, meine guten Vorsätze auszuführen, als sie
lächerlich zu machen.

„So, und was verlangst du, daß ich beginne?" fragte er heftig. — „Soll ich Postillon oder Vorreiter werden? Ich verstehe
nichts Anderes, als wozu mich meine Erziehung, wie ich sie einmal *angewendet* habe, passend machte — auch glaube ich wohl,
es würden mir vielleicht einige meiner alten Bekannten hin und

wieder eine Krone zuwerfen, um dann und wann aus alter Freundschaft auch ein Schlückchen trinken zu können."

„Das ist nicht die rechte Art, Jones, wie vernünftige Leute
über ernstliche Unglücksfälle denken oder sprechen; und ich glaube
daher nicht, daß auch hier die Sache so ernsthaft ist, wie du es
mir gern einreden möchtest."

„Denke dir das Allerschlimmste, das du dir vorstellen kannst,
und noch immer wirst du es nicht schlecht genug träumen. — Du
besitzest jetzt nicht mehr eine Guinee — ein Haus — noch einen
Freund! — Und wann nur noch ein Tag enteilt ist, steht es dahin, ob du noch einen Bruder hast!"

„Mein theurer John, du hast viel getrunken, bist scharf geritten!"

„Ja — solche Zeitungen verdienen es, schnell überbracht zu
werden, besonders einer jungen Dame, die sie so gut aufnimmt,"
erwiederte Mowbray mit Bitterkeit. „Ich vermuthe also, es wird
keinen Eindruck machen, wenn ich dir sage, daß es in deiner Macht
steht, dies Verderben zu verhindern."

„Indem ich mein eigenes vollende, wahrscheinlich — Bruder.
Ich sagte, du könntest mich nicht zum Zittern bringen, aber du
hast dennoch die Mittel dazu gefunden."

„Wie, erwartest du, daß ich jetzt der Bewerbungen Lord Etheringtons erwähnen werde? — Das hätte Alles ausgleichen können, in der That. — Aber dieser gnadenbringende Tag leuchtet
uns nicht mehr."

„Mit allen Kräften meines Geistes bin ich darüber entzückt,
möge mit ihm jede Spur der Zwietracht zwischen uns entfliehen!
— Aber bis diesen Augenblick glaubte ich, dieß sei das Ziel des
langen Umweges, den du nahmst, und du strebtest nur mich von
der Wahrheit des Sturmes zu überzeugen, um mich mit dem mir
bleibenden Zufluchtsorte auszusöhnen."

„Ich glaube, du bist im ganzen Ernste toll!" sagte Mowbray,

„Bist du wirklich so wahnsinnig, dich zu freuen, daß dir kein Ausweg bleibt, dich und mich dem Verderben, dem Mangel und der
Schande zu entziehen?"

„Schäme dich, Bruder!" sagte Clara.   „Ehrliche Armuth
bringt keine Schande, hoffe ich."

„Das kömmt darauf an, wie die Leute ihre bessern Tage be-
nutzten, Clara.   Ich muß den bittersten Punkt berühren. —
Man trägt sich da unten mit sonderbaren Gerüchten. — Beim
Himmel! sie reichen hin, die Asche der Todten aufzuregen! Wollte
ich sie aussprechen, ich würde fürchten, den Schatten unserer armen
Mutter in's Gemach schweben zu sehen! — Clara Mowbray, kannst
du ahnen, worauf ich ziele?"

Nur mit der allerhöchsten Anstrengung und dennoch mit wan-
kender Stimme war sie endlich nach einem unwirksamen Versuche
im Stande, die einzige kleine Sylbe „Nein" hervorzuhauchen.

„Beim Himmel! ich schäme mich.   Ich fürchte mich sogar,
meine Meinung auszusprechen. — Clara, was ist es, das dich
jeden Heirathsantrag so hartnäckig ausschlagen läßt? — Geschieht
es, weil du dich unwürdig fühlst, das Weib eines ehrlichen Mannes
zu sein? — Sprich es aus! — Der böse Leumund hat deinen Ruf
befleckt. — Sprich es aus! — Gib' mir das Recht, ihre Lügen
in die Gurgel ihrer Erfinder hinabzuwürgen, und wenn ich morgen unter sie trete, so werde ich wissen, wie ich die zu behandeln
habe, die sich Bemerkungen über dich zu erlauben wagen. Das
Vermögen unsers Hauses ist zu Grunde gerichtet, aber keine
Zunge soll seine Ehre zu schmähen wagen. — Sprich, sprich, unglückliches Mädchen! — Weßhalb schweigst du?" —

„Bleib' zu Hause, Bruder," sagte Clara, „bleib zu Hause,
wenn du die Ehre unsers Hauses achtest.   Mord kann Elend
nicht mildern! — Bleib zu Hause — und laß sie von mir sagen
was sie wollen — sie können nichts Uebleres sagen, als ich verdiene!"

Mowbray's stets ungezähmte Leidenschaften waren in diesem Augenblicke durch Wein, seinen wilden Ritt, und den schon zuvor so hoch gereizten Zustand seines Gemüthes auf das Glühendste entflammt. Er biß die Zähne zusammen, ballte die Fäuste, blickte zur Erde, wie Jemand, der einen gräßlichen Entschluß faßt, und murmelte fast unverständlich: „Es wäre Barmherzigkeit, sie zu tödten!"|

„O nein, nein, nein!" rief das entsetzte Mädchen, sich zu seinen Füßen werfend. „Tödte mich nicht, Bruder. Ich habe mir den Tod gewünscht — an den Tod gedacht — um den Tod gebetet aber es ist mir entsetzlich, ihn mir so nah' zu denken. — O nein, keinen blutigen Tod, Bruder, keinen Tod von Deiner Hand."

Sie hatte bei diesen Worten seine Kniee eng umschlossen, und Wort und Blick sprachen das größte Entsetzen aus. Auch war ihr Zustand in der That nicht ohne Grund; denn die ungemeine Einsamkeit des Ortes, die späte Stunde, die heftigen, glühenden Leidenschaften ihres Bruders, die verzweiflungsvolle Lage, in welche er sich gestürzt hatte, Alles schien sich zu vereinigen, irgend eine gräßliche Gewaltthat kein unwahrscheinliches Ende dieser furchtbaren Unterredung werden zu lassen.

Ohne die geballten Hände zu öffnen, oder das Haupt zu erheben, schlug Mowbray seine Arme über die Brust zusammen, während seine Schwester fortfuhr, seine Kniee mit aller ihrer Kraft zu umklammern, und in jammervollen Klagetönen um Barmherzigkeit und Schonung ihres Lebens zu bitten. Endlich sagte er:

„Närrin laß mich los! — Wer kümmert sich um dein werthloses Leben? — wer kümmert sich darum, ob du lebst oder stirbst!

Lebe, wenn du kannst — und sei des Abscheu's und des Hohn's Gegenstand für einen Jeden so sehr als für mich!"

Er riß sie bei der Schulter auf, und stieß sie mit der andern Hand von sich zurück, und als sie vom Boden sich erhebend wieder verſuchte, ihre Arme um ſeinen Nacken zu ſchlingen, wehrte er ſie mit Arm und Hand ab, ihr einen Stoß — oder Schlag — man kann beide Benennungen dafür brauchen — ertheilend, der heftig genug war, ſie in ihrem ſchwachen Zuſtande wieder auf den Fußboden zurück zu ſchleudern, hätte ſie nicht ein Stuhl im Fallen empfangen. Mit wildem Blick betrachtete er ſie einen Augenblick, und fuhr mit der Hand in die Taſche; dann aber ſtürzte er zum Fenſter, und es mit Ungeſtüm aufreißend, bog er ſich, ſo weit er vermochte, hinaus in die rauhe Nachtluft. Entſetzt, doch ihr Gefühl ſelbſt über ihre Furcht ſiegend, vor Allem von ſeiner Unfreundlichkeit erſchüttert, fuhr Clara fort auszurufen: „O mein Bruder, ſage, daß du es ſo nicht gemeint haſt! — O ſage, du hatteſt nicht die Abſicht, mich zu ſchlagen. — O was ich auch verdient haben mag, ſei du nicht mein Henker! — Es iſt nicht männlich — nicht natürlich — wir Beide ſtehen ja allein in der Welt!"

Er erwiederte nichts, und da ſie bemerkte, daß er fortfuhr, ſich weit aus dem Fenſter zu beugen, welches im zweiten Stockwerk nach dem Hofe heraus lag, ſo miſchte ſich eine neue Urſache der Beſorgniß mit ihrer perſönlich ſie betreffenden Angſt. Zagend, mit ſtrömenden Augen und erhobenen Händen, nahte ſie ſich ihrem zürnenden Bruder, und furchtſam, doch feſt ergriff ſie den Saum ſeines Rockes, als wolle ſie ihn ſorglich vor den Folgen der Verzweiflung ſchützen, die noch kurz vorher gegen ſie gerichtet, jetzt ihn ſich ſelbſt zum Ziel zu erwählen ſchien.

Es fühlte ihr banges Halten ſeines Kleides, und ſich ſelbſt unmuthig zurückwerfend, fragte er: was ſie begehre?

„Nichts!" entgegnete ſie, den Rock loslaſſend, „aber — wonach haſt du ſo ängſtlich geſpäht?"

„Nach dem Teufel!" rief er heftig. Dann den Kopf aus dem Fenſter ziehend und ihre Hand ergreifend ſagte er: „Bei meiner Seele, Clara, es iſt wahr — wenn je Wahrheit in einer ſolchen Sage war. — Er ſtand hier eben mir zur Seite, und gebot,

ich sollte dich ermorden! — Was sonst hätte meine Gedanken auf
mein Jagdmesser richten — es mir, bei Gott, selbst in die Hand
geben können — und noch dazu in einem solchen Augenblicke. —
Dorthin, scheint es mir, sah ich ihn entfliehen, und Wald, Felsen
und die Fluth strahlten wieder von dem dunkelrothen Gluthlicht,
das er mit seinen Drachenflügeln über sie hin strömte. Bei meiner
Seele, kaum kann ich es für ein blos phantastisches Bild halten. —
Ich kann es mir kaum anders denken, als daß ich unter dem Einflusse eines bösen Geistes   ja einigermaßen ein Eigenthum des
Erbfeindes war! Aber wie er entwich, laß ihn entwichen sein. —
Und du nur zu fertiges Werkzeug des Bösen, hinweg mit dir, ihm
nach! — Er zog die rechte Hand aus der Tasche, welche in dieser
ganzen Zeit das Jagdmesser gehalten hatte, und schleuderte bei
diesen Worten das Werkzeug in den Schloßhof. Dann schloß er
das Fenster, und mit trüber, finsterer Ruhe und Feierlichkeit führte
er seine Schwester zu ihrem gewöhnlichen Sitz, den zu erreichen
ihre wankenden Schritte sie kaum fähig machten. Nach einer
Pause bangen Schweigens sagte er: „Clara, wir müssen das, was
uns zu thun übrig bleibt, ohne Leidenschaft und Heftigkeit überlegen — vielleicht kann uns noch jetzt der Würfel glücklich fallen,
wenn wir unser Spiel nicht wegwerfen. Ein Makel ist ein
Makel, bis er bekannt ist. Eine verborgene Schande ist in einiger
Hinsicht keine Schande mehr. — Beachtest du, was ich sage, unglückliches Mädchen?" rief er jäh und finster die Stimme erhebend.

„Ja, Bruder — ja gewiß, Bruder!" entgegnete sie hastig,
fürchtend, durch die kleinste Zögerung seine wilde, ungezähmte Heftigkeit wieder aufzuregen.

„So muß es also sein," sagte er, „du mußt diesen Etherington heirathen. Es bleibt kein Ausweg, Clara. — Du kannst dich
nicht über das beklagen, was deine eigene Schuld und Thorheit
jetzt unvermeidlich gemacht hat."

„Aber Bruder —" sagte das bebende Mädchen.

„Schweig! Ich weiß Alles, was du sagen willst. Du liebst
ihn nicht, willst du einwenden. — Ich liebe ihn auch nicht, nicht
mehr als du. Ja, was noch mehr ist, er liebt dich auch nicht —
denn er dich liebte, so möchte ich es mir zum Vorwurf machen,
ich ihm zu geben. Aber du sollst ihn aus Haß heirathen, Clara
— oder zum Wohl deiner Familie — oder aus welchem Grunde
du willst. Aber heirathen sollst und mußt du ihn."

„Bruder, theurer Bruder — ein einziges Wort."

„Kein widersprechendes oder verneinendes Wort — die Zeit
ist vorüber. Als ich dich für das hielt, was ich diesen Morgen
noch von dir glaubte, da konnte ich dir rathen, und ich würde dich
nicht gezwungen haben, da aber die Ehre unserer Familie durch
dich beschimpft ward, ist es nichts als Gerechtigkeit, daß du diese
Schande verbergen sollst — und verborgen soll sie werden —
wenn selbst dein Verkauf als Sklavin dazu dienen könnte, sie zu
erfüllen."

„Du behandelst mich härter, viel härter! Eine Sklavin auf
dem Markte kann von einem freundlichen Herrn erkauft werden.
Du gönnst mir nicht einmal diese Möglichkeit! — du ver-
mählst mich Einem, der "

„Fürchte weder ihn, noch das Böse, was er thun kann, Clara.
Ich weiß, aus welchen Rücksichten er sich verheirathet; und da ich
wieder dann dein Bruder werden will, wozu mich dein Gehorsam
in dieser Sache bewegen wird, thäte er besser, sein eigenes Fleisch
mit seinen Zähnen von seinen Knochen herab zu reißen, ehe er dir
das kleinste Leid zufügte. Beim Himmel! ich hasse ihn so sehr —
denn überall hat er mich verdrängt, daß es mir eine Art von Trost
zu sein scheint, daß er in dir nicht das vorzügliche Geschöpf erhält,
wofür ich dich hielt. — Gefallen, wie du es bist — selbst da bist
du noch zu gut für ihn."

Aufgemuntert durch den freundlicheren, fast ärtlichen Ton

seiner Rede, wagte Clara, obwohl gleichsam nur flüsternd, zu erwiedern. „Ich hoffe, so wird es nicht werden. — Ich hoffe, er
wird seine e'gene Lage, Ehre und Glück besser zu schätzen wissen,
als daß er sie mit mir theilen möchte."

„Laß ihn solch' ein zweifelndes Wort äußern, wenn er es
wagt!" rief Mowbray. „Aber er wagt es nicht, einen Moment
zu zögern. — Er weiß, daß in dem Augenblicke, wo er seine Bewerbung zurücknimmt, er sein oder mein Todesurtheil, wenn nicht
unser beiderseitiges unterzeichnet. Auch seine Absichten sind schon
von der Art, daß er sie aus zu peinlichem Zartgefühl allein nicht
aufgibt. Deßhalb bilde dir nicht ein, Clara, daß noch die kleinste
Möglichkeit vorhanden ist, dieser Heirath zu entgehen. Unwider-
ruflich ist sie bestimmt — Schwöre, daß du nicht zauderst einzuwilligen!"

„Ich will es nicht!" sagte sie fast athemlos, vor Entsetzen
bebend, daß er noch einmal sich der ungezügelten Wuth überlassen
möchte, die ihn vorhin ergriffen hatte.

„Wage nicht einen Einwand zu flüstern oder nur darauf hin-
zudeuten, sondern unterwirf dich deinem Geschicke, denn es ist unvermeidlich."

„Ich will — mich unterwerfen;" erwiederte Clara, bebend wie
zuvor.

„Und ich," fuhr Mowbray fort, „will dich verschonen
wenigstens für jetzt — vielleicht auf immer — mit allen weitern
Fragen über die Schuld, welche du bekannt hast. Gerüchte eines
tadelnswerthen Betragens erreichten schon in England mein Ohr.
Aber wer hätte ihnen Glauben schenken mögen, der dich täglich
sah, und Zeuge deines spätern Lebens war? — Ich schweige jetzt
über diesen Gegenstand — vielleicht berühre ich ihn nie wieder —
nämlich wenn du nichts unternimmst, meinem Willen entgegen zu
handeln, oder dem Geschick zu entgehen, welches die Umstände un-
ermeidlich machen. Und nun, es ist spät. Geh zu Bette.

Clara!" — Betrachte das, was ich dir sagte, als das Gesetz der gebietenden Nothwendigkeit, nicht meines selbstsüchtigen Eigenwillens."

Er bot ihr die Hand, und sie legte nicht ohne zagendes Entsetzen ihre zitternde Rechte hinein. So mit einer Art düsterer Feierlichkeit, als wären sie die Begleiter eines Leichenzuges, führte er seine Schwester durch eine Bildergallerie, worin die Gemälde ihrer Vorfahren hingen, an deren Ende Clara's Schlafzimmer lag. Der Mond, der eben aus ungeheuern Wolkenmassen hervortrat, die schon lange herannahenden Sturm ahnen ließen, beleuchtete jetzt die beiden letzten Abkömmlinge dieses alten Hauses, wie sie Hand in Hand, leise, mehr wie Geister der Abgeschiedenen, als wie lebende Wesen durch die Halle vor den Bildern ihrer Voreltern vorbei glitten. Gleiche Gedanken füllten Beider Brust, doch Keiner versuchte zu sagen, während sie einen flüchtigen Seitenblick auf die verbleichten, verfallenen Gemälde warfen: „Wie wenig ahneten sie dieses Ende ihres Hauses!" An der Thüre ihres Schlafzimmers ließ Mowbray die Hand seiner Schwester fahren, und sagte: „Clara, du solltest heute Abend Gott danken, der dich aus großer Gefahr und mich von Todsünde rettete."

„Ich will es," entgegnete sie, „ich will es!" Und als ob ihr Entsetzen neu durch diese Erwähnung des Vergangenen erregt ward, rief sie hastig ihrem Bruder eine gute Nacht zu, und war kaum in ihrem Gemache, als er sie den Schlüssel im Schloße herumdrehen und die Riegel vorschieben hörte.

„Ich verstehe dich, Clara," murmelte Mowbray zwischen den Zähnen, als er einen Riegel nach dem andern vorschieben hörte. „Aber könntest du dich selbst unter dem Ben Nevis in die Erde verbergen, du sollst dem nicht entgehen, was dir das Geschick bestimmte." So sprach er bei sich selbst, da er mit langsam sinnendem Schritte durch die Gallerie zurückkehrte, unsicher, ob er

35*

Wohnzimmer bleiben oder sich nach seinem einsamen Gemache begeben sollte, als plötzlich ein Geräusch im Schloßhofe seine Aufmerksamkeit erregte.

Zwar war es nicht so sehr spät in der Nacht, indessen es war so lange her, seit ein Gast in Shaw Castle empfangen ward, daß, wenn Mowbray nicht das Rollen des Wagens im Hofe vernommen hätte, er eher an einen Einbruch, als an einen Besuch geglaubt hätte. Da man aber deutlich das Geräusch der Pferde und des Wagens unterscheiden konnte, so fiel es Mowbray augenblicklich ein, dieser Gast müsse Lord Etherington sein, der hier zu so später Stunde erscheine, mit ihm über die nachtheiligen Gerüchte zu sprechen, welche über seine Schwester im Umlaufe waren, und vielleicht zu erklären gedächte, daß er seine Bewerbungen aufgebe. Begierig, selbst das Schlimmste zu erfahren und Alles zur Entscheidung zu bringen, trat er wieder in das eben verlassene Gemach ein, und rief laut Patrick zu, den er mit dem Postillon reden hörte, den Ankommenden zu ihm zu führen. Es war aber nicht der leichte Schritt des jungen Edelmannes, welcher die Gänge herauf trampelte oder vielmehr stampfte; eben so wenig zeigte sich beim Oeffnen der Thüre die leichte, zierliche Gestalt Lord Etheringtons, sondern die tüchtige, viereckige Masse Mr. Peregrines Touchwood.

Sechsunddreißigstes Kapitel.

Verwandte sucht er hier! — Sein Recht ward anerkannt.
Das verlaßne Dorf.

Bei der unerwarteten und unerwünschten Erscheinung, welche sich ihm zeigte, wie wir am Schluffe des vergangenen Kapitels es erwähnten, zurückschreckend, fühlte sich doch Mowbray zugleich einigermaßen erleichtert, daß seine Zusammenkunft mit Lord Etherington, die so peinlich entscheidend sein mußte, noch aufgeschoben war. Er fragte also halb verdrießlich, halb innerlich zufrieden, was ihm in so später Stunde die Ehre des Besuches Mr. Touchwood's verschaffe.

„Die Nothwendigkeit, die selbst auch ein altes Weib in den Trab bringt," entgegnete Touchwood, „keinesweges meine Wahl, das versichere ich Ihnen. — Sehen Sie, Mr. Mowbray, ich wollte lieber den St. Gotthard übersteigen, als mich wieder der Gefahr aussetzen, die ich diese Nacht hier auf Ihren verwünschten halsbrechenden Wegen und in dem verdammten stoßenden Karren überstehen mußte. — Auf mein Wort, ich glaube, ich muß Ihren Kellner um irgend eine Art Trunk bemühen — ich bin so durstig wie ein Kohlenträger bei der Stückgießerei. Sie haben doch wohl Porter, wie ich vermuthe, oder guten alten schottischen Zwei=Pfennig=Schnaps?"

Mit einer geheimen Verwünschung über die Unverschämtheit seines Gastes gebot Mr. Mowbray seinem Diener, Wein und Wasser herbei zu bringen, welches Touchwood in einem Becher mischte, den er ausleerte.

„Wir sind eine kleine Familie und selten bin ich zu Hause, sagte sein Wirth. „Noch viel seltner empfange ich Gäste, wen ich zufällig hier verweile. — Es thut mir leid, kein Malz-Getränk Ihnen vorsetzen zu können, wenn sie es vorziehen."

„Vorziehen?" fragte Touchwood, indem er zugleich ein neues Glas von Sekt und Wasser mischte, ein großes Stück Zucker hinzufügend, um die Heiserkeit abzuwenden, welche die Nachtluft, wie er meinte, ihm leicht zuziehen konnte. „Ganz gewiß, ich ziehe es weit vor, und das thut ein Jeder, die Franzosen und Zieraffen ausgenommen. — Nehmen Sie es nicht übel, Mr. Mowbray, Sie sollten ein Oxhoft davon aus Meur kommen lassen. — Der kräftige, braune Trank wird von dort zur Ausfuhr in die Colonien gezogen, erhält sich, so lange man will, und bleibt in jedem Clima gut. — Ich habe es an Orten getrunken, wo das Quart bis auf eine Guinee gekommen wäre, wenn man die Interessen zum Kapital gerechnet hätte."

„Wenn ich die Ehre des Besuchs Mr. Touchwoods erwarte, werde ich suchen, besser damit versehen zu sein," entgegnete Mowbray. „Jetzt aber war Ihre Ankunft hier völlig unerwartet, und es wäre mir lieb, zu erfahren, ob sie irgend einen besondern Grund hat?"

„Das nenne ich gerade den rechten Punkt treffen," sagte Mr. Touchwood, seine stämmigen Beine gerade ausstreckend, wie sie eben mit ihren alten Bedeckungen, den Stiefel-Strümpfen, ausstaffirt waren, so daß seine Hacken auf die kleine Schirmwehr des Kamins sich stützten. „Auf mein Wort, in dieser Jahreszeit wird das Feuer zur schönsten Blume der Gärten. — Ich nehme mir die Freiheit, ein Stück Holz hinein zu werfen. — Ist es nicht etwas Sonderbares, daß man in Schottland nie ein Bündel Reisig antrifft? — Sie haben viel kleines Buschwerk, Mr. Mowbray, ich wundere mich, daß Sie sich nicht einen Burschen aus den mitten im Lande liegenden Grafschaften kommen lassen, Ihre Leute es zu lehren, wie man Reisigbündel anfertigt."

Fast mürrisch fragte Mowbray: „Kommen Sie so weit her,

blos um mich das Geheimniß zu lehren, wie man Reisigbündel macht?"

„Nicht eben durchaus deßhalb," entgegnete der unerschrockene Touchwood — „nicht ganz genau deßwegen, aber es gibt bei allen Dingen eine gute und böse Seite — und ein Wort, welches die rechte andeutet, kann niemals überflüssig sein. — Was übrigens mein besonderes und nothwendigeres Geschäft anbetrifft, das ist, wie ich Ihnen versichern kann, an sich sehr dringender Art, da es mich in ein Haus führt, wo ich sehr erstaunt bin, mich zu sehen."

„Das Erstaunen, Sir, ist wenigstens gegenseitig," erwiederte Mowbray, da er bemerkte, daß sein Gast inne hielt, „es ist vollkommen Zeit, sich darüber zu erklären."

„Nun wohl," begann Touchwood. „Ich muß Sie zuerst fragen, ob Sie nie von einem gewissen alten Herrn reden hörten, der Scroggie hieß, der es sich in dem, was er seinen Kopf nannte, störrisch vorsetzte, sich seines väterlichen Namens zu schämen, obwohl viel achtbare und ehrenwerthe Leute ihn führten, und es vorzog, ihn mit Ihrem Beinamen Mowbray zu verbinden, weil dieser mehr eine Art von ritterlich normännischem Laut, kurz mit einem Worte, einen adeligen Klang hatte?"

„Ich hörte von einem solchen Manne, obwohl erst vor Kurzem," sagte Mowbray. „Er hieß Reginald Scroggie Mowbray. Ich habe Ursachen, seine Verwandtschaft mit meiner Familie nicht zu bezweifeln, obwohl sie ihrer mit spöttischem Lächeln erwähnen. Ich glaube, Mr. Scroggie Mowbray hat seinen letzten Willen sehr in der Absicht entworfen, daß sein Erbe sich durch Heirath mit unserm Hause verbinden sollte."

„Recht, Mr. Mowbray, wahr und richtig, und gewiß werden Sie sich kein Geschäft daraus machen wollen, die Axt an die Wurzel des Baumes zu legen, der Ihnen die goldenen Früchte tragen soll." —

„Gut, gut, Sir!"   Doch weiter — fahren Sie fort!"

„Sie werden also vielleicht gehört haben, daß dieser alte Herr einen Sohn hatte, der mit Freuden den alten Stammbaum zu Reißbündeln zerschnitten hätte; dieser fand nun, daß Scroggie eben so gut als Mowbray klang, und hegte gar keine Vorliebe für einen eingebildeten Adel, den man durch den Umtausch des eigenen Namens und gleichsam durch die Verläugnung der eigenen Verwandten erwerben mußte."

„Ich glaube, Mr. Touchwood, ich hörte schon durch Lord Etherington, dem ich überhaupt meine Nachrichten über diese Scroggie'schen Leute verdanke, daß der alte Mr. Scroggie Mowbray mit einem Sohne sehr übel daran war, der seine Plane bei jeder Gelegenheit durchkreuzte — sich keines Anlasses bedienen wollte, den ihm der Zufall darbot, seine Familie zu erheben und auszuzeichnen

nur gemeine Neigungen hegte, eine Art Wanderleben führte und ganz sonderbare Grillen durchzusetzen strebte — weßhalb eben sein Vater ihn enterbte."

„Es ist sehr wahr, Mr. Mowbray, daß dieser Mann der Gegenstand des Unwillens seines Vaters ward, weil er eitlen Prunk und Förmlichkeit verachtet — es vorzog, als ein ehrsamer Kaufmann Geld zu verdienen, statt es als müßiger Edelmann zu verschwenden — nie einen Wagen nahm, wenn ihm das Zufußgehen besser behagte — und lieber auf die Börse als nach St. James ging. — Kurz, sein Vater enterbte ihn, weil er sich dazu eignete, seine Besitzung zu verdoppeln, statt sie zu verschleudern."

„Das mag Alles ganz wahr sein, Mr. Touchwood; aber ich bitte Sie, was hat dieser jüngere Mr. Scroggie mit Ihnen und mit mir zu schaffen?"

„Was er mit uns Beiden zu schaffen hat?" fragte Touchwood, als erstaune er auf das höchste über diese Worte: „Mit mir hat er *mindestens* gar viel zu schaffen, da ich es selbst bin!"

„Der Teufel auch, sind Sie's!" rief Mowbray jetzt seinerseits die Augen weit aufreißend: „Aber Mr. A — Ihr Name ist ja

Touchwood — P. Touchwood. Paul oder Peter, wie ich vermuthe. Ich las ihn ja auf dem Gesundbrunnen in der Subscriptions=Liste."

„Peregrine, Sir, Peregrine — meine Mutter verlangte, daß ich so getauft würde, weil während ihres Wochenbettes eben Peregrine Pickle heraus kam; und mein armer Vater willigte ein, weil er es für einen adeligen Namen hielt. Ich kann ihn nicht leiden und schreibe immer blos ein P. hin, und Sie haben vielleicht auch noch ein S. vor dem Beinamen bemerkt. — Ich unterschreibe mich jetzt P. S. Touchwood. Ich hatte einen alten Bekannten in der Vorstadt, der stets sein kleines Späßchen zu machen liebte — er nannte mich immer Postscriptum Touchwood."

„Also, Sir, wenn Sie wirklich Mr. Scroggie tout court sind, so muß ich voraussetzen, daß der Name Touchwood angenommen ist."

„Was zum Teufel," entgegnete Mr. P. S. Touchwood, „glauben Sie, daß es im Englischen keinen Namen gibt, der sich eben so rechtmäßig mit meinem väterlichen Namen Scroggie einen wird, als der Ihrige, Mr. Mowbray? — Ich kann Ihnen versichern, daß ich den Namen Touchwood und ein gut Stück Geld dazu von einem alten Pathen erhielt, der meine Klugheit, mich treu dem Handel zu weihen, bewunderte."

„Gut, Sir, ein Jeder hat seinen Geschmack. Viele würden es vorgezogen haben, Ihres väterlichen Erbes unter dem Namen Mowbray zu genießen, statt sich ein anderes durch die Annahme des Namens Touchwood, eines Fremden, zu erwerben."

„Wer sagte Ihnen, daß Mr. Touchwood ein Fremder für mich sei?" fragte der Reisende. „So viel ich weiß, hatte er mehr Recht, kindliche Pflichten von mir zu fordern, als der arme alte Mann, der sich so zum Narren machte und noch in seinen alten Tagen zum Edelmann umschaffen wollte. Jener Touchwood war Compagnon meines Großvaters in der berühmten Firma, Touchwood Scrog-

und Compagnie. — Laſſen Sie ſich immerhin verſichern, in eine gute Handlung als Erbe einzutreten, gilt eben ſo viel, als Land=güter zu erwerben. — Die Compagnons einer Handlung können als Väter und Brüder angeſehen werden, und einen tüchtigen Haupt=buchhalter kann man ſehr gut einem Geſchwiſterkinde vergleichen."

„Ich hatte nicht die Abſicht, Sie auf irgend eine Art zu be=leidigen, Mr. Touchwood Scroggie."

„Scroggie Touchwood, wenn es Ihnen gefällig iſt," ſagte der Alte. „Erſt muß der Scroggie'ſche Zweig ſtehen, denn er mußte Wurzel geſchlagen haben, ehe er Touchwood werden konnte. Ha ha ha. — Sie verſtehen mich!"

„Das iſt ein ſonderbarer Menſch!" dachte Mowbray bei ſich, „der mit gediegenem Geldſtolz ſpricht; aber ich will höflich gegen ihn ſein, bis ich überſehen kann, was er beabſichtigt." —

Laut fuhr er fort: „Sie ſind munterer Laune, Mr. Touchwood, ich wollte nur ſagen, daß, obwohl Sie keinen Werth auf Ihre Ver=bindungen mit meiner Familie legen, ich doch nicht das Daſein der=ſelben vergeſſen kann und folglich Ihnen zu Shaw=Caſtle den herz=lichſten Willkommen biete."

„Dank Ihnen, Dank Ihnen, Mr. Mowbray; wußte wohl, daß Sie Alles im rechten Lichte betrachten würden. Ihnen offen die Wahrheit zu geſtehen, viel würde ich mir eben nicht daraus gemacht haben, hieher zu kommen und um Ihre Bekannt= und Verwandt=ſchaft zu bitten, aber ich dachte, Sie würden in Ihrer Noth hand=licher ſein, als Ihr Vater in ſeinem Glücke."

„Kannten Sie meinen Vater, Sir?"

„Ei ja wohl! — Ich kam vor Zeiten einmal hieher, und ward bei ihm eingeführt — ſah Sie und Ihre Schweſter als kleine Kinder — dachte damals daran, mein Teſtament zu machen und würde Sie Beide darin bedacht haben, ehe ich mich aufmachte, Cap=Horn zu umſchiffen. Aber der Tauſend, ich wünſchte, mein armer Vater hätte den Empfang geſehen, der mir ward. Ich ließ da

alten Herrn, den damaligen Mr. Mowbray, meine Geldsäcke nicht
wittern — das hätte ihn vielleicht umgänglicher gemacht — wir
lebten zwar einige Tage ganz anständig mit einander, dann ward
mir aber ein Wink gegeben, daß man meines Zimmers bedürfe,
weil der Herzog, der Teufel weiß davon, erwartet würde, und mein
Bette für seinen Kammerdiener bestimmt sei. — O hol der Teufel
alle adeligen Vettern!" dachte ich, und machte mich wieder auf die
Fahrt um die Welt, und dachte an keinen Mowbray mehr, bis etwa
vor einem Jahre!"

„Und was rief uns Ihrer Erinnerung zurück?"

„Sehen Sie, ich hatte mich auf einige Zeit in Smyrna niedergelassen (denn ich ließ mein Geld arbeiten, wo ich Lust hatte
selbst seit ich zurück bin, habe ich hier schon etwas Geschäfte gemacht);
also wie gesagt, da ich in Smyrna war, machte ich die Bekanntschaft Francis Tyrrels."

„Des natürlichen Bruders Lord Etheringtons?"

„Ja des sogenannten! aber allmählich möchte er sehr wahrscheinlich im Stande sein, sich selbst als Graf von Etherington aus-
zuweisen und den andern zum Bastard zu machen."

„Den Teufel auch mag er es sein! Sie setzen mich in Erstaunen, Mr. Touchwood!"

„Ich dachte es mir gleich! — Ich dacht es mir! — Meiner
Treu, ich erstaune zuweilen selbst über den Ausgang, den manche
Dinge in der Welt nehmen. Aber darum ist die Sache nicht weniger
sicher. — Die Beweise ruhen in dem eisernen Kasten unsers Handelshauses in London, wo sie der alte Graf niederlegte, der seinen
Betrug gegen Miß Martigny schon lange vor seinem Tode bereute,
aber nicht den Muth hatte, seinem rechtmäßigen Sohn Gerechtigkeit
widerfahren zu lassen, bis ihn der Todtengräber zur Ruhe brachte."

„Gerechter Himmel, Sir! Und wußten Sie es diese ganze Zeit
schon, daß ich im Begriff war, die einzige Tochter meines Hauses,
meine Schwester, einem Betrüger zu vermählen?"

„Was hatte ich mich darum zu bekümmern?" fragte Touchwood. „Sie würden in schönen Grimm gerathen sein, hätte Ihnen
irgend Jemand zugetraut, nicht scharffinnig genug für Ihr und
Ihrer Schwester Wohl zu wachen. Ueberdem war Lord Etherington, so wenig er sonst taugen mag, bis ganz kürzlich kein Betrüger,
oder mindestens ein Unschuldiger, denn er nahm nur den Platz ein,
auf welchen sein Vater ihn gestellt hatte. Und in der That, als ich
hörte, da ich nach England kam, daß er hierher ginge, um sich um
Ihre Schwester zu bewerben, da gestehe ich, ich sehe nicht ein, was
er in der That Besseres hätte unternehmen können. Er war ein
armer Bursche, der im Begriff stand, seines Lords Titels und seines
Reichthums beraubt zu werden; war es nicht natürlich, daß er seinen Rang, so lange er ihn noch besaß, so vortheilhaft als möglich
benützte; und wenn er durch die Heirath mit einem hübschen Mädchen, während er noch seinen Grafentitel behauptete, sich die schöne
Besitzung Nettlewood zueignen konnte, ei nun, ich sehe darin nichts
weiter, als eine rechte gute Art, seinen Sturz mindestens zu mildern."

„Für ihn mochte sie in der That sehr gut und sehr erwünscht
sein," sagte Mowbray; „aber ich bitte Sie, Sir, was sollte wohl
aus der Ehre meiner Familie werden?"

„Ei nun, was ging mich die Ehre Ihrer Familie an?" fragte
Touchwood, „wenn ich nicht etwa deßhalb mich für sie bemühen
sollte, weil ich ihr zur Ehre enterbt ward? — und war dieser Etherington oder Bulmer nur ein guter Mensch, so hätten meinetwegen
alle Mowbray's, die je feine Tuchkleider trugen, nach Jericho wandern können, ehe ich mich eingemischt hätte."

„Ich bin Ihnen in der That sehr für Ihre Freundschaft verpflichtet," sagte Mowbray ärgerlich.

„Mehr als Sie es jetzt glauben," antwortete Touchwood. „Denn
damals dachte ich, jener Bulmer selbst, wenn seine uneheliche Geburt
erwiesen würde, könnte noch immer eine ganz annehmliche Partie
für Ihre Schwester sein, wenn man die Besitzungen betrachtet,

welche diese Verbindung ihnen ertheilen konnte; aber jetzt, da ich entdeckte, daß er ein Schurke ist — in jeder Hinsicht ein Schurke, wollte ich keinem anständigen Mädchen wünschen, ihn zu heirathen, sollte sie auch selbst ganz Yorkshire statt Nettlewood erhalten. Deßhalb komme ich, Ihnen die Wahrheit zu entdecken."

Das Befremdende der Neuigkeiten, die Touchwood so unerwartet mittheilte, nahmen Mowbray's Kopf so ein, daß er fast einem Menschen glich, der bei dem Anblick eines Abgrundes, an dessen Rande er sich befindet, vom Schwindel ergriffen wird. Touchwood bemerkte seine Bestürzung, die er bereitwillig für ein Anerkenntniß seines sich so glänzend zeigenden Genies annahm.

„Trinken Sie ein Glas Wein, Mr. Mowbray," sagte er mit wohlgefälliger Gutmüthigkeit. „Trinken Sie ein Glas alten Sekt nichts kommt dem gleich, um uns den Gedanken zu entwirren — und scheuen Sie sich darum nicht etwa vor mir, daß ich Sie so plötzlich mit solchen wunderlichen Nachrichten überraschte. — Sie werden mich als einen offenen, einfachen, gewöhnlichen Mann kennen lernen, der wie andere Leute seine Fehler und dummen Streiche macht. Ich gebe es zu, daß Vieles Reisen und Erfahrung mich zuweilen veranlassen, mich gar geschäftig in allerlei Dinge zu mischen, weil ich gefunden habe, daß ich Manches besser wie andere in Ordnung zu bringen verstehe; auch setze ich gern die Leute in Erstaunen — das habe ich aus dem Grunde gelernt. Aber trotz alledem bin ich un bon diable, wie der Franzose sagt; und jetzt bin ich so etwa vier- bis fünfhundert Meilen hergekommen, um ruhig hier bei Ihnen zu verweilen, und all' Ihre kleinen Angelegenheiten in Ordnung zu bringen, eben in dem Augenblicke, wo Sie sich in der verzweiflungsvollsten Lage glauben."

„Ich danke Ihnen für Ihre guten Absichten," sagte Mowbray; „aber ich muß dennoch bekennen, daß sie noch wirksamer gewesen wären, wenn Sie zu meinen Gunsten weniger List angeboten und mir offen mitgetheilt hätten, was Sie vom Lord rington wußten. So wie es nun steht, sind die Sachen fast erschreckend weit vorgerückt. — Ich habe ihm meiner Schwester Hand zugesagt — ich habe mir persönliche Verpflichtungen gegen ihn auferlegt — auch gibt es außerdem noch Gründe, die mich fürchten lassen, daß ich diesem Manne mein Wort halten muß, er sei Graf oder nicht."

„Was?" rief Touchwood aus. „Wollen Sie Ihre Schwester einem unwürdigen Schurken geben, der fähig ist, das Postamt zu bestehlen und seinen Bruder zu ermorden, weil Sie eine Lumperei an ihn verloren haben? — Wollen Sie ihn siegend davon ziehen laffen, weil er sowohl Spieler als Betrüger ist? — Sie sind mir ein schöner Herr, Mr. Mowbray von St. Ronans — Sie sind eins jener glücklichen Schäfchen, die nach Wolle ausgehen und geschoren zu Hause kommen. — Sehen Sie, Sie halten sich für einen Mühlenstein, und sind eigentlich der Sack mit Korn, der gemahlen wird. — Sie fliegen als Falke aus, und kehren als Taube zurück. — Sie gedachten über die Philister zu kommen, und diese haben Ihnen die Augenzähne nachdrücklich vergeltend ausgezogen!"

„Das ist Alles sehr witzig, Mr. Touchwood, aber der Witz allein wird diesem Etherington, oder wer er sonst sein mag, nicht die vielen Hunderte, die ich gegen ihn verlor, bezahlen."

„Nun denn, so muß die Weisheit das bewirken, was dem Witz nicht gelingt. Ich muß es Ihnen vorstrecken, das ist Alles. Sehen Sie, Sir, ich gehe um nichts und wieder nichts eben nicht zu Fuße — habe ich gearbeitet, so habe ich auch geerntet — und gleich dem alten Burschen in der Komödie „habe ich genug, und kann meine Grillen durchsetzen;" — weder einige wenige Hunderte noch Tausende vermögen es, den alten Touchwood in seinen Planen zu stören; und mein jetziger Vorsatz ist, Sie, Mr. Mowbray, frei wie der Vogel im Walde zu machen. — Wie, noch immer schauen Sie so ernsthaft vor sich nieder? — Nun ich hoffe doch, solch' ein Mann sind Sie nicht, Ihre Würde gekränkt zu finden, weil der Mann

liche Scroggie dem gewaltig hohen Hause der Mowbray's Unterstützung verleihen will?"

Mit noch immer trübe niedergeschlagenen Blicken entgegnete
Mowbray: „Ein solcher Thor bin ich in der That nicht, den Beistand zurückzuweisen, der sich mir wie ein hilfreiches Seil dem Er-
trinkenden beut; — aber es gibt noch einen Umstand," — er hielt
abbrechend inne und trank ein Glas Wein — „ein Umstand, dessen
zu erwähnen mir unsäglich peinlich ist — aber Sie scheinen mein
Freund zu sein   und ich kann Ihnen meinen Glauben an die
Versicherungen Ihrer Theilnahme nicht deutlicher beweisen, als wenn
ich Ihnen sage, daß jenes Geschwätz, das sich Lady Penelope über
meine Schwester gestattete, es höchst nothwendig macht, daß sie verheirathet wird; und ich kann nicht umhin, ernstlich zu fürchten, daß
der Bruch dieses Heirathsplanes ihr eben jetzt sehr nachtheilig sein
möchte. Sie werden Nettlewood besitzen und können getrennt
leben; — er hat sich angeboten, schon an dem Tage der Hochzeit
selbst die nöthigen Einrichtungen dazu zu treffen. Als verheirathete
Frau ist sie jeder üblen Nachrede entnommen und gegen Mangel
gesichert, vor welchem ich selbst sie leider nicht mehr lange schützen
könnte."

„Schämen Sie sich! — schämen Sie sich!" rief Touchwood,
schneller als gewöhnlich sprechend. „Wollten Sie Ihr eigen Fleisch
und Blut diesem Bulmer verkaufen, bloß weil eine erbitterte alte
Jungfer Miß Clara verleumdet? Eine schöne Achtung, die Sie da
dem verehrten Namen Mowbray beweisen! — Wenn mein armer
alter einfältiger Vater gewußt hätte, was die Eigner dieses hoch
bedeutenden Sylbenpaares, bloß um sich Unterhalt zu sichern, zu
thun sich entblößen, würde er so wenig der edlen Mowbray's, als
der demüthigen Scroggie gedacht haben. Ja ich behaupte dreist,
die junge Lady ist gerade so wie die Andern — begierig, sich zu
verheirathen, gleichviel mit wem."

„Ich bitte um Verzeihung, Mr. Touchwood; meine S

Gesinnungen sind so ganz von denen verschieden, die Sie ihr zutrauen, daß wir uns eben im größten Unmuthe trennten, weil ich
ihr diesen Mann aufzwingen wollte. Gott weiß, es geschah nur,
weil ich keinen andern Ausweg aus dieser Noth sah. Da Sie aber
bereitwillig sind, Sir, mich diesen verwickelten Bedrängnissen zu
entziehen, die, wie ich bekenne, meine eigne Heftigkeit nur noch verworrener machte, bin ich bereit, Ihnen Alles zu überlassen, als
wären Sie mein dem Grabe entstiegner Vater. Demunerachtet muß
ich mein Erstaunen eingestehen, daß Sie so genau mit diesen Angel-
legenheiten bekannt sind.“

„Jetzt sprechen Sie mit wahrem Gefühl, junger Mann! was
übrigens meine genaue Kenntniß aller dieser Dinge anbetrifft —
seit einiger Zeit bin ich mit Mr. Bulmers feinen Ränken so genau
vertraut, als sei ich bei allen Streichen, die er Ihrer Familie spielte,
nicht von seiner Seite gewichen.“ Vertraulicher fuhr er fort:
„Schwerlich würden Sie wohl erwarten, daß eben das, was Sie
so sehr erfüllt zu sehen wünschten, schon in einem Sinne eigentlich
sich ereignete, und der eheliche Segen schon früher über Ihre Schwester
und diesen vorgeblichen Lord Etherington ausgesprochen ward.“

„Sehen Sie sich vor, meine Offenheit nicht zu mißbrauchen,
Sir!“ rief Mowbray heftig. „Zeit, Ort und Gegenstand eignen
sich nicht zum unbescheidenen Scherz!“

„So wahr ich lebe, ich spreche ganz im Ernste,“ sagte Mr.
Touchwood. „Mr. Cargill vollzog die Feierlichkeit, und es gibt
zwei lebende Zeugen, welche die Worte zu ihm sagen hörten: „Ich,
Clara, nehme dich, Francis ꝛc.“ oder was sonst die schottische Kirche
an die Stelle dieses mystischen Formulars sprechen läßt.“

„Es ist unmöglich!“ rief Mowbray; „Cargill würde so etwas
nicht gewagt haben. — Eine solche heimliche Trauung würde ihn
seine Stelle kosten. Ich wette meine Seele gegen ein Hufeisen, es
ist Alles Trug; und Sie, Sir, kommen hierher, mitten in meinem

Familienunglück mich durch Sagen zu stören, die nicht mehr Wahrheit in sich fassen, als der Alkoran."

„Auch in dem Alkoran steht viel Wahres; (doch heißt es
eigentlich bloß der Koran, denn die Sylbe Al ist nur der vorgesetzte Artikel; doch das thut nichts.) — Noch höher will ich Ihre
Verwunderung steigern, ehe ich zu Ende bin. Es ist sehr wahr,
daß Ihre Schwester durch eine Heirath mit diesem Bulmer, der sich
Graf von Etherington nennt, verbunden ward; aber eben so wahr
ist es, daß die ganze Heirath auch nicht einen Pfifferling werth ist,
denn sie sah ihn damals für einen Andern an — mit einem Worte,
sie hielt ihn für jenen Francis Tyrrel, der jetzt das ist, wofür sich
der Andere ausgab, ein reicher Edelmann."

„Ich kann von allem Diesen nicht ein Wort verstehen. Ich
muß augenblicklich meine Schwester befragen, ob diese wunderbaren
Nachrichten sich wirklich auf etwas Wahres gründen."

„Gehen Sie nicht!" rief Touchwood, ihn zurückhaltend, „Sie
sollen vollkommene Erklärung von mir empfangen, und um Sie in
Ihrem Kummer aufzurichten, füge ich die Versicherung hinzu, daß
Cargill nur durch eine abscheuliche Verleumdung in Hinsicht Ihrer
Schwester bewogen ward, die ehelichen Bande zu weihen, welche
ihn zu glauben verleitete, daß eine schnelle Heirath das einzige
Rettungsmittel ihres Rufes sei; und fest bin ich überzeugt, daß nur
dies wieder aufgelebte Gerücht der Grund von Lady Penelope's
Geschnatter war."

„Wenn ich das glauben könnte," sagte Mowbray, „wenn ich
dies auch für Wahrheit halten dürfte — und einigermaßen scheint
es meiner Schwester geheimnißvolles Betragen zu erklären   ja,
könnte ich es mir als Wahrheit denken, so möchte ich niederfallen
und Sie als einen Engel des Himmels anbeten."

„Eine eigne Art Engel," meinte Touchwood, indem er beschei-
dentlich auf sein starkes, kurzes Gestell blickte. — „Hörten Sie
jemals von einem Engel in Stiefelstrümpfen reden? oder sehen

36

karren verdammt worden sein, wenn ich nicht Mittel fän
davon zu befreien, unter der Bedingung, mich mit den
punkten der Geschichte bekannt zu machen, welche ich Ihn
mittheilte.   Als ich Tyrrel in Smyrna kennen lernte, l
mich lebhaft interessirt, und Sie können denken, er verlor
nicht durch die Verrätherei seines Bruders.   Durch dieses
Hülfe habe ich die feinsten Plane seines Herrn umgestürzt.
Beispiel, gleich als ich hörte, Bulmer wolle sich hieher h
ertheilte ich Tyrrel einen anonymen Wink, wohl wissend
würde schnell wie der Teufel seine Wege zu durchkreuzen
und so würde ich alle dramatischen Personen zusammen l
und sie gegen einander nach meinem Wohlgefallen spielen
können."

„In diesem Falle," sagte Mr. Mowbray, „waren
Ursache des Zweikampfes der beiden Brüder, worin Beide
fallen können."

„Ich kann es nicht läugnen   kann nicht umhin —
fall bloß, nichts anders — man kann nicht jeden Punkt be
Freilich, ich hätte fast noch einmal eine lange Nase bei
denn Bulmer sandte den Jungen, den Jekyl, der nicht gan
schwarzes Schaf ist wie er, und doch noch einige weiße H
sitzt, um mit Tyrrel einen Vergleich einzugehen, ohne de
Agent etwas davon wußte.   Dennoch entdeckte ich das Gan
werden kaum errathen, wie?"

„In Wahrheit, Sir, wahrscheinlich nicht leicht," an
Mowbray; „denn Ihre Quellen, woraus Sie schöpfen, f
nicht die faßlichsten, eben so wenig als Ihre Art zu hand
such oder begreiflich ist."

„Ich möchte auch nicht, daß sie so wären," sagte Tou
„Einfache Menschen kommen in ihrer Einfachheit um —
alt, ich habe meine Augenzähne. — Aus welchen Du
meine Nachrichten schöpfe? — Wie — ich spiele den l

Sir — horche. — Kennen Sie meiner Wirthin Schenkspinde mit doppelten Thüren? — da schlüpfte ich hinein, wie sie es manchmal gethan hat. — Solch' ein feiner Edelmann wie Sie wird lieber einem Manne die Kehle abschneiden, ehe er an der Thüre einer Schenkspinde ein wenig lauscht, wenn die Absicht auch wäre, dadurch einen Mord zu verhüten."

„Ich kann nicht sagen, daß ich an dies Auskunftsmittel würde gedacht haben, Sir," — entgegnete Mowbray.

„Ich that es, und hörte genug, was innen vorging, um Jekyl einen Wink zu geben, welcher ihn in seinem Auftrage unsicher machte. So denke ich, ist das Spiel ganz in meiner Hand. Bulmer traut Niemand ganz als Solmes, und Solmes erzählt mir Alles."

Hier konnte Mowbray ein Zeichen der Ungeduld nicht unterdrücken.

„Ich wollte zu Gott, Sir, daß, da Sie einmal so freundlichen Antheil an dem Interesse meiner Familie und den damit eng verbundenen Angelegenheiten nehmen, es hätte Ihnen gefallen, offener gegen mich zu handeln. — Wochenlang bin ich der unzertrennliche Gefährte eines elenden Betrügers gewesen, dessen schändliches Betragen gegen meine Schwester ihm längst hätte den Hals kosten sollen. Hier habe ich uns Beide elend gemacht, und jeden Abend mußte ich durch einen Schwindler betrogen werden, den Sie, wenn es Ihnen gefiel, durch ein Wort entlarven konnten. Ich lasse Ihrem guten Willen volle Gerechtigkeit widerfahren, allein bei meiner Seele, ich wünschte, Sie hätten mit mehr Offenheit und weniger versteckt gehandelt; und fast fürchte ich, Ihre Liebe für künstliche Plane hat Sie über Ihre Kräfte verleitet, und Sie haben das Ganze in solche Verwirrung gerathen lassen, daß Sie selbst Mühe haben sollen, es freundlich aufzulösen."

Touchwood lächelte und schüttelte mit dem stolzen Bewußtsein eines umfassenderen Verstandes sein Haupt. „Junger Mann

sagte er, „wenn Sie ein wenig mehr von der Welt gesehen haben
werden, vorzüglich über die Grenzen dieses engen Eilandes hinaus,
werden Sie viel mehr Kunst und Geschicklichkeit nöthig finden, Geschäfte glücklich zu Ende zu leiten, als einem blinden John Bull
oder einem rauhen Schotten einfallen möchte; dann werden Sie
in der Lebenspolitik kein Fremder mehr sein, die in dem Untergraben und in dem Gegenwirken besteht, bald Verstellung übt,
bald das Recht kräftig empor hebt. — Sie, Mr. Mowbray, betrachte ich als einen jungen Mann, der durch sein Daheimbleiben
und schlechte Gesellschaft verdorben ist, und ich will es zu meinem
Geschäfte machen, wenn Sie sich nämlich meiner Leitung unterwerfen wollen, eben sowohl Ihre Vernunft zu belehren, als Ihre
Güter zu verbessern. Nicht — antworten Sie mir nicht, Sir,
— ich weiß zu gut aus Erfahrung, wie ein junger Mann auf so
Etwas antwortet. — Sie sind immer eingebildet, Sir — so von
sich eingenommen, als ob Sie in allen vier Welttheilen gewesen
wären. Ich hasse jede Antwort, Sir — ich hasse sie. — Aufrichtig gesagt, eben weil Tyrrel die Art hat, immer mir zu antworten, das hat mich eigentlich bewogen, Sie lieber als ihn zum
Vertrauten zu erwählen. — Ich wollte, er sollte sich mir in die
Arme werfen, und sich meiner Leitung übergeben — aber er zauderte — zauderte — und ich, Mr. Mowbray, verabscheue alles
Zaudern. Wenn er glaubt, Verstand genug zu besitzen, seine Geschäfte allein zu betreiben — laßt es ihn versuchen — laßt es ihn
nur versuchen. — Nicht, daß ich nicht zu seiner Zeit Alles gern
für ihn thun will, aber ich will ihn noch eine ganze Weile in seiner
Verlegenheit und Ungewißheit sitzen lassen. — Und so sehen Sie,
Mr. Mowbray, welch' ein alter mürrischer Kerl ich bin, und Sie
können mir mit einem Male sagen, inwiefern Sie in meine Maßregeln einzugehen gedenken. Sprechen Sie es aber mit Einemmal
aus, denn ich hasse alles Schwanken."

Während Touchwood so sprach, hatte Mowbray seinen Tab

hluß innerlich gefaßt. Er war nicht so unerfahren, als der Alte
vrausseßte; wenigstens konnte er vollkommen einsehen, daß er es
mit einem alten eigensinnigen Manne zu thun hatte, welcher aus
en besten Absichten von der Welt dennoch Alles nach seinem Willen
hten wollte, und der, gleich kleinen Politikern, geneigt war, Ge=
eimniß und Intrigue über Dinge zu verbreiten, die weit schneller
ch durch Geradheit und Kühnheit entwickelt hätten. Allein er
ewahrte zu gleicher Zeit, daß Touchwood als eine Art Verwandter,
eich, kinderlos, und geneigt sein Freund zu werden, eine Person
var, welche man schonen mußte, um so mehr, da ihm der Reisende
unverholen gestanden hatte, daß Tyrrels Mangel an Nachgiebig=
eit seine Gunst verscherzt oder wenigstens geschwächt hatte. Mow=
ray rief sich zurück, daß die Lage, in welcher er sich befand, ihm
icht erlaubte, mit den rückkehrenden Strahlen des Glückes zu
cherzen. Also den Stolz seines Charakters, der ihm als einzigem
Sohne und Erben natürlich war, unterdrückend, antwortete er
rerbietig, daß in seiner Lage der Rath und die Hülfe Mr.
Scroggie Touchwoods zu wichtig sei, um nicht gern mit dem Preise
rkauft zu werden, sein eigenes Urtheil dem eines so erfahrnen und
lugen Mannes zu unterwerfen.

„Gut gesagt, Mr. Mowbray," entgegnete der Alte, „gut ge=
agt. — Lassen Sie mich nur Ihre Geschäfte besorgen, und wir
vollen sie ohne Zeitverlust für Sie gut aufstutzen. — Ich muß
Sie für diese Nacht um ein Bett ersuchen — denn es ist so finster,
vie in einem Wolfsrachen, und wenn Sie Befehl geben wollen,
en armen Teufel von Postillon und seine Pferde zu versorgen,
verde ich Ihnen auf das Angelegentlichste verbunden sein."

Mowbray klingelte; Patrick folgte dem Rufe und war nicht
venig erstaunt, als der alte Mann, indem er seinem Herrn das
Wort aus dem Munde nahm, ein Bett verlangte, um bald schlafen
t gehen, und ein wenig Feuer auf dem Rost. „Denn Freund,"
hr er fort, „ich denke, Ihr habt nicht oft Fremde hier. — U

sehet ja zu, daß mein Bettlaken nicht feucht ist — und bittet das Hausmädchen, mein Bett in nicht ganz gleicher Richtung zu machen, sondern laßt es sanft abhängig von dem Kopfkissen bis zum Fußende herabgehen, im Ganzen etwa acht Zoll in herabfallender Linie. — Und hört, bringt mir einen Krug Gerstenwasser, und setzt es vor mein Bett nebst einer zerquetschten Citrone darin. — Nein, bleibt, Ihr könnet es mir sauer wie Beelzebub machen — bringt die Zitrone auf einem Unterschälchen, ich will sie selbst mischen."

Patrick betrachtete ihn wie einen Wahnsinnigen; sein Kopf kehrte sich, gleich dem eines Mandarin, von dem Redner zu seinem Herrn, gleichsam als wolle er den Letztern befragen, ob dies Alles Ernst sei. — Sobald Mr. Touchwood aufhörte, setzte Mowbray seine Beistimmung hinzu:

„Laßt Alles so bequem einrichten für Mr. Touchwood als möglich, ganz nach seinen Wünschen."

„Sogleich, Sir," sagte Patrick, „ich werde es Mally sagen, gewiß werden wir unser Bestes thun, obgleich es schon ungewöhnlich spät ist."

„Und folglich," sagte Touchwood, „je eher wir zu Bette gehen, je besser, mein alter Freund. Ich vor Allen muß morgen früh aufstehen — ich habe Geschäfte auf Leben und Tod — Sie sind dabei auch im Spiele, Mr. Mowbray — aber nichts mehr davon bis morgen früh. Lassen Sie auch den Burschen die Pferde einziehen, und geben ihm irgendwo ein Bett."

Hier glaubte nun Patrick, er habe festen Grund des Widerstandes gefaßt, zu welchem er sich bei der befehlshabenden Weise des Fremden sehr geneigt fühlte.

„Dazu mögen Sie uns einmal bringen, wenn es Ihnen möglich ist," sagte Patrick, „nie ist Postvieh in unsern Stall gekommen; wie wissen wir denn, ob sie nicht den Rotz haben, wie die Stallknechte sagen."

„Auf diese Nacht müssen wir es wagen, Patrick," sagte Mowbray ungern genug — „es müßte denn Mr. Touchwood erlauben, daß sie morgen früh wieder kämen."

„Ich wahrhaftig nicht," sagte Touchwood, „gesund hin, gesund her — sind sie einmal fort, bleiben sie auch fort, und wir werden sie morgen früh genug gebrauchen. Ueberdem sind die armen Thiere müde, und ein mitleidiger Mensch ist barmherzig gegen sein Vieh — und mit einem Worte, gehen die Pferde in der Nacht nach St. Ronans zurück, gehe ich zur Gesellschaft mit."

Oft ereignete es sich, wahrscheinlich aus der angebornen Verderbniß menschlicher Natur, daß Unterwürfigkeit in kleinlichen Dingen einem stolzen Gemüthe schwerer wird, als Nachgiebigkeit bei bedeutenden Gegenständen. Mowbray, gleich andern jungen Leuten seines Standes, war, seinen Stall betreffend, sehr ängstlich, und selbst Lord Etheringtons Pferde waren nicht in dieses Allerheiligste gelassen worden, in welchem er nun zwei elende Postkleppet einnehmen mußte. Doch unterwarf er sich mit dem besten Anstande, und Patrick, als er sie verlassen hatte, hob Hand und Augen empor, wie er dem erhaltenen Befehl nachkam, indem er sich kaum enthalten konnte, zu glauben, daß der alte Mann der verkleidete Teufel sei, weil er seinen stolzen Herrn so unterjochte, und gerade in dem Punkte, den er sonst als den Allerwichtigsten zu betrachten pflegte.

„Der Himmel, trotz seiner Barmherzigkeit, hat einen Groll auf diese arme Familie geworfen, denn ich, der ich darin geboren bin, werde wahrscheinlich noch ihren Untergang erleben;" so machte sich Patricks Unmuth Luft.

Siebenunddreißigstes Kapitel.

Der Wanderer.

Gar böse ist die Nacht, um drin zu schwimmen.
König Lear.

Als Mowbray am andern Morgen nach dieser merkwürdigen Zusammenkunft von einem fieberischen Schlummer erwachte, herrschte in allen seinen Gedanken eine unruhige Unbestimmtheit, ob seine Schwester, die er so innig liebte, wie er nur irgend fähig war, etwas zu lieben, wirklich seinen und ihren Namen entehrt habe, und die grausame Rückerinnerung ihrer letzten Unterredung war der erste deutliche Gedanke, der seine erwachende Einbildungskraft schaudernd erfüllte. — Dann gedachte er der sie entsündigenden Erzählung Touchwoods, und er beredete sich selbst, oder versuchte es wenigstens, daß Clara alle seine Vorwürfe auf ihre Neigung zu Tyrrel und deren Folgen hätte beziehen müssen. Dann aber zweifelte er wieder, ob wirklich sich Alles so verhalten könnte — immer fürchtend, es läge hinter ihrer Abneigung, Bulmers Betrug zu gestehen, noch etwas Gewichtigeres verborgen; und dann wieder suchte er, sich in der erstern ihm angenehmern Meinung zu befestigen, indem er sich erinnerte, daß bei ihrem Widerwillen, den ihr bestimmten Mann zu heirathen, sie es als das Siegel ihres Verderbens betrachten mußte, wenn er, Mowbray, die heimliche Heirath erfuhr.

„Ja, ja," sagte er zu sich selbst, „sie mußte denken, daß diese Geschichte mich noch weit eifriger für das Interesse dieses Elenden aufregen würde, als den einzigen Weg, eine so nachtheilige Begebenheit glimpflich zu beenden. — In der That, sie hatte recht geurtheilt, denn wäre er jetzt noch wirklich Lord, so sehe ich nicht,

was sie Besseres thun könnte; aber nun, da er kein Lord Etherington ist, und ein ausgelernter Betrüger obenein — will ich
damit zufrieden sein, ihn zu Tode zu prügeln, sobald ich nur der
Wachsamkeit dieses alten, eigensinnigen, einmischenden, eigenwilli-
gen, beschwerlichen Menschen entrinnen kann. — Allein, was ist
mit Clara zu thun? Diese Afterheirath war nichts als ein Un-
ding, und beide Theile mußten nutzlos von dem Wachstück abziehen.
Sie liebt den ernsten Herrn, der jetzt als das ächte Reis des
Stammes sich ausweiset. Demunerachtet liebe ich ihn nicht, obgleich er etwas Vornehmes in seinem Wesen hat. Ich war gleich
überzeugt, ein bloßer herumziehender Maler würde sich so nicht
betragen haben. Doch sie mag ihn heirathen, vorausgesetzt, daß
die Gesetze nichts dagegen haben — dann bekommt sie die Grafschaft Oakland und Nettlewood, Alles zusammen. Gottlob, wir
werden endlich dennoch die Gewinner sein; überdem wage ich zu
behaupten, dieser alte Touchwood ist reich wie ein Jude — wenigstens an die Hunderttausend werth — er ist zu kurz angebunden,
um nur sechs Pence weniger zu besitzen — und er spricht ja davon, meine Angelegenheiten in Ordnung zu bringen — ich muß
nicht zucken, sondern mich ruhig ein Bischen peinigen lassen. —
Nur wünschte ich, die Gesetze möchten es Clara erlauben, den andern Grafen zu heirathen. — Eine Frau kann sich nicht mit zwei
Brüdern vermählen, das ist gewiß — allein wenn sie dem Einen
nicht gesetzmäßig vollkommen angetraut ist, so, meine ich, kann das
kein Hinderniß zu einer Heirath mit dem Andern sein. — Ich
denke, die Rechtsgelehrten werden keinen Unsinn darin treiben.
Clara, hoffe ich, wird nicht thörichte Skrupel haben. — Allein auf
mein Wort, das, was ich am sehnlichsten hoffe, ist, daß die Sache
sich wirklich so verhält, denn die Nachricht kommt doch eigentlich
aus einer verdächtigen Quelle. Augenblicklich will ich zu Clara
gehen — die Wahrheit will ich von ihr erpressen, und dann überlegen, was dabei zu thun ist."

Während der junge Laird von St. Ronans dies halb dachte, halb sprach, kleidete er sich eilig an, um bald Licht in das Chaos der Begebenheiten zu schaffen, welche seine Phantasie so befremdend aufregten.

Als er nach dem Wohnzimmer kam, wo er Clara am vergangenen Abend sah, und das Frühstück jetzt bereitet war, sandte er nach dem Mädchen, welches zur unmittelbaren Bedienung seiner Schwester gehörte, und fragte, „ob Miß Mowbray schon auf sei?"

Das Mädchen antwortete: „Sie hat noch nicht die Glocke gezogen."

„Ihre gewohnte Stunde ist vorüber," sagte Mowbray, „allein sie ward die Nacht gestört — geh, Martha, sogleich zu ihr — sage, ich hätte herrliche Neuigkeiten für sie; oder hat sie Kopfweh, will ich hinkommen, sie ihr mittheilen, ehe sie aufsteht. — Eile mit Blitzesschnelle!"

Martha ging und kehrte nach wenigen Minuten zurück. „Meine Gebieterin hört mich nicht, so laut ich auch klopfe; ich wünsche," setzte sie mit der Begierde, Böses zu verkünden, hinzu, die Leuten niedern Standes so sehr eigen ist, „daß Miß Clara wohl sein mag, denn nie, so viel ich weiß, war ihr Schlaf so fest."

Mowbray sprang von dem Stuhle auf, in welchen er sich geworfen hatte, rannte die Gallerie hinab, und klopfte heftig an seiner Schwester Thür; keine Antwort — „Clara, theure Clara, antworte mir ein einziges Wort — sage mir, daß du wohl bist — ich erschreckte dich gestern Abends — ich hatte zu viel Wein getrunken — ich war heftig — vergib mir — komm, sei nicht eigenwillig — sprich ein einziges Wort — sage, du bist gesund."

Er machte zwischen jeder Anrede lange Pausen klopfte stärker und lauter — horchte ängstlich auf Antwort — endlich versuchte er die Thür zu öffnen, fand sie aber verschlossen, oder so andere Weise befestigt. — „Schließt Miß Mowbray immer ihre Thür zu?" fragte er das Mädchen.

„Früher hat sie es niemals gethan, Sir, sie ließ sie auf, damit ich sie rufen und die Fensterladen öffnen konnte."

„Sie hatte vorige Nacht ihre guten Gründe zur Vorsicht," dachte ihr Bruder, und erinnerte sich nun, wie er selbst von ihr die Thür verriegeln hörte.

„Komm, Clara," fuhr er in großer Bewegung fort; „sei nicht so wunderlich! — Willst du nicht öffnen, so sehe ich mich gezwungen, die Thür zu sprengen, das ist dann die Folge. — Denn wie kann ich wissen, ob du nicht krank und zur Antwort unfähig bist? — Bist du nur verdrießlich, so sag' es mir. Sie gibt keine Antwort!" rief er, sich zu den Bedienten wendend, zu denen Touchwood sich jetzt gesellt hatte. Aber so groß war Mowbray's Besorgniß, daß sie ihn ganz abhielt, die kleinste Notiz von seinem Gaste zu nehmen und ohne auf seine Gegenwart zu achten, fuhr er fort: „Was ist zu thun? — Sie kann krank — sie kann eingeschlafen — vielleicht gar ohnmächtig sein! Sprenge ich die Thür, so kann ich sie in dem jetzt so reizbaren und schwachen Zustande ihrer Nerven tödtlich erschrecken. — Clara, theure Clara! sprich nur ein einziges Wort und du sollst, so lange es dir gefällt, in deinem Gemache verweilen."

Aber keine Antwort erfolgte. Miß Mowbray's Mädchen, zu sehr voll Angst und Schrecken, um viel Gegenwart des Geistes zu haben, entsann sich jetzt endlich einer Hintertreppe, durch welche das Gemach ihrer Gebieterin mit dem Garten in Verbindung stand, und äußerte, sie möge vielleicht durch jenen Weg ausgegangen sein.

„Ausgegangen?" fragte Mowbray mit steigender Angst und betrachtete den schweren drückenden Nebel oder vielmehr Sprühregen, der den November-Morgen verfinsterte. „Ausgegangen!

gen purgte er die Treppe hinauf zu der Thüre von de[...]
feiner **Schwester**, die sich auf dem kleinen Vorflur der S[...]
fand.   Auch hier klaffte ihm die offene Thür entgege[n]
Zwischenpforte, welche aus ihrem Ankleidezimmer nach de[...]
gemach führte, stand halb offen.   „Clara, Clara!" rief
mehr in tödtlicher, verzweifelnder Angst ihren Namen hero[...]
als daß er noch die Hoffnung einer Erwiederung hegte —
Entsetzen bewies sich nur zu wohl begründet.

Miß **Mowbray** war nicht in ihrem Zimmer und d[...]
desselben zeigte deutlich, daß sie in der vergangenen Nac[...]
der entkleidet hatte, noch zu B[e]tte gegangen war. Von [...]
b[...]ffen und Furcht außer sich selbst, schlug **Mowbray** sich
die Stirn, rufend: „Ich habe sie zur Todesangst getrie[...]
in die Wälder geflohen und dort umgekommen."

Von dieser furchtbaren Ahnung ergriffen, warf **Mo**[...]
noch einen schnellen Blick durch das Gemach, gleichsam [...]
zu überzeugen, daß **Clara** wirklich nicht gegenwärtig
dann in das Ankleidezimmer zurückstürmend, lief er [...]

geraden Weg wie ein Mensch von gesunder Vernunft eingeschlagen, so würde dieß sich nicht ereignet haben!"

„Gott vergebe Ihnen, junger Mann, wenn Ihre Bemerkung mir Unrecht thut," sagte der Reisende, Mowbrays Kleid, bei welchem er ihn hielt, loslassend: „und Gott vergebe mir, wenn ich Uebles bewirkte, indem ich das Beste zu thun trachtete. Aber könnte Miß Mowbray nicht nach dem Gesundbrunnen gegangen sein? — Ich will sogleich anspannen lassen und dahin fahren."

„Thun Sie es, ja ja!" rief Mowbray, ohne viel darauf zu achten. „Ich danke, danke Ihnen!" Und schnell den Garten durcheilend, als strebe er zugleich, seinem Gaste und seinen Gedanken zu entrinnen, schlug er den kürzesten Weg zu einer kleinen Hinterpforte ein, welche zu einer weiten Strecke dichten Buschwerks führte, durch welches Clara einen Weg hauen ließ, der zu einem kleinen Sommerhause leitete, welches von rauhen Schindeln aufgerichtet, mit rankendem Strauchwerk überdacht war.

Als Mowbray durch den Garten eilte, begegnete ihm der alte Bearbeiter desselben, ein Eingeborner des Landes und alter Diener seines Hauses. Mit der Angst des Entsetzens seine Worte herausstoßend, fragte Mowbray: „Habt Ihr meine Schwester gesehen?"

„Was befehlen Sie, St. Ronans?" fragte der Alte dagegen, der eben so schwer von Begriffen als harthörig war.

„Habt Ihr Miß Clara gesehen?" fuhr ungestümer St. Ronans auf, leiser murmelnd einige Flüche über die Dummheit des Gärtners hinzufügend.

„Wohl habe ich das," entgegnete nachdenklich der Gärtner, „was liegt denn daran, ob ich Miß Clara gesehen habe, St. Ronans?"

„Wann und wo?" heischte begierig der Fragende.

„O, es war gestern, gleich nach der Theezeit — noch ehe Sie so schnurrbreitend zu Hause kamen," erwiederte der Gärtner.

„Ich bin eben so dumm als er selbst, daß ich meine Zeit

bringe mit solch' einem alten Kohlstrunk zu schwatzen," rief Mowbray und eilte aus der Hinterthüre, den sogenannten Weg Miß
Clara's einzuschlagen. Zwei oder drei der Domestiken, deren
Züge Furcht, Kummer und bange Ahnung aussprachen, folgten
mit einander flüsternd ihrem Gebieter, ihre Dienste gebraucht zu
sehen wünschend und doch zugleich zu furchtsam, sie dem jungen
heftigen Manne anzutragen.

An der kleinen Hinterthüre fand er einige Spur der Vermißten. Clara's Hauptschlüssel stak im Schloße. Es war also klar,
daß sie den Weg eingeschlagen hatte, aber Mowbray wagte sich
keine Muthmaßung zu erlauben, zu welcher Stunde oder in welcher Absicht es geschehen sei. Nachdem der Pfad sich über eine
halbe Viertelmeile durch ein Gebüsch von Eichen und Maulbeer-
bäumen wand, erreichte er das Ufer des breiten Waldbaches, und
ward nun felsig und steil, schwierig für den Kranken, gefährlich
für den Nervenschwachen. Oft nahte er sich dicht dem steilen Abhang des Felsens, der sich über den Waldbach neigte, welcher bald
brausend und schäumend eilend dahin tobte, bald wieder in tiefen
kreisenden Wirbeln zu schlummern schien. Gleich dem Verderben
bringenden Hauche des Samums sank auf Mowbray's Geist das
Bild der Versuchungen lastend nieder, welche diese gefährlichen
Umgebungen einem verzweifelnden, überreizten Gemüth darbieten
mußten, und er sah sich gezwungen, einen Augenblick stehen zu bleiben, Athem zu schöpfen, um einigermaßen Herr dieser gräßlichen
Ahnungen zu werden, bevor er im Stande war, weiter zu eilen.
Patrik und die Mädchen aber flüsterten einander zu: „Das arme
Kind! — Das arme Kind! — O gebe doch Gott, daß sie sich
nicht ganz selbst überlassen war. — Möge Gott ihr doch seinen
Beistand gesendet haben."

„In diesem Augenblick hörte man den alten Gärtner hinter
ihnen rufen: „Gnädiger Herr — St. Ronans — Gnädiger Herr
ich habe gefunden — ich habe gefunden —"

„Fast athemlos vor Angst rief Mowbray: „Habt Ihr meine Schwester gefunden?"

Der Alte antwortete nicht, bis er oben war, und dann entgegnete er auf die dringend wiederholten Fragen seines Gebieters, mit gewohnter Umständlichkeit: „Rein, Miß Clara habe ich nicht gefunden, aber ich fand etwas, das Sie sehr ungern verlieren würden — Ihr schönes Jagdmesser."

Er reichte das Werkzeug seinem Gebieter, der, nur zu wohl sich der Umstände erinnernd, in welchen er es am vergangenen Tage von sich schleuderte, und jetzt die so wahrscheinlich gräßlichen Folgen jenes Augenblicks ahnend, es mit einem furchtbaren Fluch in die Fluthen schleuderte. Scheu sich einander anblickend, zweifelten die Diener fast nicht mehr, da sie die Vorliebe ihres Herrn für dieß Lieblingsgeräth kannten, und er höchst eigen bei solchen Dingen zu sein pflegte, daß die Angst um Clara seinen Geist mindestens vorübergehend verwirrt habe. Er bemerkte ihre unruhigen forschenden Blicke, und sich sammelnd, soviel er es vermochte, gebot er der Martha und ihrer Gefährtin, die Spaziergänge auf der andern Seite des Schlosses zu durchsuchen, und Patrick die Schloßglocke zu läuten, „welches wahrscheinlich," wie er äußerte, eine weit größere Ruhe zeigend, als ihn innerlich erfüllte, „Miß Mowbray von irgend einem weit entfernten Spaziergange nach Hause rufen würde." Dann befahl er, der Reitknecht mit den Pferden solle ihn an der Sturz-Brücke erwarten, ein Ort, der von einem gewaltig brausenden Wasserfall, über dem sich eine schmale Planken-Brücke befand, diesen Namen hatte. Nachdem er sich so seiner Begleiter entledigt sah, durcheilte er mit aller erdenklichen Hast den Pfad, auf welchem er sich befand, den Clara vielleicht aus bloßer Gewohnheit als einen ihrer Lieblingsgänge eingeschlagen haben konnte, wenn sie, wie er zagend zu fürchten so viel Ursache hatte, sich in solcher Gemüthsverfassung befand, daß fortan von Wahl nicht mehr die Rede war.

Bald war das Sommerhäuschen erreicht, das eigentlich nur ein von oben und den Seiten bedeckter Sitz war, den man nach vorn geöffnet und mit Kiesgrund reinlich gepflastert hatte. Gleich einem Habichtsnest hing das kleine Laubhüttchen fast auf der äußersten Spitze eines vorspringenden Felsens, welcher den höchsten Gipfel dieser ganzen Felsenkette hier bildete und von der armen Clara, der weithinschauenden Aussicht wegen, gewählt worden war. Einer ihrer Handschuhe lag auf dem kleinen ländlichen Tische im Sommerhäuschen. Begierig ergriff ihn Mowbray. Er war feucht, — der vorige Tag aber war trocken gewesen, so daß, wenn sie ihn am Morgen oder im Lauf des Tages hier vergessen hätte, er in diesem Zustande nicht sein konnte. Gewiß also war sie hier in der Nacht, wo es stark regnete.

Ueberzeugt, daß Clara an diesem Orte sich befand, während ihre Leidenschaften und ihre Furcht so allgemein aufgeregt waren, als sie bei ihrer Flucht aus dem väterlichen Hause sein mußten, warf Mowbray einen eiligen entsetzten Blick in den Abgrund des tiefen wirbelnden Stromes. Es schien ihm, als tönten aus dem finstern Brausen der Fluth seiner Schwester letzte Seufzer zu ihm — entsetzt hafteten seine Augen an dem Schaum der Woge, ihn für einen Theil ihres Gewandes haltend. Aber auch die ängstlichste Nachforschung zeigte keine Spur eines so schrecklichen Ausganges. Als er von der andern Seite des Laubhüttchens hinabstieg, bemerkte er in dem feuchten Lehmboden einen Fußtritt, dessen Kleinheit und zierliche Form ihn überzeugte, er müsse ihm die Spur der Verlornen andeuten. So rasch die rege Sorge, gleiche Zeugen aufzufinden, es ihm nur gestattete, eilte er also vorwärts. Auch schienen sie wirklich hin und wieder sich zu zeigen, wenn gleich weniger deutlich als das erste Mal, da der dicht herabströmende Regen sie ziemlich verlöscht hatte — ein Umstand, der zu beweisen schien, daß, seitdem Clara hier vorübereilte, schon viele Stunden entflohen waren.

Endlich führten die weit umherschweifenden Windungen des romantischen Pfades Mowbray, ohne daß ihm genügende Kunde ward, an den Waldbach, den man den St. Ronans-Brand nannte, gerade an die Stelle, wo die Fußgänger ihn vermittelst der Sturz-Brücke, die Reiter durch eine wenig entfernte Fuhrt, überschritten. Von diesem Punkte aus konnte die arme Fliehende ihre Wanderungen durch die väterlichen Waldungen auf einem Flußpfade fortsetzen, der, nachdem er eine Meile weit sich umherzog, nach Shaw-Castle zurückkehrte, oder sie konnte über die Brücke gehen und einen holprigen Fahrweg einschlagen, der als Landstraße nach dem alten Ort St. Ronans diente.

Nach einer augenblicklichen Ueberlegung schloß Mowbray, daß sie wahrscheinlich den letzteren erwählt habe. Er bestieg sein Pferd, das seinem Befehle gemäß ihn hier erwartete, und dem Diener gebietend, durch jenen Fußpfad, den er selbst nicht untersuchen konnte, zurückzukehren, ritt er nach der Fuhrt hinab. Der Bach war in der Nacht mächtig angeschwollen; der Diener konnte nicht umhin, seinen Herrn sorgend zu warnen, es drohe große Gefahr bei dem Versuche durchzureiten. Aber zu hoch gespannt waren alle Saiten von Mowbray's Geist und Gefühl, um dieser Warnung im mindesten zu achten. Er spornte das bäumende, zagende Thier in den Strom, obwohl die hochaufwallende Fluth weit über dem Sattelknopfe und dem Kreuze des Pferdes zusammenschlug. Nur durch die äußerste Anstrengung seiner Kraft und Geschicklichkeit vermochte das edle Thier den richtigen Pfad der Fuhrt zu behaupten. Hätte die Gewalt des Stromes ihn von demselben zwischen die Klippen hinabgezwungen, welche diese seichtere Stelle des Flußbettes umgaben, so möchten die Folgen höchst nachtheilig gewesen sein. Aber zur Freude und Bewunderung seines Dieners, der ihm angstvoll mit seinen Blicken folgte, erreichte Mowbray glücklich und sicher das jenseitige Ufer. Er ritt hin schnell nach dem alten Orte, entschlossen, wenn er in diesem Dorfe keine Kunde von seiner Schwester bekäme, überall Lärm zu machen und Nachsuchungen anstellen zu lassen, weil in diesem Falle ihre Flucht aus Shaw=Castle nicht länger zu verbergen war. Wir müssen ihn indessen in seiner jetzigen Unwissenheit verlassen, um den Leser mit der Wirklichkeit jener unglücklichen Ereignisse bekannt zu machen, welche sein vorahnender Geist und sein aufgeschrecktes Gewissen bis jetzt nur bange weissagend befürchten konnte.

Achtunddreißigstes Kapitel.

Die Katastrophe.

Welch' abgeschied'ner Geist wallt durch den rauhen Sturm?
Denn nie hat wohl ein irdisch, zartes Mägdlein
Sich solche Nacht gewählt, gramvoll sich zu ergeh'n!

Alte Komödie.

Nach der stürmischen, gefahrdrohenden Unterredung mit ihrem Bruder, welche dem Leser in einem der vorhergegangenen Kapitel mitzutheilen unsere trübe Aufgabe war, hatte Scham, Kummer und Entsetzen sich vereint, die unglückliche Clara Mowbray, als sie sich von ihrem Bruder trennte, gänzlich niederzudrücken. Seit so vielen Jahren war die Ruhe ihres ganzen Lebens, alle ihre Ge= danken durch das Schreckbild jener fürchterlichen Entdeckung ver= giftet worden, und jetzt ward das Gespenst, das sie rastlos verfolgte, zur entsetzenden Wahrheit. Die ungeheure Heftigkeit ihres Bru= ders, die ihn so weit führte, selbst ihr Leben zu bedrohen, verband sich mit ihrer leidenschaftlichen Erschütterung, einen Ausbruch der

Furcht hervorzubringen, der sie wahrscheinlich kein anderes Hülfs=
mittel finden ließ, als dem blinden Instinkt Folge zu leisten, der
zur Flucht als dem besten Ausweg in dringender Gefahr oft sinn=
los treibt.

Wir sind nicht im Stande, genau den Weg anzugeben, den
die junge Unglückliche erwählte. Wahrscheinlich ist es, daß sie
aus Shaw=Castle entfloh, als sie die Ankunft des Wagens Mr.
Touchwoods hörte, den sie vielleicht für den Lord Etheringthons
hielt; und so, während Mowbray sich der günstigeren Aussicht
überließ, welche des Reisenden Erklärungen ihm eröffneten, kämpfte
seine Schwester mit Finsterniß und Regen, umringt von den Be=
schwerden und Gefahren des bergigen Pfades, den wir so eben be=
schrieben haben. So mannigfaches Ungemach stürmte hier auf sie
ein, daß eine zärtlicher gewöhnte junge Dame erschöpft niederge=
sunken oder gezwungen gewesen wäre, nach der Wohnung, aus
welcher sie entflohen war, zurückzukehren. Aber die einsamen
Wanderungen Clara's hatten sie sowohl an beschwerliche als an
nächtliche Gänge gewöhnt, und das furchtbare Entsetzen, welches
sie zur Flucht trieb, machte sie fühllos gegen die Gefahren des
Weges. Sie war in der Laubhütte gewesen, wie ihr Handschuh
bewies, und hatte den Bach auf der Planken=Brücke überschritten,
obwohl man es fast ein Wunder nennen konnte, daß sie in einer
so finstern Nacht mit solcher Genauigkeit einen Pfad durchwandern
konnte, wo es oft nur eines Fußes breit Raumes bedurfte, der sie,
wenn sie ihn fehlte, in die Ewigkeit befördern mußte.

Wahrscheinlich ist es auch, daß Clara's Muth und Kraft zu
erliegen begann, als sie einen kleinen Theil des Weges nach dem
alten Ort zurückgelegt hatte; denn sie verweilte sich einen Augen=
blick lang bei der Hütte jener armen Alten, die früherhin die Pfle=
gerin der kranken, sterbenden Hannah Irwin war. Hier hatte sie,
wie die Bewohnerin der Hütte späterhin bekannte, gepocht und
bitterlich geweint, als sie um Aufnahme flehte. Die alte

gehörte aber zu den Elenden, denen das Unglück das Herz verstei-
nert, und hielt deßhalb hartnäckig ihre Thür verschlossen, wahrscheinlich mehr von allgemeinem Hasse gegen das menschliche Geschlecht, als von argwöhnischer Furcht dazu bewogen; obwohl sie
wunderlich genug eingestand, daß sie eigentlich von den übernatür-
lich süß flehenden Tönen seltsam ergriffen worden wäre, womit die
nächtliche Wandrerin ihre Bitten gestammelt habe. Noch fügte sie
hinzu: als sie nun endlich die arme Flehende von ihrer Thüre sich
entfernen hörte, sei ihr das Herz weicher geworden, und sie habe
die Absicht gehabt, ihr mindestens ein Obdach zu gewähren, doch
wie sie „zur Thüre humpeln und den Riegel aufziehen" konnte,
sei die Unglückliche nirgends mehr zu erblicken gewesen, welches
nun eben den Glauben des alten Weibes verstärkte, das Ganze sei
nichts, als ein höllischer Trug.

Man hat vermuthet, daß die zurückgestoßene Wandrerin keinen
weitern Versuch machte, Mitleiden zu erregen oder ein Obdach zu
gewinnen, bis sie zu der Pfarrwohnung Mr. Cargills kam, in deren
Oberstube noch Licht brannte, aus einem Grunde, der einer vor-
läufigen Erklärung bedarf.

Der Leser wird sich der Ursachen erinnern, welche Bulmer oder
den sogenannten Lord Etherington veranlaßten, aus der Gegend
den einzigen Zeugen zu entfernen, welcher, wie er fürchtete, dazu
bestimmt war, oder mindestens die Absicht hatte, öffentlich die Be-
trügerei, die er sich gegen die unglückliche Clara Mowbray erlaubte,
zu beweisen. Von den, außer den Vermählten selbst, bei der
Trauung gegenwärtigen drei Personen ward der Prediger gänzlich
getäuscht. Solmes war nach seiner Meinung ganz ausschließend
seinem Interesse zugewandt, konnte also durch seine Vermittelung
diese Hannah Irwin aus der Gegend entfernt werden, so schloß er
ganz natürlich, daß alle Beweise der von ihm ausgeführten Betrü-
gerei gänzlich unterdrückt sein würden. Deßhalb erhielt Solmes,
sein Bevollmächtigter, den Auftrag, dessen sich der Leser erinnern

wird, und hatte von dem Gelingen desselben seinem Gebieter Bericht erstattet.

Aber seitdem Solmes unter dem Einflusse Touchwood's stand,
war er fortdauernd beschäftigt, die Plane zu untergraben, an deren
Ausführung er am thätigsten zu arbeiten schien, während der Reisende (für ihn ein höchst reizender Genuß) das Vergnügen hatte,
eben so schnell als Bulmer Minen anzulegen, die Gegenminen
vorzubereiten, und sich im Voraus des Genusses freute, den Schanz-
gräber mit der eignen Petarde in die Luft zu sprengen. — Sobald
also Touchwood des Lords verzweiflungsvollen Plan hörte, sich in
den Besitz der Dokumente zu setzen, welche der verstorbene Graf
von Etherington seinem Handelshause in London anvertraut hatte,
schrieb er sogleich, daß man nur die Abschriften senden sollte, und
machte so jenen rasenden Schritt Bulmers nutzlos. Aus demselben Grunde, als ihm Solmes den dringenden Wunsch seines Gebieters mittheilte, Hanna Irwin entfernt zu wissen, gab er ihm
den Auftrag, die Kranke sorgsam zu Herrn Cargill zu bringen,
der leicht bewogen ward, ihr eine vorübergehende Zuflucht zu gewähren.

Diesem guten Manne, den man mit Recht den barmherzigen
Samariter nennen konnte, würde das bloße Elend der Armen eine
hinreichende Empfehlung gewesen sein; auch war er nicht Einer
von denen, welche gefragt haben würden, ob auch die Krankheit
ansteckend sei, oder sonst Erkundigungen einziehen mochten, die zuweilen bei vorsichtigeren Menschenfreunden große Hindernisse der
Ausübung ihrer Güte und Gastfreiheit sind. Aber um noch mehr
seine Theilnahme zu erwecken, unterrichtete ihn Mr. Touchwood
schriftlich, daß die Kranke (eine ihm sonst nicht unbekannte Person)
die Besitzerin sehr bedeutender Geheimnisse sei, welche eine ehrenwerthe, vornehme Familie angingen, und daß er selbst mit
Mowbray von St. Ronans als Magistratsperson diesen

nach dem Pfarrhause zu kommen gedächte, ihre Bekenntnisse über diesen wichtigen Gegenstand zu empfangen.

Dies war in der That der Vorsatz des Reisenden, der vielleicht seine Wirkung nicht verfehlt hätte, wenn nicht seine Selbstliebe, ihn seinerseits zu schlau sein wollenden Umwegen verleitend, und Mowbray's ungestüme Ungeduld gegen einander gestellt, wie der Leser weiß, den einen in vollem Galopp nach Shaw-Castle sprengte, und den andern nöthigte, ihm in eiliger Hast per Post zu folgen. Diese hemmende Nothwendigkeit berichtete er dem Geistlichen in Eil, ehe er die Postkalesche bestieg, versprach den andern Morgen frühzeitig auf der Pfarre zu sein, — und mit der eingewurzelten zögernden Eigenliebe, welche ihn veranlaßte, alle Dinge mit eigener Hand leiten zu wollen, beauftragte er Mr. Cargill, das Bekenntniß der Kranken, nicht vor seiner Ankunft zu empfangen, es müsse denn die höchste Noth vorhanden sein.

Es war Solmes sehr leicht geworden, die Kranke aus der Hütte nach der Pfarrwohnung zu bringen. Zwar hatte sie der Anblick des Gefährten eines großen Theils ihrer Lasterbahn sehr erschreckt; aber er zögerte nicht, ihr zu versichern, daß seine Reue der ihrigen gleich komme, und daß er sie dahin führen wolle, wo ihre vereinten Bekenntnisse, gerichtlich aufgenommen, so viel als möglich das Uebel wieder gut machen sollten, wozu sie einst mitwirkten. Da er ihr nun auch freundliche Fürsorge und Beistand für ihre Kinder gelobte, so folgte sie ihm willig nach des Predigers Wohnung. Er selbst beschloß, verborgen den Erfolg des der Enthüllung nahen Geheimnisses zu erwarten, ohne seinem Herrn wieder vor Augen zu kommen, dessen Stern, wie er sehr wohl bemerkte, im Begriffe war, schnell aus seiner glänzenden Sphäre herab zu stürzen.

Der Prediger besuchte die unglückliche Kranke, wie er es oft während ihres Aufenthaltes in seiner Nähe gethan hatte, und gebot, sie sorglich zu pflegen. Auch schien sie den Tag über etwas

beſſer; aber, ob nun die Stärkungsmittel ihr in zu groſem Maaße
gereicht worden waren, oder ob die Gewiſſensbiſſe, die an ihrem
Innern nagten, lebendiger erwachten, als ſie von dem Drucke per-
ſönlicher Noth befreit war, ſo viel iſt gewiß, daß um Mitternacht
das Fieber heftiger ward, und die bei ihr wachende Wärterin kam
den Prediger zu benachrichtigen, der eben tief in Belagerung von
Ptolemais verſunken war, daß ſie zweifle, ob die Frau den Morgen erleben würde, daß ihr aber Etwas ſchwer auf der Seele läge,
wovon ſie, wie die Wärterin ſich ausdrückte, „ihre Bruſt zu erleichtern wünſche," ehe ſie ſterben oder den Gebrauch ihrer Sinne verlieren ſollte.

Durch ſolch' einen kritiſchen Fall ſeinen Träumen entriſſen,
ward Mr. Cargill plötzlich ein dem thätigen Leben vollkommen
angehörender Mann, klar und deutlich von Begriffen, ruhig und
gelaſſen in ſeinen Entſchlüſſen, wie er ſtets war, wenn die Pflicht
ihn in Anſpruch nahm. Aus den verſchiedenen Undeutungen ſeines
Freundes Touchwood entnehmend, daß die Sache von höchſter
Wichtigkeit ſei, geboten ihm ſowohl ſeine Menſchlichkeit als ſeine
Unerfahrenheit, ärztlichen Beiſtand herbei holen zu laſſen. Sein
Knecht ward ſogleich zu Pferde nach dem Geſundbrunnen zum
Doktor Quackleben geſendet; während auf die Bomerkung eines
der Dienſtmädchen, „daß Miſtreß Dods eine außerordentlich geſchickte Perſon bei einem Krankenlager ſei," die Magd abgeſchickt
ward, die Hülfe der guten Wirthin zur Teufelsfalle in Anſpruch
zu nehmen, welches ſie in der That nie Jemand zu verſagen pflegte,
dem ſie nur nützlich ſein konnte. Der männliche Abgeſandte bewies ſich, wie die Schotten ſagen, „als ein Raben-Geſandter," *)
denn er fand den Doktor entweder gar nicht, oder zu gut beſchäftigt, um an dem Krankenlager einer Armen zu erſcheinen, wenn
ihn nur eine Aufforderung dahin rief, die ſo wenig Bezahlung ꝛꝛ.

---

*) Anſpielung auf die Raben in der Arche Noah.

warten ließ, als die eines armen Landpfarrers. Aber besser gelang es der weiblichen Botin; denn obwohl sie unsere Freundin
Luckie Dods eben im Begriffe fand, ungewöhnlich spät zu Bette
zu gehen, da sie einige Angst über Mr. Touchwood's außerordentlich spätes Außenbleiben empfand, brummte die gute alte Dame
doch nur ein Weniges über des Predigers seltsame Grillen, arme
Leute in sein Haus aufzunehmen; dann aber augenblicklich Mantel,
Mütze und Unterschuhe anlegend, eilte sie mit aller Hast der thätigen Samariterin hinweg, eine ihrer Mägde ihr mit der Laterne
vorleuchtend, während die Andere zurück blieb, das Haus zu bewachen und für die Bedürfnisse Mr. Tyrrel's zu sorgen, der es
gern übernahm, aufzubleiben, um Mr. Touchwood zu empfangen.

Aber ehe noch Dame Dods in der Pfarre ankam, hatte die
Kranke den Prediger zu sich rufen lassen, und bat ihn, ihr Be-
kenntniß niederzuschreiben, während sie noch genug Leben und
Athem habe, es abzulegen.

„Denn ich glaube," setzte sie hinzu, sich im Bette aufrichtend
und mit wild rollenden Blicken umherschauend, „daß, wenn ich
meine Schuld einem minder heiligen Manne anvertrauen wollte,
so würde der Geist der Hölle, dessen Dienerin ich war, seine Beute
davon führen, Körper und Seele vereint, ehe sie sich von einander
scheiden, wie kurz auch die Zeit sein mag, die sie noch in Gemeinschaft mit einander zubringen müssen."

Mr. Cargill wollte durch einige gottesfürchtige Tröstungen
sie beruhigen, aber ungeduldig unterbrach sie ihn: „Verschwenden
Sie keine Worte! — verschwenden Sie keine! — Lassen Sie mich
das aussprechen, was ich zu sagen habe, und mit einer Unterschrift
versehen muß; und Sie, der Sie als der unmittelbare Diener
Gottes verpflichtet sind, ein Zeuge der Wahrheit zu sein, geben Sie
ja wohl Acht, das niederzuschreiben, was ich Ihnen sagen werde,
und nichts weiter. Ich wünschte es an St. Ronan zu sagen, —
ich habe selbst sogar schon angefangen, es Andern mitzutheilen —

aber ich freue mich, daß ich kurz abbrach — denn Sie, Mr. Cargill, kenne ich, obwohl Sie mich lange vergessen haben werden "

„Das mag wohl sein," sagte Cargill. „Ich erinnere mich Ihrer in der That durchaus nicht."

„Dennoch kannten Sie einst Hannah Irwin," sagte die Kranke, „welche die Gefährtin und Verwandte Miß Clara Mowbray's war, und die ihr zur Seite in jener sündlichen Nacht stand, wo sie in der Kirche von St. Ronans getraut ward."

„Wollen Sie mich glauben machen, daß Sie jene Person wären?" fragte Cargill, das Licht so wendend, daß es einigermaßen die Kranke beleuchtete, „das kann ich mir nicht denken."

„Wirklich nicht?" sagte die Büßerin. „Freilich wohl gibt es einen Unterschied zwischen dem Laster von krönendem Erfolg umgeben, und der Schuld, mit dem Entsetzen des Sterbebettes umringt."

„Verzweifeln Sie dennoch nicht," sagte Cargill. „Allmächtig ist die göttliche Gnade — nur daran zu zweifeln ist an sich ein großes Verbrechen."

„Mag es so sein, — ich kann es nicht ändern. — Mein Herz ist verhärtet, Mr. Cargill, und hier ist Etwas (sie drückte die Hand auf ihre Brust), welches mir zuflüstert, daß, würde mir das Leben verlängert, Gesundheit mir wiedergeben, so würden selbst meine jetzigen Todesschmerzen vergessen werden, und wieder sänke ich in die Gewalt des Lasters zurück. Ich habe das Anerbieten der Gnade verworfen, Mr. Cargill, und nicht aus Unwissenheit, denn ich sündigte mit vollem Bewußtsein. Kümmern Sie sich also nicht um mich, die ich eine durchaus Verworfene bin." Wieder wollte er sie unterbrechen, aber sie fuhr fort: „O wünschen Sie in der That mir wohl zu thun, so lassen Sie mich den Busen von den Qualen, die ihn drücken, befreien; vielleicht bin ich dann besser im Stande auf Sie zu hören. — Sie sagen, daß Sie sich meiner nicht erinnern — aber wenn ich Ihnen zurückrufe, wie oft Sie weigerten, im Geheim die Trauung zu vollziehen, zu welcher man Sie aufforderte — wie sehr Sie anführten, daß es wider die kirchlichen Gesetze stritte, wenn ich Ihnen den Grund nenne, der Sie endlich zum Nachgeben brachte — Sie an Ihren Vorsatz erinnere, Ihren geistlichen Brüdern in dem kirchlichen Gericht Ihre Uebertretung zu bekennen, Ihre Verzeihung zu erbitten und sich der Buße zu unterwerfen, die man Ihnen auferlegen würde, obwohl sie sogar leicht nicht sein möchte — dann werden Sie es einsehen, daß Ihnen die Stimme einer elenden Armen die Worte der einst listigen, fröhlichen, wohlgestalteten Hannah Irwin verkündet."

„Ich gebe es zu, ich gebe es zu," sagte Mr. Cargill. „Ich erkenne die Unläugbarkeit jener Anzeigen, und halte Sie nun in der That für diejenige, deren Namen Sie sich aneignen."

„So ist denn ein qualvoller Schritt gethan," sagte sie; „denn schon früher hätte ich mir das Gewissen durch ein Bekenntniß erleichtert, wenn mich nicht der Fluch eines stolzen Gemüthes davon abhielt, dem Armuth eine größere Schande als das Laster zu sein schien. Gut also. Durch jene Gründe, welche Ihnen ein Jüngling, den Sie am meisten unter dem Namen Francis Tyrrel kannten, obwohl er mehr Recht auf den Valentin Bulmers hatte, mittheilte, übten wir groben Betrug gegen Sie aus, Mr. Cargill. — Hörten Sie nicht Jemand seufzen? Ich hoffe, es ist hier Niemand im Zimmer. — Ich hoffe, ich werde sterben, wenn mein Bekenntniß unterzeichnet und untersiegelt ist, ohne daß mein Name von Mund zu Mund umhergeschleppt wird. Ich hoffe, Sie bringen Ihre Dienstleute nicht hinein, mich in meinem verworfenen Elend anzustarren — das kann ich nicht ertragen."

Sie hielt inne und lauschte; denn das Ohr, welches gemeinhin bei dem Sterbenden tauber wird, schärft sich im Gegentheil auch zuweilen ganz ungewöhnlich. Mr. Cargill versicherte ihr, daß Niemand gegenwärtig sei, und setzte hinzu: „Und so sprechen Sie es aus, unglückliche Frau, auf welches Weh soll mich diese Einleitung vorbereiten?"

„Mögen Ihre Erwartungen auch noch so trübe sein, ihnen soll volle Genüge geleistet werden. — Ich war die schuldvolle Vertraute des falschen Francis Tyrrel. — Clara liebte den wahren Eigner jenes Namens. Bei Vollziehung der unheilbringenden Feierlichkeit ward die Braut wie der Prediger hintergangen und ich war die Elende — der höllische Geist — der einem andern schwärzern — wenn es einen solchen geben konnte — rüstig beistand, dies verdammungswürdige Elend zu vollenden."

„Elende!" rief der Geistliche. „Und hattest du nun nicht dessen zur Genüge gethan? Wie? brachtest du es nicht dahin, die verlobte Braut des einen Bruders zum Weibe des andern zu machen?"

„Ich handelte," sagte die Kranke, „nur wie mich Bulmer unterrichtete; aber ich hatte es mit einem Meister im Spiele zu thun. Er brachte es durch seinen Helfershelfer Solmes dahin, mich mit einem Manne zu verheirathen, den seine Lügen mir als einen wohlhabenden Mann schilderten — einen Elenden, der mich mißhandelte, plünderte, verkaufte. — Ja, wenn Teufel lachen, wie ich hörte, daß sie es können, welch' ein höhnender Jubel wird es sein, wenn Bulmer und ich an ihrem Marterorte erscheinen. — — Hört! — Ich bin es überzeugt, dort athmete Jemand, als ob er schaudernd erbebte!"

„Sie werden sich die Sinne verwirren, wenn Sie solchen Phantasten nachhängen. — Beruhigen Sie sich — sprechen Sie weiter, doch — o zum mindesten einmal — sprechen Sie die Wahrheit!"

„Das will ich, denn damit wird mein Haß gegen ihn am vollständigsten gesättigt, der, nachdem er mir meine Tugend raubte, mich zum elenden Spielwerk der niedrigsten Menschen herabwürdigte. Deßhalb kam ich hieher ihn zu entlarven. Ich hörte, er seine Bewerbungen um Clara wieder ernente, und ich kam her, ihrem Bruder Alles zu entdecken. Aber wundern Sie sich etwa, daß ich dennoch damit bis zu diesem letzten entscheidenden Augenblick zögerte? — Ach, ich gedachte meines Benehmens gegen Clara, wie konnte ich es also wagen, vor ihren Bruder zu treten. — Und doch haßte ich sie nicht mehr, seit ich ihr großes Unglück sah ihren tiefen Jammer, der sie selbst dem Wahnsinn nahe brachte — damals haßte ich sie nicht mehr. Ich bedauerte sie sogar, daß sie keinem bessern Mann als Bulmer zu Theil werden sollte; — ich bemitleidete sie, nachdem sie durch Tyrrel befreit ward, und Sie werden sich erinnern, daß ich es war, die Sie vermochte, ihre Heirath zu verbergen."

„Ich erinnere mich dessen," entgegnete Cargill, „auch daß Sie anführten, Verschwiegenheit sei nothwendig, weil ihr sonst Gefahr von ihrer Familie drohen würde. Auch verbarg ich es, bis ein Gerücht, daß sie sich wieder verheirathen sollte, mir zu Ohren kam."

„Gut denn," sagte die Kranke, „so sollte Clara Mowbray mir wohl verzeihen, da das Uebel, welches ich ihr that, unvermeidlich, das Gute aber willkührlich war. Ich muß sie sehen, Mr. Cargill, ich muß sie sehen, ehe ich sterbe — ich kann nie wieder beten, ehe ich sie sehe. — Kein Wort der göttlichen Barmherzigkeit wird mich erquicken, bis ich sie sehe. — Wenn ich nicht die Verzeihung eines Erdenwurmes erhalten kann, wie ich es selbst bin, wie kann ich auf die hoffen, welche —"

Mit einem schwachen Schrei fuhr sie bei diesen Worten auf; denn langsam und mit matter Hand wurden die Vorhänge des Bettes auf der entgegengesetzten Seite Mr. Cargills aufgezogen, und die Gestalt Clara Mowbray's, das Gewand und ihr lang wallendes Haar, vom Regen triefend durchdrungen, zeigte sich in der Oeffnung. Die Sterbende saß aufrecht, die Augen hier aus ihren Höhlen tretend, mit zitternden Lippen, bleichen Wangen.

die abgemergelten Hände ängstlich an das Bettlaken geklammert, als sollten sie ihr Unterstützung verleihen, und blickte so verstört um sich, als habe ihr Bekenntniß den Geist der verrathenen Freundin herauf beschworen. Mit dem gewohnten unendlich süßen Wohllaute der Stimme sagte Clara:

„Hannah Irwin, meine Jugendfreundin — meine unverschuldete Feindin! — ergib dich der Gnade des Himmels, der Verzeihung für uns Alle hat, und übergib dich ihm vertrauensvoll — denn ich verzeihe dir so vollkommen, als ob du mich nie beleidigt hättest — so vollkommen, wie ich meine eigne Verzeihung wünsche. — Fahr wohl! — fahr wohl!"

Sie verschwand aus dem Zimmer, ehe selbst der Prediger im Stande war sich zu überzeugen, daß diese Erscheinung mehr als ein Phantom sei. Er stürzte die Treppe hinab — er rief nach Hülfe aber Niemand hörte auf seinen Ruf, denn das schwere Röcheln der Kranken überzeugte einen Jeden, daß ihr letzter Augenblick herannahe. Mistreß Dods rannte mit der Magd nach der Krankenstube, dem bald darauf erfolgenden Tode Hannah Irwins beizuwohnen.

Kaum war dies ernste Schauspiel vorüber, als die im Wirthshause zurückgebliebene Magd herbeistürzte, mit Entsetzen ihrer Gebieterin zu berichten, daß eine Dame wie ein Geist in ihrem Hause erschienen sei, und in Mr. Tyrrel's Zimmer im Sterben läge. Doch wir müssen den wahren Verlauf dieser Begebenheit berichten.

In dem unsichern Gemüthszustande Miß Mowbray's würde schon eine minder heftige Erschütterung, als die, welche ihres Bruders gebieterische Leidenschaftlichkeit, verbunden mit dem Entsetzen ihres erschöpfenden, gefahrvollen, nächtlichen Weges, bewirkte, hingereicht haben, ihre körperlichen Kräfte zu überwältigen und die ihres Geistes zu zerstören. Wir sagten schon vorher, daß wahrscheinlich das Licht in der Pfarrwohnung ihre Aufmerksamkeit

regte, und in der jetzt in diesem nie zu ordentlichen Hause herrschenden Verwirrung ward es ihr leicht, unbemerkt die Treppe hinauf
zu gehen, in das Krankenzimmer zu schlüpfen, und Hannah
Irwins Bekenntniß mit anzuhören; eine Erzählung, welche
ganz dazu geeignet war, ihr geistiges Leiden auf das Höchste zu
steigern.

Wir vermögen nicht mit Gewißheit zu unterscheiden, ob sie
jetzt die Absicht hatte, Tyrrel aufzusuchen, oder ob sie wieder wie
zuvor von dem Scheine eines noch brennenden Lichtes angezogen
ward, während rings umher Alles in tiefer Dunkelheit lag; aber
sie ward zunächst dicht an der Seite ihres unglücklichen Geliebten
erblickt, der eben tief in seine Schreiberei versunken war, als plötzlich Etwas auf der Oberfläche eines großen Spiegels, der ihm zur
Seite hing, vorüber glitt. Er blickte auf, und sah darin die Gestalt Clara's, die in der weit ausgestreckten Hand ein Licht hielt,
welches sie auf dem Flur ergriffen hatte. Einen Augenblick heftete
er entsetzt das Auge auf den furchtbaren Schatten, ehe er es wagte,
sich nach dem Urbild desselben umzuwenden. Als er es endlich
vermochte, wollten die todtbleichen, starren Züge fast noch mehr den
Glauben bei ihm erwecken, er sähe nur ein geistiges Wesen, und
schaudernd bebte er zusammen, als sie zu ihm tretend, seine Hand
ergriff und eilig flüsternd sagte: „Kommen Sie hinweg — kommen Sie hinweg! — Mein Bruder folgt mir, uns Beide zu tödten. Kommen Sie, Tyrrel, lassen Sie uns fliehen — leicht werden wir entrinnen. — Hannah Irwin ist schon voraus — aber
wenn man uns einholt, so will ich keinen Zweikampf haben, durchaus nicht — Sie müssen mir das versprechen, daß es gewiß nicht
sein soll! — Wir hatten dessen ohnehin schon genug. — Aber Sie
werden in Zukunft vorsichtiger sein!"

„Clara Mowbray!" rief Tyrrel aus. „Ach, so weit ist es
gekommen? — Bleiben Sie. — Eilen Sie nicht hinweg —"

denn sie wandte sich um, schnell zu entfliehen. — „Bleiben Sie — bleiben Sie — setzen Sie sich nieder "

„Ich muß gehen," rief sie, „ich muß gehen! — Ich bin dahin berufen — Hannah Irwin ist voraus gegangen, Alles zu sagen. — Ich muß ihr folgen. Wollen Sie mich nicht hinweg lassen? — Ja, wenn Sie Gewalt anwenden, dann weiß ich wohl, daß ich mich niedersetzen muß — aber dennoch werden Sie nicht im Stande sein, mich hier zurück zu halten."

Ein heftiger Anfall von Krämpfen brach jetzt aus, und schien in der That durch seine Gewalt anzudeuten, daß sie wirklich der letzten finstern Reise nahe war. Die Magd, welche endlich auf Tyrrel's dringend wiederholten Hülferuf erschien, floh entsetzt über den Anblick, der ihr ward, den obenerwähnten Schrecken in der Pfarre zu verbreiten.

Die alte Gastwirthin sah sich gezwungen, einen Aufenthalt des Jammers mit dem anderen zu vertauschen, sich innerlich nicht genug verwundern könnend, welch' böses Schicksal in einer Nacht so viel Elend anzuhäufen vermochte. Als sie aber in ihrem Hause anlangte, wie erstaunte sie, da sie die Tochter jener Familie, welche sie selbst, so fern sie jetzt von ihr stand, nie zu lieben aufhörte, in einem wenig von Raserei entfernten Zustande fand, nur von Tyrrel unterstützt, dessen Gemüthsverfassung wenig ruhiger, als die der unglücklichen Kranken zu sein schien. Die Wunderlichkeiten der Mistreß Dods waren bloß der Rost, den die Zeit auf ihrem Charakter anhäufte, ohne seiner eigenthümlichen Kraft und Energie zu schaden; auch waren ihre Empfindungen nicht zu hoch geschraubt, um sie abzuhalten, so entschieden im Benehmen und Entschluß zu sein, als es die Umstände erforderten.

„Mr. Tyrrel," sagte sie, „dieß ist kein Schauspiel für Männer Sie müssen dort in das andere Zimmer gehen."

„Ich will mich nicht von ihr entfernen," rief Tyrrel —

will mich nie wieder von ihr trennen, so lange sie und ich noch
leben mögen."

„Das wird eben nicht mehr lange dauern, Mr. Tyrrel, wenn
Sie nicht auf vernünftige Vorstellungen hören wollen."

Tyrrel fuhr auf, als begriffe er halb den Sinn ihrer Worte,
blieb aber dennoch regungslos stehen.

„Kommen Sie, kommen Sie," sagte die mitleidige Wirthin.
„Sehen Sie da nicht so starr auf einen Anblick, der wohl noch
härtere Herzen als das Ihrige brechen könnte; hinweg — Ihre
eigne Vernunft muß Ihnen ja sagen, daß Sie hier nicht verweilen
können. — Miß Clara soll sorglich verpflegt werden, und ich will
Sie jede halbe Stunde benachrichtigen, wie es mit ihr steht."

Unläugbar war es, daß diese Maßregel nothwendig sei;
Tyrrel ließ es denn geschehen, daß man ihn in ein anderes Zimmer
führte, und vertraute Miß Mowbray der Obhut der Wirthin und
ihrer weiblichen Dienerinnen. In Todesangst zählte er die Stunden in den Zwischenräumen der Berichte Mistreß Dods, welche sie,
ihrem Worte treu, von Zeit zu Zeit ihm brachte, ihm zu verkünden,
daß Clara nicht besser — daß sie schlimmer sei — endlich, daß sie
nicht glaube, daß sie länger als bis zum Morgen leben würde. Es
erforderte allen gebieterischen Ernst der guten Wirthin, Tyrrel zurück zu halten, der, so gelassen und gefaßt er bei gewöhnlichen Veranlassungen blieb, eben so heftig und ungestüm war, wenn seine
Leidenschaften aufgeregt wurden, daß er nicht in das Gemach stürzte,
sich mit eigenen Augen von dem Zustande der geliebten Kranken zu
überzeugen. Endlich blieb Mistreß Dods lange aus — so lange,
daß Tyrrel daraus die beglückende Hoffnung schöpfte, daß Clara
schlummere, und daß dieser Schlaf vielleicht Geist und Körper stärken könne. — Er vermuthete, die Furcht, die Ruhe der Kranken zu
stören, halte Mistreß Dods ab, das Zimmer zu verlassen; und als
ob dieselbe Sorge, welche er ihr zutraute, auch ihn bestimmen
müßte, hörte er auf in seinem Gemache auf und nieder zu gehen

vie es seine angstvolle Unruhe bis jetzt erheischte, und sich in einen
Stuhl werfend, gestattete er sich nicht die kleinste Bewegung, und
ielt selbst seinen Athem so ängstlich zurück, als säße er an dem
Krankenlager. Weit vorgerückt war schon der Morgen, als seine
Wirthin mit ernster, sorgenvoller Miene eintrat.

„Mr. Tyrrel," sagte sie, „Sie sind ein christlich denkender
Mann —"

„Still, still, um des Himmelswillen!" entgegnete er, „Sie
verden Miß Mowbray stören."

„Nichts wird sie hienieden mehr stören, das arme Ding," ant=
vortete Mistreß Dods. „Gar viel haben die zu verantworten,
velche dieses Ende herbeiführten."

„Das haben sie, — das haben sie wahrlich!" rief Tyrrel, sich
vor die Stirn schlagend. „Und mein sei die Rache an Jedem der=
elben. — Kann ich sie sehen?" —

„Besser wäre es, Sie thäten es nicht — viel besser," bat
ie gute Frau; aber er riß sich von ihr los und stürzte in das
Zimmer.

„Ist das Leben wirklich entflohen — jeder Funke erloschen?"
ief er eifrig einem Chirurgus zu, den man im Laufe der Nacht
us Marchtown herbeigeholt hatte. Achselzuckend nur antwortete
er Arzneikundige. — Er stürzte zum Bette, und überzeugte sich
un mit eigenen Augen, daß das Wesen, dessen Leiden er sowohl
eranlaßt, als getheilt hatte, jetzt allem irdischen Elend enthoben
t. Mit dem Schrei der Verzweiflung warf er sich über die bleiche
sand der Entseelten, benetzte sie mit seinen Thränen, überströmte
e mit Küssen, und schien eine kurze Zeit lang selbst dem Wahn=
nne nah. Endlich brachten es die vereinten Vorstellungen der
segenwärtigen dahin, daß er sich wieder in das Nebengemach füh=
m ließ; der Chirurgus folgte ihm, mit eifriger Sorge bemüht,
m den einzigen traurigen Trost zu verleihen, den dieses trübe
reigniß gestattete. Er sagte: „Da Sie so innigen Antheil an

88*

dem frühzeitigen Tode der jungen Dame nehmen, so kann es Ihnen vielleicht ein Trost, wenn auch ein sehr melancholischer sein, zu erfahren, daß ein Druck auf das Gehirn ihn veranlaßte, der wahrscheinlich mit einer Ergießung des Blutes verbunden war. Ja, ich fühle mich durch die bei diesem Zufalle stattfindenden Anzeichen berechtigt, zu versichern, daß, wenn das Leben gerettet ward, die Vernunft aller Wahrscheinlichkeit nach nie zurückgekehrt wäre. Und bei einem solchen Falle, Sir, müssen die zärtlichsten Angehörigen eingestehen, daß der Tod gegen ein so trauriges Dasein eine Gnade des Himmels ist."

„Eine Gnade?" rief Tyrrel: „Warum denn wird sie mir versagt? — Ha, ich weiß — ich weiß mein Leben wird verschont, bis ich sie gerächt habe."

Er sprang von seinem Sitze auf und stürzte die Treppe hinab. Aber, als er aus der Thüre des Wirthshauses eilte, trat ihm Touchwood entgegen, der eben aus dem Wagen stieg, und dessen Züge einen ihm sehr ungewöhnlich ernsten, sorgenvollen Ausdruck trugen.

„Wohin wollt Ihr? — Was sucht Ihr?" rief er, Tyrrel beim Arm ergreifend und mit Gewalt zurückhaltend.

„Zur Rache!" schrie Tyrrel: „Gebt mir Raum, bei Gefahr Eures Lebens!"

„Die Rache ist des Herrn und seine Hand hat getroffen!" entgegnete der Alte. „Hierher — hierher " fuhr er fort, Tyrrel nach dem Hause ziehend. „Vernehmen Sie," sagte er, sobald er ihn in ein Zimmer einzutreten gezwungen hatte, „daß im Verlauf der letzten halben Stunde Mowbray von St. Ronans mit diesem Bulmer zusammentraf und ihn auf dem Flecke erschossen hat."

„Erschossen? Wen?" fragte der seiner Sinne kaum mächtige Tyrrel.

„Valentin Bulmer, den Titular-Grafen von Etherington."

„Sie bringen Kunde des Todes in das Haus des Todes!"
entgegnete Tyrrel, „und nichts mehr gibt es hienieden, wofür ich
noch leben könnte."

Neununddreißigstes Kapitel.

Schluß.

Als Mowbray, wie wir es oben schilderten, den Bach durch-
ritt, war sein Geist in dem schwankenden, verwilderten Zustande,
der einen Gegenstand sucht, auf welchen er sich der selbstverschulde-
ten Wuth entladen kann, die einem unterirdischen Feuer gleich in
ihm gährt, wie ein Vulkan vor dem Ausbruche desselben. Plötzlich riefen ihm einige nahe Schüsse zurück, daß er versprochen hatte,
zu dieser Stunde an diesem abgelegenen Orte eine Wette im Pisto-
lenschießen zu entscheiden, wobei der Titular-Lord von Etherington,
Jekyl und Mac Turk, die gleichgut in solchen Zeitkürzungen be-
wandert waren, sowohl als er selbst gegenwärtig sein sollten. Die
Aussicht, welche diese Erinnerung ihm zur Rache an demjenigen
eröffnete, den er als Stifter der Leiden seiner Schwester betrachtete,
war in seinem jetzigen Gemüthszustande viel zu anlockend, um
unterdrückt zu werden. So also seinem Pferde die Sporen gebend,
sprengte er durch das Gebüsch zu der kleinen Waldebene, wo er die
andern Theilnehmer fand, die an seinem Erscheinen verzweifelnd,
schon ihre Uebungen begonnen hatten. Ein Jubelruf empfing
Mowbray, sobald er sich nahte.

„Da kömmt Mowbray, triefend, bei Gott, wie aus dem Wasser gezogen!" rief Hauptmann Mac Turk.

„Ich fürchte ihn nicht," lachte Etherington (wir können ihn immerhin noch so nennen), „er ist zu scharf geritten, um eine feste Hand zu haben."

„Wir wollen das sogleich sehen, Mylord von Etherington, oder vielmehr Valentin Bulmer," rief Mowbray, vom Pferde springend und den Zügel über einen Baum-Ast schleudernd.

„Was wollen Sie damit sagen, Mr. Mowbray?" fragte Etherington sich stolz aufrichtend, während Jekyl und Mac Turk sich erstaunt ansahen.

„Daß Sie ein Schurke und Betrüger sind, der sich einen Namen anmaßt, auf welchen er kein Recht hat," entgegnete Mowbray.

„Mit dieser Beleidigung, Mr. Mowbray, werde ich diesen Ort nicht verlassen!" rief Etherington.

„Sie sollen noch etwas Schwereres dazu zu tragen haben," erwiederte Mowbray.

„Genug, genug, mein guter Sir; es nützt zu nichts, ein williges Pferd zu spornen. — Jekyl, Sie werden die Freundschaft haben, mein Sekundant zu sein."

„Gewißlich, Mylord!" sagte Jekyl.

„Und da hier keine Aussicht zu bleiben scheint, die Sache freundlich beizulegen," sprach der friedliebende Hauptmann Mac Turk, „werde ich mich sehr glücklich schätzen, da es nicht zu ändern ist, meinem werthen Freunde, Mr. Mowbray von St. Ronans, meinen Rath und Beistand zu ertheilen. — Es ist ein sehr glücklicher Zufall, daß wir hier eben die nothwendigen Waffen zur Hand haben, da es eine unangenehme Sache wäre, wenn solch' eine Angelegenheit uns lange auf der Brust lasten sollte, ja noch schlimmer, als wenn man sie ohne Zeugen abmachte."

„Doch würde ich gern zuvor wissen," fragte Jekyl, „worüber dieser ungestüme Zwist entstand."

„Ueber nichts," sagte Etherington, „ausgenommen eine alte

Alfanzerei, die Mr. Mowbray entdeckte. — Er weiß, daß seine
Schwester immer die Wahnsinnige spielte, und jetzt hat er, wie ich
vermuthe, ein Gerücht vernommen, daß sie ebenfalls zu ihrer Zeit
eine — Närrin war!"

„O Verbrechen!" rief der Hauptmann Mac Turk; „mein guter Major, lassen Sie uns schnell laden und die Entfernung ab-
messen — denn bei meiner Seele, wenn sie sich noch viele solcher
Süßigkeiten zuraunen, so bleibt ihnen nichts übrig, als sich über
dem Schnupftuche zu schießen; — Gott soll mich verdammen!"

Mit diesen freundschaftlichen Gesinnungen ward der Raum
schnell ausgemessen. Ein Jeder von ihnen war als vortrefflicher
Schütze bekannt; und der Hauptmann bot Jekyl eine Wette an,
daß Beide auf den ersten Schuß fallen würden. Der Erfolg be-
währte, wie nah seine Behauptung der Wahrheit kam, denn die
Kugel Lord Etherington's streifte Mowbray an dem Schlaf in eben
der Sekunde, wo die seinige Etherington in's Herz traf. Einen
Schritt weit sprang dieser zurück und stürzte dann todt zur Erde
nieder. Wie eine Bildsäule stand Mombray, noch immer umklam-
merte die herabgesunkene Hand die tödtliche Waffe, deren Mündung
und Zündloch noch dampften. — Jekyl stürzte herbei, seinen Freund
zu unterstützen, und der Hauptmann Mac Turk, nachdem er seine
Brille aufgesetzt hatte, kniete bei ihm nieder, ihm in das Gesicht zu
sehen. „Wir sollten eigentlich Doctor Quackleben hier haben,"
sagte er, die Gläser abwischend und die Brille wieder in das Fut-
teral steckend, „wenn es auch freilich nur des hergebrachten Ge-
brauchs wegen geschähe — denn er ist mausetodt! der arme Junge!
— Aber kommen Sie, Mowbray, mein Söhnchen," sagte er ihn
beim Arme nehmend, „wir müssen uns auf die Beine machen, ehe
das Schlimmere zum Uebel kommt. Ich habe mein Endchen
Klepper hier, und Sie können Ihr Pferd benutzen, bis wir nach
Marchtown kommen. — Major Jekyl, ich wünsche Ihnen einen
guten Morgen. Wollen Sie sich etwa meines Regenschirmes

zum Brunnen zurück bedienen, denn ich befürchte sehr, wir bekommen Regen.“

Kaum aber war Mowbray etwa hundert Ruthen weit entfernt, als er die Zügel anhielt und sich weigerte, weiter zu reiten, ehe er wisse, was aus Clara geworden sei. Der Hauptmann fand, daß er sein sehr widerspenstiges Mündel zu leiten hatte, als, noch indem sie mit einander stritten, Touchwood in seinem Miethswagen vorüber fuhr. Sobald er Mowbray erkannte, hielt er an, ihn zu benachrichtigen, daß seine Schwester im alten Orte sei, welches er durch den Boten erfahren hatte, der vom Brunnen vergeblich ärztlichen Beistand holen wollte, weil der Aeskulap des Ortes, Doctor Quackleben, an diesem Morgen im Stillen von Mr. Chatterley mit Mistreß Blower getraut, so eben zu der gewöhnlichen hochzeitlichen Ausflucht abgefahren war.

Die Nachricht vergalt Hauptmann Mac Turk durch die Kunde von dem Geschick Lord Etheringtons. Der alte Mann drang sogleich ernstlich auf schleunige Flucht, zu welcher er ihnen reiche Vorschüsse ertheilte, sich verpflichtend, der unglücklichen jungen Dame jede Art des wärmsten Beistandes zu weihen, und stellte dringend Mowbray vor, daß, wenn er in der Nachbarschaft verweile, ein Gefängniß ihn bald genug von seiner Schwester entfernen würde. Folglich schlugen Mowbray und sein Begleiter den Weg nach Süden ein, erreichten glücklich London und begaben sich von da nach der Halbinsel, eben als der Krieg am heftigsten wüthete.

Nur Weniges bleibt uns noch zu erwähnen übrig. Noch immer lebt Mr. Touchwood, Plane entwerfend, die keinen Zweck haben, ein Vermögen anhäufend, ohne eigentlich einen Erben dazu zu besitzen. Der alte Mann versuchte es, diese Bürde sowohl als seinen Schutz Tyrrel aufzudringen, aber seine Bestrebungen dienten nur dazu, Tyrrel zur Entfernung zu bestimmen; man hat nichts weiter von ihm gehört, obwohl die Etheringtons ihren Titel und

Besitzungen zur Annahme für ihn bereit liegen. Viele wollen behaupten, er habe sich nach einer Missionar=Niederlassung mährischer Brüder begeben, zu deren Besten er zuvor beträchtliche Summen angewiesen hatte.

Seit Tyrrel's Abreise vermag auch Niemand es vorherzuahnen, was der alte Touchwood mit seinem Gelde anfangen wird. Oft spricht er von seinen erlittenen Täuschungen, aber man kann ihm nie begreiflich oder wahrscheinlich machen, daß seine Neigung zur Intrigue und zu geheimen Machinationen wenigstens sie zum übereilten Schlusse trieb. Viele glauben, daß Mowbray von St. Ronans am Ende sein Erbe sein wird. Dieser Edelmann hat in der letzten Zeit mindestens eine Eigenschaft gezeigt, welche die Leute gar sehr der Gunst reicher Verwandten zu empfehlen pflegt; nämlich strenges, sorgfältiges Zusammenhalten dessen, was sie schon jetzt besitzen. Hauptmann Mac Turk's militärischer Geist war so lebendig erwacht, als der Pulverdampf ihm wieder in die Nase drang, daß er es nicht nur bald dahin brachte, wieder in Reihe und Glied einzutreten, sondern auch seinen Gefährten veranlaßte, als Freiwilliger den Krieg mitzumachen. Bald erhielt er eine Offizier=Stelle, und keine größere, auffallendere Verschiedenheit gibt es auf Erden, als zwischen dem Benehmen des jungen Laird von St. Ronans und dem Lieutenant Mowbray. Der Erste führte, wie wir wissen, ein lustiges, wagendes, verschwenderisches Leben; der Letzte erhielt sich nur von seinem Solde, ja sparte sogar davon versagte sich jede Annehmlichkeit, ja oft das Schickliche, wenn er sich damit eine Guinee reicher machte, und ward bleich vor Angst, wenn er bei außerordentlichen Gelegenheiten beim Whist einen Sechs=Pence zu pariren wagte. Diese niedrige oder engherzige Gesinnung hinderte ihn, das bedeutende Ansehen zu erhalten, auf welches seine Tapferkeit und strenge Erfüllung seiner militärischen Pflichten ihm Anspruch gab. Eben dieß genaue Berechnung von Pfunden, Schillingen und Pfennigen bezeichnete seine Verlungen mit Micklewham, der sonst viel einträglicher die Einkünfte der Besitzung von St. Ronans für sich zu benutzen verstand, die jetzt dagegen sorgsam gepflegt, im besten Gedeihen stehen; besonders seit einige Schulden derselben, die mit hohem Wucher verzinset werden mußten, durch Herrn Touchwood abbezahlt wurden, der sich mit viel gemäßigterem Ertrag begnügte.

Ueber die Einrichtungen und Verbesserungen seines Eigenthums gab Mr. Mowbray übrigens so pünktliche, genaue Anweisungen, was erkauft, was wieder hergestellt werden sollte, daß Mr. Winterblossom, sein alter Bekannter, auf die Tabacksdose mit schlauem Blicke klopfend, welches gemeinhin andeuten sollte, jetzt werde etwas ungemein Witziges zu Tage kommen, zu sagen pflegte, Mowbray habe die sonst gewöhnte Verwandlungsart umgekehrt und sei aus einem Schmetterlinge eine Raupe geworden. Bei alle dem konnte diese peinliche Sparsamkeit, obwohl sie nur eine gemilderte Art des Geizes ist, sich eben so gut auf jenen Trieb des Erwerbs gründen, der den Jüngling in früherer Zeit zum Spieltische trieb.

Nur in einer merkwürdigen Sache entsagte Mr. Mowbray den ökonomischen Regeln, die ihn sonst stets leiteten. Nachdem er für eine große Summe Geldes alle Plätze wieder erkauft hatte, auf welchen das Hotel, die Logir-Häuser, Läden 2c. auf dem St. Ronans-Brunnen aufgeführt worden waren, sandte er die bestimmtesten Befehle, Alles bis in den Grund zu zerstören; eben so wenig wollte er in seinen Besitzungen irgend ein Gasthaus dulden, als das der Mistreß Dods im alten Orte, wo die gute Frau nun mit unbestrittener Herrschaft regierte, ihre Gemüthsart in keiner Art, nicht einmal durch die gänzliche Entfernung aller Nebenbuhler gemildert.

Weßhalb Mr. Mowbray bei seiner großen sich angeeigneten Sparsamkeit eine Besitzung zerstörte, die ihm ein reiches Einkommen versprach, kann Niemand mit Gewißheit sagen. Einige meinten, er scheue die Erinnerung seiner früheren Thorheiten; andere, er finde eine Beziehung in jenen Gebäuden auf das Unglück seiner Schwester. Der große Haufe erzählte sich, Lord Etherington's Geist habe sich im Ballsaal gezeigt und die Gelehrten sprachen viel von der seltsamen Verbindung mancher Ideen. Aber Alles mußte endlich darauf hinauskommen, daß Mr. Mowbray unabhängig genug sei, nach seiner eigenen Willkühr zu handeln, und daß es eben so Mr. Mowbray für gut befände.

Der kleine Brunnenort ist zu seiner ersten stillen Dunkelheit zurückgekehrt. Die Löwen und Löwinnen mit ihren Schakals, blauen Ueberröcken und noch viel blaueren Strümpfen, die Geiger und Tänzer, Maler und Kunstliebhaber, Autoren und Kritiker, die sich gleich den Tauben beim Zerstören eines Taubenhauses zerstreuten, sahen sich genöthigt, andere dem Vergnügen und der Erholung geweihte Orte aufzusuchen, und so verödete der St. Ronans-Brunnen.

Ein heit'rer Ort, sagt man, in den vergang'nen Zeiten,
Doch Etwas drückt ihn jetzt — ein Fluch ruht auf dem Ort!

Druck von C. Hoffmann in Stuttgart.

Lightning Source UK Ltd.
Milton Keynes UK
UKHW02f2038110418
320904UK00008B/217/P